編著 山本勝則
守村 洋

看護実践のための根拠がわかる

精神看護技術

第3版

Evidence-Based Practice

メヂカルフレンド社

本書デジタルコンテンツの利用方法

本書のデジタルコンテンツは、専用Webサイト「mee connect」上で無料でご利用いただけます。

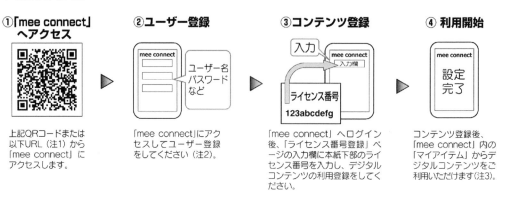

① 「mee connect」へアクセス
上記QRコードまたは以下URL（注1）から「mee connect」にアクセスします。

② ユーザー登録
「mee connect」にアクセスしてユーザー登録をしてください（注2）。

③ コンテンツ登録
「mee connect」へログイン後、「ライセンス番号登録」ページの入力欄に本紙下部のライセンス番号を入力し、デジタルコンテンツの利用登録をしてください。

④ 利用開始
コンテンツ登録後、「mee connect」内の「マイアイテム」からデジタルコンテンツをご利用いただけます（注3）。

注1：https://www.medical-friend.co.jp/websystem/01.html
注2：「mee connect」のユーザー登録がお済みの方は、②の手順は不要です。
注3：デジタルコンテンツは一度コンテンツ登録をすれば、以後ライセンス番号を入力せずにご利用いただけます。

ライセンス番号　　e018 0303 wv46w9

※コンテンツ登録ができないなど、デジタルコンテンツに関するお困りごとがございましたら、「mee connect」内の「お問い合わせ」ページ、もしくはdigital@medical-friend.co.jpまでご連絡ください。

序

　本書の第2版では，看護技術の明確化が課題でした。そこで以下のように書きました。「看護技術を明確化するためには，従来のロールプレイングの枠を超えて，OSCEを含む様々なシミュレーション教育が必要です。精神看護学領域におけるシミュレーション教育は開発途上であり，本書では十分に紹介するまでは至りませんでしたが，先駆的取り組みとして，シミュレーション用シナリオを部分的に組み込みました。」その後，看護教育全体のシミュレーション教育が進み，精神看護の領域でもシミュレーション教育を取り入れ始めました。そこで第3版では，シミュレーションの内容を充実させ，これまで以上にリアリティのある学びができるように取り組みました。

　次の課題は，厚生労働省が打ち出した方針「精神障害にも対応した地域包括ケアシステムの構築」です。これは，従来の社会復帰や地域移行という枠を超えた変化をもたらすことが期待されています。昨今の包括的な観点からの介入は，精神障害を抱えた人が，より充実した生活を送ることができるように機能しはじめています。この方針により，地域で暮らすための法制度の整備，多職種連携など，様々な取り組みが行われています。そして，特に訪問看護が力を発揮しだしました。

　精神科訪問看護ステーションが増加し，地域での生活を支援しています。そこでの実習を取り入れる学校も出てきました。実習した学生の感想を聞くと，精神障害者のイメージが変化する様子がうかがわれます。このような変化に沿って，地域での生活を理解し支援するための取り組みを紹介します。これまで，セルフケアや健康な面を利用した援助などを取り入れながらも，まだ，症状や事故防止にかなりの比重を置いてきました。しかし，問題点に注目することは，偏見やスティグマを増強し，もっている力を見逃すおそれがあります。そこで，最初に彼／彼女はごく普通の人（very ordinary people）であることを強調しておきます。普通の人が，自我が脅かされるほどの恐怖や気持ちの落ち込みを体験して，日常生活に破綻をきたしてしまいます。幸いにしてこのような体験が一度だけで，その後は問題なく過ごす人もいます。そうではなくて，症状の再燃や後遺症に耐えながら過ごすことを強いられる人もいます。以上，地域でのケアの考え方を示してきましたが，この考え方は病院に入院中の人にも当てはまります。

　精神看護は，精神障害による困難をもちながらも本人がもつ内外の資源を活用して，日常生活を主体的に，生き生きと生きることができるように支援する必要があります。そのために「関係の成立・進展のための援助技術」「普遍的セルフケア要素への援助技術」「症状マネジメント」「治療と精神科リハビリテーションの援助技術」そして「精神障害者の地域生活支援」を学ぶことができるようにしました。第1版，第2版を下敷きにしながらも，章や節の構成，記述内容，著者をかなり変更しました。

　SARS，MERS，SARS-CoV-2と呼吸器感染症の波が断続的に訪れるようになり，精神看護領域でも感染症対策が必須になってきています。精神看護領域での感染症対策はどのようであるべきかということは，さらに次の課題になると思います。この改訂では，精神看護での感染対策に少しだけ触れています。

2023年1月

山本勝則・守村　洋

本書の特長と使い方 — よりよい学習のために —

個別性を考えた看護技術を
　実際に患者に対して技術を実施する場合には，患者それぞれの個別性を考えて応用することが必要です。
　応用できるようになるには，"なぜそうするのか？"といった根拠をきちんと学び，確実に理解・習得することが第一歩です。

> 「看護技術の実際」
> 各節で習得してほしい看護技術を事例に基づいて提示しています。看護技術の習得には，本書で示している内容を読むことに加え，シミュレーション（❶模擬患者 ❷教員 ❸臨床指導者を相手に行う演習や，学生同士のロールプレイング）することで，より実践的に学ぶことができます。

看護技術の実際

目　　的：幻聴な食行動

事例紹介：Aさん、...

> 対応技術の「目的」
> 何を目指してこの技術を用いるのかを簡潔に示しています。
>
> 対応技術の「事例紹介」と「場面」
> 具体的な事例を提示し，場面を設定しています。

場　　面：...になったが，何かに聴き入り食事が開始できないでいる

患者の言動	対応技術と根拠
堂の席につくが視線を上方に向け...。独語もみられる	行動を観察する（➡❶） ❶Aさんは病的世界（幻聴）を自...合いをつけながら生活して...る。幻聴時にどのよう...

> 「患者の言動」への「対応技術と根拠」が見やすい！
> 表形式で，左欄には患者の言動を，右欄にはそれに対応する看護師の言動とその根拠を示しています。表形式で左右の欄を見比べやすく，また根拠を示す箇所には番号（❶など）をふっているので，看護師がなぜそのような対応をするのかを，根拠とともに学ぶことができます。

4 シミュレーション演習「自殺念慮のあるうつ病患者に対する援助」

1) 到達目標
(1) 一般目標

自殺念慮のあるうつ...
をし，「死にたい」と打ち明ける患者に自殺...

> シミュレーション演習の動画を観ることができる！

文献

1) Nightingale F著，湯... ・他訳：看護覚え書看護であること看護でないこと，第6版，現代社，2000, p.15.
2) Ohi K, et al: Smoking rates and number of cigarettes smoked per day in scizophrenia: A lage cohort meta-analysis in a Japanese population, *International Journal of Neuropharmacology*, 22(1): 19-27, 2019.
3) 棟近孝之・他：統合失調症患者の入院環境，精神症状，ストレス，コーピングがニコチン依存に及ぼす影響についての検討，福岡大学医学部紀要 8(1): 7-16, 2011.
4) 陳和夫：症例に...
宮沢直幹...

> 「文献」
> 引用・参考文献を提示しています。
> 必要に応じてこれらの文献にもあたり，さらに学習を深めましょう。

動画の視聴法　How to watch videos

　本書では，精神看護学シミュレーション教育を動画で提供しています。ぜひご活用ください。

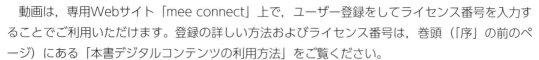

　動画は，専用Webサイト「mee connect」上で，ユーザー登録をしてライセンス番号を入力することでご利用いただけます。登録の詳しい方法およびライセンス番号は，巻頭（「序」の前のページ）にある「本書デジタルコンテンツの利用方法」をご覧ください。

　動画で観ることのできる看護技術には，紙面中にQRコードがついています。

　「mee connect」へのユーザー登録・ライセンス番号入力後に，お手持ちのスマートフォンでQRコードを読み取ると，個別の動画にアクセスできます。

　また，下記URLにアクセスするか下のQRコードから動画の一覧ページをご覧いただくことができます。

https://www.medical-friend.co.jp/douga_ab/mc/konkyo/seisin/03/konkyo_seisin03.html

ご注意
- 動画は無料で視聴することができますが，視聴にかかる通信料は利用者のご負担となります。
- 本コンテンツを無断で複写，複製，転載またはインターネットで公開することを禁じます。

動画一覧 video list

第Ⅱ章 関係の成立・進展のための援助技術

精神看護学シミュレーション教育　78

第Ⅳ章 症状マネジメント

躁状態における興奮時の援助　173
体感幻覚のある患者への援助　189
不安を抱える患者の援助　203
無為・自閉な患者のセルフケア不足への援助　207
拒否傾向の強い統合失調症患者に対する作業療法への誘い（援助）　213
アルコール依存症患者に対する援助　221
自殺念慮のあるうつ病患者に対する援助　230

■編　集

山本　勝則　札幌保健医療大学保健医療学部
守村　　洋　札幌市立大学看護学部

■執筆者（執筆順）

山本　勝則　札幌保健医療大学保健医療学部
大島　友美　市立釧路総合病院看護部
松田　光信　大阪公立大学大学院看護学研究科
守村　　洋　札幌市立大学看護学部
相澤　加奈　手稲渓仁会病院看護部
東谷　敬介　市立札幌病院看護部
伊東健太郎　札幌市立大学看護学部
宮本　　晶　元日本赤十字看護大学さいたま看護学部
石﨑　智子　帯広大谷短期大学
渋谷　友紀　札幌市立大学看護学部
大森　眞澄　島根県立大学看護栄養学部
佐藤　史教　岩手県立大学看護学部
伊藤　治幸　天使大学看護栄養学部
安保　寛明　山形県立保健医療大学
川添　郁夫　青森中央学院大学看護学部
河野あゆみ　大阪公立大学大学院看護学研究科
佐々木晶子　NPO法人ワーカーズコープ
中村　　創　N・フィールド
堀　　　淳　N・フィールド
小山　達也　聖路加国際大学大学院博士後期課程
澤田いずみ　札幌医科大学保健医療学部

目次 contents

第Ⅰ章 精神看護技術の考え方　　1

❶ 精神看護における精神看護技術の特徴　（山本勝則）　2

❶ 精神看護の枠組み：精神看護の普遍性と特殊性　2
 1）精神看護の普遍性　2
 2）精神看護の特殊性　4
 3）心の問題の個別性　4
❷ 精神看護の技術　5
 1）援助方法の基本　5
 2）精神看護の特徴　7
 3）精神看護技術と精神療法・心理療法　8
 4）精神看護の道具としての看護師自身の用い方　9
❸ 個人の精神的健康に影響する要因を考える枠組み　10

❷ 精神看護の領域と課題　（山本勝則）　12

❶ 精神看護とは　12
❷ 精神看護の主な領域　12
 1）人間の発達と精神看護　12
 2）精神看護が行われる場　14
 3）精神看護の役割の拡大　16
❸ 身体合併症とリエゾン精神看護　（大島友美）　16
 1）身体合併症患者の看護　16
 2）リエゾン精神看護　17

❸ 精神看護に活用される看護理論　（松田光信）　19

❶ ウィーデンバックの看護理論　19
 1）看護の考え方　19
 2）看護師に必要な特性　19
 3）看護行為の3つのタイプ　20
 4）〈援助へのニード〉を明らかにする段階　20
 5）再構成　20
 6）理論の活用　21
❷ ペプロウの看護理論　21
 1）看護の考え方　21
 2）仮説　22
 3）患者-看護師関係の諸局面と看護師の役割の変遷　22
 4）人間関係のプロセスとしての看護研究の方法　22
 5）理論の活用　23
❸ トラベルビーの看護理論　23
 1）看護の考え方　23
 2）人間対人間の関係確立に至る諸相　23
 3）コミュニケーション　24
 4）相互作用のプロセスを学ぶアプローチ　25
 5）理論の活用　25
❹ オレムの看護理論　25
 1）看護の考え方　25
 2）セルフケア不足理論　25
 3）重要な概念　26
 4）看護システム　27
 5）セルフケア要件（要素）　27
 6）理論の活用　27
❺ オレム-アンダーウッド理論　29
 1）特徴　29
 2）セルフケア概念　29
 3）セルフケアニード　29
 4）ケアレベル　30
 5）理論の活用　30

第Ⅱ章　関係の成立・進展のための援助技術　　33

① 信頼関係とコミュニケーション　（山本勝則）　34

- ① 患者-看護師関係の成立の背景 …………… 34
- ② 患者-看護師関係における信頼の意義 ……… 35
- ③ 精神看護における患者-看護師関係 ………… 35

② コミュニケーション技術　（山本勝則）　37

- ① 精神看護におけるコミュニケーションの枠組み …………………………………………… 37
- ② コミュニケーションの機能と要素 ………… 38
    - 1）コミュニケーションの機能 ………… 38
    - 2）コミュニケーションの要素 ………… 39
- ③ コミュニケーション媒体の種類と操作 …… 41
    - 1）言語媒体 …………………………… 41
    - 2）非言語媒体・中間的媒体 …………… 45
- ④ コミュニケーションの場所 ………………… 53
    - 1）場所の選択によるトラブルの防止 … 53
    - 2）場所の移動による「患者-看護師関係」の成立・進展 ……………………………… 54
- ⑤ コミュニケーションの場面・機会 ………… 54
- ⑥ コミュニケーションに影響する患者側の因子 …………………………………………… 57
    - 1）年齢と発達課題 …………………… 58
    - 2）性に関する問題 …………………… 58
    - 3）生活歴と時代背景 ………………… 59
    - 4）個　性 ……………………………… 60
    - 5）疾患の状態 ………………………… 61
- ⑦ 精神症状をもつ患者とのコミュニケーション …………………………………………… 61

③ 患者-看護師関係成立のための援助技術　63

- ① 患者-看護師関係の段階の例　（山本勝則）… 63
    - 1）信頼関係ができるまでの段階 ……… 64
    - 2）信頼し頼りにする段階 ……………… 64
    - 3）自立し始める段階 ………………… 64
    - 4）自立の段階 ………………………… 64
- ② 患者-看護師関係に必要な基本的態度（山本勝則）………………………………………… 65
    - 1）受　容 ……………………………… 65
    - 2）安全の保障 ………………………… 65
    - 3）今，ここ …………………………… 66
- ③ 患者-看護師関係の各段階における援助（山本勝則）………………………………………… 66
    - 1）信頼関係ができるまでの段階での援助 … 66
    - 2）信頼し頼りにする段階での援助 …… 66
    - 3）自立し始める段階での援助 ………… 67
    - 4）自立の段階での援助 ………………… 67
- ④ 相談面接技術：マイクロカウンセリングを活用して　（守村　洋）…………………… 67
    - 1）かかわり行動 ……………………… 68
    - 2）会話への導入：開かれた質問と閉ざされた質問 ……………………………… 69
    - 3）明確化：最小限のはげましと言い換え … 70
    - 4）要約技法 …………………………… 70
    - 5）感情と情動にこたえるということ … 70

④ 援助技術を高める方法とシミュレーション　72

- ① 振り返りの方法　（山本勝則）…………… 72
    - 1）記録の方法 ………………………… 72

2）相談場面の検討方法 …………… 74
❷ 対処能力を高めるための援助技術　（山本勝則）
　　…………………………………………… 75
　1）アサーティブネストレーニング ……… 75
　2）リラクセーション技法 ………………… 77
　3）手軽にできるリラックス ……………… 77

❸ 援助技術を高めるシミュレーション
　（守村　洋）…………………………… 78
　1）シミュレーション ……………………… 78
　2）精神看護学シミュレーション教育 …… 78
　3）模擬患者 ……………………………… 80

5 生きる力と強さに注目した援助　（守村　洋）──── 81

❶ ストレングス，リカバリー，エンパワーメント，レジリエンスに関する基礎知識 ……… 81
　1）ストレングス ………………………… 81
　2）リカバリー …………………………… 83
　3）エンパワーメント …………………… 85
　4）レジリエンス ………………………… 87
❷ 各段階におけるリカバリー概念に基づいた当事者理解と看護援助 ……………… 88
　1）入院前（精神科救急を含む）……… 88
　2）入院直後（〜2週間程度）………… 89
　3）入院中（臨界期：入院2週間〜6週間程度）
　　 ……………………………………… 91
　4）退院へ向けて（回復期：入院後3か月以内を目指して）…………………… 92
　5）退院後（地域生活支援）…………… 93
❸ 多職種連携と看護職の役割 ………… 95
　1）リハビリテーションの専門家として知っておきたい技術 ………………… 95
　2）多職種連携における看護職の役割 … 95

第Ⅲ章　普遍的セルフケア要素への援助技術　97

1 空気・水・食物の十分な摂取　（相澤加奈）──── 98

❶ 空気・水・食物の摂取とセルフケア … 98
　1）空　気 ……………………………… 98
　2）水 …………………………………… 99
　3）食　事 ……………………………… 99
❷ 正常な空気の取り込みを維持する …… 99
❸ 適切な水分摂取と出納バランスを維持する … 101
　1）水欠乏性脱水 ……………………… 101
　2）多飲水・水中毒 …………………… 102

コラム　多飲水・水中毒のメカニズムと観察のポイント ……………………………… 103
❹ 適切な食物摂取を維持する/適切な食行動をとることができる ………………… 105
❺ 食べ方のマナーが守られる/適切に食物を購入・管理ができる ……………… 107
🌱 看護技術の実際 …………………… 108
　A 適切な食行動 …………………… 108
　B 食品購入・保管 ………………… 109

2 排泄と排泄のプロセスに関するケア　（東谷敬介）──── 111

❶ 排泄ケアに関する考え方 ………… 111
❷ 排泄の種類と観察のポイント ……… 112
❸ 排　便 ……………………………… 113
　1）便　秘 …………………………… 113
　2）下　痢 …………………………… 113
　3）排泄行動の問題 ………………… 114
　4）行動制限がある患者の場合の注意点 … 114
❹ 排　尿 ……………………………… 114

1) 向精神薬による排尿困難・尿閉 ………… 114
2) 高齢者や認知症がある人の排尿の問題 … 115
3) そのほかの排尿の問題 ………………… 115
5 月経障害，射精困難などの問題 …………… 115
6 排泄の援助を受ける患者の精神的負担への配慮
………………………………………………… 116
🌱 看護技術の実際 ……………………………… 117
　Ⓐ 排便ケア ………………………………… 117
　Ⓑ 排尿ケア ………………………………… 118

❸ 体温と個人衛生の維持　（伊東健太郎）──── 120

1 清潔の意義 ……………………………… 120
2 洗面・口腔ケア ………………………… 121
　1) 洗　面 ………………………………… 121
　2) 口腔ケア ……………………………… 121
3 入　浴 …………………………………… 121
　1) 身体の清潔 …………………………… 121
　2) 入浴の援助 …………………………… 122
　3) 入浴に際しての注意 ………………… 123
4 洗　髪 …………………………………… 123
5 陰部の清潔に対する援助 ……………… 123
6 身だしなみ ……………………………… 124
　1) 更　衣 ………………………………… 124
　2) 化　粧 ………………………………… 125
　3) ひげそり ……………………………… 125
　4) 爪切り ………………………………… 125
7 身の回りの整理・整頓 ………………… 126
　1) 洗濯の援助 …………………………… 126
　2) リネン・寝具 ………………………… 126
　3) 床頭台・ロッカー・ベッド回りの整頓 … 126
　4) ごみ箱 ………………………………… 127
🌱 看護技術の実際 ……………………………… 128
　Ⓐ 洗　面 …………………………………… 128
　Ⓑ 入　浴 …………………………………… 129

❹ 活動と休息のバランスの維持　（宮本　晶）──── 131

1 活動と休息のバランスの維持に関するケア … 131
2 起　床 …………………………………… 131
　1) 起床への状態別援助 ………………… 132
　2) 目覚めと起床に関する援助 ………… 132
3 睡　眠 …………………………………… 133
　1) 睡眠を看護に生かす ………………… 133
　2) 睡眠時無呼吸症候群 ………………… 135
4 活　動 …………………………………… 135
　1) 活動に関する状態別の援助 ………… 136
　2) 活動の主な内容と効果 ……………… 136
　3) 活動を援助するための方法 ………… 137
5 生活のリズムと一日の過ごし方 ……… 138
　1) 状態別の援助 ………………………… 138
　2) 一日の過ごし方 ……………………… 139
6 休　息 …………………………………… 139
　1) 休息に関する状態別の援助 ………… 139
　2) 様々な状況における休息の援助 …… 140
🌱 看護技術の実際 ……………………………… 140
　Ⓐ 生活リズムを整える …………………… 140
　Ⓑ 離　床 …………………………………… 142

❺ 孤独と社会相互作用のバランスの維持　（石﨑智子）──── 144

1 人間の発達からみた孤独の意味 ……… 144
2 対人関係のスキルと社会相互作用 …… 145
3 患者を孤立させ，社会相互作用を困難にする要因 ……………………………………… 146
4 個人の自律性と集団の一員としての立場の両立 ……………………………………… 147
5 孤独と社会相互作用のバランスを維持するための援助方法 ……………………………… 148
　1) 急性期における社会相互作用とケア …… 148

- 2）回復期における社会相互作用とケア …… 149
- 3）退院準備期における社会相互作用とケア …… 149
- 4）社会での生活における社会相互作用と支援 …… 150
- 看護技術の実際 （伊東健太郎） …… 151
  - A 職業性ストレスによる孤独の場合 …… 151
  - B 妄想のある患者 …… 152

6 安全を保つための能力 （石﨑智子） — 155

- ❶ 安全を保つことの意義 …… 155
- ❷ 安全を保つ能力への支援 …… 156
  - 1）安全で安心できる環境の整備 …… 156
  - 2）急性期において安全を保つためのケア …… 156
  - 3）安定期において安全を保つためのケア …… 158
- ❸ 薬物療法を受けている患者の看護 …… 158
  - 1）薬物を患者自身が取り扱うことの意義 …… 158
  - 2）薬物療法に伴う有害反応に対する看護 …… 159
- ❹ 私物と金銭の取り扱い …… 159
  - 1）私物と金銭を自身で取り扱うことの意義 …… 159
  - 2）私物管理への支援 …… 160
  - 3）私物に関するトラブルへの支援 …… 160
  - 4）金銭管理の支援 …… 161
  - 5）金銭管理に関するトラブルへの支援 …… 161
- ❺ 火の始末と火災予防 …… 161
- ❻ 社会で安全に生活を送るための支援 …… 162
- 看護技術の実際 （渋谷友紀） …… 162
  - A 私物管理と安全 …… 162

第Ⅳ章 症状マネジメント 165

1 興奮と暴力 （大森眞澄） — 166

- ❶ 興奮症状の特徴 …… 166
  - 1）興奮状態とは …… 166
  - 2）興奮状態を引き起こす主な疾患と特徴 …… 166
- ❷ アセスメント …… 168
  - 1）躁病性興奮 …… 168
  - 2）緊張病性興奮 …… 168
  - 3）せん妄性興奮 …… 168
- ❸ 援助方法 …… 169
  - 1）興奮の原因と程度を観察し，患者の置かれている状況や周囲への影響を査定する …… 169
  - 2）興奮を助長させない …… 169
  - 3）セルフケア不足を補う …… 170
  - 4）感情の表出を助ける …… 170
- ❹ 暴力とその要因 …… 170
  - 1）暴力とは …… 170
  - 2）暴力が生じる要因 …… 170
  - 3）感情と暴力 …… 171
  - 4）訪問看護におけるケアと暴力 …… 172
  - 5）攻撃・暴力への介入 …… 172
  - 6）暴力を被った人へのケア …… 173
- ❺ シミュレーション演習「躁状態における興奮時の援助」 （山本勝則） …… 173
  - 1）到達目標 …… 173
  - 2）学生提示課題 …… 173
  - 3）患者役状況設定（患者役への演技上の指示） …… 173

2 気分障害 （守村 洋） — 176

- ❶ 症状の特徴 …… 176
  - 1）気分障害に分類される疾患 …… 176
  - 2）典型的な症状 …… 178
  - 3）治療と経過および予後 …… 179

- ❷ アセスメント …………………………… 181
- ❸ 援助方法 ………………………………… 182
  - 1）うつ症状を呈するうつ病 …………… 182
  - 2）うつ症状と躁症状を呈する双極性障害 … 183
- ❹ シミュレーション演習「産後うつ病の女性への援助」………………………………………… 183
  - 1）到達目標 ……………………………… 183
  - 2）学生提示課題 ………………………… 184
  - 3）患者役状況設定（患者役への演技上の指示）……………………………………… 184

③ 幻覚・妄想 （松田光信） ——— 186

- ❶ 症状の特徴 ……………………………… 186
  - 1）幻覚とは ……………………………… 186
  - 2）妄想とは ……………………………… 186
- ❷ アセスメント …………………………… 187
  - 1）幻覚・妄想によるセルフケア不足の状態を把握する ……………………………… 187
  - 2）患者が語る体験世界を理解する …… 188
  - 3）患者自身による症状のマネジメントを理解する ……………………………… 188
- ❸ 援助方法 ………………………………… 188
  - 1）看護の原則 …………………………… 188
  - 2）看護の要点 …………………………… 188
- ❹ シミュレーション演習「体感幻覚のある患者への援助」（守村　洋）……………………… 189
  - 1）到達目標 ……………………………… 189
  - 2）学生提示課題 ………………………… 189
  - 3）患者役状況設定（患者役への演技上の指示）……………………………………… 190

④ せん妄 （東谷敬介） ——— 192

- ❶ 症状の特徴 ……………………………… 192
  - 1）せん妄とは …………………………… 192
  - 2）せん妄の原因 ………………………… 192
  - 3）他の疾患との鑑別 …………………… 192
- ❷ アセスメント …………………………… 193
  - 1）注意障害はないか …………………… 194
  - 2）睡眠覚醒リズム障害がないか ……… 194
  - 3）思考の障害がないか ………………… 194
- ❸ 援助方法 ………………………………… 195
  - 1）せん妄の予防的介入 ………………… 195
  - 2）せん妄の治療的介入 ………………… 195
  - 3）せん妄症状がある患者とのコミュニケーション ……………………………… 196
- ❹ シミュレーション演習「せん妄状態にある患者への援助」（山本勝則）……………………… 196
  - 1）到達目標 ……………………………… 196
  - 2）学生提示課題 ………………………… 196
  - 3）患者役状況設定（患者役への演技上の指示）……………………………………… 197

⑤ 不　　安 （守村　洋） ——— 199

- ❶ 症状の特徴 ……………………………… 199
  - 1）不安とは ……………………………… 199
  - 2）不安の程度とレベル ………………… 199
  - 3）パニック発作と予期不安 …………… 200
  - 4）不安の心理社会的反応 ……………… 200
- ❷ アセスメント …………………………… 201
- ❸ 援助方法 ………………………………… 202
  - 1）ストレス要因が少なく，静かで快適な人的・物理的・心理的環境を提供する … 202
  - 2）患者が不安に対する強さや弱さを現実的に受け止められるように促す ……… 202
  - 3）具体的なコーピング方法を患者と一緒に考える ……………………………… 202

- ④ シミュレーション演習「不安を抱える患者の援助」
　……………………………………………… 203
　1）到達目標 ……………………… 203
- 2）学生提示課題 ……………………… 203
- 3）患者役状況設定（患者役への演技上の指示）
　……………………………………………… 203

6 無為・自閉 （佐藤史教） ——— 205

- ❶ 症状の特徴 …………………………… 205
- ❷ アセスメント ………………………… 206
- ❸ 援助方法 ……………………………… 206
  - 1）事例をとおした援助方法 ………… 206
  - 2）地域で生活する精神障害者の症状マネジメント ………………………… 207
- ❹ シミュレーション演習「無為・自閉な患者のセルフケア不足への援助」（守村　洋）…… 207
  - 1）到達目標 ……………………… 207
  - 2）学生提示課題 ………………… 208
  - 3）患者役状況設定（患者役への演技上の指示）
　……………………………………………… 208

7 拒絶（拒否） （守村　洋） ——— 210

- ❶ 症状の特徴 …………………………… 210
  - 1）拒　食 ………………………… 210
  - 2）拒　薬 ………………………… 210
  - 3）その他の拒否 ………………… 211
- ❷ アセスメント ………………………… 211
- ❸ 援助方法 ……………………………… 211
  - 1）拒食時のケア ………………… 211
  - 2）拒薬時のケア ………………… 212
- ❹ シミュレーション演習「拒否傾向の強い統合失調症患者に対する作業療法への誘い(援助)」… 213
  - 1）到達目標 ……………………… 213
  - 2）学生提示課題 ………………… 213
  - 3）患者役状況設定（患者役への演技上の指示）
　……………………………………………… 214

8 アディクション（嗜癖） （伊藤治幸） ——— 215

- ❶ 症状の特徴 …………………………… 215
  - 1）アディクションとは ………… 215
  - 2）依存症の発生機序 …………… 215
  - 3）アディクションの分類 ……… 216
  - 4）アディクションの背景 ……… 217
  - 5）アディクションの理解を深めるために … 217
- ❷ アセスメント ………………………… 218
- ❸ 援助方法 ……………………………… 220
- ❹ シミュレーション演習「アルコール依存症患者に対する援助」（山本勝則）……………… 221
  - 1）到達目標 ……………………… 221
  - 2）学生提示課題 ………………… 222
  - 3）患者役状況設定（患者役への演技上の指示）
　……………………………………………… 222

9 希死念慮・自殺企図 （守村　洋） ——— 224

- ❶ 症状の特徴 …………………………… 224
  - 1）自殺の実態 …………………… 224
  - 2）自殺に傾く人たちに共通する心理 … 225
  - 3）精神疾患と自殺 ……………… 226
  - 4）自殺予防方略の基本的な考え方 …… 227
- ❷ アセスメント ………………………… 227
- ❸ 援助方法 ……………………………… 228
  - 1）TALKの原則 ………………… 228
  - 2）希死念慮を訴える患者への対応 …… 228

❹ シミュレーション演習「自殺念慮のあるうつ病患者に対する援助」 230
1) 到達目標 230
2) 学生提示課題 230
3) 患者役状況設定（患者役への演技上の指示） 230

第Ⅴ章　治療と精神科リハビリテーションの援助技術　233

❶ 薬物療法　（安保寛明） 234

❶ 治療と看護における薬物療法の位置づけ 234
1) 薬物療法の位置づけと回復への支援 234
2) 神経系の情報伝達の仕組みと向精神薬の役割 234
3) 薬物療法の効果（精神症状と苦痛の緩和）のアセスメントと複合的な介入 235
4) 薬物療法について看護師が認識しておくべきこと 236

❷ 薬物療法における当事者との協働 236
1) 当事者からみた服薬行動 236
2) 医療者からみた服薬と治療の概念 237
3) 価値の尊重と共同意思決定 238

❸ 向精神薬の種類と作用 239
1) 抗精神病薬 239
2) 抗躁薬・気分安定薬 242
3) 抗うつ薬 244
4) 抗不安薬・睡眠薬 245
5) 抗酒剤 246
6) 下剤 247

❹ 薬物療法に関して重要な看護技術 248
1) アセスメント技術 248
2) 面接や関係づくりの技術 249

❷ 電気けいれん療法　（川添郁夫） 251

❶ 電気けいれん療法に使用される電気刺激 251
❷ m-ECT（修正型電気けいれん療法）の始まり 251
❸ 電極配置 252
❹ 電気けいれん療法の適応となる疾患 252
1) 大うつ病性障害 252
2) 躁病 252
3) 統合失調症 252

❺ 電気けいれん療法の継続療法 252
❻ 患者評価 253
1) 身体的評価 253
2) 認知機能の評価 253

❼ 治療室での看護の実際 253
1) ECT前に行う指示内容の確認 253
2) 治療室での患者の準備と看護の実際 253

❽ ECTを受ける患者への看護のポイント 254

❸ 精神科リハビリテーション　（松田光信・河野あゆみ） 256

❶ 精神科リハビリテーションの意義と課題 256
1) 精神医療と精神科リハビリテーション 256
2) 精神科リハビリテーションとは何か 256
3) 精神科リハビリテーションの課題 257

❷ 作業療法 257
1) 作業療法の必要性 257
2) 作業療法とは何か 257
3) 作業療法の位置づけ 258
4) 作業療法の目的と適応 258
5) 作業療法の経緯 258
6) 作業療法の種類 259
7) 作業活動の特徴 260
8) 集団の種類 260
9) 作業療法の実践方法 262

- 10）作業療法実施者に求められるもの ……… 263
- ❸ レクリエーション療法・芸術療法 ……… 264
  - 1）レクリエーション療法・芸術療法の起源　264
  - 2）レクリエーション療法と芸術療法の相違　264
  - 3）レクリエーション療法 ……………………… 264
  - 4）芸術療法 …………………………………… 269
- ❹ 社会生活スキルトレーニング（SST）…… 271
  - 1）SSTの必要性 ……………………………… 271
  - 2）SSTとは何か ……………………………… 271
  - 3）SSTの目的と目標 ………………………… 272
  - 4）SSTの経緯 ………………………………… 272
  - 5）SSTの理論的背景 ………………………… 272
  - 6）SSTの種類 ………………………………… 274
  - 7）SSTの前提となる対象のとらえ方 ……… 276
  - 8）SSTの実践方法 …………………………… 276
  - 9）SSTの限界と課題 ………………………… 278
- ❺ 心理教育 …………………………………… 278
  - 1）心理教育の必要性 ………………………… 278
  - 2）心理教育とは何か ………………………… 278
  - 3）心理教育の目的 …………………………… 279
  - 4）心理教育の経緯 …………………………… 279
  - 5）ストレス−脆弱性モデル …………………… 280
  - 6）心理教育の実践方法 ……………………… 280
- ❻ 認知行動療法 ……………………………… 283
  - 1）認知行動療法の必要性 …………………… 283
  - 2）認知行動療法とは何か …………………… 284
  - 3）スキーマと自動思考 ……………………… 284
  - 4）行動療法と認知療法 ……………………… 284
  - 5）原理と原則 ………………………………… 285
  - 6）認知行動療法の基本モデル ……………… 285
  - 7）認知行動療法のポイント ………………… 285
  - 8）認知行動療法の実践方法 ………………… 286
  - 9）認知行動療法の限界と課題 ……………… 287

第Ⅵ章　精神障害者の地域生活支援　289

❶ 精神障害者の権利擁護と倫理 ── 290

- ❶ 精神保健福祉における関係法規　（守村　洋）……………………………………… 290
  - 1）精神保健及び精神障害者福祉に関する法律（略称，精神保健福祉法）……………… 290
  - 2）障害者の日常生活及び社会生活を総合的に支援するための法律（略称，障害者総合支援法）……………………………………… 291
  - 3）心神喪失等の状態で重大な他害行為を行った者の医療及び観察等に関する法律（略称，医療観察法）……………………………… 292
  - 4）障害者の雇用の促進等に関する法律（略称，障害者雇用促進法）…………………… 292
  - 5）障害を理由とする差別の解消の推進に関する法律（略称，障害者差別解消法）……… 292
  - 6）障害者虐待の防止，障害者の養護者に対する支援等に関する法律（略称，障害者虐待防止法）……………………………………… 292
- ❷ 精神医療における権利擁護　（守村　洋）… 292
  - 1）精神科病院への入院時に伴う権利擁護 … 292
  - 2）精神科病院への入院中における権利擁護 ………………………………………………… 292
- ❸ 自己決定におけるインフォームドコンセント（山本勝則）……………………………… 295
  - 1）インフォームドコンセントとは ………… 295
  - 2）インフォームドコンセントが必要な場面　295
- ❹ 個人情報の取り扱い　（山本勝則）………… 296
  - 1）守秘義務と法律 …………………………… 296
  - 2）患者の個人情報を守るために必要なこと ………………………………………………… 297
  - 3）個人情報の利用 …………………………… 297
- ❺ 地域生活を送るうえでの権利擁護　（守村　洋）………………………………………… 297
  - 1）基盤となる考え方 ………………………… 297
  - 2）精神障害にも対応した地域包括ケアシステム ………………………………………… 298
  - 3）働くということ …………………………… 298
  - 4）精神障害者保健福祉手帳 ………………… 298
  - 5）成年後見制度 ……………………………… 299

6）看護職者として考えておかなければならない権利擁護……………………… 299

❷ 精神障害者を地域で支える支援 ──────── 300

❶ 地域での支援　（佐々木晶子）……………… 300
　1）就労支援 ………………………………… 300
　2）就学支援 ………………………………… 302
　3）生活支援 ………………………………… 302
　コラム　地域生活支援の視点 "イ・イ・ショク・ショク・ジュウ・ユウ・ユウ"
　　　　　（守村　洋）…………………… 304

❷ 訪問看護　（中村　創）……………………… 307
　1）生活者として地域で生きる精神疾患を抱える当事者 ……………………………… 307
　2）精神科訪問看護の実際 ………………… 308
　3）精神障害者特有の感染症の問題と対策
　　　　　（堀　　淳）…………………… 314

❹ 地域包括ケア ……………………………… 306

❸ 災害とトラウマ　（小山達也） ──────── 316

❶ 災害と災害医療の特徴 …………………… 316
　1）災害とは ………………………………… 316
　2）災害医療の特徴 ………………………… 317
❷ 災害時のメンタルヘルスへの影響 ……… 317
　1）災害時のメンタルヘルスへの影響 …… 317
　2）災害時のトラウマと心理的反応 ……… 317
　3）災害と精神障害 ………………………… 318
　4）心的外傷後成長 ………………………… 318
❸ 災害が発生した場合の支援方法 ………… 318
　1）災害時のサイコロジカル・ファーストエイド ………………………………………… 318
　2）生活支援の視点 ………………………… 319
❹ 災害が発生した場合の精神障害者への影響と支援 ……………………………………… 320
❺ 災害時の看護師のメンタルヘルス ……… 320
　1）災害が看護師に及ぼす影響 …………… 320
　2）災害時の看護師自身のストレスマネジメント …………………………………… 321
　コラム　**トラウマインフォームドケア**
　　　　　（澤田いずみ）………………… 322

索　引 ………………………………… 325

第Ⅰ章

精神看護技術の考え方

1 精神看護における精神看護技術の特徴

学習目標
- 精神看護の枠組みとしての精神保健と精神科看護を理解する。
- 精神看護における援助技術の基本を理解する。
- 精神看護の道具として自分を利用することの意味を理解する。
- 個人の精神的健康に影響する要因を考える枠組みを理解する。

1 精神看護の枠組み：精神看護の普遍性と特殊性

1）精神看護の普遍性

　精神看護の枠組みのなかには，心の健康保持とケアを含む精神保健と，精神障害にかかわる看護とがあるが，それらは連続しているものである[1]。前者を広義の精神看護（mental health nursing），後者を狭義の精神看護（psychiatric nursing）として図1-1のように包含関係で表すことができる。人は毎日，うれしいことや悲しいこと，充実した出来事や不満の残ることなど，心の健康に影響する体験をしており，精神保健は日常的な出来事である。

　誰もが，気になることや心配なことを抱えて日常生活を送っている。私たちは，気がかりや不安を感じるおかげで将来に向けて準備をしたり，前もって対策を立てたりすることができる。たとえば，テスト勉強をするのは良い成績をとりたいという積極的な気持ちだけでなく，勉強しないで成績不良になったらどうしようという不安な気持ちが働くためでもある。このように，軽度の不安は役に立つ。ところが，かなり勉強したにもかかわらず不十分に思えて仕方がない。どうしてもわからないところが一か所だけ残って気になる。そのせいで他の科目の勉強が手につかないとしたらどうだろうか？　このような不安は望ましくない。このとき，彼（彼女）は，精神保健上の問題に直面している。このような状況がそのまま進めば危機（crisis）に陥り，やがて不安障害という精神疾患を発症する危険がある。

　実はこの本を書いている私も，わかりやすく書くことができただろうかと不安である。だから，誰か（Aさん）に読んでもらって，感想を聞くつもりである。そのとき，私はAさんに2つのことを求める。一つは，わかりやすいか否かという客観的判断である。そしてもう一つは，「わかりやすいよ」という私の主観に働きかける内容である。この言葉に含まれる主観に働きかける内容から，私は安心感をもらう。この安心感がどんなに心を癒してくれるかは「わかりやすいよ。この調子で頑張ってね」と言われる場合と「難解だ。ほとんどわからない。支離滅裂で，直すにも直しようがない」と言われた場合とを比べるとよくわかる。

つまり私たちは，日常の生活において，周囲の人たちから気がかりや不安を解消する援助を受けている。それは心の健康を促進する。このように，精神的援助とはきわめてありふれた普遍的なことであり，ありふれた日常のやり取りが心の健康を支えてくれている。私たちの心の健康は，お互いの社会生活のなかで成り立っている。

精神保健は，こうした出来事も含むとても広い概念である。そのため正確に定義することは難しいが，カプランの予防の概念[2]（表1-1）は，精神保健を理解し，看護実践の範囲を考えるにあたってとても役立つ。

私たちは心穏やかな日常だけを過ごしているわけではない。人生においてどうしても通らなければならない関門もあるし，突発的な事故や災害に見舞われることもある。それがその人の人生を脅かすような状況を招き，それまでに身につけることができた問題解決の方法では乗り越えることができない状態になると「危機」とよばれる。危機には2種類あり，一つは，発達段階で直面する発達課題を乗り越える際に生じる発達的危機である。もう一つは，日常生活で偶発的に発生する状況的危機である。

危機から回復して適応に至るプロセスについては，いくつかのモデルが提唱されている。しかし，危機から回復せずにストレスが持続した場合，外傷後ストレス障害（post-traumatic stress disorder：PTSD）などの障害に至る。また，その人を脅かす出来事が，その人固有の脆弱性（弱み）を刺激するような性質のもので，周囲の人からは危機とは考えられない場合には事態は潜在的に進行し，その場合も精神的破綻をきたす。これは精神障害とよばれる状態であり，これまで述べた普遍性に基づいた枠組みの看護では十分でない。

精神看護の枠組み（図1-1）にはもう一つ，mental health promotionを示している。これはWHOがホームページに"Promoting mental health"というタイトルで示している枠組みで，「メンタルヘルスプロモーションの介入は全般的なウェルビーイングを向上させ，それ

表1-1 カプランの予防の概念

一次予防	精神疾患発生の原因の防止と心の健康の推進
二次予防	精神疾患の早期発見と早期治療
三次予防	精神障害者の社会復帰の促進と再発防止

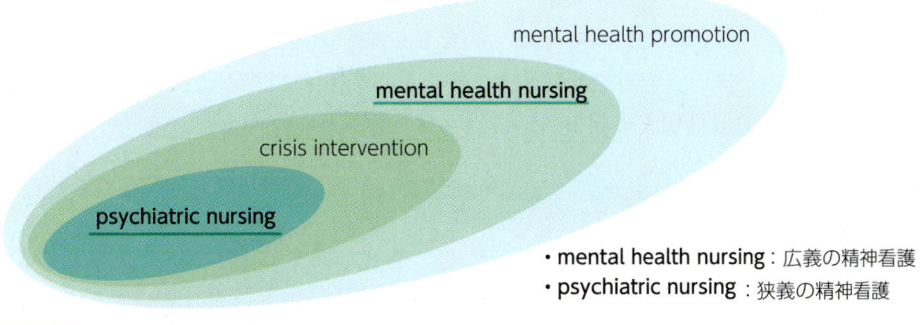

図1-1 精神看護（学）の枠組み

・mental health nursing：広義の精神看護
・psychiatric nursing：狭義の精神看護

は人々が生活し，働き，成長している場で提供される」[3]としている。これはメンタルヘルスの促進を目指す，精神保健上の積極的取り組みを意味している。

2）精神看護の特殊性

日常の心配事には，前述した安心感を与えるための「わかりやすいよ。この調子で頑張ってね」という保証と励ましが有効である。しかし，うつ病を発症した人にはこのような言い方は不適切である。頑張ってねという励ましが使えない。うつ病の人は，頑張りすぎてこれ以上頑張れない状態にある。「元気出してね」という言葉も，元気が出そうもない状態の人に向かって「元気出して」と言うことになる。さらにまずいことには，うつ病を発症する人たちのなかには，ことさら生真面目な人たちが含まれている。そのため励ましの言葉は，その人たちを精神的に苦しめ追いつめる言葉となる。

うつ状態には様々な重症度やタイプが含まれているため，対応の仕方を一律に述べることはできないが，重度のうつ病の場合は「必ず楽になってきますので，今は休養をとることが大切です」などと言うべきである。

この特殊性が精神看護の本質であり，専門性が求められる部分である。どの看護領域でも，一般の人にも普及させたい日常のケアと，領域特有の専門性の高い援助技術がある。それらを状況や対象に応じて使用する必要がある。

訪問看護では，ケアの対象となる人が様々であり，家族への支援も行うので，場に応じて普遍的な看護と専門性の高い看護とを使い分ける，柔軟な姿勢が求められる。

3）心の問題の個別性

精神看護を行う場合には，心の問題は個人差が大きく，人の価値観は多様であることを十分に意識しておく必要がある。このことをわかりやすく説明するために，身体的問題と比較してみよう。心の問題の例としては"心配"を取り上げ，身体的問題としては"疼痛"を取り上げる。

身体的問題である疼痛は，痛いと感じる部位がはっきりしている。これに対して，心の問題である心配はそうではない。心の座は脳であるとしても，人は頭が心配なのではない。問題は部位でなく，心配の内容である。夜眠れるか心配であったり，うまく話ができるか心配であったりというように，心配の内容が問題になる。そして心配の内容は人によって，また，状況によって異なる。疼痛は身体という限られた範囲に生じる。そして，ある部位を損傷すれば，その部位が痛いということはほとんどの人が感じ，それを見ている人も理解できる。これに対して心配は，心配しやすい人とそうでない人がおり，人によって心配する内容が違う（容姿を心配する人や身体的健康にこだわる人など），同じ状況に置かれても受け止め方の個人差が大きい。さらに，本人が感じている心配が，実は本人に意識されない別の心配から派生していることもある。このように心の問題は個人差が大きく，周囲の理解を得られにくい。

援助についても同様のことが言える。症状に関する援助として，疼痛緩和といえばいくつかの援助方法がすぐに思い浮かぶ。それに対して，心配を軽減すると言っても，実際に何をすべきなのかよくわからない。思い浮かぶのは「心配していることについて話をしても

らい，それを受け止める」ことぐらいである。そうすると，どうやって話をしてもらい，どうやって受け止めるのかという問題が生まれる。これがまた個別性に突き当たる。直接問うほうがよい相手と，遠回しに聞くほうがよい相手とがいる。そして，聞いただけで受け止めてくれたと感じる相手もいるし（この場合，余計なことを言わないほうがうまくいくことが多い），聞いただけでは，聞きっぱなしで何もしてくれないという相手もいる。多くの人に共通する援助を，そのまま行動可能な表現で提示することはなかなか難しい。このように，心の問題はきわめて個別性が大きく，それに対する看護も一人ひとりの個別性に応じたものが要求される。

　日常生活の援助の面でも同じである。疼痛部位が足であれば移動の介助，利き手の場合であれば食事の介助がすぐに思い浮かぶ。これに対して，心配の場合は，心配で心配で何も手につかないとしても，実際にできないことは人によって異なり，援助が必要な内容も個人差がある。

　身体疾患の場合，基本的には，病気の程度によってどの程度援助が必要かが決まる。たとえば，絶対安静の患者が自分でベッドの周囲を片づけることはまず考えられないし，自力で可能になれば援助の必要はない。これに対して精神障害の場合は，病状だけでなく本人の考え方が影響する。ベッドの周囲をどの程度片づけるかということは，疾患や症状の影響も受けるが，もともと本人がもっている整とんに対する考え方の影響も受ける。

　床頭台に置いてあるものを片づけようとして，「そのままにしておいてください。そのほうが取りやすいから」と言われる場合がある。このとき，病状による身の回りの乱雑さと，本人の考え方や自主性を秤にかけて，どのように援助すればよいか判断するのは難しい問題である。患者の言うとおりにすれば往々にして乱雑さを助長し，看護師の考えを押しつければ自主性を奪うことになる。

　以上の例に限らず，様々な場面で個々の患者の多様な価値観や考え方に配慮する必要がある。これらは精神看護の多様性の一面である。

❷ 精神看護の技術

1）援助方法の基本

　これまで述べてきたような心の問題の個別性や多様性に対して，すべての状況に用いることのできる看護技術を示すことは無理である。しかし，患者の多様な状況に利用できる援助技術はある。特定の状況だけに利用できる技術もある。さらに，心理療法など，ほかの学問から応用できる技術がある。

　第Ⅱ章からは，主として個々の援助技術，構造化された援助技術，症状や問題に対応する援助技術について述べる。その前に，ここでは全体に通じるような技術や考え方をまとめておく。看護独自の援助技術の例を示し，医師，カウンセラーその他の医療専門家の技術との相違点を説明する。

(1) 日常の出来事に関する精神的援助

　家族が面会のときに持ってきてくれた果物を，「リンゴを先に食べたらよいかミカンを先に食べたらよいか」と患者から相談されたとする。患者は，こんなことでもよく迷う。注意

深い看護師は，混乱を引き起こす可能性があることを見抜く．そして，すぐにいくつかのことを考える．最初に考えるのは混乱の防止である．しかし，より優れた看護師はそれにとどまらない．この事態を利用しようとする．こんな何気ない生活場面が，患者の自主性を育むチャンスであるととらえる．以下に，十分な注意を払っていない看護師と，注意深い看護師と，より優れた看護師の対応例を示す．

混乱する可能性に注意を払っていない看護師は，リンゴが先かミカンが先かなどということはどうでもよいと考えて，そっけない対応をする．注意深い看護師は，患者の混乱を避けるため，看護師が決定する．より優れた看護師は，患者の表情，しぐさ，口調から精神状態を判断して，それから「○○さんはどちらから食べたいですか」と問い返して患者の意思を引き出す．こうして，看護師は日常の出来事に関する援助を行い，さらにそれを利用して，長期的な効果をもたらす援助も行う．

(2) 身体的援助をとおしての精神看護

何といっても看護師の強みは，身体的援助をとおしての精神看護の手段が豊富なことである．たとえば，寒そうにして寝ている患者に，言葉で暖かく感じさせることは容易でないし，寒さが気になって精神的援助も奏効しないが，掛け物を掛ければ，それだけで暖かくなる．ほかの患者が寝静まった真夜中など，毛布1枚掛けることで"こうやって，夜も寝ないで自分のことを心配してくれているのだなあ"と感じる（と，ある患者が言っていた）．これはまさに精神看護であり，こうしたことの積み重ねが信頼関係をつくる．

(3) 健康な面を利用した援助

看護師は，症状やそれによって生じる問題だけではなく，患者の健康な面や強み（ストレングス）に気づき，それを利用する．看護師は患者と接する時間が長く，しかも様々な生活場面にかかわるので，意識していれば，患者が健康な面や強みをたくさんもっていることがわかる．そのなかで問題解決に直接利用できそうなことや，間接的に利用できそうなことを見つけることができる．活動的でない患者が卓球が得意だとわかった場合などは，活動性を高めるのにそれを利用する．自閉的な患者が鳥に興味をもっている場合には，それを話題にしたり，同じ興味をもつ患者との交流に利用するなどして間接的に利用することができる．こうして，健康な面へ働きかけることにより，不健康な面の軽減が期待できる．

(4) 24時間体制の継続した援助

入院看護は継続した援助という面で非常に強力である．ナースステーションに行けば気持ちが落ち着くまで相手をしてもらえる．入院時の看護は24時間体制であり，ほかの職種とは比べものにならないほど看護師が活躍する．特に入院時の精神看護が有力な場面として，夕方から眠りにつくまでの時間がある．この時間帯は，抑うつ的な患者が多少とも楽な気分になるため，必要な情報を得るのに最適である．また，思春期の患者が消灯後に集まり，対応に苦慮する場合もあるが，本音も聞ける．それ以外の患者でも，安らぎ，あるいは反対に心の動きがみられ，親密な患者-看護師関係を築きやすい．訪問看護でも，24時間体制をとっているところがかなりある．

(5) 生活全般へ目を向けた援助

看護師は患者の身近な存在として，進路の問題や友人関係，家族関係などについての相

談を受ける。外来看護や訪問看護はこの面で，いっそう患者の生活に即した援助や問題の取り扱いができる。医療，社会生活，経済，家庭，日々の暮らし，福祉など，すべての面が見えて，しかも患者の近くにいるのは看護師である。そのためマネジメントの視点も欠かすことができない。

(6) 患者に近い立場からの理解

看護師は，専門性や客観性などの固定した見方にとらわれずに，患者本人や家族と同じような立場に立って患者を知ることができる。ある病状を，専門用語では"患者は被害妄想をもっている"と表すのに対し，患者自身は"自分の会ったことのない組織につけねらわれていて，恐ろしくて，しかも腹が立つ"ととらえたりする（図1-2）。

私たち看護師は患者と長い時間接して，個としての患者を深く理解しているので，その気になれば患者の立場に立つことができる。そして，妄想の内容を具体的に，しかも，日によって強くなったり弱くなったりすることまでも含めて知ることができる。さらに，うまくかかわれば，患者が遭遇している恐ろしさや腹立たしさを共有することができる。つまり，患者が述べた言葉に即して，考えたり感じたりできる。しかも，表情や動作も含めてリアルタイムに知ることができる。

2）精神看護の特徴

(1) 精神看護の基本

看護師が行う援助行動は，①適用範囲の広い行動，②場面や状況に応じて用いることができる行動，③ほとんど用いることができない行動の3つに分けることができる。①は，適用範囲が広く，精神看護を行う看護師であればいつでも用いることができるように，必ず身につけておかなければならない行動であり，それは，受容，関心，積極的な関与である。また，③はほとんど利用価値がなく，看護場面では行ってはならない行動であり，それは，攻撃，回避，あいまいな態度である。これら以外は②であり，状況に応じて利用できる。

注意が必要なのは，患者を受容することはニーズのすべてを受け入れるという意味ではないということである。たとえば，患者から自宅の電話番号を教えてほしいという要望があったとしても教える必要はない。あいまいな態度をとらず，はっきりと断ることは患者の

図1-2　患者に近い立場からの理解

ためにもなる。訪問看護では，役割関係や枠組みを示すという意味で大切である。そういう意味では，必要なときに拒否ができることも精神看護の技術の一つである。また，はっきり指示することは攻撃ではない。

(2) 精神看護の困難な面

　入院中の患者の看護では24時間あらゆる場面で患者とかかわるので，構造化された精神療法や心理療法の技法がなかなか使えない。時間がとれないし，もし使っても，かかわっている時間のすべてに複雑な技法を使い続けることは難しい。患者と笑顔で接するといった何でもないことであっても，常時行うとなるとけっこう難しい。まして，一定の技法を，日常のかかわりのなかで継続的に使うつもりであれば相当の覚悟がいる。ある技法を使う時間とそうでない時間があれば，その技法を用いる効果は薄まる。患者から，かかわり方に一貫性がないように思われる危険性もある。

　多くの場面で使うことのできる技法を身につけておくと看護が上手になる。また，特定の問題に対して一時的に用いる方法であれば，時間がとれる場合は用いることができる。SST（社会生活スキルトレーニング）などのようにプログラム化され，時間と場所が確保された状況でグループワークをする場合などは特定の技法を用いる。

　もう一つの困難な面として，精神科の看護師は自分の人間性を隠せないということがある。様々な場面で患者とかかわることで，好むと好まざるとにかかわらず，自分の人間性や人格を患者の前にさらけ出してしまうことになる。

　しかし，どうせ自分の人間性が現れてしまうからといって，あるがままに自分を表出して，何のコントロールもせずに患者とかかわっていいわけではない。自分の思考，行動，感情のもち方などの傾向を知り，それを生かすことが大切である。

3）精神看護技術と精神療法・心理療法

　精神看護を行うにあたって，どうして精神分析やそのほかの基本的な精神療法・心理療法（以下，まとめて精神療法と呼ぶ）を知る必要があるのか。それは，以下の4つの理由からである。

　第1に，患者理解の枠組みとして必要である。精神分析をもち出さなくとも，私たち人間は「Aさんは優しい」とか「Bさんはきっと怒っている」とか「～すればCさんは……と考えるだろう」などといった形で，他者の心を推測する。そうするからこそ，患者の心理面の援助ができる。患者がどう思うかを考えずには，精神看護は成り立たない。しかし，他者の心について私たちがもっている素朴な理論（考え）と精神分析などの理論とを比較すると，前者にはかなり誤りが多いことが知られている[4]。そこで，何らかの科学的な理論に基づいた患者理解が必要になる。ただし，精神療法や心理療法とそれが依拠する基礎理論は多様であり，自分がどれを用いるかの選択は各自の考えによる。看護師として用いる理論の選択にあたっては，基本的理論であること，自分に合っていること，様々な場面に利用できること，手軽であることなどが選択基準になるだろう。

　第2に，患者に精神療法を用いる場合に必要である。看護師は精神療法を患者のケアに応用する場合がある。その場合，用いようとする特定の精神療法でうたわれている効果を期待するには，その療法に精通する必要がある。

第3に，看護師自身の自己理解の枠組みとして必要である。他者理解のかなりの部分は自己理解に基づく。私たち人間が他者の心を理解するには，他者が置かれている状況を自分に当てはめてみて，自分ならどのように感じるかということから推測する部分が大きい。したがって，他者理解に自己理解は欠かせない。近年，他者理解と自己理解の心理学が，脳神経科学の手法によって急速に解明されつつある[5]。また，看護師も人間である以上，独自の行動や感じ方の傾向があり，それが精神看護の場面に反映される。どんなに患者を詳しく理解できても，また，どんなにすばらしい技術を知っていても，その技術が使えない場合がある。それは，自分の自覚できない部分や制御できない部分が，ある程度自分の行動を支配しているからである。自覚できない部分は自分ではどうにもならないが，制御できない部分は間接的な対策がとれることがある。受容は得意だが強く指示することが苦手な場合，1回で患者が従うほど強く言えなくても，それを自覚していれば，（どうしても指示に従ってもらわなければならない場合など）患者が納得するまで繰り返し伝えるという方法を代案として使える。自分を知ることは精神看護において特に大切である。

　第4に，それらを知ることで自分を上手に取り扱うことができるようになるからである。たとえば，いくつかの精神療法では，自分の感情，つまり自分が今どう感じているかを表出することの重要性が指摘されている。怒っているのに，それをまったく表出せず，怒りを押し殺して人と対応すると，かなりぎこちなくなる。「私はそれを聞いて，はっきり言って面白くありません。でも，冷静に話をします」と言えば，本当に冷静になれることが多い。感情表出が必要であるからといって怒鳴りつけるなどというのは論外であるが，相手が受け止められる範囲でなら素直に表したほうがよい。

4）精神看護の道具としての看護師自身の用い方
(1) 情報収集の道具として

　看護師の自己理解の重要性は，これまで述べたことにとどまらない。身体疾患の場合は，患者の情報として，客観的な検査データや触診などのフィジカルアセスメントを利用できる。これに対して精神障害の場合は，それらの情報の有用性がかなり限定的である。看護に必要な病状，看護上の問題，ニーズなどを明らかにするための情報の多くは，患者を見ること，患者とかかわることなど，看護師自身をとおして得られるものである。つまり，自分という情報収集の道具を用いて得る情報である。これは，体温計を用いて入手できる体温とか，血圧計を用いて得られる血圧値に相当する。

　この場合，体温や血圧について正確に情報を得たり，得られた情報を利用するためには，体温計や血圧計についてよく知っていなければならない。同様に，自分が情報収集の道具としてどのような性質をもっているかを知らなければ，正確な情報は得られない。

(2) 援助技術の道具として

　情報収集だけではなく，援助の道具としての面でも，看護師の自己理解は重要である。たとえば，患者が抱えている問題の原因や本質にこだわる看護師がいる。しかし，妄想の詳細な真偽とか，幼少時の家族関係とかは，直接には取り扱えない。または，取り扱っても患者を苦しめるだけでほとんど役立たない。むしろ，今ここに起きていることを取り扱うことで，当面の問題は解決されることが多い。時には，今ここで起きていることを解決す

ることで，過去から引きずってきた不適切な行動傾向を整理できることすらある。こうしたときに，援助者である看護師が"問題の本質に固執しやすい"という自分の傾向を知らなければ，解決できる問題も解決できなくなり，かえって問題を大きくする。

3 個人の精神的健康に影響する要因を考える枠組み

　精神看護を理解するためには，その前提として，精神看護を取り巻く多様な状況を理解しておく必要がある。その説明として図1-3に，個人の精神的健康に影響する要因を考える枠組みを示した。精神看護を理解するためには，この図にある3つのことを知る必要がある。それは図の中段の「個人の精神的健康状態（連続体）」と，それに影響する「現代の自然・社会環境からのストレス要因」，そして個人の精神的健康状態に介入するための「A.看護ケア，B.社会資源とC.法・制度」である。これらのなかに看護ケアを位置づけることで，精神

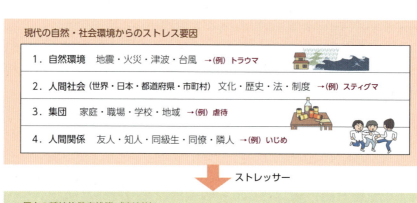

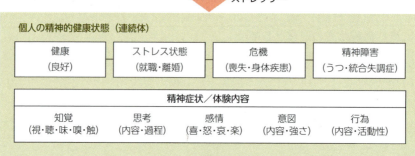

図1-3 個人の精神的健康に影響する要因を考える枠組み

看護に何が求められているかがわかる。

　図の上段「現代の自然・社会環境からのストレス要因」は，上から順に範囲が狭まって身近になっている。一番上の「1．自然環境」からのストレッサーには地震，火災などがあり，それが個人の精神状態にトラウマを引き起こすことがある。「2．人間社会」の環境としては，地理的には世界，国，都道府県などの地域があり，そこの文化，歴史，法などが，個人の精神的健康に影響する。それは心を守る働きもするが，ストレッサーにもなる。そしてスティグマとして個人を苦しめることもある。スティグマとは，他者や社会集団から個人に押し付けられた負の烙印，ネガティブなレッテルでのことである。個人を取り巻く環境としてもう少し範囲を絞ると「3．集団」，たとえば学校や職場，家庭などがある。これら集団の有り様もストレッサーになることがある。職場では過重労働，家庭ではDV（domestic violence）や虐待などの形で現れる。最も狭い枠組みとして「4．人間関係」があり友人，同僚，同級生など1対1あるいはごく少数の枠組みがあり，そこではハラスメントやいじめが生じることがある。

　これらの「自然・社会環境からのストレス要因」，つまりストレッサーが，中段の「個人の精神的健康状態（連続体）」に影響する。精神状態は健康，ストレス状態，危機，精神障害と変化する連続体であり，線の枠の上半分にそれらを示している。その下には，医療者からみれば精神状態や精神症状であり，患者にとっては日常の体験として感じることを位置づけた。それら症状や体験は，知覚，思考，感情，意図，行為に分類できる。図の右端に挙げた統合失調症を例にすると，個人は聴覚（知覚）に，自分を脅かす声が聞こえる（体験内容）。それは医療者の見方では精神症状であり，幻聴である。

　下段には，個人の精神状態に介入する看護ケアと，それを支える資源や制度を記載している。「A．看護ケア」の内容としては，ヘルスプロモーション，第一次予防，危機介入，そして，主に病院で行われている精神科看護，第三次予防がある。

　「A．看護ケア」活動を支える「B．社会資源」として，保健所から精神科病院まで様々な資源がある。さらにそのような社会資源は，「C．法や制度」に基づいて設置されたり運用されたりしている。関連する重要な法律を最下段に示した。「B．社会資源」と「C．法や制度」を知ることで実践の範囲を広げ，根拠を確認することができる。

　資料全体としては，上の「現代の自然・社会環境」が，中央の個人にストレッサーとして影響する。それに対して下の「看護ケアとそれを支える資源や制度」が介入し，ストレスを緩和する。これが現代日本の精神看護とそれを支えている枠組みである。

文献

1) Stuart GW：Principles and practice of psychiatric nursing, 9th ed, Mosby, 2009.
2) Caplan G：Principles of preventive psychiatry（New York 1964）．カプラン，G著，新福尚武監訳，予防精神医学，朝倉書店，1970．
3) WHO：Promoting mental health.〈https://www.who.int/westernpacific/activities/promoting-mental-health〉（アクセス日：2022/7/13）
4) ベネット M編，二宮克美・他訳：子どもは心理学者―〈心の理論〉の発達心理学，福村出版，1995．
5) 子安増生・大平英樹編：ミラーニューロンと〈心の理論〉，新曜社，2011．

2 精神看護の領域と課題

学習目標
- 精神看護が人間の発達段階（領域）と生活の場（領域）にかかわることを理解する。
- 各発達段階に特徴的な精神的問題があることを理解する。
- あらゆる生活の場で精神看護を必要とする問題が生じることを理解する。
- 身体合併症とリエゾン精神看護を理解する。

1 精神看護とは

　現代の考え方では，精神看護とは心の看護である。それは，あらゆる生活の場における心の健康を含み，かつ発達の全段階を含んでいる。つまり，病気からの回復だけではなく，心の健康増進全般にかかわっている（図1-1：p.3，図1-3：p.10参照）。

　本書は，精神看護のすべてを述べようとするものではないが，精神看護の様々な領域で用いられる様々な技術を具体化し，読者が精神看護で用いられる広範囲の知識と技術を習得することを目指している。そのために，ここでは精神看護で取り扱われる領域を概観する。心の看護の領域は，対象が生涯のどの時点にいるかという発達の面と，対象の生活している場がどこであるかということにより区分することができる。

2 精神看護の主な領域

1）人間の発達と精神看護

　人間の発達の最初の段階は，胎児期である。胎児期の感覚，生理，学習能力などについて精力的に調査が行われ，人間は胎児期から様々な能力を有していることが明らかになっている。また，胎児期での母子の相互作用も確認されている。この段階は母子一体で過ごしているので，母親の心身の健康が大切である。近年，周産期の母親のメンタルヘルスが注目されるようになり，日本周産期メンタルヘルス学会から「周産期メンタルヘルス コンセンサスガイド 2017」が，日本産婦人科医会からは「妊産婦メンタルヘルスケアマニュアル」が出されている。

(1) 乳児期

　出生後については，人間の心理社会的発達に関して，エリクソンの8段階説[1]がよく知られている。出生後の最初の段階は乳児期である。この段階では，その後の人生の基盤と

なる母子の安定した信頼関係の成立が課題となるといわれている。したがって，この段階の看護としては，安定した信頼関係を築くことができるように，児の生理的充足とともに，この関係のもう一方の主役である母親への援助が重要である。育児に悩む親による虐待を防ぐためには，母親（あるいは父親）が余裕をもって育児に取り組むことができるように，近親者および地域の私的・公的支援体制が必要である。

(2) 幼児期（前期・後期）

次の段階は幼児期であり，人間関係が家族内全体に広がり，保護者の庇護のもとでの仲間関係も始まる。これに伴い，しつけに関連する葛藤や分離不安による登園拒否などが問題になる。自閉症の症状が発現するのもこの時期である。

"しつけ"と"自立"を幼児の発達の面からみれば，周囲の文化と調和した行動や考え方を獲得することである。しかし，幼児が直面するのは，一方では制限を加える不快な親であり，他方では（自発的行動をほめるなどの）快を提供する親でもあり，矛盾をはらむものになる。そこで，この時期の子どもを混乱させないためには，何を要求しているのかを，子どもにわかるような表現で伝える必要がある。そのためには，この時期の子どもがどのような心的状態（感情，思考，知覚など）にあるかをよく知り，それに合った対応をすることが大切である。ここで，"対象の状態をよく知る"という当然のことをことさら強調しているのは，次のような理由による。

近年の発達心理学の急速な進歩に伴い，この時期の子どもは，言葉を獲得しても大人とはかなり異なった思考様式をすることが分かってきた。その一方で，子どもは言葉の獲得以前から，大人の感情や意図を驚くほど読み取ることも明らかになってきた。このため，大人の常識や思い込みに基づいた判断が当てにならず，この時期の子どもの特性を知らなければならないのである。

(3) 学童期

学童期は，心の問題が表面化しにくい時期と考えられてきた。しかし，多動や学習障害などの心の健康と関連する問題が認められる。そして，この時期は認知の急速な発達と凝集性の高い子ども集団への同化が課題になる。これらの課題や問題は学校と関連が深く，次の思春期とともに，学校での心の健康が教育の分野で注目されている。

(4) 思春期・青年期

思春期・青年期は，自分なりの価値観を形成し，心理的に自立する時期である。同時に，心理面に影響の大きい性についても，変革の時期である。つまり，人生の飛躍と危機に直面する。自己の確立にあたって，同じように自己の確立を目指す友人に出会い，生涯の友となることもある。反面，自己の確立の困難や葛藤に関連する精神面の問題が生じるのもこの時期である。教育の現場で生じる問題（不登校，いじめ，学級崩壊），思春期危機，摂食障害，自我同一性の確立とモラトリアムなど，この年代独特の心の問題がある。統合失調症の発病もこの時期から始まる。この時期の死因の第1位は自殺である。

この段階にある人への看護においては，その心理的特徴に配慮し，率直，単刀直入，若者独特の表現を受け入れる，積極的関心を示す，傷つきやすい心情に細心の注意を払うなどの姿勢が必要になる。

(5) 成人期（前期・後期）

　動乱の思春期・青年期に比べ，成人期は情緒的に安定し，家庭や社会への貢献が期待される。そして，成人期後期（40代後半〜60代前半）は，これらの安定と貢献により，総合的にみた人生の絶頂期または充実期といえる。

　一方，個別にみれば，加齢による影響や取り巻く環境の個人差が大きい。心身共に実年齢より若々しい人もいれば，早くから老け込んでしまう人もいる。さらに問題なのは，この時期に，遅かれ早かれ重大な喪失を体験することである。そして，その体験内容にも体験する年齢にも個人差がある。喪失の内容は，退職などの職業上の地位や社会的役割，家庭内の役割，精神的依存対象，生殖能力などである。人生の絶頂期に襲いかかる喪失と価値観の問い直しに伴って，うつ病，更年期障害，アルコール依存症，空の巣症候群などが表面化する。

　人生経験が豊富で，その豊富な経験をもってしても乗り切れないほど深刻な事態に直面していて，しかも人を頼るほどには年をとっていないような人に，私たちはどのような心理的援助ができるのだろうか。この問いが，看護のポイントである。この問いを看護師は自問するし，看護師側の問題にみえる。しかしこれは，この年代の患者が抱える問題の特徴である。つまりこの年代の患者は，社会的立場や役割により，素直に依存できない。彼らは普段，周囲から頼りにされ，周囲を支える側にいる人たちである。その殻を脱ぎ捨てることが難しい。したがって，看護師は患者が一時的に社会的立場や役割を離れること，自分のもろさや弱みをさらけ出すこと，自分が達成したことを強調すること（自慢話）を容認することが必要になる。

(6) 老年期

　老年期は，老化とよばれる身体機能と精神機能の衰えの時期である。近年のわが国の高齢者は，経済的には過去の時代に比較して恵まれるようになった。反面，長老としての役割も，地域のつながりによる支えも失われつつあり，老化に積極的な意味を見出すことは容易でない。視力や脚力の減退，有病率の増加は心の負担になる。そして，死をどのように迎え受け止めるかという大きな課題に直面する。こうした困難に直面し，苦闘している人は尊敬に値する。また，老化それ自体は一面で円熟でもある。

　私たち看護師は，思春期・青年期にある人に対するときは，繊細な心情に耳を傾け，老年期にある人に対するときは，敬意をもってその人が越えてきた人生の深さに耳を傾けるべきである。また，老年期にある人の側からの視点としては，生きがい，次世代への信頼，自分を忘れない人がいることが，この課題を乗り越える助けになるといわれている。人間の発達段階が時代の影響を受けることを考慮して，服部はエリクソンの8段階説を修正して10段階説を提示している[2]。また，わが国では75歳以上を後期高齢者と見なす考えが広がってきている。前期高齢者と後期高齢者の発達段階をどのように区別して考えるかは，今後の課題である。

2）精神看護が行われる場

　これからあげるそれぞれの場での精神看護には①そこで生活している人々の心の健康の増進，②心の健康問題を有する人とそれを取り巻く人々への介入，③精神障害者とそれを

取り巻く人々への介入としての精神看護が含まれている。

(1) 家　　庭

　心の健康について注目すべき場として，まず家庭がある。基本的信頼は家庭において育まれる。そして家庭は，自立と依存の葛藤を体験する場でもある。この家庭を直接訪問して行われる精神看護は，（精神科）訪問看護や保健師の精神保健相談などである。また，家族への介入という意味では，看護の全分野が関与する。それは，家族システムの問題に取り組む場合，患者への援助資源の面から家族へ働きかける場合など多様である。そして，精神障害に限らず，障害者や病人を抱えた家族への支援や教育も重要である。

(2) 学校・職場

　次に注目すべき場として，学校と職場がある。学校では，いじめ，不登校，非行，ひきこもりなどの問題が現れる。心の健康への取り組みとして，直接的には養護教諭や保健室の果たす役割が大きい。また，職場においては，成人の心身両面の健康問題のほとんどすべてが生じうる。したがって，産業保健師や産業看護師として働く企業内看護師は，精神看護の基礎知識はもちろんのこと，何らかのカウンセリング技法をもっていることが望ましい。なお，職業人としての看護師自身の心の健康問題も職場の健康問題として大切である。働く人のメンタルヘルス・ポータルサイトとして，厚生労働省が開設している「こころの耳」[3]がある。

(3) 地域社会

　地域社会には，地域精神保健の拠点として保健所と精神保健福祉センターがあり，これらは2つの役割をもっている。一つは，デイケアなどの直接的取り組みであり，もう一つは，これまで述べてきた家庭や学校や職場，さらにはこれから述べる病院などすべてを包括する地域社会全体の健康を推進する役割である。2013年4月1日に施行された「障害者の日常生活及び社会生活を総合的に支援するための法律」（障害者総合支援法）では，市町村が支援の直接的な実施の責務を負っている。市町村の保健師も心の健康に寄与する部分が大きい。さらに，社会復帰施設への看護師の進出や関与は，病院中心の精神科看護の枠を超えた，地域社会での精神看護である。

　そして現在，厚生労働省の主導で「精神障害にも対応した地域包括ケアシステムの構築」が進められている。このシステムは精神障害者が地域の一員として，安心して自分らしい暮らしをすることができるよう，医療，障害福祉・介護，住まい，社会参加（就労），地域の助け合い，教育が包括的に確保されたシステムである。

(4) 病院と地域をつなぐ外来

　最後に述べる精神科病院や精神科病棟はもちろん精神看護の場であるが，（精神科）病棟以外にも注目すべき場がある。それは（精神科）外来である。入院治療中心の精神医療から地域精神保健に比重が移るにあたって，病院と地域をつなぐ外来は今後ますます充実することが期待される。また，病床を有さないメンタルクリニックがアクセスしやすい駅前などに増えている。当然そこでの看護師の役割も拡大し，充実したものになることが望まれる。

　阪神淡路大震災，東日本大震災などの大災害は，第1章1節の「精神看護の普遍性」で述べた典型的な状況的危機であり（p.3参照），通常の枠組みを超えた取り組みが必要とされ

た。

3）精神看護の役割の拡大
(1) 精神と身体のリエゾン
　精神科以外の病棟での精神看護も注目すべきものの一つである。総合病院では精神科リエゾンチームを置くところが増えてきており，そのチームには，大学院で専門の教育を受けたスペシャリストであるリエゾン精神看護専門看護師が活躍している。また，より広く，ターミナルケア，クリティカルケアなど様々な分野での精神看護がある。そして，これらの分野では危機理論に基づいた危機介入も行われる。リエゾン精神看護については後述する。

(2) 障害の枠組みの統合と拡大
　2011年には障害者基本法が改正され，2012年には障害者総合支援法が成立した[4]。また，2013年6月には，懸案であった「障害を理由とする差別の解消の推進に関する法律」（障害者差別解消法）が可決成立した（施行は2016年4月）。これらの流れにより，身体障害，知的障害，精神障害が共通する制度で扱われることになり，さらに，これらの三障害に加えて難病などを含む総合的な視点が取り入れられた。

(3) トラウマインフォームドケア
　近年，ケア提供のすべての場面でトラウマを考慮に入れるケアが注目されている。川野[5]によれば，トラウマインフォームドケア（trauma-informed care：TIC，p.322参照）は様々な種類のトラウマを理解し，認識し，かかわりをもつという組織的な構成であり治療枠組みである。正確さを犠牲にして簡潔にいえば，誰もが様々なトラウマのリスクに直面しながら生活しており，それを考慮に入れてケアやアプローチをすることである。TICを簡潔に定義することは困難であるが，Hopperらは合意に基づく定義として，TICとはトラウマの影響に対する理解と対応に基づき，ケア提供者とケアの受け手（サバイバー）の双方にとって身体的，心理的，感情的な安全を重視し，サバイバーがコントロールとエンパワーメントの感覚を再構築する機会を創出する，強み（ストレングス）に基づく枠組みであると述べている[6]。

身体合併症とリエゾン精神看護

1）身体合併症患者の看護
　精神科病棟に入院している患者のなかで，治療・看護を要する身体合併症を有する患者の割合は日本精神科看護協会の調査[7]によると31.5％であり，ほぼ3人に1人が何らかの身体合併症を併発している状況がうかがわれる。またその調査によると，身体合併症の内訳では，身体合併症を有する患者のなかで糖尿病を併発している患者の割合が26.8％と突出して高く，虚血性心疾患，肝炎，脳血管疾患，肺炎，がんと続いている。精神疾患患者の喫煙率の高さや患者の高齢化，抗精神病薬の長期内服による副作用などで身体合併症を併発するリスクは高まっている。
　統合失調症患者は，精神症状により周囲の状況の把握がうまくできないだけでなく，自己の状態の把握についても不十分になりがちである。そのため，症状に気づかなかったり

うまく伝えられなかったりして，病気の早期発見や早期治療が困難になりやすい。また，身体合併症を併発しても治療の必要性を認識するのが難しいことや，患者の意思表示が適切な表現で言語化されるとも限らない。そのため，身体合併症を併発している患者の意思を汲み取って，意思決定を尊重できるような支援が必要である。

　身体合併症の治療や看護を受ける場合，精神科病院，一般病院の精神科病棟，一般病院の精神科以外の病棟のいずれかに入院する。精神科病院は身体疾患についての治療体制が十分ではなく，一般病院に転院するケースもあるが，受診や入院を断られてしまい転院できないケースもある。また，精神科病院に長期入院しており，本人や家族が転院を断るケースもある。その場合，精神科病院で身体合併の治療や看護を行っていくことになるが，精神科看護師は身体合併症看護に不安を感じているという報告がある[8]。身体的な不調が妄想となる，自分の思いをうまく伝えられない，ケアの受け入れが困難となるような場合，患者が本当に治療や症状を理解できているのか戸惑いを感じる。

　たとえば，「お腹の中に虫がいる」という妄想によりいつも腹部の不快感を訴えていた患者が，実際はがんを患っていた。発見されたのは，患者に黄疸が出現してからであり，予後も数週間の状況であった。患者自身では症状を訴えることが困難であり，早期発見することはできなかった。また，がんによる痛みや倦怠感が強い時期であっても，患者は症状を自覚することができず，鎮痛薬の使用など症状の緩和を受け入れてもらえないことがあった。このような場面で，看護師は身体合併症看護に不安を感じる。

　身体合併症看護では日々の生活をとおして患者の特徴を踏まえて，症状を観察し，ケアを提供していく必要がある。精神科病棟に入院している3人に1人が身体合併症を併発している状況で，身体合併症看護は精神看護のなかでも重要な役割を占めており，様々な視点からアセスメントし支援していかなければならない。

2）リエゾン精神看護

　一方で，一般病院の精神科以外の病棟で治療やケアを受ける身体合併症患者もいる。精神症状により訴えが曖昧であったり，ケアの受け入れが困難であったりするなかで，一般病棟の看護師は，身体合併症患者への看護に苦慮することがある。また，身体的治療自体がストレスとなり，精神状態が不安定になりやすい。このような場合，患者や看護師を支援する役割がリエゾン精神看護専門看護師である。症状や思いを表出しにくい身体合併症患者に対して表出を促し，本人の希望する治療を受けることができるよう支援する。また，患者の思いを代弁したり，一般病棟の看護師が精神的なケアも行うことができるよう相談を受けたり，教育的にかかわったりする。

　わが国では，1996年より精神看護分野の専門看護師の認定が始まった。リエゾン精神看護は自身の専門性または職場のニーズによって精神看護専門看護師のサブスペシャリティとして位置づけられている。「リエゾン（liaison）」とはフランス語で「つながる」「連携」という意味をもつ。つまり，リエゾン精神看護とは身体疾患にかかわる看護の領域に精神看護の知識や技術を提供し連携を図るという意味が込められている。たとえば，大事な発表の前に緊張してお腹が痛くなるように，身体の状態と心の状態は切り離すことはできず，密接につながっている。また，「つなぐ」のは患者の身体と心だけではない。患者ケアをし

ている医療チームと連携し，患者の治療環境を整えることも役割の一つである。

　リエゾン精神看護の対象は身体合併を併発している精神疾患患者だけではなく，一般病棟に入院している（もしくは外来通院している）精神的に不安定となっている患者すべてが看護の対象である。精神疾患の有無にかかわらず，身体の不調から心の不調をきたし，不安が強くなる，抑うつ状態になる，怒りが強くなる，もしくは器質的要因やせん妄により様々な症状が現れるからである。

　また，リエゾン精神看護の目標は，次の3つの柱を基本としている[9]。

①精神看護の知識や技術をその他の領域の看護に適用し，スタッフ間の連携を図ることによって，患者に包括的で質の高い看護サービスを提供する。

②看護師が生き生きと意欲をもって仕事に取り組むことができるように，看護師のメンタルヘルス（精神保健）の向上を支援する。

③精神看護学的視点から新たな看護サービスを開発し，求められる看護に対応しうるサービスを提供する。

　この目標から，患者だけではなく，家族，医療スタッフに対するケアもリエゾン精神看護の対象となる。家族が不安を抱えていたり，医療者に対して不信感を抱いていたりすると，患者を支援することが難しく，患者に負担が生じる場合がある。たとえば，せん妄を呈した患者が夜間に暴言やつじつまの合わないことを発言することがある。また，恐怖を感じ警察や家族に「助けて」と電話をすることがある。患者の行動はせん妄による意識障害によるものであるが，家族がその症状を理解していないと，「病院で何かされたのではないか」と不信感を抱き，治療途中の患者を早く退院させようとしたり，医療スタッフへ抗議をしたりする。そうすると，医療スタッフも患者や家族へのかかわりに困難や陰性感情を抱き患者を支援することが難しくなる。その際に，リエゾン精神看護専門看護師が患者の状態を把握し，早期にせん妄を改善できるよう支援する。また，家族や医療スタッフにせん妄について説明し，介入方法を伝えたり，一緒に考えたりする。そうすることで，患者は安心して治療を受け続けることができるようになる。

　このように様々な場面でリエゾン精神看護の知識や技術が必要となり，最終的には患者ケアへとつながっていく。

文献

1) エリクソン EH著，西平直・中島由恵訳：アイデンティティとライフサイクル，誠信書房，2011.
2) 服部祥子：生涯人間発達論　第3版，医学書院，2020.
3) 厚生労働省：こころの耳.
〈http://kokoro.mhlw.go.jp/〉（アクセス日：2022/6/29）
4) 精神保健福祉白書編集委員会編：精神保健福祉白書2013年版　障害者総合支援法の施行と障害者施策の行方，中央法規出版，2012.
5) 川野雅資：精神看護キーワード―多職種間で理解を共有するために知っておきたい119用語，日本看護協会出版会，2017.
6) Hopper E. Bassuk EL & Olivet J：Shelter from the storm：Trauma-informed care in homelessness services settings. The Open Health Services and Policy Journal, 3：80-100, 2010.
7) 日本精神科看護協会：精神科病棟における身体ケア及び身体合併症ケアに関する調査報告書（平成27年3月31），〈http://www.jpna-gakujutsu.jp/manager-room/wp/wp-content/uploads/2015/05/JPNA_report_forHP_20150331.pdf〉（アクセス日：2022/6/29）
8) 荒木孝治・他：精神科病院で勤務する看護師の身体合併症看護への不安に関する検討，大阪医科大学看護研究雑誌，3：100-108，2013.
9) 野末聖香編著：リエゾン精神看護―患者ケアとナース支援のために，医歯薬出版，2004, p.6.

3 精神看護に活用される看護理論

学習目標
- 精神看護に活用される看護理論の概要を理解する。
- 看護理論の看護実践への活用方法について学ぶ。

ここでは，精神看護に活用される主要な看護理論について概説するが，看護実践に理論を活用する際は，各理論書を熟読していただきたい。

1 ウィーデンバックの看護理論[1]

1）看護の考え方

ウィーデンバック（Ernestine Wiednbach）は，人間のニードとは「一個人がある状況において自分自身を安楽かつ巧みに，維持あるいは保持していくために必要とする何ものか」であり，それは生きている一つの現れであり，生きるとはニードを満たす絶えざる努力の継続を意味する。よって，看護とは「援助へのニード」をもつ人への援助であるとした。そして，人は自分で自分のニードを満たすことができなくなったとき，初めて他者によるサービスを必要とするととらえたのである。しかし，他者によるサービスを必要とするか否かは，自己の状況あるいは状態をその人がどのように知覚するかが重要になる。

2）看護師に必要な特性

看護師の重要な特性は，知識，判断，技能の3つであり，これらを調和させて用いるときに看護援助の価値が発揮される。知識とは，理論的なものや実践的なものであり，その広がりの範囲は限りがない。判断とは，看護師の潜在能力であり，事実に重きを置く認識過程から出るものであり，個人の価値観とは異なる。技能とは，看護師が望む結果を得るために必要な潜在能力であり，身ぶり・表情・意思の調和，正確さ，そして自己の巧みな活用の仕方によって特徴づけられる様々な行為からなる。一方，技術（art）とは，望んでいる結果を生むために必要な知識と技能を適用することであり，看護技術とは患者が体験している援助へのニードを満たすために知識と技能を適用することである。

臨床看護実践における基本的な技能には，看護手順的技能とコミュニケーションの技能の2つがある。看護手順的技能とは，援助へのニードを見極め，それを満たす際に必要な手順を実施する潜在能力であり，コミュニケーションの技能とは，看護師が患者や患者の関係者に対して考えや感情を表現する能力である。そして，援助のプロセスで最も重要なことは，ある人にとっての行動の意味は，その行動を知覚する他人には正確にはわからな

いということを認識し，観察の際は行動の意味を正確に確認し，憶測で済ますべきではないということである。

3）看護行為の3つのタイプ
看護師は，看護実践のプロセスにおいて次の3つの行為をとる。
- **合理的な動作**：その行為者が他人の動作やそのときの状況に応じてとる行為で，外から見える行為である。
- **反応的な動作**：合理的動作とは対照的なもので行為者が他人の行動あるいはそのときの状況について知覚したことと，その行動について期待したり希望したりしていたことと比較したときに，行為者が経験する強い感情に反応して自動的に行われる目に見える行為のことである。
- **熟慮された動作**：合理的動作や反応的な動作とは対照的なものであり，行為者がそのとき知覚したことや感情的反応をある程度考慮するが，この知覚や感情に全面的に基づいてはいない目に見える行為である。それは明確な目的達成に向かうもので，相互作用といえるものであり，看護技術は熟慮された動作で構成される。

4）〈援助へのニード〉を明らかにする段階
ウィーデンバックによれば看護において最も重要なことは，患者の〈援助へのニード〉を明らかにすることである。したがって，援助に先立ち看護師は，患者が自分でニードを満たせないのはなぜか，患者は援助を必要としているのか，どのような援助が役立つのか，援助を患者はどのように活用できるのかを見極めなければ，その援助は失敗に終わるといい，〈援助へのニード〉を明らかにするための4つの段階を示した。
- **第1段階**：看護師が自分の観察力を活用することである。それは，ただ単に見たり聞いたりするだけではなく，患者が言っていることの内容とその言い方との不一致や，患者の言っていることと行動との不一致などを観察することである。
- **第2段階**：患者がその手がかりをどのように示すかを理解することである。手がかりとは，看護師が不一致を認識するきっかけとなるような言葉や表情や身ぶりなどである。
- **第3段階**：患者が体験していると思われる不快感や無力感の原因を，観察や慎重に相手に問い返してみたりすることなどによって突き止めることである。
- **第4段階**：患者が自分のニードを自分自身で満たすことができるかどうか，あるいはそれを満たすために他人の援助を必要としているかどうかをはっきり見極めることである。それは患者に直接尋ねたり，患者の反応によって探り当てることである。

5）再構成
再構成とは，看護師が患者や患者ケアに関連した人々とのかかわりあいのなかで体験したことを思い起こして再現することであり，学習のための効果的な手段である。再構成とは，ある体験に含まれる詳細な事柄を思い起こすことだけではなく，ある出来事が起こった際にその場の状況に飲み込まれてしまい，時間的にも気持ちのうえでもゆとりがないために客観的に見ることのできなかった詳細な事柄への振り返りである。それはしばしばそ

表3-1 再構成の看護場面の記載

私が知覚したこと	私が考えたり感じたりしたこと	私が言ったり行ったりしたこと

の人自身の動機や行った動作に対する洞察をもたらす。このような洞察によって看護師は，その後に行う看護実践に適用できるより新しい知識・技能・価値を身につけることができる。

再構成を有効なものにするカギは，看護師が自分とかかわり合った人の行動を見て気づいた不一致（ズレ）を果たしてどのくらい詳細に記述できるかどうかである。再構成では，「看護師が知覚したこと」「看護師が考えたり感じたりしたこと」「看護師が言ったり行ったりしたこと」という3つの部分に分解して看護場面を記載する（表3-1）。ウィーデンバックは，看護師が考えたり感じたりすることは，目に見える看護行為を決定するものであることから，看護実践において最も重要な意味をもつ部分であるとして，看護実践には感情が大きく関与することを示唆している。

精神科で多く用いられるプロセスレコードは，ウィーデンバックやペプロウなどによる再構成の考え方に基づくものである。

6) 理論の活用

精神看護では，人々の目に見えない心の健康問題，すなわち精神的健康に焦点を当てて健康問題を総合的に扱う。人の心を理解するには，ウィーデンバックのいう〈援助へのニード〉を明らかにする段階において，患者の言葉と行動の一致あるいは不一致などを丁寧に観察できるか，観察した事柄や看護師自身の感情および気づきをどれだけ詳述できるか，そしてその意味を憶測ではなく正確に解釈できるかがカギとなる。

この理論が看護実践に有用な点は，①看護師は〈援助へのニード〉を明らかにする過程で知識，判断，技能を駆使し，患者との相互作用を発生させながら観察を行うこと，②観察後の解釈は憶測で済ませるのではなく，行動の意味を正確に確認すること，③相互作用の場面，すなわち看護場面を詳細に振り返る際に「再構成」を活用することの大切さを示しているところにある。

2 ペプロウの看護理論

1) 看護の考え方

人間と人間が接触するときには，感情，信念，行動様式の衝突が起こる可能性がある。したがって，看護師には自分自身の行動の理解，他者の問題を明確にする援助，問題に対する人間関係の諸原則を適用した高度な技術を駆使することが求められる。また，看護が人々の成熟を促す教育的手段であるならば，看護の機能は，教育的かつ治療的なものになる。そして，看護とは，有意義かつ治療的な対人関係のプロセスであり，創造的，建設的，生産的な個人生活や社会生活を目指すパーソナリティの前進を助ける教育的手だてであり，

成熟を促す力である[2]。

2) 仮　　説

　ペプロウ（Hildegard E Peplau）は，看護師の主な機能は，患者との有効な人間関係を築き維持するための知識と技能に関するものであり，看護手順のような目に見える技術的操作以上のものが含まれるといい，看護のプロセスそのものを技術的なものとして規定してはならないと指摘している。そして，患者と看護師の双方が成長するときに看護が支援的なものとなると述べ，次の仮説を提示している。

①病気で看護を受けた経験をとおして各人が何を学ぶかは，看護師個人の人となりによって本質的に異なる。

②パーソナリティの発達を促し，それを成熟の方向に育てていくのは看護および看護教育者の役割である。それには，日常の人間関係上の諸問題や困難と取り組むプロセスを可能にし，またそれを導く原則と方法を活用する。

3) 患者-看護師関係の諸局面と看護師の役割の変遷

　看護師と患者が問題解決のために協力する際には，方向づけ，同一化，開拓利用，問題解決という4つの局面が連動あるいは重複する。このような局面において，看護師は人間関係の構築に向けて，「未知の人」の役割，「無条件な母親の代理人」の役割，「カウンセラー」の役割などを担うとした（表3-2）。

　看護師は，患者が自己の気持ちを自覚し自分の問題に目を向けることができるように，非指示的な態度で話を聞き，反響板のような働きをする。

4) 人間関係のプロセスとしての看護研究の方法

　看護過程においては，観察，コミュニケーション，記録の3つが絡み合っている。看護師は，看護活動のなかで個人または集団の対象者との関係をとりながら，参加観察者の立場をとることになる。したがって，看護師が自分を観察の手段として利用できるようになれば，看護過程における行為に関する観察がよりよくできるようになる[3]。また，この相互作用を観察して解釈する能力は，看護判断において必要不可欠なものである[4]。さらに，ペプロウは患者の訴えを記録する際に，簡略化することなくそのとおりの言葉で書くことが

表3-2 患者-看護師関係における諸局面と役割の変遷

看護師	未知の人	無条件的な母親の代理人	カウンセラー 情報提供者 リーダーシップ 代理人＝母親，兄弟	大人
患者	未知の人	幼児	子ども　　　　青年	大人
看護関係における諸局面	方向づけ………………………………………同一化……………………………………… 　　　　　　　　　　　　　　　　　　　　　　　　　開拓利用……………………………… 　　　　　　　　　　　　　　　　　　　　　　　　　　　　　　　　　　　　　問題解決			

ペプロウ，HE著，稲田八重子・他訳：ペプロウ人間関係の看護論，医学書院，1973，p.58．より転載

最も大切であるとし[5]，それによって看護師は患者の用いたコミュニケーションの裏にある意味をつかむことができると述べている。

5) 理論の活用

　精神疾患をもつ人々は，対人関係に課題を抱えていることが多い。ペプロウによれば，看護は人間関係の諸原則を用いて対象となる人々との治療的な人間関係を形成および維持する役割をもっている。その過程で人々の成熟を促進するために，看護師がいかに様々な役割を担うことができるか，参加観察者の立場をとることができるか，つまり自分を観察の手段に利用できるか，そしてその場面で用いた言葉を簡略化しないで記録に残せるかにかかっている。

　この理論が看護実践に有用な点は，①患者-看護師関係の場面を詳細に観察すること，②患者-看護師関係の場面における両者の言動および看護師自身の感情を振り返り詳述し，コミュニケーション（相互作用）を分析する（プロセスレコードの作成）こと，③コミュニケーションを分析することによって，関係の取り方や関係性の段階を確認したり，評価して改善することの大切さを示しているところにある。

3 トラベルビーの看護理論

1) 看護の考え方

　トラベルビー（Joyce Travelbee）は，看護師の仕事を人間対人間の関係を確立することだととらえた。それは，看護師という人間と病人あるいは看護師のサービスを必要とする個人との間の一つの体験や一連の体験をさし，人間対人間の関係は看護師が意図的につくり維持するものである[6]。また，看護師と患者が人間対人間としての関係を結ぶには，「看護師」および「患者」の建て前をつき破り，互いに一人の人間として関係を結ぶ必要がある。すなわち看護師の役割を超越しなければならない[7]。そして，看護とは対人関係のプロセスであり，病気や苦難の体験を予防したり，あるいはそれに立ち向かうように，そして必要なときにはいつでも，それらの体験のなかで意味を見つけ出すように，個人や，家族，あるいは地域社会を援助することであると述べた。

　また，看護師の役割は，病人が希望をもち続け絶望を避けるように援助すること，絶望を体験している人に再び希望がもてるよう援助すること，あるいはたとえ援助を求められなくても必要な援助を与えることである[8]。ここでの看護師は目的をもって進歩した思慮深い方法で変化を確認し，変化を生じさせ得る行為者である[9]。

2) 人間対人間の関係確立に至る諸相

　トラベルビーは，患者と看護師の関係において互いに建て前をつき破ったところの人間と人間の関係を確立することの重要性を述べている。人間対人間の関係は，患者と看護師の両者がラポート以前の諸位相を通じて前に進みながら形成させるものであるが，関係をつくり維持する責任は看護師にある[10]として，看護師の責務を示している。

　人間対人間の関係の確立に至る諸相には，次の5つの段階がある。

(1) 初期の出会いの位相

看護師は，初めての人に出会うと，その人を観察し，推論を発展させ，価値判断をするが，その相手も同じようにしているのである。第一印象や他人についての感じとよばれるものであり，これらは手がかりの知覚や言語的・非言語的コミュニケーションをきっかけにしている。当初の，ステレオタイプに患者あるいは看護師と互いに認識していた段階から，別個の人間としての他人を知覚するようになる。

(2) 同一性の出現の位相

他人とのつながりを確立するほかに，他人の独自性を認めることが顕著になる。看護師にとって病人が直面している体験やそれと似た体験をしたことは，病人の独自性を知覚する際の助けになることも邪魔になることもある。他人との相互のつながりを維持することは重要だが，体験の分離と同一性も同様に重要である。

(3) 共感の位相

共感とは，2人もしくはそれ以上の人たちの間に起こる体験である。それは他の個人の心理状態に一時的に入り込んだり，分有したりして理解をすることである。それはプロセスであり，そのなかで人は所与の時点での他人の内的体験を表面的行動を超えて悟り，正確に感じることができる。それはほとんど瞬間的なプロセスであって，関係者の思考や感情の意味や関連を把握する能力により特徴づけられる。

この共感は関係性に至る一段階に過ぎず，それだけでは十分ではない。必要なことは，共感を超えて，同感と慈悲の世界に移ることである[11]。

(4) 同感の位相

同感は，共感のプロセスから生じるものであり，それは共感を超えた段階である。同感には苦悩を和らげたいという基礎的な衝動や願望があるが，共感にはこの苦悩を和らげたいという願望が欠ける。つまり，同感というのは温かみ，親切，短期型の同情，配慮的な特質であり，それらは感情の水準で体験され，他の人に伝えられたものである。

(5) ラポートの位相

ラポートとは，看護師とケアを受ける人とが同時に経験する，プロセス，出来事，体験，あるいは一連の体験である。

3）コミュニケーション

看護におけるコミュニケーションは，人間対人間の関係の確立と看護の目的（病気や苦難の体験を防ぎ，それに立ち向かうよう病人と家族を援助すること，そして必要なときにはいつでも，これらの体験のなかに意味を見出すよう彼らを援助すること）を実現するプロセスであり，力動的なプロセスでもあることから，看護場面において変化をもたらす道具である。したがって，関係性の確立は，看護師が「治療的な自己利用」とともに論理的かつ理知的なアプローチをどの程度もち，それを活用することができるかによる。治療的な自己利用とは，親切心とは異なり，患者-看護師関係を確立して看護介入を試みるときに，自己のパーソナリティを意識的に用いる能力のことである[12]。

4) 相互作用のプロセスを学ぶアプローチ

相互作用のプロセスを学ぶ方法は，経過記録を書きそれを分析することである．この方法を用いることで，看護師は病人との間で起きたことを確かめ，看護の介入がどの程度まで成功したかを評価することができる．

5) 理論の活用

人々が身体的あるいは精神的な健康に問題を抱えると，様々な苦しみや痛みを経験することになる．そのような状況にある人々が病気や苦難のなかに意味を見出すことができるように援助するには，いかに看護師が対象者に共感できるか，適切にコミュニケーションの技法を活用できるか，また人間対人間の関係を意図的につくり維持できるかが重要となる．

この理論が看護実践に有用な点は，①日々の看護実践において看護師は患者を変化させる道具になること，②それを具現化するためにコミュニケーションの技法を活用すること，③精神看護のキー概念である傾聴，受容，共感などを活用し，対象者が病気や苦難のなかに意味を見出すことができるように支援すること，④患者−看護師関係の構築に向けてその段階を評価することの大切さを示しているところにある．

4 オレムの看護理論

1) 看護の考え方

オレム（Dorothea E Orem）は，看護実践の概念として人間のセルフケアに着目し，看護とは，病気や障害などによってセルフケアが充足できない状況，すなわちセルフケア不足の状況にある人々の，セルフケアを充足させることだと考えた．

また，看護師は，対象の要求や健康状態に応じた行動制限を考慮して，次の援助方法[13]を選択したり組み合わせたりする．
① 他者に代わって行為する．
② 他者を指導し方向づける．
③ 他者を身体的・精神的に支持する．
④ 個人の発達を促進する環境を整え維持する．
⑤ 他者を教育する．

2) セルフケア不足理論

オレムは，セルフケア理論，セルフケア不足理論，看護システム理論から，看護の一般理論としての看護のセルフケア不足理論を構築した[14]（図3-1）．このセルフケア不足理論は，セルフケア，セルフケアエージェンシー，治療的セルフケアデマンドという理論的な構成要素と，セルフケア不足や看護エージェンシーという関係性の構成要素を統合したものであり，セルフケアに焦点を当てる．セルフケア不足理論の概念枠組み（図3-2）が示すように，セルフケアエージェンシーよりも治療的セルフケアデマンドが大きい状況をセルフケア不足ととらえ，看護師は不足しているセルフケアを看護エージェンシーによって補足す

図3-1 セルフケア不足理論の理論構成

オレム，DE著，小野寺杜紀訳：オレム看護論，第4版，医学書院，2005，p.133．より引用

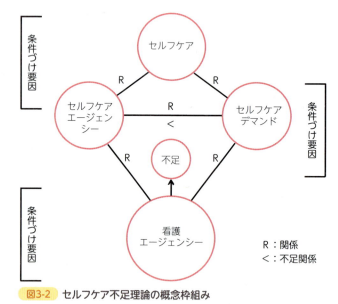

図3-2 セルフケア不足理論の概念枠組み

オレム，DE著，小野寺杜紀訳：オレム看護論，第4版，医学書院，2005，p.449．より転載

る。このような場合に看護師は，患者の状況に応じていずれかの看護システムを活用する。

セルフケア不足とは，セルフケアエージェンシーと治療的セルフケアデマンドの間の関係を指し，セルフケアエージェンシーが治療的セルフケアデマンドを充足できない場合をいう[15]。

3）重要な概念

- **セルフケア**：生命，健康，安寧にかかわる要因を調整するために，生活環境のなかで自己や環境に向ける行動。
- **依存的ケア**：幼少児のような社会的依存状態にある人の代わりに，責任ある立場の成人が行うセルフケア行動。
- **看護エージェンシー（看護能力）**：看護教育を受けた人々の複合的な特質または属性。
- **治療的セルフケアデマンド（治療的セルフケア要件）**：治療を考慮したうえでセルフケアを充足する条件や，事情によって特定された個人のセルフケア要件を充足するための方策

の総和。人々は生命，健康，安寧を維持しがたい状況にあるとき，セルフケア要件を満たすために専門家の援助を必要とする。
- セルフケアエージェンシー（セルフケア能力）：生命過程を調整し，人間の構造と機能の統合性や，人間的発達の維持・増進，安寧を促進するケアに対する個人の要求を満たすための複合的・後天的な能力。

4）看護システム

看護師と患者あるいはそのどちらかは，患者のセルフケア要件を充足する行為ができるという原則に立ち，看護システムには全代償システム，一部代償システム，支持・教育システムという3つの基本的なバリエーションがある（図3-3）[16]。

5）セルフケア要件（要素）

セルフケア要件（人間のセルフケアに影響を与えるもの）は，個人が健康と安寧を守るために必要なものであり，普遍的セルフケア要件，発達的セルフケア要件，健康逸脱に対するセルフケア要件の3タイプがあるとされている（表3-3）。
- **普遍的セルフケア要件**：生命過程，人間の構造・機能の統合性の維持あるいは安寧に関するものであり，あらゆる段階のすべての人間に共通するセルフケア。
- **発達的セルフケア要件**：発達過程やライフサイクルの様々な段階において生じる状態や出来事に関連するセルフケア。
- **健康逸脱に対するセルフケア要件**：病気や障害あるいはそれによる影響に関連するセルフケア。

6）理論の活用

オレムの看護理論の特徴は，セルフケア不足の状況にある人々のセルフケアを充足させ

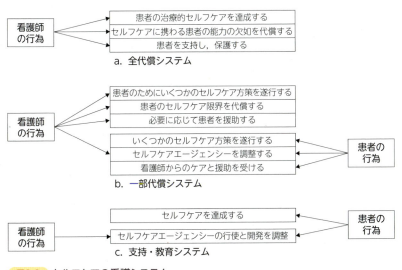

図3-3　セルフケアの看護システム

オレム, DE著, 小野寺杜紀訳：オレム看護論, 第4版, 医学書院, 2005, p.321. より転載

表3-3 オレムのセルフケア要件

- 普遍的セルフケア要件
  （8つの要素）
  - ①十分な空気摂取の維持
  - ②十分な水分摂取の維持
  - ③十分な食事摂取の維持
  - ④排泄過程と排泄物に関するケアの提供
  - ⑤活動と休息のバランスの維持
  - ⑥孤独と社会的相互作用のバランスの維持
  - ⑦人間の生命，機能，安寧に対する危険の予防
  - ⑧人間の潜在能力，既知の能力制限，および正常でありたいという欲求に応じた，社会集団のなかでの人間の機能と発達の促進

- 発達的セルフケア要件
  - ①生命過程を支え，発達過程を促進する状態，すなわち人間構造のより高いレベルでの組織化と，次の期間における成熟に向けての人間の進歩を促進し，維持する。
    - a. 胎児の段階および誕生の過程
    - b. ①満期産または早産，および②正常体重もしくは低体重で生まれた新生児の段階
    - c. 乳幼児期
    - d. 思春期および青年期を含む小児期の発達段階
    - e. 成人期の発達段階
    - f. 小児期もしくは成人期における妊娠
  - ②人間の発達を阻害する可能性のある状態に対するケアを提供する。
    - サブタイプ1：そのような状態の有害な影響の発生を予防するためのケアの提供
    - サブタイプ2：そのような影響を和らげたり，克服するためのケアの提供

- 健康逸脱に対するセルフケア要件
  - ①病理学的事象や状態に関連する特殊な物理学的・生物学的作用因または環境的条件にさらされた場合，あるいは，病気をもたらしたり，それに関係することがわかっている遺伝的・生理的・心理的状態の証拠が存在する場合に，適切な医学的援助を求め，確保する。
  - ②発達への影響も含め，病理学的な条件と状態がもたらす影響と結果を認識し，それらに注意を払う。
  - ③特定のタイプの病気を予防し，病気そのものを治療し，人間の統合的機能を調整し，欠損もしくは異常を修正し，廃疾を代償するために医師が処方した診断的・治療的処置，およびリハビリテーションを効果的に実施する。
  - ④発達への影響も含め，医師が処方もしくは実施した医学的ケアの，不快や害をもたらすような影響を認識し，注意を払い調整する。
  - ⑤自分が特殊な健康状態にあり，専門的なかたちのヘルスケアを必要としていることを受け入れることで，自己概念（および自己像）を修正する。
  - ⑥病理学的な条件と状態の影響，ならびに医学的な診断と治療処置の影響のもとで，持続的な人間としての発達を促進するようなライフスタイルをもって，生活することを学ぶ。

オレム，DE著，小野寺杜紀訳：オレム看護論，第4版，医学書院，2005. を参考に作成

るという看護の役割・機能を明示している点にある。そこで，看護師がセルフケアを充足させる援助を行うには，まずセルフケア不足の状況を正確に把握できるか，またどのような援助がどの程度必要であるかを見極めることである。

　この理論が看護実践に有用な点は，①看護は人間のセルフケア不足の状況を充足させること，②セルフケアエージェンシーと治療的セルフケアデマンドのバランスを見極めること，③不足状況にあるセルフケア要素を充足させる看護システムを決定すること，④セルフケア要素としてセルフケア不足の状況を具体的に把握することの大切さを示しているところにある。

5 オレム-アンダーウッド理論

1) 特　徴

　オレム-アンダーウッドセルフケアモデル（オレム-アンダーウッド理論）は，アンダーウッド（Patricia R Underwood）がオレムのセルフケア理論を精神科看護領域で使いやすいように修正したものであり，わが国においては，1980年代に長谷川病院看護部（東京）が導入し，その実用性を広めた。

　この理論は，セルフケアの概念，看護過程，患者-看護師関係という3つの要素で構成され，なかでもセルフケア概念に特徴がある（表3-4）。

2) セルフケア概念

　アンダーウッドは，オレムの「発達的セルフケア」と「健康逸脱に関するセルフケア」を統合して，【基本的条件づけの要素】とした。また，オレムの「普遍的セルフケア要素」に位置づけられる⑦人間の生命，機能，安寧に対する危険の予防，⑧人間の潜在能力，既知の能力制限，および正常でありたいという欲求に応じた，社会集団のなかでの人間の機能と発達の促進に関しては，他の普遍的セルフケア要素のいずれにも含まれると考え，オレムの8つの「普遍的セルフケア要素」を4つの要素に統合し，さらに「体温と個人衛生の維持」の要素を加え5つの【普遍的セルフケア要素】とした。なお，わが国においては，この【普遍的セルフケア要素】に「安全を保つ能力」という要素を加え，6つの要素で構成し使用されていることが多い（表3-5）。

3) セルフケアニード

　アンダーウッドは，オレムの「セルフケア要件（要素）」と「治療的セルフケアデマンド」を統合して【セルフケアニード】と表現し，このセルフケアニードがセルフケア行動を起こすとした。このときにセルフケア不足の状況が起こっていれば，そこに看護師がケアレベルに応じて援助することになる。

表3-4　オレム-アンダーウッド理論のセルフケア概念

1) セルフケアの概念	オレムの「発達的セルフケア」と「健康逸脱に関するセルフケア」を統合した【基本的条件づけの要素】と，特に精神科看護領域で重要とする【普遍的セルフケア要素】によって構成される。
2) 看護過程	今日では看護実践の中であたりまえのこととして活用している情報収集－アセスメント－計画－実施－評価という問題解決の方法のことである。
3) 患者－看護師関係	このモデルでは，単に患者と看護師との関係を確立することだけでなく，患者のセルフケア能力や自己決定能力を高めていく手段として患者と看護師との良好な関係を築くことを目指している。

竹村節子編：看護理論のケアへの活用，金芳堂，2004，p.134．より転載

表3-5 オレム理論の修正

オレム	アンダーウッド
・発達的セルフケア ・健康逸脱に関するセルフケア	【基本的条件づけの要素】 ①年齢：生活年齢，年齢相応の思考や対人関係のもち方，など ②性別：男性・女性の区別，外見から性の区別が可能か，男性らしさや女性らしさなど ③社会・経済的背景：宗教，社会的地位，文化的要素（国民性，地域性など），生物的・心理的・社会的な成長および発達レベルなど ④ソーシャルサポートシステム：家族構成，友人や同僚，患者を取り巻く人たちが患者に期待していること，キーパーソンなど ⑤ライフスタイル：生活している場所，職業，経済状況（収入の程度，収入源），性格，趣味，嗜好，日常的な生活様式，生活史など ⑥健康状態：心身の病気，病態あるいは状態像，治療の内容，さらにはそれらに対する受け止め方や取り組み方など
【普遍的セルフケア要素】 （8つの要素） ①十分な空気摂取の維持 ②十分な水分摂取の維持 ③十分な食事摂取の維持 ④排泄過程と排泄物に関するケアの提供 ⑤活動と休息のバランスの維持 ⑥孤独と社会的相互作用のバランスの維持 ⑦人間の生命，機能，安寧に対する危険の予防 ⑧人間の潜在能力，既知の能力制限，および正常でありたいという欲求に応じた，社会集団のなかでの人間の機能と発達の促進	【普遍的セルフケア要素】 （4つの要素＋1つの要素） ①空気・水・食物の十分な摂取 ②排泄物と排泄プロセスに関するケア ③活動と休息のバランスの維持 ④孤独と社会的相互作用のバランスの維持 ⑤体温と個人衛生の維持 ⑥安全を保つ能力

4）ケアレベル

患者のセルフケアニードに対して，具体的にどのような看護が必要かを考える際に，オレム-アンダーウッド理論で言うところのケア（表3-6）をアセスメントすることが大切である。看護師は，患者のレベルに応じたケアを行う際に，患者-看護師関係を成立させるのである。

5）理論の活用

オレム-アンダーウッド理論は，オレムのセルフケア理論を精神看護分野で活用するのに具体的な視点を与えてくれるが，先に概説した看護理論と同様に分析手順を明示しているわけではない。この理論を活用するとは，セルフケアの概念，看護過程，患者-看護師関係という3要素を盛り込んだ看護を展開するということである。

精神看護領域では，①精神症状が患者のセルフケアにどのような影響を与えているのか，②その精神症状によって患者が他者とどのようなつきあい方（対人関係のもち方）をしているのかなどを，鋭い観察によって蓄積した詳細な情報に基づき解釈しなければ適切な看護ケアが提供できない。この分析プロセスで非常に重要なのが，精神力動理論，発達理論，

表3-6 看護システム理論の修正

オレム〈看護システム〉	アンダーウッド〈ケアレベル〉
全代償システム	【レベルⅠ】患者は，セルフケアニードを満たす活動ができない状況下にある。すなわち，自己の要求を認識できない，それを満たす方法を知らない，あるいは自ら学ぶことができない状況である。
一部代償システム	【レベルⅡ】患者は，セルフケアニードを独力でほとんど満たすことができないが，ある行為をするか否かの決断は下せる状況である。
支持・教育システム	【レベルⅢ】患者は，ある程度のセルフケアニードを独力で満たすことができる状況である。
	【レベルⅣ】患者は，ほとんど自立しており，看護師による直接的なケアを必要としていない状況である。

南裕子・稲岡文昭監：セルフケア概念と看護実践，へるす出版，1987，p.43. より改変転載

人間関係論を用いてアセスメントすることである。特に精神力動理論は，現在の精神病理の根底にあるものを説明するものであり，個人の人生初期の体験が自我の発達にどのような影響を与えているかをとらえようとする。

　また，アセスメントの際は，患者のセルフケアに焦点を当てるわけだが，患者が発病する前にもっていた最も高いレベルの機能（過去最高のレベル）はどうであったかを考慮しなければならない[17]。そして，看護師は患者の症状の緩和に焦点を当てるのではなく，患者が自分でセルフケアを達成するための援助に焦点を当てるのである。とりわけ精神看護学においては，精神症状がセルフケアにどのように影響しているか，精神症状によって患者が他者とどのようなつきあい方をしているか，あるいは精神症状が他のセルフケア要素にどのような影響を与えているかを理解する必要がある[18]。

　そこで，次のようなステップを常に循環させることが重要だと考えられる。

- ステップ1（情報収集）：看護実践の場面を振り返りながら，逐語録のように詳細な記録を作成し情報を蓄積する（プロセスレコードの活用を含む）。そして，作成した記録をセルフケア概念に基づいて過不足がないか確認し，次の看護実践に活かす。
- ステップ2（アセスメント）：情報を統合してセルフケアニードを見極め，①その成長発達レベル，②過去最高レベル，③セルフケアレベルをアセスメントする。また，そのときに精神力動理論，発達理論，人間関係論を活用する。
- ステップ3（看護計画の立案）：セルフケアニードに対する具体的な看護計画を作成する。
- ステップ4（看護の実施）：看護計画に基づいて看護実践する。
- ステップ5（看護の評価）：実践した看護を評価する。

文献

1) ウィーデンバック E著，外口玉子・池田明子訳：臨床看護の本質―患者援助の技術，改訳第2版，現代社，1984.
2) ペプロウ HE著，稲田八重子・小林冨美栄・武山満智子・他訳：ペプロウ人間関係の看護論，医学書院，1973，p.15-16.
3) 前掲書2），p.297.
4) 前掲書2），p.301.
5) 前掲書2），p.323.
6) トラベルビー J著，長谷川浩・他訳：人間対人間の看護，医学書院，1974，p.180.

7) 前掲書6),p.62-63.
8) 前掲書6),p.119.
9) 前掲書6),p.4.
10) 前掲書6),p.181.
11) 前掲書6),p.209.
12) 前掲書6),p.22-25.
13) オレム DE著,小野寺杜紀訳:オレム看護論,第4版,医学書院,2005,p.53-58.
14) 前掲書13),p.130-140,447-451.
15) 前掲書13),p.218.
16) 前掲書13),p.320-326.
17) 南裕子,稲岡文昭監:セルフケア概念と看護実践―Dr. P. R. Underwoodの視点から,へるす出版,1987,p.61.
18) 前掲書17),p.46.
19) Underwood P:第Ⅳ章オレム理論の概観,看護研究,18(1):81-92,1985.
20) Underwood P:第Ⅴ章オレム理論と看護現象,看護研究,18(1):93-100,1985.
21) Underwood P:第Ⅵ章オレム理論の活用,看護研究,18(1):101-119,1985.
22) 野嶋佐由美監修:セルフケア看護アプローチ,第2版,日総研出版,2000.
23) 田中美恵子編著:精神看護学―学生‐患者のストーリーで綴る実習展開,医歯薬出版,2001.

第Ⅱ章

関係の成立・進展のための援助技術

1 信頼関係とコミュニケーション

学習目標
- 信頼関係を基礎に援助関係が成立していることを理解する。
- 精神看護における「患者-看護師関係」の重要性を理解する。
- 援助を求めない患者でも援助を必要としていることを理解する。

1 患者-看護師関係の成立の背景

　一般の臨床看護では，「看護師は援助し，患者はそれを受け入れる」ことが当然のこととみなされる。たとえば，ふらつきがあって自分の力で歩行することが困難な患者は，車椅子で移送する。看護師はその援助が当然だと思っているし，患者もそう受け止める。したがって，車椅子による移送に支障をきたすことはない。

　精神看護ではどうだろうか？　上記の，当たり前のように思えることがなかなかスムーズにいかない。たとえば，患者は車椅子を拒んで歩行しようとしたり，一切動かなかったりすることがある。スムーズにいかない理由は，医療者に対して不信感をもっている場合，精神症状としての拒絶がある場合，不安が強い場合など様々である。このように理由や状況は様々であるが，いずれにしても精神看護では「看護師は援助する人で，患者は援助を受ける人」ということを，当然のことと考えることはできない。<u>精神看護においては，最初に"患者に援助を受け入れてもらうようになるための信頼関係を構築する段階の看護"を必要とする。</u>この段階の看護は，「患者-看護師関係」＝「被援助者-援助者関係」と決めつけている看護師にとっては，手間のかかる余計なものに思われる。

　ところが，人間存在の根源に立ち戻ってみると，「患者-看護師関係」を「被援助者-援助者関係」と決めつけることはできない。社会的結びつきや役割関係を前提にして考えると，「患者-看護師関係」は「被援助者-援助者関係」である。しかし，人間は社会的動物であると同時に，おのおの独立した個人でもある。独立した存在としての個人に焦点をあてた場合，見も知らぬ人との出会いにおいて，いきなり相手を信用して身の回りの援助を任せるというのは，むしろ不自然である。このことを，問題点が浮き彫りになるような例によって説明してみよう。

　あなたは健康そのもので病気などしたことがなかったとする。ところが海外旅行をしていて，初めて訪れた国で病気になり入院した。その病院は日本の病院とは構造が違っている。医療者の服装も違う。言葉が通じない。生活習慣も違う（したがって援助の仕方も違う）。そのほか諸々の違いにさらされることになるが，自分では身の回りのことができない。

あなたは病気で気弱になってしまった。このような場合，あなたは"おびえて医療行為を拒否する"かもしれない。あるいは"あきらめて何でも医療者任せにする"かもしれない。その場合は意思表示がみられず投げやりな態度を示しやすい。そして，そのような経過のなかで家族の面会があり，病院の環境にも慣れ，看護師が親切で信用できるとわかれば，あなたは看護行為を受け入れ，自分から支援を要求するようになる。

以上のように，「患者-看護師関係」=「被援助者-援助者関係」は自明のことではなく，社会や人間関係のなかで形成され，それを患者が身につけているから成立するのである。ペプロウ[1]は，そのような「患者-看護師関係」の段階を理論化し，サンディーンら[2]は，看護過程における「患者-看護師関係」を明らかにした。

2 患者-看護師関係における信頼の意義

予後不良の身体疾患で不安が高まっている場合や，発達過程で対人関係に関する課題の達成が不十分な患者など，適切な「患者-看護師関係」の成立を困難にする要因は様々ある。さらに服部[3]は，人間には個人差があり，同じ環境のなかでもまったく異なる人間関係をもつ人もいると指摘している。このような場合，扱いにくい患者であるとか，看護師自身に責任があると考えても何の役にも立たない。大切なのは，患者は心細く苦痛な体験をしていて，（表向きは援助を拒んでいても）援助を必要としているということを，看護師がはっきりと認めることであり，それに対する対策を立てることである。その対策は，苦痛を軽減することと，必要な援助を受け入れられるような信頼関係を築くことである。

3 精神看護における患者-看護師関係

したがって，精神看護においては，まず「患者に援助を受け入れてもらうようになる段階」の看護が必要である。そして，適切な「患者-看護師関係」つまり信頼関係を形成することが重要である。

ところが，「患者-看護師関係」の大部分は看護援助を通じて形成される。看護を受け入れてくれる患者に対しては，日々の援助を通じて信頼関係が成立しやすい。一方，拒否的な患者に対しては，信頼関係を形成する手段として，通常の看護援助を用いることができない。これは，よくいわれる"鶏と卵とどちらが先か"という問題に似ている。信頼関係が成立すれば患者の協力も得られ，看護援助もしやすい。そして，援助をうまく行えば信頼関係は深まる。反対に，信頼関係が成立していなければ援助しにくい。そして，援助ができなければ信頼関係は成立しない。精神看護は心のケアであり，身体的ケアを伴うとは限らない。したがって，信頼関係が自然に成立するチャンスが少ない。しかも，精神看護を必要としている患者は，医療者を信頼する準備ができていないことがよくある。

このように，精神看護においては「患者-看護師関係」を成立・進展させることはきわめて重要であり，自然な「患者-看護師関係」が成立すれば（そしてその結果，看護行為が受け入れられるようになれば），精神的問題や精神症状がある程度改善したことを意味する場合が多い。特に患者が幻聴や妄想に悩まされていたり，人間関係でトラブルを体験した場

合,看護師が優しさや親しみを込めてアプローチしても,信頼してもらえるまでの道のりは,山あり谷ありの長い道であることが多い。つまり,冒頭に述べたように,「患者-看護師関係」のあり方と看護援助とは密接に関連している。そして,「患者-看護師関係」は看護介入を効果的にする決定的要因である[4]。

これまでは患者が援助を受け入れない場合について述べてきたが,そのほかにも「患者-看護師関係」を巡る問題はある。患者が過度に依存的な場合や,過去に対人関係上のトラウマを体験していて対人関係のあり方に困難を抱えている場合もある。また,家族との信頼関係の構築も大切である。家族と看護師との関係が患者看護に影響を与えることがあるし,家族が支援を必要としていることもある[5]。そうした場合も含めて,次節以降に「患者-看護師関係」の成立・進展のための援助技術を述べる。

文献

1) ペプロウ HE著,稲田八重子・小林冨美栄・武山満智子・他訳:ペプロウ人間関係の看護論,医学書院,1973.
2) Sundeen SJ・Stuart GW・Rankin EAD・他著,川野雅資・森千鶴訳:看護過程における患者-看護婦関係,医学書院,1999.
3) 服部祥子:人を育む人間関係論―援助専門職者として,個人として,医学書院,2003.
4) アブラハム C・シャンティ E・他著,細江達郎監:ナースのための臨床社会心理学―看護場面の人間関係のすべて,北大路書房,2001.
5) 田上美千佳編著:家族にもケア―統合失調症はじめての入院〈シリーズともに歩むケア〉,精神看護出版,2004.

2 コミュニケーション技術

学習目標
- 精神看護に適したコミュニケーションの枠組みを理解する。
- コミュニケーションの機能と要素を理解する。
- 言語媒体と非言語媒体を理解する。
- 具体的なコミュニケーション技術を理解する。
- 患者の状況に応じたコミュニケーション技術を理解する。

1 精神看護におけるコミュニケーションの枠組み

「患者-看護師関係」の成立・進展のための援助技術として重要なものに，コミュニケーション技術がある。看護におけるコミュニケーションのわかりやすい例は会話である。会話は，主に言葉を用いて行われる。この言葉によるコミュニケーションを言語的コミュニケーションという。一方，表情のような言葉によらないコミュニケーションは非言語的コミュニケーションという。精神看護では，これらのコミュニケーションを上手に活用することで，「患者-看護師関係」を進展させ，精神面の援助を行う。

本来，コミュニケーションという言葉の概念は非常に広く，伝達や通信，連絡などの様々な意味を有する。コミュニケーションは，テレビやラジオなどのマスコミュニケーションと個人間のインターパーソナルコミュニケーションに大別できるが，以下で取り上げるのは後者のインターパーソナルコミュニケーションについてである。

「患者-看護師関係」を進展させ，精神面の援助を行うためのコミュニケーション技術として，言語的コミュニケーションと非言語的コミュニケーションはどちらも重要である。「お手伝いしますよ」という言語的メッセージも，笑顔に含まれるメッセージも，歩行の介助も，すべて患者に対する（職業上の）好意または熱意を伝達する。そして，どれも「患者-看護師関係」を促進する。それに対して，「さっさと動いてください」という言語的メッセージ，苦々しい顔，乱暴なやり方での援助などは，悪意やそれに近いものを伝達する。「患者-看護師関係」に与える影響も類似している。

精神看護においては，このような意図的または非意図的（＝無意識）メッセージの伝達すべてがコミュニケーションであり，「患者-看護師関係」に影響する。患者に対するすべてのかかわりや直接援助がコミュニケーションとしての意味をもっており，さらには，かかわらないことすらもコミュニケーションとしての意味（＝あなたには関心がありません）をもつ。

ペプロウは，「患者-看護師関係」の段階を理論化したが，ウィーデンバック（Wiedenbach

E)はコミュニケーションを構成する要素を提唱した[1]。「患者-看護師関係」およびコミュニケーションにかかわる看護の基本としてそれらを参照してほしい。以下は，一般的枠組みと臨床的なわかりやすさの観点からコミュニケーションを説明する。

コミュニケーションの機能と要素

精神看護におけるコミュニケーションの意義を明らかにするため，最初にコミュニケーションの基本的な機能を述べる。その後，コミュニケーションを構成する要素を挙げ，その具体的例を提示する。そして，それらの活用法へと話を進める。

1）コミュニケーションの機能

精神看護におけるコミュニケーションには，情報の授受，問題解決，信頼関係の成立と進展という3つの機能がある[2]。

(1) 情報の授受

情報授受の機能を看護師側から考えると，情報収集と情報提供とがある。情報収集は患者を把握することに用いられ，それは患者理解や，看護過程のアセスメントと評価に活かされる。一方，情報提供は伝達的であり，検査の予定を伝えたり入院時オリエンテーションなどに用いられる。患者指導・患者教育も情報提供の面をもつが，患者の問題を処理することに重点が置かれるので，次に述べる問題解決の機能に分類する。

(2) 問題解決

患者の問題を解決するコミュニケーション機能には2つの側面がある。それは情意面とそれ以外の面である。コミュニケーションの情意面は，感情処理，意思表出・意思決定，コミュニケーション欲求の充足がある。患者の感情を処理することは，精神看護において重要な側面であり，看護実践のかなりの部分がこれに該当する。心の問題は，怒り，悲しみ，絶望など様々な感情が伴う。感情状態が主な問題の場合もある。そして，心の問題を扱うにあたっては，大なり小なり患者の感情を処理することが必要になる。精神看護の醍醐味はここにあると言っても過言ではない。

患者の問題を解決するためには，コミュニケーションを通じた意思表出・意思決定が必要である。しかし，精神的に混乱している場合は，意志表出・意思決定がなかなかうまくいかない。さらに看護師との意思疎通を図ることが難しい場合もある。看護職が意思決定を支援する重要性が高まっており[3]，そのためのコミュニケーション技術が必要になる。

また，人間は社会的動物であるといわれているように，誰もがコミュニケーションの欲求をもっている。言葉をうまく使えない乳幼児ですらも，様々な方法でコミュニケーションを行っている。一見他人に対して無関心に見える患者でも，また，患者自身が自覚していなくても，内心ではコミュニケーションを欲していることが多い。

コミュニケーションによる問題解決機能には，情意面以外の側面がある。たとえば，外泊について話し合うとか，服薬を忘れない方法を相談するなど，患者が解決を必要とする問題についてのコミュニケーションがある。(1) 情報の授受で述べた患者指導・患者教育はここに含まれる。

(3) 信頼関係の成立と進展

　精神看護においては，「患者-看護師関係」と看護援助とは密接に関連し，適切な援助は「患者-看護師関係」を成立・進展させる。そして，信頼関係に影響するもう一つのものとして，コミュニケーション技術がある。

　先に，コミュニケーションには言語的コミュニケーションと非言語的コミュニケーションとがあると述べたが，看護場面の援助では，非言語的コミュニケーションが大きな影響力をもつ。手早く清拭を済ませ，さっさと別の患者に向かう看護師は"とても忙しいんです"というメッセージを非言語的に送ることになる。反対に，ゆったりとしたしぐさで清拭して，終わってからも患者の身の回りの片づけなどをしている看護師は"今日は時間がありますよ"というメッセージを送ることになる。また，速い遅いだけでなく，ケアを真剣に行うかどうかもメッセージを含む。つまり，看護師の直接援助にはそれ自体にコミュニケーションの働きがある。

　具体例として筆者の臨床経験を紹介する。精神的混乱が強く，身の回りのことすべてに介助の必要な患者がいた。その患者がすっかりよくなってから，「いやー，具合の悪いときには随分世話になった。風呂に連れて行ってもらって，身体まで洗ってもらったものなあ」と言った。この場合，清潔のニードを満たしただけではない。患者は気持ちがよかったとは一言も言わなかった。つまり患者は，身体的援助を得たこと以上に，一生懸命世話を受けたことに感謝の思いを抱いたのである。もっと直接的な例もある。看護学生が，ある患者に氷枕を持って行った。その後に筆者（教員）がベッドサイドに行ってみると，患者は氷枕を使っていなかった。そこで「片づけましょうか」と言うと，患者から「そこに置いておいてください」という言葉が返ってきた。筆者は患者が遠慮しているものと考えて，学生に，適当な時期に片づけるようにとアドバイスした（このときのアドバイスには，必要でないものをベッドサイドに置いたままにした，というようなニュアンスを含んでしまったように思う）。ところが，その氷枕は実は患者にとって必要なものだった。後になってわかったのだが，患者は，学生が氷枕を持ってきてくれたことがうれしくて，そのままそばに置いておきたかったのである。学生の実習記録に，後日そう言われたと記載されていた。

　看護師が意図しようとしまいと，患者は看護援助から非言語的なメッセージを読み取る。そして，そのメッセージは信頼関係の成立に深く関与している。つまり，「患者-看護師関係」と「看護援助」と「コミュニケーション技術」はつながっており，どれかがうまくいかないと，ほかの2つにも悪影響を与える。反面，どれか一つで成功すると，ほかの2つにも好影響を与える。これが，精神看護の特徴である。

2) コミュニケーションの要素

　コミュニケーションを基本的な要素に分ける場合，いくつかの分け方がある。ここでは，「送り手」「情報」「媒体」「受け手」の4要素に分ける考え方を紹介する。4要素のうちの「媒体」とはメッセージを伝達するための手段であり，インターパーソナルコミュニケーションでは声や表情などがある。「送り手」からの「情報」は，言葉としての声や表情などの「媒体」によって受け手に送られる。コミュニケーションにおいては，「媒体」は「情報」の乗り物といってもよいだろう。

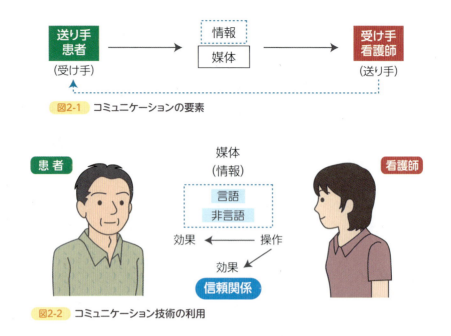

図2-1 コミュニケーションの要素

図2-2 コミュニケーション技術の利用

　患者−看護師間のコミュニケーションにおける情報の「送り手」と「受け手」は，図2-1に示したように，患者と看護師である。患者と看護師は互いに送り手になったり受け手になったりしながら，相手に「情報（メッセージ）」を送り，受け取る。看護師はコミュニケーション技術を用いて，「患者−看護師関係」を進展させたり精神的援助をしたりするのだから，そのために自分が操作できるものを知っておく必要がある。コミュニケーションの要素を4つに分けた場合，図2-2の右側にいる看護師は，コミュニケーション技術を利用する主体であり，「媒体」を操作して情報を伝達する。図2-2の左側にいる情報の送り手でもあり受け手でもある患者は，コミュニケーションによる効果が生じることを期待されている。また，コミュニケーションによる効果は信頼関係にも生じることが期待される。この図では媒体は点線で囲まれた情報をのせており，言語情報（媒体）と非言語情報（媒体）とが含まれる。

　看護師が操作する言語媒体には，話し言葉と書き言葉がある。非言語媒体には表情やしぐさなどがある。その他に，両者の中間的媒体として，手話などの言語に代わる動作，沈黙やパラ言語（声の高さなど）がある。手話が伝達する意味内容は，言語と同等の明瞭さをもっているが，言葉ではなくしぐさによって伝達される。沈黙やパラ言語は，言葉とともに伝達されるが，伝達する意味内容は，非言語と同様の曖昧さをもっている。言語がコミュニケーションの媒体であることは自覚しやすいが，非言語媒体については，意識しないと気がつかないことがある。身体の接触も非言語媒体であり，看護上の身体的援助も非言語媒体に含まれる。さらに，服装やナースステーションの様子なども，患者に何らかのメッセージを送るという意味で，非言語媒体に含めることもある。

　私たち看護師が，患者との信頼関係を形成するためのコミュニケーションに用いることができるという点で，媒体の種類を知ることは重要なので，表2-1に示す。この表は，看護場面での実用性に重点をおいて分類してある。以下，この表に示した媒体の種類と操作方

表2-1 言語媒体と非言語媒体

〈言語媒体〉

媒　体	具　体　例
話し言葉	音声言語
書き言葉	文章カード，文字盤，画面表示
言語に代わる動作	手話，言語に対応するジェスチャー

〈非言語媒体〉

媒　体	具　体　例
パラ言語と話し方	沈黙，声の高さ，間，テンポ
しぐさ	姿勢，手の動き
顔の動作	表情，目の動き
距離と方向	患者との距離，向き合う角度，机の利用
時間と回数	患者のそばにいる時間と訪問回数，動作のスピード
身体接触	手をつなぐ，なでる
身体的援助と測定	足浴，注射，血圧測定，脈拍測定
そのほか	生活環境の調整，ナースステーションの明るさ，夜の巡回，会話の場所とその移動，服装，騒音

法について述べ，その後で，受け手としての患者側の因子と，患者に応じたコミュニケーションについて，具体的に示す。

3 コミュニケーション媒体の種類と操作

1）言語媒体

(1) 話し言葉

①話　題

　患者と何について話をするかということはもちろん大切である。「患者–看護師関係」の成立・進展のために行われるコミュニケーションでの要点の一つは，患者が関心のある話をすることである。当然のように思えるこのことが意外に難しい。

　入院時の一般情報を得るためにベッドサイドに行き，患者に「○○さんは何歳ですか？」と聞いたとする。患者がそれには答えないで「先生（医師）はいつ来るんですか」と問い返したとする。患者が関心のある話をするという原則に従えば，「先生がいつ来るか気になるんですね」と応じることになろう。しかし，ともすれば「今，お聞きしたいことがあります。その後で，先生がいつ来るか聞いてきます」などと答えてしまう。そして，必要な業務（入院時の情報収集）と患者のニードの両方を満たしたように思ってしまう。ところが，この場合どちらも満たしていない。患者が，看護師の問いに答えないで自分の質問をする

のは，その質問が患者にとって非常に重要である場合，または，看護師の問いに注意を向ける余裕がない場合である。つまり，この看護師は，患者に関する重要な情報に気がつかず，しかも緊急でない業務のために，患者のニードの充足をしばらく停止させたことになる。

こうした事態は，患者への指導場面でしばしば生じる。看護師は，自分がしなければならない指導（服薬方法など）に気を取られて，患者が気になっていること（副作用など）に注意を向けることができない場合がある。どれほど丁寧に服薬方法を説明しても，患者が副作用を心配して服薬しなければ説明は役立たない。しかも，自分の指導だけに注意が向いて，患者が心配していることを取り上げないと，「患者-看護師関係」には不信感が生じる。

②気づきの輪

1対1のコミュニケーション場面について，ミラー[4]は気づきの輪という考え方を提唱している。この気づきの輪は，話題を発展させたり，相手や自分についての気づきを増やしたりするのに用いることができる。気づきの輪は5つの部分で構成されていて，それは，思考，感情，感覚（知覚），意図，行為である。次のような場面を例として，これら5つの部分に焦点を当ててみよう。

場面は，患者が医療者に告げずに病院から出て行ってしまい（無断離院），病院に戻ってから，それについて当の患者と看護師が話し合っている場面である。思考に焦点を当てた発言の例は，「あなたは，ご家族があなたを見捨てたと思っているのですね」である。感情に焦点を当てると「それは寂しかった（と感じた）でしょうね」となる。感覚に焦点を当てた場合は「見捨てられたと思ったのは，ご家族がしばらく面会に来られないと言った（ことを聞いた）からなんですね」である。意図に焦点を当てると「それでとにかく家に帰ろうとしたんですね」である。そして，行為に焦点を当てると「それで病院を抜け出したんですね」となる。これら一つひとつが話題の中心になりうる。見捨てられたと思ったことについて話し合うこともできるし，病院を抜け出したことについて話し合うこともできる。前者の話題は患者の思考に焦点があり，後者は患者の行為に焦点があるが，優先すべき話題とその話題についてどのように話し合うのかについては各自で考えてみてほしい。

③事実の取り扱い

小さい子どもは，百円玉1個をもらうよりも十円玉10個のほうを喜ぶことがある。大人でも似たようなことがある。スーパーマーケットに魚を買いに行くと，1匹の大きな魚と2匹の小さな魚が同じ値段で並んでいた。重量を比較すると，1匹のほうが重い。それでも1匹のほうを選択できないことがある。まして，病気で不安になっているときなど，事実関係についての判断力は低下しやすい。さらに，精神障害者は知覚や思考の障害が生じることがある。こうした場合には客観的事実と患者の主観とが異なる。

このようなときは，患者の主観を，患者にとっての事実とみなしてコミュニケーションをもつのがよい。妄想であっても幻聴であっても2匹の小さな魚を買うほうが得に思えるときでも，その人にとっては確かにそのように思えているのであり，そのときの事実である。セールスマンの笑顔を好意と受け取る人もいれば，売りつけるための単なる職業的態度と受け取る人もいる。正確にいえば，百人百様の主観的事実がある。訴えの多い患者が身体

の様々な部位が痛いと言った場合，それは本当に痛いのである。だから，「おなかがきりきりと痛いのですね」「肩が凝って苦しいのですね」と，まず患者の訴えを受け止める必要がある。その後，たとえば「どこですか。ここが苦しいんですね。少しさすってみましょう」と言いながら，身体に接触するという非言語的コミュニケーションを同時に行う。

そして，すでに検査結果が出ている場合には，「調べた結果，身体に問題はありませんから大丈夫ですよ」と言う。この場合の「大丈夫ですよ」は，一見患者の訴えを否定しているようにも思える。しかし，これが効果的である。十分な信頼関係ができると，時々「またおなかが痛いのですが大丈夫ですか」と返事だけをもらいに来る患者もいる。そうなれば，患者が腹痛と心配とを抱えていることに変わりはないのだが，「大丈夫ですよ」という返事だけで患者は安心する。

④質問の仕方

質問する事項について，情報量は少なくても"確実な情報を得たい"こともあるし，"できるだけ多くの情報を得たい"こともある。前者の例としては，薬を飲んだか否かを確認する場合であり，後者の例としては，薬についてどう思っているのかを聞く場合である。このようなとき，質問の仕方によって，どちらの情報にするかを決めることができる。その方法は，回答の幅が狭く限定される質問と，回答の自由度が高く幅が広い質問とを使い分けることである。

「今朝，ご飯を食べましたか？」という質問は，回答が「はい」または「いいえ」で答えられる。内容的には，ほかに回答のしようがない幅の狭い質問である。この質問では，得られる情報は少ないが，目的とした情報を確実に入手できる。答えるのは簡単である。

「朝食には普通のご飯と，お粥と，パンを用意できますが，どれが食べたいですか？」という質問は選択回答式で，回答の幅が少し広がり，得られる情報も多少増加する。その分だけ，答えるのに難しくなる。また，ご飯でもパンでもよいと思っていても，どれかを選ぶ場合がある。つまり，目的とした情報の入手の確実性は少し低下する。

「朝食のおかずは何でしたか？」という質問の場合は，回答する内容を想起する必要がある。回答の幅がより広くなり，情報量が増し，答え方がさらに難しくなり，目的とした情報の入手の確実性はもう少し減少する。「朝食をどこで食べましたか？」「いつ食べましたか？」などの質問も同程度である。これらの質問については，回答を視覚化しやすいような問いかけ方が，より答えやすいという説もある。

「ご飯はどうやって食べますか？」という質問は，「茶碗とはしを持って～」などと回答に一連の内容が含まれる。回答の幅がかなり広がり，答えにくく，情報量が増大する。

「なぜ食事をする必要があるのでしょうか？」という質問は，回答として理由を説明する必要がある。回答の幅，得られる情報，答え方の困難さはすべて最大で，目的とした情報の入手の確実性は一番低下する。この質問は，医療者にとっては，食事と栄養との関係をどのように理解しているかという意図でなされる場合が多いであろう。しかし，営業の仕事をしていた患者の場合，「親しくなるため」などと異なった観点から回答する可能性がある。つまり，意図した情報が得られるとは限らない。

質問の仕方によって得られる情報の確実さや情報量が異なるだけでなく，質問を受けた患者に対する影響も異なる。「はい」または「いいえ」で答えられる質問は，ほとんど考え

る必要がなく，回答が楽である。反面，この手の質問を次々とすると，聞きたいことだけを聞かれ，自分の言いたいことを言う機会がない，という不満を与える。一方，「なぜ」という質問は，理由を考えて説明する必要がある。自分の考えを話す機会は得られるが，よく考えて答える必要があり，かなり難しい。考えがまとまらない患者や思考制止がある患者，さらには疲労感が強い患者などには，「なぜ」という質問はかなり負担になる。

これらの間に位置するのが，「どれ」「何」「誰」「いつ」「どのように」などの質問である。どの質問が良いとか悪いとかではなく，コミュニケーションの目的（必要な情報）と患者の状態とによって使い分ける。「よく眠れましたか」「何時に起きましたか」「気分はいかがですか」「どうして薬を飲まないのですか」などは多用される質問であるが，目的や患者の状態をよく考えて用いる。

巧妙な質問としては，複数の種類の回答をすることができるものがある。たとえば「最近誰か面会に来ましたか」「食欲がないとか嫌いなおかずだとか，何かご飯を食べない理由があるのでしょうか？」などである。後者の場合，「はい。あります」という「はい」「いいえ」タイプの回答も，「食欲がありません」の選択回答も，「病院の食事に飽きました」と理由を説明する回答もできる。ただしこの質問は，相手が質問を正確に聞き取ることができる場合にしか使用できない。

連続して同じ種類の質問をすると不適切な質問になることが多いので注意が必要である。たとえば，「なぜ」を連続するとつるし上げられているような印象を与える。「なぜそうしたんですか」「どうしてですか」「なぜですか」。これでは，患者は，いくら答えてもわかってもらえない，責められていると感じてしまう。

⑤発言を促す

看護場面で，患者に発言を促す機会が多くある。その場合，次々と質問を繰り返すのは適切でない。発言を促すことが目的であれば，自分は沈黙して，相手が発言できるようにする。「入院生活について感じていることを話してください」「心配事がありそうですね。それについて教えてください」などと言ってじっと待つのがよい。また，感情表現を促す場合は，「それはつらいですね」「苦しいですね」などと，聞き手である自分が感じたことを口にする方法もある。この場合，感情を表す言葉を用いる。

⑥話の聞き方

多くの書籍に，患者の話を聞くときに傾聴が重要であると記載している。傾聴についてはそれらを参考にしてほしい。ここでは，相手の話を聞くときに特に気をつける必要のあることを述べる。それは「相手の話が正しいかどうかに気を取られずに，何を言っているかということに集中して話の内容を聞き取る」ことである。私たち人間は，人の話を聞くときに，その話の内容が正しいかどうかということを気にしがちである。しかし，そのことに気を取られていると，相手の話についていけなくなる。患者との会話に限らず，話を聞くときは，相手が言おうとしていることに真剣に向き合う必要がある。

⑦言葉遣い・敬語・方言

これらは，患者の条件や個性，および患者-看護師間の親しさの度合いによって使い分ける。一般的には，誰に対しても敬意を示す表現をする。しかし，「患者-看護師関係」が進展しにくい場合は，少しくだけた表現のほうがよいこともある。また，年輩の人には，最初

は敬語で話すことが望ましいが，ある程度関係が進展すると，お互いに敬語がよそよそしく感じられるようになり，自然に日常的な表現になることが多い。

方言の使用は，くだけた話し方よりもさらにコミュニケーションを活発にし，「患者-看護師関係」を大きく進展させることがある。したがって，方言の使用は望ましいことが多いが，初対面で用いると，田舎者だと馬鹿にされたと思い込むとか，相手が方言を好まないために"しらける"場合がある。なお，くだけた表現や方言を使用するときは，信頼関係形成のためであって，友人関係ではないことを意識しておく必要がある。

以上，コミュニケーションを活発にすることを重視して，堅苦しさを避ける方向で述べてきた。しかし，最初からなれなれしい言葉遣いをすることは避ける。親しくなっても，適度の礼節を保ち，職業的関係を忘れないようにする。これらを守らないと，一見良い「患者-看護師関係」が成立しているように思えても，制限や指導を行う場面で，患者が必要な指示に従わないことがある。

⑧患者に自主性をもたせる

第Ⅰ章1節の「精神看護学における精神看護技術の特徴」で取り上げた患者からの相談場面（p.5参照）について，続きをここで述べる。

その場面は，差し入れのリンゴを先に食べたらよいかミカンを先に食べたらよいか，という患者からの相談であった。援助の要点は，患者が混乱していないことを確認してから，患者の意思を問い返すことであった。第Ⅰ章では，それを患者の自主性を育むチャンスととらえられると述べた。

看護師からの問い返し（「○○さんはどちらから食べたいですか」）に対して，患者が自主的にどちらかを選択することもある。しかし，そうでないこともある。たとえば「わからない」と返事する場合である。これでは自主性は得られていないので，看護師がさらに自主性を求めて粘る気であれば「どちらのほうがおいしそうだと思いますか」などと問う。それでも返答が得られないとき，そこから先は判断が分かれる。少しでも患者の自主性を引き出そうとするか，あきらめて看護師が決めてしまうかである。あまり自主性にこだわると，混乱を引き起こしかねない。ここで適切に判断するためには，看護師の普段からの情報収集力とコミュニケーション能力との，2つの力量が問われる。

精神看護の場では，こうした働きかけが休みなく行われている。看護師は，コミュニケーション技術を磨くだけでなく，患者に関する個別的な情報把握を十分に行い，どの程度まで患者が質問に耐えられるかについての判断も常に行っている。時には患者からの相談を待たずに「ミカンを先に食べましょう」と言う場合さえある。

2）非言語媒体・中間的媒体

多くの文献において，非言語的コミュニケーションの重要性を指摘している（たとえばノートハウスら[5]）。

(1) 沈黙・間

①沈黙・間の分類

一口に会話中の沈黙・間といっても，実は種類がある[6]。患者と看護師が1対1で話している場合について述べる。まず，両者とも発言がなく沈黙している場合がある。次に，患

者が発言していて，看護師が聞いている場合がある。この場合，看護師は沈黙している。反対に，看護師が発言していて，患者が沈黙している場合もある。また，息継ぎなどのように，話してはいるが声を発していない沈黙の状況がある。このように，同じ沈黙でも状況によって様々なものがある。

②患者の発言を待つ

相手が話しているときは，自分は沈黙する必要がある。途中で口出しすると，相手の真意がつかめなかったり，発言意欲をそいでしまったりする。患者が話している間に看護師が口を挟むのはよくない，というのは誰にでもわかる。しかし，患者が発声をやめたとき，その沈黙が，息継ぎや次の発言の準備なのか，それとも発言をやめる気なのかを，どうやって判断すればよいのだろうか。

このように患者の真意がつかめず判断に迷った場合，それまでの発言内容やしぐさなどから総合的に判断することになるが，沈黙の長さも判断材料になる。通常私たちは，意外に短い間合いで発言し合っている。患者，看護師それぞれの個性や組み合わせによっても違いはあるが，発言の交代の多くは沈黙時間0秒で（つまり間をもたずに）なされ，間があったとしても，ほとんどは2.5秒以内に始まる。3秒以上沈黙して患者が発言する場合は，心の内を述べるなどの重要な発言が時折みられる。悩みを打ち明けるには，ためらいの時間が必要なせいであると思われる。さらに，沈黙時間が長くなるほど話題の変化が生じやすいことも知られている。

普段は，相手の発言を遮らない限り，無理に自分の発言を控えて長く沈黙する必要はない。しかし，患者が重要な話をしようとしている様子がみられるときとか，何か考え込んでいるようなときは，会話中に3秒以上の沈黙をもつ（相手の発言を待つ）ようにし，長い沈黙が現れたときの患者の発言は，特に神経を集中して聞くべきである。

③沈黙の意味

看護師が昨夜の睡眠状態について患者に問いかけた場面を想定し，沈黙の意味を考えてみる。

　　看護師「昨晩はよく眠れましたか」
　　　沈黙-1
　　患　者「3時に目が覚めてしまいました」
　　　沈黙-2
　　看護師「そうですか」
　　患　者「1週間も続いています」
　　　沈黙-3

この場面に現れた沈黙に，患者の心の中の言葉を当てはめてみよう。沈黙-1は「どう話し出そうかなあ」，沈黙-2は「早く目が覚めて（つらいんです）」，沈黙-3は「とってもつらいんです（眠れるようにしてもらえませんか）」という言葉になるだろう。もちろん必ずこういう意味だとは限らないし，特に（　）に示した言葉は，そうでないこともある。しかし，看護師は（　）内以外の部分は，患者の沈黙から読み取らなければならないし，（　）内については，その可能性を考慮して確認する発言をしなければならない。

このように，沈黙は単に空白の時間ではなく，意味をもった時間であり，時には発言以

上に濃厚な相互作用の時間なのである。

④肯定的沈黙と否定的沈黙

愛に言葉はいらない。口もききたくない。どちらも現れる行動は沈黙である。私たち看護師は，患者の行動を確認すると同時に，その行動の意味を解釈する。一緒にいて気詰まりもなく沈黙をしているようであれば，肯定的沈黙としてとらえ信頼関係が成立していると思ってよい。一方，患者が口もききたくないという雰囲気の否定的沈黙が続くのであれば，普通の対応ではいけない。

否定的沈黙に対してはいくつかの適切な対応がある。まず「私とは話をしたくないようですね」と言い，「何か話したくない理由がありますか」と，少しずつ話を進める。または，もっと話の進め方をゆっくりとさせるために「最近，私とお話しませんね」と，事実だけを最初に告げる方法もある。いきなり「どうして私と話をしないのですか？」と聞くのは危険である。患者は発言するかもしれないが，一気に不満を表出し，状況をコントロールできなくなることがある。同様に，「話してくれなくて悲しい」などと感情に訴える方法も不適切である。これは，口をきかないことを非難していると患者に受け取られかねない。

もう一つの方法は，患者が話をしないことには触れず，好意的にかかわることである。すぐには効果が現れないが，やがて理解してもらえることが多い。患者が話してくれるようになるまでは，ほかの看護師に依頼するという対処もできる。関係が悪いときは，急に関係を深めようとしたり，自分一人で背負い込んではいけない。

⑤沈黙の利用

話を聞くということは，聞き手の行動としては沈黙することである。したがって，患者の話を聞いたり発言を促すためには，沈黙は必然的に生じる。反対に，相手が話していると自分も話したくなるということもしばしば経験する。そこで，患者が話を始めるまでは，話題を提供したり関心のありそうな話に導いたりして，看護師が発言することも必要である。その場合には，長い沈黙はしないほうがよい。そして，患者が話しはじめたら自分は沈黙して話を聞く。

沈黙を，患者に考えをまとめさせる時間として利用することもある。ゆっくり話をしても，話の内容を十分に理解させることが難しい場合がある。そのときは，考える時間として時々沈黙をはさむ。入院時のオリエンテーション，検査の説明など，患者にとって普段馴染みのないことを伝える場合に有効である。

話を聞く場合に似ているが，それとは異なる目的で沈黙を用いる場合がある。それは，患者の様子をうかがうための沈黙である。拒食のある患者に「お昼ご飯の時間ですよ」と告げてから沈黙するのは，患者の発言を促すのではなく，患者の食事に対する反応をみようとするものである。

また，伝える内容を，より印象深いものにするためにも沈黙は用いられる。「私のことはどうなったってかまわないのでしょう」と言う患者に，「あなたは，私にとってとても大事な人です」と答える場合，そう答えた後，相手を真剣に見つめて"沈黙"する。あれこれ言うと，伝えようとしたことの印象が薄れてしまう。

(2) しぐさ

手話は言語に変換できる。ジェスチャーは伝えようとする内容が意図的であり，Vサイ

ン，人差し指を立てて唇に当てるなどの行為はほとんど言語に変換できる。一方，しぐさは意図的な場合と非意図的な場合とがある。頭を下げるしぐさは様々な場合に行われる。謝罪の場合，うなだれる場合，コンタクトレンズをはずすために頭を下げる場合もある。このように，状況によって意味が異なり，言語への変換が難しい。しかし，相手はしぐさから意味を読み取ることがある。姿勢や何気ない手の動作などはほとんど無意識に行われるが，これらから患者がメッセージを読み取ることがある。身を乗り出して聞くのは，多くの場合，関心があるというメッセージを伝える。無意味に見える早い手の動きは落ち着いていない状態であり，患者に「急いでいるの，早くしてほしい」というメッセージを送ってしまうかもしれない。つまり，しぐさは非言語媒体であるにもかかわらず，相手が言語的意味を読み取ってしまうことがある。自分のしぐさについて自覚するように努める必要がある。また，相手のしぐさから意図を読み取った場合は，その意図を言語的に確認する必要がある。

　"相づち"は，コミュニケーション場面で頻繁に活用したい方法である。相手がうなずくと，自分の言っていることが受け入れられたように感じて，安心できる。まれに，無意識に首を横に振る人がいる。筆者はとても話しにくい思いをしたことを覚えている。

(3) 顔の動作
①表　　情
　表情は，メッセージを伝えたり，言葉によるメッセージを補強したりする。表情を上手に操ることができれば，患者に強い印象を残すこともできるだろう。ところが私たちは俳優ではない。言葉のようには，自由に表情を操ることができない。看護師としては，表情だけを操ろうとするよりは，自分の心を操作することで，結果として表情を変化させるほうが効果的である。

　たとえば，患者が同じことをくどくどと訴える場合，うんざりした表情を隠そうと努めてもなかなかうまくいかない。それよりも，本当に同じ訴えをしているのか，どうして同じことを繰り返すのかなど，患者の話のなかで，気になることを探すほうがよい。それに成功すれば，うんざりした表情を自然に変えることができる。

　表情のうちでも笑顔は別格である。多くの子どもは，無心の笑顔で大人を引きつける。笑顔もコミュニケーション場面で頻繁に活用したいものである。ただし，ごまかし笑いはいけない。わからないときや困ったときは，「わかりません。調べてみます」「困っています」などと言ったほうが誠実であるし，誤解を生まない。ごまかし笑いや取り繕う笑いは，患者をかなり不快にすることがある。

②目は"ものを言う"か
　"目は口ほどにものを言う"という諺がある。これは本当だろうか。確かに，目は対人関係において重要な役割を果たしている。しかし，これはかなり検討を必要とする。まず，当然のことだが目が音声を発することはない。では，音声言語に対応する表現を意味するだろうか。視線つまり眼球の向いている方向は，そちらから情報を入手しようとしている，その方向に関心を引く存在がある，などの状態を表している。しかし，単に呆然としていて視線には意味のない場合もある。瞳孔の大きさは驚きを表しているかもしれないが，直前まで暗いところを見ていただけかもしれない。涙は悲しみを表すが，感動を表すことも

ある。自信のなさそうな目は悪事をなした証拠かもしれない。しかし，単に気が弱いだけかもしれない。伏し目がちなのは，申し訳ないからかもしれないし，控えめなのかもしれない。

　つまり，目は何も言わない（言語と直接対応してはいない）。私たちが目にこだわるのには，2つの理由が考えられる。一つは，見ることは知ることだからである。人間の器官のうちで，情報収集に最も優れているのは目である。じっと見つめられると，心の中まで見透かされるように感じる。そのため，時として見られることを恐れたり，自分の視線を知られるのを嫌がったりする。反対に，自分に関心をもってほしいときは目を向けてほしい。もう一つの理由は，目が感情の状態を表すからである。悲しみ，感動，驚き，怒り，嫌悪などは，目の周囲の筋肉や表情全体の影響を受けている。

　そのほか，目については文化的違いを考慮する必要がある。最近まで，日本人は視線を避ける傾向をもっていた。しかし，現代の日本では，真剣に何かを伝えようとするときは相手に目を合わせ，そうでないときはほどほどにするのがよいとされるようになってきている。目を合わせる位置も気をつける必要がある。看護の場面で目の高さを合わせるのは基本的なことである。ベッドに横になっている患者に立って話をすると，圧迫感を与えることがある。ベッド上の患者と話をするときは椅子に腰掛けて話すべきである。

(4) 患者に対する距離と方向

　人との距離と方向は，対人距離や個人空間などとして調べられている領域であり[7]，様々なことが知られている。ここでは基本的なことだけを紹介する。まず，親密さと距離感とは関係が深い。かつて，看護学生同士の快いと感じる距離を調べたことがあったが，同学年のほうが異学年より近かった。私たち看護師は，しばしば距離感を無視した行動をとる。初対面で身体接触を伴うケアをすることすらある。そのような場合には最初に，何をするか，なぜするかを説明して，相手の了解を得る必要がある。特に，小児や不安の強い患者，精神症状が強い患者，医療行為や場所に慣れていない患者などに対しては，慎重を期す。看護師にとってはいつものことであるため，慣れてしまって説明をつい省略してしまう場合がある。

　また，距離と方向にも配慮が必要である。距離と方向は関係が深い。お互いが正面を向いて膝を突き合わせると，顔はかなり離れているのに近く感じ，顔をそむけたくなることもある。直角だとそれほどではない。横並びだと相当近づいても苦にならない。相手が面接を希望するときは正面，コミュニケーションをとりにくい患者は横並び，それ以外は直角が利用しやすいようである。横並びの場合には必要ないが，正面や直角の場合は，机を利用したほうが自然な感じを出せる。その際，机が少しでも高すぎると，かなり邪魔に感じるので事前に高さを調べておく。

(5) 患者と過ごす時間と訪問回数

　「患者-看護師関係」の成立・進展には，コミュニケーションの内容だけでなく，共に過ごす時間と会う回数の影響も大きい。人手不足や業務多忙のためにこれらが少ない場合は，人員増や業務改善を行う。そうではなくて，病状やコミュニケーションのもちにくさが原因でかかわりが少なくなっている場合は，意図的に増やす。精神看護は，まず患者と一緒に時間を過ごすことに始まる。

心の癒しには，良好な人間関係と，そこからもたらされる情報がきわめて重要である。信頼できる人といると安心できるし，信頼できる人から「大丈夫ですよ」と言ってもらうと，不安も解消する。「患者-看護師関係」が信頼に満ちていれば，看護師がそばにいるだけでも精神看護になるし，信頼に満ちた「患者-看護師関係」を形成するためには一緒にいる時間が必要である。

　そこで，「患者-看護師関係」を成立・進展させるために，かかわる時間を多くしようとするが，うまくいくとは限らない。かかわりを拒否する患者，かかわりに無関心な患者，話の下手な患者，訴えの多い患者，難しい注文をつける患者，攻撃的話し方をする（食ってかかるような）患者，回りくどい患者，猜疑的な患者，看護師に責任転嫁する患者など，避けて通りたくなるような患者はいくらでもいる。精神科病棟では，対人関係に無関心に見える患者とともに，そのような患者が特に多い。これらの患者は，誰に対してもそうであるし，それゆえ，誰とも良好な人間関係をもつことができない。

　こうした患者とかかわるのは楽なことではない。しかし，それをするのが精神看護である。こうした患者は誰ともうまくかかわることができず，コミュニケーションの欲求が満たされない。また，様々な欲求もうまく伝達できない。さらに，私たちが心にとどめておくべきなのは，これらの患者はうまくコミュニケーションをもてない状態にあるのであり，ことさらそうした不快な行動をとろうとしているわけではないということである。うまくコミュニケーションをもてない患者に対して，様々な工夫をしながら，時間をかけてかかわるのが精神看護の使命である。

　工夫を重ねてコミュニケーションを試みても，患者のそばに長くいられないことがある。また，疲労感が強かったり，うつ病であったりすると，長くいることが患者の負担になる。こうした場合は，患者の所にいる時間は短くして，訪問回数を増やすとよい。患者が自分で"かかわられるのが負担だ"という意味のことを言った場合ですら，看護師の足が遠ざかると，患者は見捨てられたと感じる（図2-3）。

図2-3　患者と過ごす時間と訪問回数と「患者-看護師関係」

(6) 身体接触

　身体接触は癒しの技法として，あるいは安心や安楽を与える技法として用いられてきた。また，信頼関係を形成し進展させる効果もあり，コミュニケーション場面で用いられていた。しかし，新型コロナ感染症の大流行により，看護場面で身体接触をコミュニケーションだけのために活用することはほとんど容認できなくなった。今後，身体接触を利用することに関する新たな知見を，研究により得る必要がある。そのための基礎知識を必要とする場合は，本書の第2版を参照してほしい[7]。

(7) 身体的援助と測定

①身体的援助と測定が患者に伝えるメッセージ

　看護においては，身体的援助と測定が，コミュニケーションとしてのメッセージを含んでいる。このメッセージには，援助行為をするかしないかで伝わるメッセージと，援助行為の仕方で示されるメッセージがある。

　前者の援助行為をするかしないかで伝わるメッセージは以下のようなものである。測定をすることは，"あなたのことを心配していますよ"というメッセージを含んでいる。身体的援助をすることは，"不快なことを取り除いてあげますよ""楽にしてあげますよ"というメッセージを伝える。反対に，測定や身体的援助をしないと，患者に"あなたのことは心配していません"とか"楽にしてあげません"というメッセージを伝えてしまうことがある。よく起きる問題は，隣の患者の容態が悪くなった場合にみられる。看護師は職業上の必然性に従って，重症の患者への対応を優先する。しかし，隣の重症患者にだけやってくる看護師の動きから，"あなたのことはまったく気にかけていません"というメッセージを読み取る患者がいる。

　後者の援助行為の仕方で示されるメッセージは，丁寧な援助が，たとえば"優しくします"というメッセージになり，乱暴な援助は，"あなたは物と同じですよ"というメッセージになってしまう。また，おそるおそる行う援助は"自信がありません。失敗するかもしれません"というメッセージになる。

　援助行為の仕方によるコミュニケーションに関して，患者と看護師で，意味のとらえ方にズレが生じることがある。上手で素早い援助が，看護師にとっては"体力の消耗を最小限にしながら，安楽を提供します"というメッセージであるのに対して，患者が受け取るメッセージは"あなたのことはさっさと済ませて次に行かなければならないのです"である場合がある。このズレを防ぐには，援助行為の終了後，短時間でよいから会話をすることが望ましい。これとは反対に，時間をかけて細やかに援助した場合，看護師にとっては"安楽のために，できる限りのことをします"というメッセージである。ところが患者は「さっさとやってください」とか「手短にお願いします」と言うことがある。この場合，患者の言うとおりに行うと，「うまくなったね」と言われたりする。スッキリしない気分になるが，患者の希望を優先できたことに満足すべきである。

②測定をコミュニケーションの手段に利用する

　脈拍測定や血圧測定は，"身体接触としてのコミュニケーション"であり，上記のように"メッセージを伝えるコミュニケーション"でもある。さらに，"自然な形で一緒にいる"とか"言語的コミュニケーションの導入"のために利用されるという面もある。「患者-看護

師関係」の成立が不十分で，会話もままならないような患者と，一緒の時間を過ごすための方法として血圧測定を用いた場合を提示する。

> 「血圧測りますよ」……「腕を出してもらえませんか」……「はい，そのくらいです」……「あまり圧を上げませんから大丈夫だと思いますが，苦しかったら言ってくださいね」……「大丈夫ですか」……などと，測定に関連することを話しながら時間延ばしをし，一緒にいることが不自然でない時間を多くする。この場合，新型コロナ感染症対策として，十分な換気と空気の流れを意識した対応が必要である。

一緒にいることができるということは，「患者-看護師関係」成立の基盤となる。精神障害があり，かなり拒否的な患者でも，検温や血圧測定は受け入れてくれることが多い。言語的コミュニケーションの導入として検温を用いた場合は，次のような場面になる。

> 「熱を測りますよ」……（細かい声かけは省略）……「普段，熱を測ることがありますか」……「じゃあ，普段は健康のことあまり気にしない」……「そうですか。仕事が忙しくて」……「何時頃お宅に帰るのですか」……「それは遅いですね。入院中に今後の生活時間のことを一緒に考えてみないといけませんね。病気を繰り返さないためにも」……というふうになる。

③身体的援助を「患者-看護師関係」の進展に用いる

各種の測定は，どちらかといえば「患者-看護師関係」の成立を目指しているときや測定項目以外の情報も含む情報収集に有用である。一方，身体的援助は「患者-看護師関係」の進展に寄与する傾向がある。そして，身体的援助の種類によって，コミュニケーションとしての効果に差がある。

身体的援助が「患者-看護師関係」の進展に寄与する例として，洗髪とその後の髪を乾かす援助を取り上げる。洗髪後の乾燥は，セルフケアの観点から考えると，できるだけ患者自身で行うのが望ましい。しかし，「患者-看護師関係」の進展という面から考えると，患者が自分でできる場合でも，援助したほうがよいこともある。洗髪の介助を受け，髪の乾燥（ドライヤー使用）は自分で行った患者が，「洗ってもらってとても気持ちよかった」と自分から言ったのを聞いたことがない。それに対して，髪の乾燥まで介助した場合は「わざわざ乾かしてくれて，とても気持ちよかったのよ。悪いかなとも思ったけど，この次もまたお願いしてしまったわ」などという発言をよく聞く。

(8) 生活環境の調整，ナースステーションの明るさ，夜の巡回

ここでは，コミュニケーションとその媒体を広く考え，私たち看護師が患者に無意識に送っているメッセージを検討する。

患者の生活環境を整えることは，看護師が患者を処遇する姿勢を伝える。精神科病棟の格子や鍵は，行動制限を少なくするという面だけでなく，見た目の点でも必要最小限にとどめるべきである。行動制限を必要とする病棟でも，塀や柵ではなく，人が通れない幅しか開かない窓を設置するなど，心理的拘束感を最小限にする努力が必要である。

ナースステーションの明るさは患者に安心感を与える。「いつ目が覚めても，来てもいいよって言ってるような気がするんだ，（ナースステーションが）明るいと」「眠れないときでも，看護師さんも起きて頑張っているんだと思うと（眠れないことが）気にならなくなる」などという声を聞く。夜の巡回については，うるさいという不平をあまり聞かない。むしろ「定期的に回ってきてくれるから安心だ」「眠っていても点滴を取り替えてくれるんですね」などと言われることがある。看護師にとっては当たり前のことが，患者にとっては当たり前ではないということである。かつて，「明け方，冷えてきたら毛布を黙って掛けてくれたんですよ。私も黙って後ろ姿に感謝しました」と年輩の患者が言ったことがある。毛布1枚で見事に非言語的コミュニケーションが成立していた。

コミュニケーションの場所

　面接場面では場所が問題になる。日常の看護では，会話の場所はほとんど問題にならないが，病室で話をしていて「ここではどうも」と患者が話を中断したり，周囲を見回して口ごもったりする場面に出合うと，場所に配慮する必要性に気づく。多くの患者が，個室でないと話せない問題を抱えている。また，いびきがうるさいとか，面会者が大勢来てうるさいとか，同室者に関する苦情も抱えている。しかし，よほど困らない限りその苦情を訴えてはくれない。同室者に聞かれたくないならナースステーションに来ればよいではないか，と言う人がいるかもしれない。しかし，ナースステーションはそうしたことを言いに来るにはあまりに忙しそうに見え，打ち明け話をできるような場所ではない。病室内のトラブルの防止や「患者-看護師関係」の進展のために，意図的に病室以外の場所でコミュニケーションをもつことが役立つ。

1）場所の選択によるトラブルの防止

　次のような出来事に時々遭遇する。検査のために病棟を離れたときに，年輩の患者Aさんが「若い人が（同室に）入院してきたら，夜遅くまでテレビをつけたりおしゃべりしたりして眠れない」と訴えた。そこで，その若い患者Bさんに，協力を依頼しようと病室から誘い出した。すると，Aさんからの苦情を持ち出す前に，Bさんからは「Aさんが朝早くから起きて動き回るので寝ていられない」と苦情を言われた。この場合は，看護師が両者の訴えを十分聞き，仲立ちすることで切り抜けた。どちらか一方が病室を移ることで対処する場合もある。これらを調整するときも最初は，個別に，ほかの患者が来ない場所で行う。
　似たような状況で，調整のために，病室外に患者Cさんを誘ったことがある。最初は「そんな大したことでないですよ」とCさんは言った。しかし，やり取りをほかの患者に聞かせたくなかったので，そう告げて，個室で簡単な面接をした。すると，Cさんは患者Dさんへの苦情を次々と並べたてた。そして最後に「いろいろ聞いてもらってスッキリしました。まあ，何とかやっていきますよ」と言った。その後，2人の患者はむしろ親しくなった。
　これらのコミュニケーションはすべて，同室者がいない場所でという条件が必須であった。それ以外の特別なコミュニケーション技術は使っていない。

2）場所の移動による「患者-看護師関係」の成立・進展

　患者を病室から連れ出しただけで「患者-看護師関係」が成立した例をあげる。ある看護学生が，1年時の実習で長期療養の患者を受け持った。身の回りのことは自分でできるし症状も表面化してないので，学生は援助することを見出せなかった。おまけに，ベッドサイドにいても患者はほとんど話をしない。長期療養しているので家族のことなど気になってはいるはずだが，家族の話題を出しても話に乗ってこない。「患者-看護師関係」もほとんど成立しないまま，1週間の実習が最終日になり，この実習は失敗だったと学生は思った。

　そして，どうせ何をしても無駄だろうと思いながらも，あきらめ半分に「ロビーに行ってみませんか」と誘った。"ロビーでは様々な人が雑談している。病室とは違って，話をしていなくても気詰まりにならなくていいな"と学生は思っていたそうである。すると意外にも，患者はロビーへの誘いに応じた。しかも患者は，病室での態度とは打って変わった面を見せた。自分から病気の経過，家族への思い，苦しかった日々などを次々に話したのである。学生はただ聞いていた。患者は心の内を一気に話し，最後に，学生が聞いてくれたことに感謝した。

　この例で，コミュニケーションの場所について注目すべきことが3つある。1つ目は，病室を離れたことである。2つ目は，話の内容が同室者と関係ないことである。それにもかかわらず，病室を離れることで患者は話をした。3つ目は，ロビーで話したことである。面接室のような，他者から隔離された空間ではなく，患者は人混みで私的な話をした。実は，こうした例は枚挙にいとまがない。看護学生が，告知されていない白血病の患者を病室から連れ出したところ，病名に対する疑いをもっていることを初めて語ったり，手術を拒否していた患者をベテランの看護師が外来受診に連れていったところ，手術に対する不安を語り，その直後に手術を受ける決心をした，などがある。

　面接ではプライバシーを保てる部屋が必要なこともある。しかし，もっと何気ない場所が患者の心を解きほぐすこともある。そうした場所を利用できるのは看護の特徴である。ふらつきのある患者をトイレに誘導している最中だって，「この頃おしっこが真っすぐ出なくて漏らしてしまう。こんなの病気でもないし，誰にも言えないけど，困ってるんだ」などと打ち明けられるかもしれない。

　精神科に入院している患者と散歩に行くと，散歩の途中で，普段と違うコミュニケーションが成立することがある[8]。そこで，次のような調査をした。ある一定の場所で話をしていて，途中で場所を変え，再度話をする。このような条件で，移動の前後での話の進み具合を比較した。その結果，場所を移動することにより会話が活発になり，患者の態度にも変化が生じた。

5 コミュニケーションの場面・機会

　あらゆる看護場面で，患者とのコミュニケーションのチャンスがある。しかし，初心者や行き詰まりを感じている看護師は，何をしてもコミュニケーションがうまくいかないと感じることがある。そこで，図2-4～10にコミュニケーションの場面や機会をいくつか示す。

これらの場面をコミュニケーションに利用することができる。そしてそれだけでなく，コミュニケーションの導入のために，各種の測定や身体的援助を行うこともできる。これらの図には，各看護場面をどのような目的のコミュニケーションに用いるかということと，各場面におけるコミュニケーションにどのような利点があるかということも簡単につけ加えておく。

なお，面接場面や患者から訴えてきた場面はこれまでほとんど取り上げてこなかった。そのような場面について，特に注意すべきことがある。それは，患者が自分から訴えてきた場面でも，訴えの内容だけに対処するという姿勢ではいけないことである。患者がもちかけた訴えのテーマは表向きで，本当は別のことを言いたかったとか，話をしているうちに，別のより重要な問題が現れることは日常茶飯事であるため，注意が必要である。

例　　　：起床時，各勤務の出勤時，雑談場面
目的と利点：勤務のはじめにゆっくりと声をかけて歩くと，その日の患者の状態が把握でき，患者からの訴えや要求のきっかけになる。患者がナースステーションへ足を運ばなくてもよい。

図2-4　コミュニケーションの場面・機会①〔出勤時のあいさつ〕

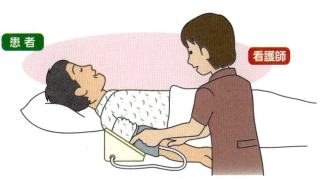

例　　　：血圧測定，検温，脈拍測定，採血
目的と利点：血圧測定は，座り込んで長話をするきっかけにできる。血圧の値の話から体調の話へ，そして家族の話へなどと自然に話題を操作できる。堅苦しい情報収集を目的とした質問では話さない心配事などを，患者自ら話してくれたりする。

図2-5　コミュニケーションの場面・機会②〔測定〕

例　　　：足浴，清拭，洗髪，食事介助
目的と利点：足浴や洗髪は，安楽と身体接触による親近感をもたらし，警戒心を緩める。

図2-6　コミュニケーションの場面・機会③〔日常的な援助〕

例　　　：服薬指導，退院指導，生活指導
目的と利点：怠薬していることを打ち明けたり，副作用を訴えたりすることがある。一方的に指導するのではなく，双方向的コミュニケーションを心がける。薬に関する生活習慣や，薬に関する患者の考え方を表出することがある。薬への心配が述べられて相互理解が深まり「患者-看護師関係」の進展がみられることもある。単に一方的な指導場面と考えてはいけない。

図2-7　コミュニケーションの場面・機会④〔指導〕

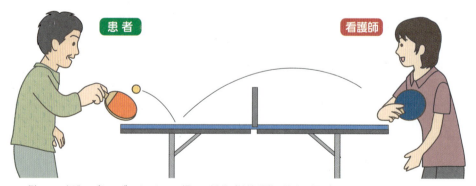

例　　　：卓球，バレーボール，レース編み，料理（精神看護に独自の場面）
目的と利点：ほとんど言葉を交わさなくても一緒にいられる。落ち着きのない患者とも交流をもてる。一緒の達成感をもつことができることもある。

図2-8　コミュニケーションの場面・機会⑤〔作業・レクリエーション〕

例　　　：散歩，外来受診，買い物
目的と利点：一緒に歩いている場合，面接と違って，話をしなくても一緒にいられる。反対に，気を取られること（身体的援助など）も必要ないので，いつでも話すことができる。緊張感を伴わない絶好のコミュニケーション場面である。

図2-9　コミュニケーションの場面・機会⑥〔出棟〕

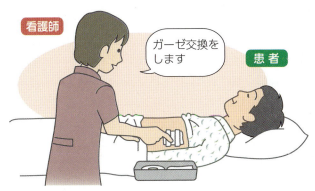

例　　　：創処置，注射，ガーゼ交換，点滴交換
目的と利点：患者にとって最も関心のある病気と治療の問題を単刀直入に話し合える。

図2-10　コミュニケーションの場面・機会⑦〔診療の補助〕

コミュニケーションに影響する患者側の因子

　前述の3「コミュニケーション媒体の種類と操作」（p.41参照）では，コミュニケーションの4要素のうち，媒体と情報について述べた。看護師が技術的に直接操作できるのは媒体と情報であり，技術書としての本書の性質からいえば，それらが最重要項目である。しかし，技術を操作するだけで適切なコミュニケーションができるとは限らない。それらの技術を適用する相手について考慮する必要がある。たとえば，メッセージを聞き取るときに患者の話し方の癖と性格を考慮して聞く，メッセージを伝えるときに患者の年齢や生活背景に応じて技術を使い分けるなどである。そのためには，コミュニケーションに影響する患者側の因子と，その因子が患者に影響する仕方を知っておく必要がある。患者の年齢

と発達課題，性に関する問題，生活歴と時代背景，個性，疾患の状態などは，いずれもコミュニケーションに影響を及ぼす。

1）年齢と発達課題

　私たちは，相手の年齢に合わせて無意識にコミュニケーションの仕方を変えている。しかし，意図的にコミュニケーションの仕方を調整すべき時があり，思春期の患者とのコミュニケーションは，とりわけ注意が必要である。

　この年代の患者は，自我の確立を目指して本格的に自立し始める一方で，経済面は親に依存し，心理的にも依存的な面を残している。健康な場合でも，これらの葛藤を処理するのに努力を要する。まして，健康に問題を抱えると，その処理は困難になる。健康に問題があると，他者の援助を必要とする。ところが，思春期は自立を目指す発達段階にあるので，素直に依存することができない。そこで，逆に反発したり，自立への努力の反動で，年齢不相応なほど依存的になったりする。しかも，これらの相反する状態がめまぐるしく交代する。そのため周囲の者は，患者とのコミュニケーションを無意識に避けたり，腫れものに触るような態度になったりしがちである。しかし，この年代の若者は体当たりのコミュニケーションを求めている。看護師は，この年代で直面する困難を，自分自身のものとして乗り越えてきた経験を有している。先輩として，患者の反応に見通しを立てながら，もう一度一緒に乗り越えるつもりで，コミュニケーションを図る。また，この年代の者は，誰とでも信頼関係を築けるというわけではない。特定の看護師が，病室以外の場所を利用したり，十分な時間をかけたりしてコミュニケーションをもち続けるべきである。そのためには，周囲のスタッフの理解や支持が必要になる。

　思春期の患者は，コミュニケーションが不足すると見捨てられたと感じがちである。通常のケアの必然性がないときでも，患者のもとへ足を運ぶべきである。

2）性に関する問題

　コミュニケーションと性に関して考慮すべきことがいくつかある。性に関する問題を精神看護のなかで取り上げるようになったのは，比較的最近のことである。

（1）性的問題についてのコミュニケーション

　多くの患者が性の問題を抱えている。主なものに，疾患や薬物による性的欲求の減退，医療行為による性的プライバシーの侵害，入院による性的欲求の制限などがある。こうしたことは話しにくい。患者同士ですら，冗談半分にしか話題にできないようである。

　看護師は，医療の知識はもちろんのこと，心理社会的な性の機能や役割についても知識をもっているのであるから，患者が相談する相手として適している。相談を受けた場合に考慮すべきことは，次のようなことである。個室を用いるなどしてプライバシーを保護する。患者は話しにくいことをあえて話しているのであるから，冗談を交えず真剣に聞く。性に関する考え方は個別性が高いので，道徳的価値観で判断しない。たとえば，性を表現する言葉を普通の生活で用いることはほとんどない。したがって，患者が相談をもちかけるときに，卑猥に思える言葉しか使えない場合もある。こうした言葉で相談された場合でも，非難をしないことである。

(2) 身体接触を伴うコミュニケーションと性

　看護行為を含む広い意味でのコミュニケーションが，患者の性的プライバシーを侵害したり性的欲求を刺激したりすることがある。たとえば，導尿や陰部清拭などの身体接触を伴う看護行為や，治療に伴う性の話題などである。このような場合，患者の理解を得るためや誤解を防ぐために，事前にきちんと説明すべきである。その際に必要なことは，看護師が行うことの目的を言語で明瞭に伝えること，および納得するまで質問を許すことである。

(3) 患者の性的言動

　これは，性的問題について相談された場合ではなく，患者が看護師に性的関係をもつことを提案したり，適切でない身体部位に触ろうとしたりした場合についてである。その場合，非難したり，罰したり，避けたりする対応ではなく，より適切な対応がある。"性的欲求をもつのは自然であるし理解できる。しかし，看護師にそうした行動をとるのは適切でない"と告げるのがよい。さらに，"医療者は入院中の性的欲求の処理について，相談にのる用意がある"と告げることが望ましい。

3）生活歴と時代背景

　人はその生活歴により，それにふさわしいコミュニケーション様式を身につける。看護師が，ふだんの会話にも医療用語を用いることはその例である。看護師は，患者個人の生活歴と時代背景を考慮したコミュニケーションを行う必要がある。

(1) コミュニケーションにおける生活歴や時代背景の利用

　患者の生活歴や時代背景に関連した話題を取り上げると，コミュニケーションが活発になりやすい。たとえば，戦争を経験した人たちは，その当時の自分の生活を話したがる。これは過去を懐かしむことであり，実は高齢者に限らず，様々な年代にみられる傾向である。中学生が小学生に「自分たちの頃は～」と話しているのを聞いたことがある。苦笑を禁じ得なかったが，人間とは過去を懐かしんで語りたがる生き物なのだと感じさせられた一場面であった。

　生活歴や過ごしてきた時代が異なる患者の話を，十分理解することは容易ではない。しかし，看護師が関心をもって聞けば，患者としては，「こんなことわかってもらえないでしょうけど」と言ったとしても，理解者を得たと感じる。反対に，生活歴や時代背景を無視すると話が進まない。若者が歌っている音楽の話などは，年輩の人には不向きである。

(2) 文化とコミュニケーション

　患者がどのような文化のなかで育ったかということは，コミュニケーションに多大な影響を与えている。言葉の使い方も時代によって随分変化する。時には，患者の話を理解できなかったり，誤解を与えてしまったりすることがある。

　そこで，患者の話を聞く場合，聞いた内容を言い換えたりまとめたりして，「～ということですか？」と確認するとよい。これは，誤解を防ぐだけでなく，患者の理解が深まり，「患者-看護師関係」の進展をもたらす優れた方法である。また，説明する場合は，パラフレーズ（同じ意味のことを別の言葉で繰り返す）を利用すると，誤解を避けることができる。

相手が理解したか否かの確認は，理解した内容を述べてもらうと一番正確である。しかし，これは患者に負担を与えるので，多用したくない。技術的には，説明した直後に理解したか否かを確認するのではなく，後から別の看護師が「○○さんは，なんと言っていましたか？」と確認する方法がある。説明者が主治医で，後から確認するのが看護師という方法は，臨床でよく用いられている。

　患者の話し方に方言が多く，聞き取りにくい場合がある。そのときの対策として，話題提供と話題の絞り込みを用いることができる。看護師側から話題を提供すると，患者が何について話しているのかわかる。しかもその話題が絞り込まれた狭いものであると，話す内容が限られる。「お宅はどこにありますか？」と聞いても，患者は「県内です」と答えるかもしれないし，「〜町です」ともっと狭い範囲について答えるかもしれない。これに対して，「お宅はどこの町ですか？」と聞けば町の名前を答える。つまり，相手の発言の内容をある程度予想できる。予想して聞く場合とそうでない場合とでは，聞き取ることのできる言葉の量にかなり差が出る。相手の話し方や言葉に慣れるまでは，この方法を用いるとよい。この方法は，方言に限らず，患者の発言が聞き取りにくい場合一般に用いることができる。

4）個　　性

　コミュニケーションのとり方は，人それぞれの個性がある。大きな声の人，小さな声の人，遠慮がちな人，問い詰めるように話す人など様々である。しぐさも一人ひとり特徴がある。それらの表現の違いは，メッセージを送った人の個性が反映している場合と，そうではなくて，その時々の感情や意図の反映である場合とがある。ここでは個性の違いに注目することの重要性を，具体例を挙げて説明する。

(1) 個性によるメッセージの違い

　看護師に「立てますか？」と聞かれ，患者が弱々しい声で「大丈夫だと思います」と答えた場合を考えてみよう。いつも自信がなさそうな態度をとる患者であれば，看護師は"患者が大丈夫だと思っている"と判断しても良い。しかし，普段自信をもった受け答えをする患者であれば，大丈夫ではないと思っていると判断する。この患者の「大丈夫だと思います」という発言は，弱音を吐きたくないせいでそう言った可能性がある。

　このように，本来は同じ言葉であれば同じメッセージのはずなのに，相手の個性によって意味が異なることがある。同様に，看護師からの発言についても患者の受け止め方は一様ではない。そこで，日頃から患者の個性に注目し，それに応じた聞き方と話し方をすることが必要になる。

(2) 遠慮がちな患者とのコミュニケーション

　患者の個性への対応は，話の内容以外についても必要である。たとえば，遠慮がちでなかなか苦痛を訴えることのできない人がいる。以心伝心，意をくむなどの日本古来の様式が失われつつある現在，言語化されたコミュニケーションを利用するしか方法はない。相手が何か言い出そうとしている様子がみられたら3秒以上沈黙する，「気になることを話してください。何でも聞きます」と発言を促す，さらには，もっと積極的に「〜について困っていませんか？」など，発言を促すコミュニケーション技術を駆使する必要がある。

5）疾患の状態

慢性の身体疾患，術前，面会制限を必要とする状態，予後不良，精神障害などはコミュニケーションに影響する。このような状態では，十分なコミュニケーションを必要とするが，状態によっては短いやり取りのほうがよいこともある。そこで，それら2つの場合に分けて述べる。

(1) 長期的，独自のコミュニケーション技術が必要な場合

慢性の身体疾患の場合と精神障害の場合は，疾患を抱えて生きるという問題と，家族，経済，職業，学業などの問題が重なる。そのため，長期的で多様な援助とそのためのコミュニケーション技術が必要である。疾患を抱えて生きるための生活指導，家族内役割や家族集団力動に配慮した相談，学習相談，社会資源活用についての情報提供，地域保健医療サービスの紹介，そして精神的支援のためのコミュニケーションである。

これに対して，術前などの場合は，必要とされる精神的援助とコミュニケーション技術は比較的限られる。反面，それぞれ独自の技術を必要とする。術前の主な精神的問題は不安である。面会制限の場合の問題は，コミュニケーションの不足に注意し十分にかかわる。予後不良の場合は，喪失と悲嘆を考慮したコミュニケーション技術が必要になる。

(2) 患者が短い言語対応を期待する場合

深刻でない身体疾患で，症状も軽い場合は，疾患の影響をあまり考える必要がない。強いていえば，時間をつぶされたくないとか，あれこれ詮索されたくないと思う患者がいるということが，コミュニケーション上の注意点である。この場合，長い対応の必要はない。

コミュニケーションについて取り上げられるのは，ほとんどの場合，十分話を聞くことが大切な場面である。しかし，倦怠感が強いときや急いで対処してほしい場合などは，患者はてきぱきした短い対応を期待していることがある。信頼関係ができていて，患者が自由に希望を述べることができる状況では，短い対応のほうが望ましい場合もある。

  精神症状をもつ患者とのコミュニケーション

精神症状をもつ患者とのコミュニケーション技術は，「第Ⅳ章　症状マネジメント」などを参照してほしいが，どのような症状や状態が，独自のコミュニケーション技術を必要とするかを指摘しておく。①活動性の低下と抑うつ感情がみられる場合は，その症状の原因となっている疾患により，必要とされるかかわり方が異なる。②患者が誤解している場合や知識がない場合と，妄想をもっている場合とでは必要とされるかかわり方が異なる。③患者がかかわりを拒絶する場合は，精神症状に起因するものなのかどうかを見極める必要がある。そして特定の看護師だけを受け入れない場合と，特定の看護師だけを受け入れる場合と，誰も受け入れない場合とを区別して対処法を検討する。④訴えが多い患者も反対に少ない患者も豊富なコミュニケーションを必要としていることが多い。⑤焦燥感が強い患者とかかわる場合は，看護師自身のメンタルヘルスに気をつける必要がある。⑥自殺の危険性がある患者は，TALKの原則（第Ⅳ章表9-4，p.228参照）に基づいたコミュニケーションを必要としていることがある。その他にも，思考障害がある場合，パーソナリティ障害の場合[9]，興奮患者のディエスカレーション[10]が必要な場合など，独自性の高いコミュニケー

ション技術を必要とすることがある。

文献

1) ウィーデンバック E・フォールズ CE著,池田明子訳:コミュニケーション―効果的な看護を展開する鍵,新装版,日本看護協会出版会,2007.
2) 山本勝則・内海滉:医療場面における言語活動―第2沈黙時間について,日本看護研究学会雑誌,10(2):42-47,1987.
3) 日本看護協会:意思決定支援と倫理(2)高齢者の意思決定支援.
https://www.nurse.or.jp/nursing/practice/rinri/text/basic/problem/ishikettei_02.html(アクセス日:2022/8/10)
4) ミラー S・ヌンメリー EW・ワックマン WB著,野田雄三・竹内吉夫訳:カップル・コミュニケーション―気づきと人間関係の心理学,現代社,1985.
5) ノートハウス PG・ノートハウス LL著,萩原明人訳:ヘルス・コミュニケーション―これからの医療者の必須技術,改訂版,九州大学出版会,2010.
6) 山本勝則・内海滉:看護場面における沈黙時間の検討,看護研究,26(5):421-426,1993.
7) 山本勝則・藤井博英・守村洋編:看護実践のための根拠がわかる精神看護技術 第2版,メヂカルフレンド社,2015,p.46-48.
8) 山本勝則・宇佐美覚:看護におけるコミュニケーションの場の変更―その影響について,病院・地域精神医学,38(4):502-503,1996.
9) ウィンストン A・ローゼンタール RN・ピンスカー H著,山藤奈穂子・佐々木千恵訳:支持的精神療法入門,星和書店,2009.
10) 海老原樹恵:精神科看護師が行う入院治療におけるディエスカレーションの概念分析,聖路加看護学会誌,21(1):3-9,2017.

3 患者−看護師関係成立のための援助技術

学習目標
- 「患者−看護師関係」の段階に応じた援助を理解する。
- 相談場面で必要とされる技術を理解する。
- かかわり行動を理解し習得する。
- 基本的かかわり技法を理解する。

　人は，信頼関係の段階によって，接し方や話し方が異なる。初めは自己紹介やあいさつをし，身体的に距離をおく。信頼関係の形成に有効だからといって，最初から身近な人にするような接し方をするわけではない。何度か会ううちに，よそよそしさが消え，打ち解けた態度になっていく。

　一方，医療の場では，日常の信頼関係の段階とは異なる独自の接し方や話し方がみられる。外来の初診（初対面）であっても，医師が身体接触をまったく伴わない診療をし，看護師が淡々としていて思いやりのある行動をしないと，多くの患者は物足りなく感じるだろう。

　「患者−看護師関係」の成立・進展の段階を判断し，かかわり方を決める場合，普段の人間関係における信頼関係の基準だけでなく，医療・看護行為に独自の信頼関係のあり方も考慮に入れる必要がある。人間存在の基盤を関係性に求める哲学や，対人関係を重視する心理学の理論があり，普段の人間関係における信頼関係の段階に関する学びは極めて重要である。しかし，ここでは紙幅の都合上，看護場面に特化して説明する。

　人間関係を重視する看護論のいくつかは「患者−看護師関係の段階」に注目している。これまで提唱されている代表的な「患者−看護師関係」の段階として，ペプロウ[1]やトラベルビー[2]の4段階説などがあり，わが国では外口[3]と川野[4]の3段階説がある。信頼関係の段階が進展すると，患者が提供してくれる情報は質量ともに変化する。看護師は，どの学説を支持するとしても患者の健康のレベルだけでなく，信頼関係の深さの段階に合わせて，かかわり方を変えていく必要がある。

1 患者−看護師関係の段階の例

　看護の場では，信頼関係の段階と健康のレベルとの両方を考慮してケアをする必要がある。そこで，実践的モデルとして「患者−看護師関係」の段階と患者の健康のレベルとを組み合わせた例を紹介する。

1）信頼関係ができるまでの段階

この最初の段階は、初めから看護師を信頼している患者や精神的困難を抱えていない患者では、ほとんど意識されない。しかし、他者を信頼できない心境にある患者、拒否的な患者、周囲に無関心な患者とかかわる看護師は、ここを乗り越えるのに苦労する。あの手この手とかかわり方を模索してもうまくいかないことがある。患者になかなか受け入れてもらえず、かかわりの難しい時期である。患者の情報が不十分であり、精神科では自殺のリスクが高い時期でもある。

2）信頼し頼りにする段階

この2番目の段階は、信頼の深さは様々であるが、すべての看護においてみられる。患者が看護師を利用するだけではなく、ある程度依存関係が生じることが多い。この段階の関係が深くなると、親子関係に類似した関係になる。患者がどの程度依存するかということと、看護師が依存関係にどのような感情や考え方をもっているかということで、看護師が受ける感じが異なる。頼られる心地よさを感じることもあるし、うっとうしい、煩わしいなどの負担感を感じることもある。

3）自立し始める段階

この3番目の段階は、「患者−看護師関係」においては最も微妙な段階である。自立に積極的な患者もいれば、どこまでも依存的なままの患者もいる。同じ自立に積極的な患者でも、上手に自立する患者と、失敗を繰り返しながら自立していく患者がいる。

幼児であれば、どんなに失敗しようが親が止めようが、自発的に行動範囲を拡大し、自立に向かう。成人の場合は、慎重な分だけ失敗が少ない。反面、自立への積極性は子どもほどではない。特に精神障害者の場合は、自立への積極性が低下することが多い。しかも、自立行動に失敗することも多い。

したがって、精神障害者に対するこの段階の援助は、看護師の判断を悩ませる。事態が微妙なだけに、進めようとする自立のスピードがその患者にとって適切か否かということとともに、看護師自身の自立と依存についての考え方も影響する。看護師には、少なくともある程度の失敗を見過ごすゆとりが必要である。

2番目の段階の「信頼し頼りにする段階」とこの3番目の「自立し始める段階」とを連続したものと考えることもできる。看護ケアの提供者を信頼することで自立へと向かうことができるという考え方もできる。

4）自立の段階

この段階は、入院医療でいうと、退院の時期に相当する。患者−看護師関係は、被援助者−援助者関係から、自立した社会人同士の関係に近づく。かつては、退院は自立あるいはそれに近い状況を意味していた。ところが昨今、自立の段階が多様化してきた。医療を受けながら地域で暮らす慢性疾患患者や在宅療養者が増え、心身両面において自立と依存のバランスが複雑化した。

精神科でも、病気治療だけに焦点が当てられていた時代から、地域での生活を見据えた

医療の時代に移り，関係の段階や意味が変化した。一方で自立と依存の問題は続いている。病状もセルフケアも安定し支援を必要としなくなった患者が退院するとすぐ破綻したり，デイケアと職場と両方に通って安定している患者がデイケアを打ち切ることができないなどである。

他方で，患者の自立と依存という面以外に，地域にある社会資源の問題がクローズアップされてきた。地域生活を支える訪問看護や社会資源（たとえば包括型地域生活支援，assertive community treatment：ACT）が充実していれば，症状が続いていても，あるいはセルフケアの自立が不十分でも地域生活を送ることができるし，就職できる場合もある。

このように患者-看護師関係の段階は，単に個人と個人との関係だけに注目するのではなく，社会制度や時代の変化にも影響を受けることを意識しておく必要がある。

さらに看護師は，患者の自己決定権[5]を尊重する必要がある。患者が自分で入浴できないために看護師が介助している場合を例にすると，①患者ができないので看護師の判断で介助すると考えるか，②患者が自分でできないと判断して看護師に依頼すると考えるかで，意味が違ってくる。こうしたことを考慮に入れながら信頼関係の成立・進展を進める必要がある。そのための基本的態度について次に述べる。

2　患者-看護師関係に必要な基本的態度

1）受　　容

受容とは，患者を無条件に価値ある人間として受け入れ尊重する態度であり，精神看護の基本である。受容は心理療法の分野で提唱されたことであり，ロジャーズ（Rogers C）の定義がよく引用される。この定義をもとに，精神看護の分野での受容を説明すると，"すべてを受け入れるやさしさの世界，非難や指摘や価値判断におびえることなく自分を開示できる安全な世界，自由に出入りできる世界"を提供すること，ということができるだろう。

なお，すべて受け入れるといっても，それは価値ある人間として尊重し体験しているこころの状態を受け入れるということであり，暴力，ハラスメント，自傷他害など，行動面では受け入れることが適切でないものがある。

2）安全の保障

患者が「患者-看護師関係」に安心感をもつためには，看護師が「受容」と「安全の保障」を対にして提供する必要がある。安全の保障には2つの面があり，一つは「患者-看護師関係」において，裏切らない，見捨てないなどである。これには，実際に裏切らない，見捨てないだけではなくて，患者にそう感じさせないということも含まれる。もう一つの面は，他者による心身への攻撃から患者を守る，頼りになる，また，そのように感じさせるなどである。

患者が「患者-看護師関係」に自由に出入りできるということは，その関係に縛りつけられる危険がないということである。いつでも相談に来てよいし，自分の意思だけで行動してもよいという意味で，看護師は患者の安全基地的役割を果たすことになる。

受容と安全の保障は，心理的に安定している人にとってはさほど必要性を感じないだろ

うが，精神看護を受ける患者にとっては相当の期間必要になる。

3）今，ここ

患者が過去の精神的外傷体験を引きずっている，または，将来に大きな問題を抱えているとする。これらの場合，原因は過去や未来にあり，患者は後悔や不安にさいなまれる。しかし，患者は「今，ここ」に生きているのであり，悲しみや心配は「今，ここ」で感じている。看護師が援助できるのも「今，ここ」にいる患者に対してである。

看護師は，患者が「今，ここ」で感じている感情を聞き，「今，ここ」で困っていることに一緒に取り組む。実際には変更できない過去や，まだどうなるかわからない未来を取り扱うのは難しい。特に，過去の問題を積極的に引き出すことは，傷ついた体験を再体験させる危険をはらんでいる。「今，ここ」に注目することの重要性は，最新の心理療法であるアクセプタンス・コミットメント・セラピー（acceptance and commitment therapy：ACT）でも指摘されており，核となる要素の一つとされている。

患者-看護師関係の各段階における援助

1）信頼関係ができるまでの段階での援助

この段階での援助の要点は2つである。1つは，患者との信頼関係の形成に努力することであり，もう1つは患者の不安を和らげることである。

1つ目の信頼関係の形成について特に強調したいことは，看護師がかかわりの時間や回数をできるだけ多くすることである。その場合，初対面でも，脈拍測定などの身体接触を伴うかかわりができるのが，医療の特徴である。さらに看護師は，本人の了解を得ながら，患者の身の回りの物を整理することもできる。これは，身体接触以上に信頼を生む場合がある。慎重かつ丁寧に行えば，信頼関係はぐんと深まる。また，穏やかな表情や親切な態度・行動などの重要性は言うまでもないと思われるが，多忙で次の仕事が迫っている場合など，ぞんざいなふるまいや淡々とした態度にならないように気をつけたいものである。

2つ目の患者の不安を和らげるためには，家族や身近な人との交流の機会を最大限に提供する。入院した場合，環境からの刺激を避けるために一部面会を制限することもあるが，患者が望む面会や電話連絡は積極的にさせる。不安の強い患者や，周囲の人に不信を抱いている患者は，外来受診や入院が怖くて当然である。精神科外来や病棟にはなじみのある人はほとんどいない。病院の場所や人が見慣れたものになり，信頼関係ができるまでは，身近な人とのきずなが切れていないという保障が必要である。家族が一緒にいれば，かなり不安の強い患者でも，環境の変化による不安を和らげることができる。

2）信頼し頼りにする段階での援助

この段階では，訴えを十分聞くこと，病状の改善や日常生活レベルの向上を目指して十分援助することが，「患者-看護師関係」の進展に有効である。患者は援助を拒否しないし，何日も着替えをしなかった患者に，「今日は天気がよいから着替えて洗濯しましょう。手伝いますよ」などと促すことができる。この段階では，どこに注目してどのように援助するか

ということに看護師の力量が現れる。ケアの下手な看護師は、洗髪後、髪を生乾きのままにしている患者を放置したり、服薬量の多い患者をレクリエーションに誘って、疲れ切って動けなくなるまで頑張らせたりする。

この段階で「患者-看護師関係」について、看護師側の問題が表面化することがある。看護師自身がある種の壁をつくってしまい患者との親密な関係を築けないとか、反対に、患者と一緒にカプセルに入ったように特別に親密な感情をもったりすることもある。これらは、精神分析で逆転移とよばれるものと一部重なっている。この対策としては、スーパーバイザーからスーパービジョンを受ける方法がある。

3）自立し始める段階での援助

突き放さず引きとどめず、時には後押し、時には自重を促す、というのがこの段階での援助である。この段階では、患者の自発性が影響する。援助を受ければ身の回りがこざっぱりしているが、看護師からの援助がないと汚れ放題という患者もいる。声をかけられると行動するが、そうでないと無関心という場合もある。これらの場合は、活動性や意欲を高める働きかけが必要である。

自発的ではあっても行動が不適切な患者もいる。その場合は、セルフケアについては、失敗しようがトラブルが生じようが患者の自立を目指すべきである。看護師は援助が上手な反面、失敗を見守るのが上手でない。最初から上手に歩ける子どもも、失敗を体験したことのない看護師もいない。長い失敗の繰り返しが必要である。そして、うるさく口出ししない相談役がいればなおよい。

4）自立の段階での援助

すでに述べたように、この段階は多様化してきている（p.64参照）。この段階での援助としては、自立支援とともに地域生活への移行、自己決定権の尊重を意識して、個々の患者の状況に合った画一的でない支援を行う。精神科看護でも共同意思決定（shared decision making：SDM）の取り組みが始まっており、精神科訪問看護での実践報告がある[6]。

 相談面接技術：マイクロカウンセリングを活用して

相談面接の技術は各種開発されているが、本書ではアイヴィ（Ivey AE）ら[7]が開発したマイクロカウンセリングを取り上げることにする。その理由の1つはクライエント※にとって"よく聴いてもらえた"と感じるくらい非常に効果のある面接法だからである。もう1つの理由はカウンセラー※にとっても自身の相談面接のスタイルを意図的に構造化することが可能だからである。

マイクロカウンセリングで用いる「マイクロ」とは、微小ということではなく、一つひとつのコミュニケーションスキルを命名した技法の単位のことである。つまり、それぞれのコミュニケーションスキルを着実に、綿密に認識して修得していくことで意図的な相談面接の基盤が形成されていくのである。このようにマイクロカウンセリングは相談面接技術の基本モデルといえよう。

図3-1に示すマイクロカウンセリングの階層図は，このような意図的面接法の連続したものである。マイクロカウンセリングは最終的には，階層図の頂点である技法の統合に向かうものであるが，紙面の関係で基本的かかわり技法まで述べる。けれども基本的かかわり技法まで修得すれば，通常の相談面接に十分対応できるレベルまで到達できる。

※アイビィのマイクロカウンセリングに基づきクライエントとカウンセラーという表現を用いる。クライエントとはカウンセリングを受ける人，相談者，来談者などを総称する。また，カウンセラーとは治療者，面接者などを総称する。看護臨床場面では，クライエントは患者，カウンセラーとは看護師を示す。

1）かかわり行動

マイクロ技法の階層図の底面に位置するかかわり行動は，マイクロカウンセリングの基盤である。コミュニケーションスキルの基盤となる傾聴がこれにあたる。傾聴とは文字どおり耳を傾け，心を込めてクライエントの話しを聴くことである。話しの内容だけでなく感情も含めて聴く。その感情は非言語面にも現れるので，非言語的メッセージも見逃さないように注意を払う。

(1) 視線を合わせること

カウンセラーはクライエントとのコミュニケーションのなかで適切に視線を合わすことが求められる。決して凝視することではなく適切であることがポイントである。目上の人などの言葉が象徴するように日本人は目線に対して敏感な人種である。適切なアイコンタクトが必要である。なかには人の目を見ることが苦手な場合があるだろう。その場合は鼻の頭を見ることを勧める。そのように見られたクライエントの多くは，自分のことに注目してく

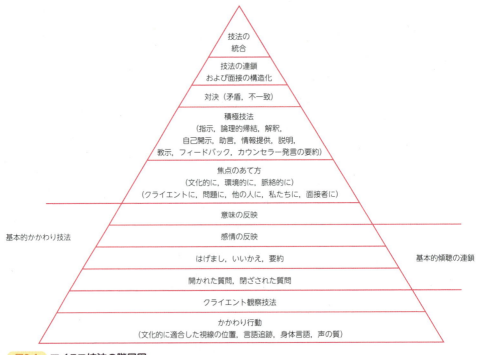

図3-1 マイクロ技法の階層図

アイビィ，AE著，福原真知子・他訳：マイクロカウンセリング，川島書店，1985. を参考に作成

れていると思うはずである。

(2) 身体言語に気を配る

クライエントの話しをよく聴いているような身体言語を用いる。身体言語とは全身から聴いている感じを醸し出す非言語的な態度のことをいう。一般的に相手に関心を示す傾聴動作は，楽な姿勢をとりながらわずかに上体を前に傾けることとされている。演習をとおして様々な身体言語を体験し，相手にとって聴いてもらえていると感じる身体言語を教えてもらうことが望ましい。

効果的な身体言語の1つとして反響姿勢がある。反響姿勢とはちょうど鏡で映し出されたように，2人が同じ姿勢をとることであり，それは2人の心が通い合っているときにみられる身体反応である。その逆が防衛姿勢であり，腕組みをしたり，ポケットに手を入れることであり，避けたい身体言語である。

(3) 声の調子

声の質として，話し方（速い，普通，遅い），声の音量（大声，小声），声の調子（明るく生き生きとした話し方，単調な話し方，震えた話し方，口ごもった話し方）がある。これらはクライエントへの態度として反映されるため，その場に最も適した自然な話し方をする。

(4) 言語的追跡

クライエントの言っていることをよく聴き，それに対応することが基本である。カウンセラーが新しい話題を提供する必要はなく，単にクライエントの発する話題に関心を向けることが重要である。決してカウンセラーが話題を変えたり，妨げたり，話題を飛躍させてはいけない。

【演習】かかわり行動の修得～対人空間の体験演習～

上記の4点を組み合わせて対人空間（目線，座る位置）を体験的に学修することができる。机上の理論よりクライエントとしての体験からの学修のほうが効果的である。筆者の所属する大学では，体育館に椅子を準備し，広いスペースを活用して演習を行っている。これらの演習をとおしてかかわり行動の基盤を修得したうえで，基本的かかわり技法へと発展させていく。

2) 会話への導入：開かれた質問と閉ざされた質問

質問は面接を進行させるために役立つものである。質問は会話の新局面を開き，論点を浮き彫りにし，クライエントが自己探求を深めるのにも有効である。そのため会話への誘いとよばれる，ある決められた質問形式で構成された技法である。質問には開かれた質問と閉ざされた質問がある。

(1) 開かれた質問

応答内容を相手に委ねる質問形式のこと。導入のための質問（「どのようなことでいらっしゃいましたか？」など），具体例を引き出す質問（「具体的にお話いただけますか？」など），経過を聞く質問（「それでどうなりましたか？」など），感情を聞く質問（「どのように感じましたか？」など）の4タイプがある。

(2) 閉ざされた質問

相手が「はい」「いいえ」あるいは一言で答えられるような質問形式のこと。たとえば，「お

休みは土日ですか？」「ご出身はどちらですか？」などがあげられる。

　開かれた質問を用いるときに注意が必要なのは「なぜ（why）」で始まる質問である。多くの場合は，ある点に人々の関心を釘付けにさせる。人はいつでもなぜかという理由を知っているわけではないので，回答に困難を生じることがある。開かれた質問と閉ざされた質問を適宜組み合わせて会話を進め，問題などの核心を追求する際に「なぜ（why）」を活用すると効果的である。

3）明確化：最小限のはげましと言い換え

　最小限のはげましとは，クライエントに話しを聴いてくれていると感じさせる技法である。言語的な最小限のはげましとは，瞬時的な発声であり，助けようとするクライエントに共感していることを表現する促しである。「ええ？」「それで？」「う〜ん」などの発語や，「もっと続けて話してください」などの促し，そして，クライエントが話した文章の最後の数語をそっくり繰り返すなどである。これらのはげましを用いるだけでも会話は十分に進む。そして最も価値のある最小限のはげましは沈黙である。初学者によくありがちなのは沈黙に耐えきれず余計なことを話してしまうことである。これは下手をすると築き上げた信頼関係を自ら崩す結果になりかねない。沈黙は相手の言葉をもつための効果的なスキルであるため，決して恐れずに待ち続けてほしい。

　言い換えとは，クライエントが言ったことの要点を正確に返すことである。効果的な言い換えでは，「君」「あなた」のように個人的に行うこと，クライエントの発した最も重要な語句の本質をとらえて返すこと，とされている。言い換えがうまくいくと，クライエントから「はい，そうなんです」という言葉のフィードバックを受けることができる。

4）要約技法

　要約技法とは語られたことの重要部分を繰り返し，短縮し，具体化することである。この技法によりクライエントが自分の考えをまとめるのを援助することになる。「他の言葉に直すと，あなたが問題にされているのは…にあるようですね」「あなたが言いたかったのは…ですね。何か落としているところはありませんか」などとカウンセラーは折々に要約技法を用いて，その傾聴がどれほど正確であったかをクライエントと共にチェックすることができる。

5）感情と情動にこたえるということ

　感情の反映の技法は，クライエントの情動の世界を正確に感じ取ることであり，それによって共感を高めることができる。感情を反映させるには以下のステップが最も基本的かつ重要なものである。
- 感情は指摘（命名）されなければならない。これはクライエントによって実際に言語化されたその言葉をとおして，また非言語のコミュニケーションを観察することによって可能である。
- カウンセラーは最初に，「あなたが…と感じているように思われる」「…と感じているように聞こえますが…」「…のように受けとれますが…」といった表現を用いてクライエントの情動を指摘する。

- 内容は言い換えによってさらに明確になる。たとえば「あなたは…のとき…と感じるようですね」など。
- 面接場面において即座に"いま，ここで"の感情が指摘され，それに働きかけるなら，感情の反映技法は最も有効なものとなる。

文　献

1) ペプロウ HE著，稲田八重子・小林冨美栄・武山満智子・他訳：ペプロウ人間関係の看護論，医学書院，1973.
2) トラベルビー J著，長谷川浩・藤枝知子訳：トラベルビー人間対人間の看護，医学書院，1974.
3) 外口玉子・中山洋子・小松博子・他：精神看護学〔1〕精神保健看護の基本概念〈系統看護学講座26〉，医学書院，2001.
4) 川野雅資編著：患者―看護婦関係とロールプレイング，日本看護協会出版会，1997.
5) 荻野雅：精神科医療看護における倫理の動向，武蔵野大学看護学部紀要，6：37-46，2012.
6) 松本陽子・木村幸生：利用者の意思決定を大切にしながらも生活習慣の改善に向けた精神科訪問看護師の関わりのプロセス，日本精神保健看護学会誌，30(2)：29-38，2021.
7) アイビィ AE著，福原真知子・他訳：マイクロカウンセリング，川島書店，1985.

4 援助技術を高める方法とシミュレーション

学習目標
- 振り返りのための記録方法と検討方法を理解する。
- 面接（コミュニケーション）場面を記録し，検討する方法を理解する。
- アサーティブネストレーニングを理解する。
- リラクセーション技法を理解する。
- シミュレーション教育をとおして援助技術を振り返る。

1 振り返りの方法

　看護場面のコミュニケーションや相談面接のプロセスを振り返ることにより，対人関係技術をスキルアップすることができる。そのためのステップは2段階ある。初めのステップは場面の記録であり，次のステップは場面の検討である。以下，看護のコミュニケーション場面や相談面接場面をまとめて面接とよぶことにする。

1）記録の方法
　看護場面を記録するには，面接をした看護師が自分の記憶を頼りに筆記する方法（プロセスレコード）と，録音や録画などの方法とがある。
(1) プロセスレコード
　プロセスレコードは，相談の直後に，患者と看護師のコミュニケーション内容をそのまま記録する。最低限必要な記録内容は，(1) 患者の発言と行動，および (2) 看護師の発言と行動であり，返事，うなずく動作，沈黙などの非言語的な側面も記載する。プロセスレコードは何種類か開発されており，(1)(2) のほかに，場面の分析と考察の項目を付け加えたものが多い。また，看護師自身が思ったことを項目として記載する様式もある。標準的なプロセスレコードの記録様式を表4-1に示す。
　表にある対象者とは一般的には患者のことであるが，施設利用者とのコミュニケーション場面や家族とのコミュニケーション場面もプロセスレコードに記載することがあるので対象者と表示した。氏名は個人情報保護の観点から，実名はもちろんイニシャルも記載せず，A氏，B氏などと記載するのが一般的である。同様に年齢も20代，50代などと記載する。30代前半などにように，年代の前半・後半を示す様式を用いることもある。日時・場所は，記載すると前後関係を判断するときに役立つことがある。「この場面を記録した理由とこの場面に至るまでの経緯」は必ず記載する必要がある。何のためにこの場面をわざわざ記載

表4-1 プロセスレコード

対象者　A　氏，年齢　　　　歳（年代），性別　　　

日時・場所			
この場面を記録した理由とこの場面に至るまでの経緯			
対象者の言動	看護師が考えたこと	看護師の言動	分析・考察
この場面全体からわかったこと			
			署名

するのかということは，記録を理解したり検討したりする場合に役立つ。また，プロセスレコードに記載される場面は，前後の文脈と関係なく出現するわけではなく，それまでの状況を知ることで出来事の理解を深めることができる。

　左端の「対象者の言動」欄には対象者の発言と行動を記録する。必要に応じて，患者の様子やベッドでの状況などを記載することもできる。左から2番目の「看護師が考えたこと」の欄には対象者の言動を見聞きして考えたことや，その場で考えたことを記載する。3番目の「看護師の言動」欄には看護師自身の発言と行動を記録する。以上の3つの欄は，出来事の順番に沿って①②③…と番号を振ると，その場の推移がわかりやすい。4番目の一番右「分析・考察」の欄には，左側3つの欄の具体的な内容に関して検討し，記載する。プロセスレコード全体についての分析・考察はこの欄には記載しない。

　そして，下の「この場面全体からわかったこと」には，プロセスレコード全体についての分析や考察を記載する。その他，関連事項としてわかった重要なことがあればそれも記載する。また，ここに記載者の署名をする（学生の実習記録として用いる場合は，記録用紙の上方に学籍番号と記載者の氏名を記入するスペースを設けることが多い）。

　プロセスレコードは様々なものがあり，詳しくは成書[1)2)3)4)]を参照してほしい。使用目的に合わせて既存の様式を選択する，あるいは既存の様式に変更を加えて用いることもできる。

　筆記による記録の長所としては，患者の了解を得る必要がない※，記録しながら自分の聞き方・質問の仕方の不十分な点や不適切な点に気がつく，などである。また，録音，録画

には自分の感じたことが記録されないし，録音には動作や表情が記録されないが，筆記の場合はそのような問題がない。

※患者の了解を必要としないのは，看護実践や実習などにおける特定の場面で使用する場合であり，それ以外の目的で使用する場合は，原則として了解を得る。

(2) 録音，録画

録音や録画を行う場合は，機器の設置場所が問題である。必要なことが記録できる位置で，知ってはいてもあまり気にならない位置に設置する。録音や録画の長所として，採録状態がよければ正確に記録することができること，録画では非言語的情報や細部の情報も記録されること，などがある。

反面，本人の了解を得る必要があり，プライバシーの保護にも十分注意するなどの慎重さが求められる。「個人情報の保護に関する法律」は時々改正されている。医療に関する情報は「個人情報の保護に関する法律」に抵触するものが多く，社会の考え方の影響を受けるので，周りの人の考え方や時代の変化に敏感であることが求められる。

2) 相談場面の検討方法

記録をもとに相談場面を振り返る方法としては，継続的に行うやり方と，1回ごとに行うやり方とがある。前者にはスーパービジョンが，後者にはロールプレイ，事例検討会などがある。

(1) スーパービジョン[5]

スーパービジョンとは，スーパーバイザーとよばれる経験豊かな専門家から，指導や助言を受けることである。普通は，1対1で，一定期間指導を受ける。特定の面接技法に関する指導のこともあれば，1人の患者との相談面接に関する指導のこともある。特徴は，具体的な場面についての指導であることと，スーパーバイジー（被指導者；ここでは看護師）が，単なる技術以上の問題にも直面することである。たとえば，スーパービジョンを受けている看護師が，自己が理想主義的で現実を直視できない傾向をもっているということに気がつくことなどである。このように，人間関係における自己の傾向や，自己理解についても指導を受けることが多い。

ここでは振り返りのための方法としてスーパービジョンを取り上げたが，スーパービジョンは相談場面の検討にとどまらず管理的機能などもあり，ソーシャルワークにおいてはより広く活用されている。また，スーパービジョンの構造は1対1でも，スーパーバイザー1名にスーパーバイジー数名ということはよくあることで，その場合は，集団で検討の場がもたれることがある。

(2) ロールプレイ[6][7]

ロールプレイあるいはロールプレイングとよばれる方法は，学生や臨床スタッフが集まって，患者や看護師の役割を演じ，その場面を検討することである。臨床/臨地で体験した場面について，誰かに患者役をしてもらい，自分がロールプレイの場面でも看護師役をすると，その過程で様々な気づきがある。また，患者役の人からメッセージをもらうことにより，多くの学びがある。反対に，自分が患者役をすることで，患者の立場に立ってみることもできる。自分は観察者として直接演技に参加しないで，客観的に見直すこともでき

る。

　普通は1グループ数名で行われる。場所と時間を確保し，面接場面の記録を準備し，参加者を決める。患者役，看護師役のほかに進行役が必要である。観察者も重要な参加者である。ロールプレイに用いる場面の記録はできるだけ詳しいほうがよい。参加者全員がその場面をよくわからないと振り返りにならない。また，いくら詳細に記録し同じような演技が行われたとしても，場所も人も違うのだから，ロールプレイで生じたことは，事例の場面とは異なる独自の出来事であることも認識しておかなければならない。実習場面のプロセスレコードを用いることで実践を振り返ることもできる。

(3) 事例検討会

　ロールプレイが事例の1場面を取り上げるのに対して，事例検討会では事例の経過を取り上げることが多い。事例検討会は，振り返りの最も一般的な方法である。様々な方法で行われているが，どのような方法で行われても注意すべきことをあげておく。まず，事例の提示は，客観的事実を示すことである。解釈や感想だけが多い事例提示は検討会には向かない。また，参加者からの事実関係に関する質問に返答できるように，事例にかかわった本人が参加する。事例提示者は，その事例の問題点を述べる。問題点としては，自分が困ったところとか，気になったことでもよい。問題の本質が何であるかまで考えると事例を提示できなくなるかもしれない。とにかく，その事例を提示した理由を必ず示す。

対処能力を高めるための援助技術

　患者自身が，自己の精神的問題に自分で対処できるようになれば，社会生活をよりよく生きることができる。こうした方法を看護師が知り，患者に指導することは，精神的援助の方法といえる。その場合に用いる技術は，疾患への対処ではなく，問題への対処能力が向上することを目指している。したがって，こうした方法は，看護師自身の日常生活における対処能力の向上にも用いることができる。精神的問題に自分で対処する技法には様々なものがあるが，看護師は何らかの緊張をほぐす方法を知っておくことが望ましい。そこで，代表的なリラクセーション技法としてどのようなものがあるかを後述する。

　また，対人関係場面や日常生活における対処能力を高める目的に沿うものとして，自己決定を高める技法，怒りをコントロールする技法，認知症へのアプローチとしての回想法やリアリティオリエンテーション，自己主張のためのアサーティブネストレーニング，エンパワーメント，種々のリラクセーション技法などがある。そのなかで，ここでは，アサーティブネストレーニングを取り上げる。また，本項では直接的に技術を紹介している部分が少ないので，手軽にできるリラックス方法も最後に紹介する。

1）アサーティブネストレーニング

　これは，"相手に配慮した表現での自己主張（アサーション）"ができるようになることを目的としたトレーニングである。アサーティブな表現は，はっきりと自己表出しているが，攻撃的でもないし遠慮がちでもなく，相手にさわやかな印象を与える表現である[8)9)]。

(1) 自己表現の様式

アサーションでは，人の自己表現の様式を，攻撃的表現，非主張的表現，アサーティブな表現の3種類に分ける。

攻撃的表現とは，たとえば患者が，同室の患者を「こら，静かにしろ！」と怒鳴りつけたりすることである。また，看護師が「あんなに説明したでしょう。どうしてわからないの？」などと，一見質問のような言い回しで問い詰めるのも攻撃的である。このような表現では，言われた側が不愉快になるのはもちろん，言った側も後悔を伴う。

非主張的表現とは，病院で患者が医療者に対してよく示す表現であり，看護師に「苦しいところはありませんか？」と聞かれて，本当は苦しくても「大丈夫です」と答えてしまう場合などである。また，忙しそうにしている看護師を見て，「あの……」と言いかけてやめてしまう患者もいる。このような表現では，言った側の患者が不満足なだけでなく，言われた看護師も，患者が必要なことを言ってくれないために情報収集に苦慮する。看護師が医師に対して，非主張的表現をしていることもよく見かける。

アサーティブな表現とは，率直で正直な表現であり，自分も相手も大切にしようとする。患者が「熱があります。頭が痛いので，できるだけ**早く氷枕をお願いします**。アイスノンでもよいです」というような場合である。歩み寄りの姿勢を見せながらも，下線の部分ではっきりと自己主張している。このような患者の表現は，看護師としても非常に助かる。看護師の一方的な判断による援助と，ひたすら感謝するだけの患者の姿は，むなしいものである。私たち看護師は患者が望む援助をしたいと願っている。

(2) アサーション[10]

アサーティブな表現のためには，①アサーティブな考え方をする，②アサーティブな表現を練習する，③アサーティブな表現が適さない場合はアサーションしないなどのことが必要である。

日本の伝統的なコミュニケーション様式に，以心伝心がある。これは無言のうちに相手に伝わることである。このような考え方は，結局"表と裏，建前と本音"を生じやすい。さらに，現代の日本では以心伝心が機能せず，はっきりと言わなければお互いの考えが伝わらなくなっている。そこでアサーティブな表現が必要であるが，その実行のためには決意がいる。つまり，アサーションをしてもよいという自信である。自分を大切にしてもよい，そのために，断ることや要求することは権利である。同時に，相手にも同様の権利がある。権利の行使には罪悪感をもたなくてもよい。こうしたアサーティブな考えをもつことで，アサーションが実行しやすくなる。この考え方は，交流分析の"I am OK. You are OK."という考え方にも近い。

アサーティブな表現を練習するには，様々な場面を思い出して，そのときに自分がどのように発言しているか，どのように感じているか，そして，アサーティブに表現するとしたらどのような表現になるかなどを考えることから始める。それは患者にもあてはまる。たとえば，患者が「リハビリに必要だと言われたから売店まで同行してください」と看護師に言うのではなく，「買い物に行きたいから売店まで同行してください」と率直に言うのがアサーティブな表現である。どのような表現がアサーティブな表現であるかわかったら，その後アサーティブな言語と非言語の表現を練習する。

相手によってはアサーションが成功しないことや，危険なこともある。常にさわやかな表現ができるとも限らない。しかし，アサーティブな考えや表現の範囲を広げれば，人間関係を良好にし，同時により充実した生き方ができる。

2）リラクセーション技法[11]

(1) 自律訓練法
緊張緩和を目的とするリラクセーション技法の代表的なものに自律訓練法がある。これは自己暗示により全身の緊張を緩め，呼吸や循環をコントロールして，心身の状態を自分で調整する方法である。標準の練習方法が定まっており，外界からの刺激をできるだけ遮断して，言葉を頭のなかで反復しながら練習する。

(2) 様々なリラクセーション技法
そのほか，催眠，瞑想，バイオフィードバックなどがある。また，芳香をもつ植物から抽出された精油を用いて心身のバランスを整えるアロマセラピーがある。聴覚刺激としての音楽療法とともに独自性をもつ療法である。さらに，指圧・マッサージ，タクティールケアなどもリラックス効果がある。看護師は，リラクセーション技法についてある程度の知識を有していることが望ましい。また，実践できるとケアの幅が広がるし，自己のメンタルヘルスに応用することもできる。

なお，イメージという観点からみると，心理療法の多くにイメージが利用されている。イメージは心の重要な部分を担ってもいる。イメージを操作するアプローチを行う場合は，患者の心の中核を脅かさないことや，洗脳という問題を考慮する。

以上のリラクセーション技法について，気をつけてほしいこととして，健康な人へ行う場合と病気の人へ行う場合，そして重症な患者に行う場合とでは，強度も実施する方法の選択も異なるということがある。

3）手軽にできるリラックス

技法というには手軽すぎるが，すぐできるリラックスの方法がある。一つは，深呼吸である。深呼吸を1回するだけでも効果はある。もっと強い効果を期待するのであれば，ゆっくり息を吸い込み，いったん止めて，それからゆっくりと息を吐く。吐き終わったら，いったん止めて，それからゆっくりと息を吸う。この繰り返しを何回か行う。これだけでもかなり緊張が緩和して落ち着く。

極めて手軽な方法として，ぽかんと口を開けて顎の力を抜くだけの方法がある。もう少し多くの効果を期待するのであれば，いったん歯を食いしばってから急に力を抜いて，口を開ける方法もある。なお，ため息をつくと幸せが逃げるというがそれは逆である。幸せが逃げたので，そのストレスを解消しようと，自然にため息が出るのである。したがって，ため息をつかないようにすることは賢明なやり方ではない。むしろ，ため息をついて，新たな活力が生まれてくることを期待するほうがよい。

ゆっくりした音楽で，自分が好きな曲を聴きながら，他のリラクセーション技法を行うのはより効果を期待できる。

3 援助技術を高めるシミュレーション

1) シミュレーション

　近年，教育のパラダイムシフトとして，学習者の能力に基づいた教育（competency-based education）が強調され，看護学教育においてアクティブラーニング（active learning）が注目されている。アクティブラーニングを引き出す教育方略の一つとして，シミュレーション教育がある[12]。シミュレーション教育は看護実践の一部分を取り上げることで，標準化された場面を，いつでも再現することができる。また，安心して再現できる場面を提供して，訓練を繰り返すことが可能となる。筆者らはこれまで「精神看護学にシミュレーション教育を導入することによる看護実践力を向上する教育方法」を開発してきた[13) 14)]。また，世界中に拡がったCOVID-19パンデミックは，看護学臨地実習へ大きな影響をもたらした。実習の代替としてシミュレーション教育は注目され，多くの教育機関で活用された。

　International Nursing Association for Clinical Simulation and Learning（INACSL）は，Best Practice Standards ; Simulationというシミュレーション教育のスタンダードを公表している。本項ではそのスタンダードをもとに，看護OSCE[15)]とともに開発してきた札幌市立大学の精神看護学シミュレーション教育を紹介する。

2) 精神看護学シミュレーション教育

　シミュレーション教育の流れを図4-1に示す。

(1) 個人での事前学習と役割の確認

　シミュレーションを実施する前の演習時に事前学習を課す。シミュレーション演習の到達目標として，一般目標と行動目標を提示する。合わせて，疾病，症状，看護などの知識を学習して臨むよう指導する。

　シミュレーションにおける役割を確認する。看護学生役は自分の演技をとおして，実践した看護を振り返ると同時に，患者役からは実践した看護を受けた立場からの意見をフィードバックしてもらうことができる。模擬患者がいない演習の場合は，患者役が必要

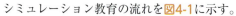

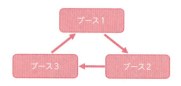

図4-1　シミュレーション教育の流れ

図4-2 シミュレーション演習のブリーフィング場面

となる。患者役は患者の立場になっての思いや考えを体験することができるため，患者役状況設定を熟読して準備してもらう。また，シミュレーションには観察者役の存在が欠かせない。観察者役は役を演じる必要がない分，客観的に観察することができる。看護学生役，患者役それぞれの言葉や行動はもちろん，看護師（看護学生）-患者関係も客観的な立場で観察することができる。他にも進行役であるグループリーダーも，ロールプレイを展開するためのグループ運営として必要な役割である。これらの役割は，行う順番も含めて演習前に決めてもらう。

(2) オリエンテーションとブリーフィング

シミュレーション演習の到達目標の再確認をしたのち，演習の流れを説明する（図4-2）。最初のブースへ移動する。模擬患者がいる演習の場合は，ブースに迎え入れ挨拶をする。

(3) セッション（シミュレーションとデブリーフィング）

15分のセッションを3回行う。セッションはシミュレーション7分，フィードバックとデブリーフィング7分，ブース移動1分の時間配分としている。この時間配分は看護OSCEに合わせた。

シミュレーションは学生提示課題の内容に沿ってロールプレイをする。おおよそ7分で完結する内容の課題としている。ほとんどの学生は制限時間一杯ロールプレイをしている。

ロールプレイが終了したらグループリーダーが司会を担い，まず看護学生役に意識して行ったことや難しかったことなど実践の振り返りを求める。次に患者役にフィードバックを求める。フィードバックは最初に肯定的な内容，次に否定的な内容，最後に再度肯定的な内容とする。その後は時間の許す範囲でグループ内でのデブリーフィングとする。

残り1分でブース移動する。同じシナリオを用いて演技をしているが，患者役によって

言葉や行動は異なる。精神障害者の個別性に対応できるよう毎回のセッションでブース移動をする。

(4) 事例のまとめ

3回のセッションを経て，到達目標への評価，事例をとおしての学びなどをグループ内で共有する。

3）模擬患者

患者役は学生や教員でも構わない。しかし，学生間でのロールプレイは気がゆるむ傾向が否めない。また，教員は評価者としての立場を完全に脱するのは難しい。札幌市立大学では一般市民を長期間かけて模擬患者として養成しているが，特殊事例と言わざるを得ない。

可能であれば臨床看護師（臨床指導者）に模擬患者を依頼することを推奨する。臨床での経験を活かして模擬患者を演じることは比較的容易である。ただし，臨床現場に精通しすぎているため，基本に忠実な演技を徹底してもらう必要がある。また，臨床指導者であれば大学教育への関心が高い人が多く，学生に対する臨地実習指導のレディネスにもつながる。シミュレーション演習をとおして，大学と臨地との連携が深まることが期待できる。

文 献

1) 阪本恵子編著：看護実践に活かすプロセスレコード―良いかかわりができるための具体展開（演習付）と事例集，ヌーヴェルヒロカワ，1987.
2) 宮本真巳編著：援助技法としてのプロセスレコード―自己一致からエンパワメントへ，精神看護出版，2003.
3) 長谷川雅美・白波瀬裕美編著：自己理解・他者理解を深めるプロセスレコード，日総研出版，2001.
4) 山本勝則・吉田一子・内海滉：看護場面における他者理解と自己理解との関連，保健科学研究誌，1(1)：27-33, 2004.
5) 飯田澄美子・見藤隆子編著：ケアの質を高める看護カウンセリング，医歯薬出版，1997.
6) 川野雅資編著：患者―看護婦関係のロールプレイング，日本看護協会出版会，1997.
7) コルシニ，RJ著，金子賢監訳：心理療法に生かすロールプレイング・マニュアル，金子書房，2004.
8) 平木典子：アサーション・トレーニング―さわやかな〈自己実現〉のために，日本・精神技術研究所（金子書房），1993.
9) 勝原裕美子：Beアサーティブ！―現場に活かすトレーニングの実際，医学書院，2003.
10) ディクソン A著，山本光子訳：アサーティブネス（積極的自己主張）のすすめ―前向きに生きようよ女性たち！，柘植書房新社，1991.
11) 荒川唱子・小板橋喜久代編：看護にいかすリラクセーション技法―ホリスティックアプローチ，医学書院，2001.
12) 阿部幸恵：医療におけるシミュレーション教育，日集中医誌，23(1)：13-20, 2016.
13) 山本勝則・守村洋・河村奈美子：精神看護学におけるシミュレーション教育の概観と実践―精神看護学トライアルOSCEから構造化されたシミュレーション教育への移行，SCU Journal of Design & Nursing, 7(1)：53-59, 2013.
14) 守村洋・伊東健太郎・野呂田美菜子：札幌市立大学における精神看護学シミュレーション教育の成果検証と今後の方向性―学生への教育効果と模擬患者の育成教育の視点から，日本シミュレーション医療教育学会雑誌，8：1-8, 2020.
15) 中村惠子編：看護OSCE，メヂカルフレンド社，2011.

5 生きる力と強さに注目した援助

学習目標
- ストレングス，リカバリー，エンパワーメント，レジリエンスに関する基礎知識を理解する。
- ストレングス，リカバリー，エンパワーメント，レジリエンスの視点で援助に活用できることを学ぶ。
- 多職種連携のあり方を探究し，連携における看護職としての役割を再考できる。

　精神障害者をめぐる障害福祉学分野や心理学分野で注目されてきた用語が，近年，精神保健看護学領域でも用いられるようになってきた。ここではそれぞれの用語を精神保健看護学領域で活用できるよう説明および解説する。なお，それぞれの用語は独立しているものの，考え方の一部には重複している部分が多い。一つひとつの用語を理解するというより，すべての用語を理解したうえで，それぞれの用語の特殊性に注目して援助技術として活用していただきたい。

　そして，共通する用語を使用しながら，精神障害者に対し，各専門職が援助および支援を提供することになる。それぞれの職種の理念，役割，業務を理解したうえで，互いに尊重し合いながらの多職種連携のあり方を結びとしてまとめてみた。

1 ストレングス，リカバリー，エンパワーメント，レジリエンスに関する基礎知識

1) ストレングス

(1) ストレングスとは

　従来，私たち看護職や医師などの医療従事者は，患者の「できないこと」に注目し，看護をし，治療をするという医学モデルの教育を受けてきた。医療を受けて完治し，健康を取り戻す意味では，医学モデルは非常に重要である。その医学モデルに基づいて，患者の"個人・家族・地域社会の病理，欠陥，問題，異常"に対するアプローチを行ってきた。しかし，精神障害者においては，完治ではなく寛解という言葉が意味するように医学モデルには限界があり，「できないこと」に注目するのではなく，「できること」に注目する必要が生じてきた。

　ストレングス（strengths）とは，対象者の誰もがもっており，対象者をプラスに変化させていく力とされている。対象者は精神障害者に限らず，すべての人を示している。本書を手に取っている読者も，精神看護の実践能力を今以上に高めようと考え読んでいること

であろう。それこそがストレングスといえよう。その意味では，ストレングスを強さ・強みや能力と表現されることが納得できる。

(2) ストレングスの原則

ラップ（Rapp CA）[1]はケアマネジメントの一類型として，ストレングスモデルを提唱した。ラップは，次のようにストレングスモデルの6原則を説明している。

①原則1：精神障害者はリカバリーし，生活を改善し高めることができる

　私たちが協働している人々は，彼ら自身のリカバリーに影響をもたらす能力をもっている。反対に，私たちは人々をリカバリーさせる能力をもっているわけではない。

　上記の前提のもと，ストレングスモデルは，成長やリカバリーの可能性が，私たちが支援しようとしているクライエントにすでに内在していることを強調する。私たち看護職をはじめとする専門家の仕事は，彼らの成長やリカバリーを最もよく進めるための条件づくりに過ぎない。その際に重要なことは，私たちは彼らのリカバリーの旅をコントロールしたり，予言したりする力を占有しているのではないということを認識することである。

　クライエントは「統合失調症」あるいは「慢性の精神病」ではなく，特定の苦痛をもたらす症状を経験している人間であり，その症状は彼らの存在の単なる一部に過ぎないという大原則のもと，彼ら自身がリカバリーして，自身の生活を改善し，その質を高めることができる存在であることを認識することが重要である。

②原則2：焦点は欠陥ではなく個人のストレングスである

　冒頭に述べたように，医学モデルには限界があり，「できないこと」ではなく，「できること」に注目する必要が生じてきたなかでストレングスモデルが提唱されてきた。しかし，ストレングスモデルは，問題を無視することを提案しているのではない。

　彼らと協働する場合は，その症状や精神疾患，あるいは，それらに関連する問題，弱点，そして欠陥といった類のことに目を向けるべきではない。それより，協働することによって，クライエントがこれまでに何を成し遂げることができたか，どのような資源を得てきたか，あるいは現在得られている状態にあるのか，クライエントは何を知っているのか，何を手に入れているのか，さらにはどのような願望や夢をもっているか。そのようなことに焦点を当てるべきである。

　ストレングスに焦点を置くことは，同時に，動機づけを高める。また，クライエントの個性化を高めることになる。クライエントを個人として理解することによって，初めて支援ができると言っても過言ではない。

③原則3：地域を資源のオアシスとしてとらえる

　ストレングスモデルは個人のストレングスだけではなく，環境のストレングスにも留意する。地域は，人々の悩みの原因になるが，同時に，より良く生きるための資源にもなりうる。地域が，ケアや支援や資源を必要としている人々に対し，その好機を準備するのである。

④原則4：クライエントこそが支援過程の監督者である

　ストレングスモデルの基礎となっているのは，自分が受ける援助の形式，方向，および実質を決定することはクライエントの権利であるという考え方である。クライエントはこの決定を行うことができる，この原則をも守ることによってケースマネジメントの有効性を高めることができる。

クライエントの自己決定を厳しく守り，ストレングスを巧みに評価することによって，クライエントとのパートナーシップは容易になると考えられる。

⑤原則5：ワーカーとクライエントの関係性が根本であり本質である

ワーカー（原文ではワーカーだが，看護職と読み替えられる）とクライエントの関係性がないと，その人のストレングス，才能，技能，望み，願望は休止状態になり，その人のリカバリーの旅を前に進ませることができない。それは，人々の人生に対する豊かで細やかな視点を見つけるための，強く，また，お互いに信頼し合う人間関係をもたらす。また，彼や彼女にとって最も意味のある，大切なこと，人生に対する情熱を，すすんで分かち合える環境を創り出す。

⑥原則6：私たちの仕事の主要な場所は地域である

クライエントの自己決定と，地域の資源を優先することについての前述の原則から，施設内において行う活動や働きかけが好ましくないことは明らかである。

地域のなかでクライエントとともに活動することは，私たちにとって問題の一般化を回避するのに役立ち，活動をクライエントに最も関係ある部分に集約し続けることができる。

(3) ストレングスの視点での援助

ストレングスは次の4つの要素から成立している。

①個人の性質：性格穏やか，真面目，聞き上手など本人の人柄や個性
②才能・技能：料理ができる，歌がうまいなど本人の才能や経験からの技能
③関心・願望：犬を飼いたい，海外旅行に行きたいなど関心を示すものや強く望むもの
④環境：家族との関係が良好，友達が多いなど本人を取り巻く外的要因

このなかで，特に「関心・願望」は最も重要であり，この関心・願望がリカバリーにつながる希望や目標を見つけるための要素にもなる。リカバリーの希望や目標の実現を支援する際は，まずは本人の症状や障害を自身で受容できるようにし，コントロール可能な範囲や条件を一緒に見つけ，本人が"リカバリーできる"という自信をもてるようにし，何か希望や目標を見つけられるようにする。そして，そこから前述した要素を含むストレングスを，本人の意思を尊重しながら傾聴し，整理しながら一緒に探求し，アセスメントしていく。その後，そのストレングスをもとに実現に向けて行動していく。

2) リカバリー

(1) リカバリーとは

精神障害者のリカバリー（recovery）が注目されたきっかけは，1980年代後半のアメリカの脱施設化の取り組みである。精神障害者が地域で生活するようになり，彼ら自身のリカバリーを手記として公表するようになった。その一人であるディーガン（Deegan P）[2]は，リカバリーはリハビリテーションとは異なるが，リカバリーの過程を経ることによってリハビリテーションに主体的に取り組むことを位置づけた。そして「リカバリーは過程であり，生き方であり，構えであり，日々の挑戦の仕方である。完全な直線的過程ではない。時には道は不安定となり，つまずき，やめてしまうが，気を取り直してもう一度始める。必要としているのは，障害への挑戦を体験することであり，障害の制限のなか，あるいはそれを超えて，健全さと意志という新しく貴重な感覚を再構築することである。求めるのは，地

域のなかで暮らし，働き，愛し，そこで自分が重要な貢献をすることである」と表現している。そして，1990年代に入り，リカバリーが精神障害リハビリテーションの中心的な概念として認識されるようになった。

(2) リカバリー概念の枠組みと分類[3]

リカバリーという言葉自体は非常に多くの意味をもち，(1)で述べたリカバリーを「パーソナルリカバリー」とよぶことが一般的である。パーソナルリカバリーは複合的な概念で，①他者とのつながり，②将来への希望と楽観，③アイデンティティ・自分らしさ，④生活の意義・人生の意味，⑤エンパワーメント，の5つをパーソナルリカバリーの主要な構成要素として提案している。さらに最近では，現在困難に直面している当事者は，肯定的側面だけを強調することに違和感をもつ可能性があるという議論から，⑥生活のしづらさや生きづらさへの対応という要素も追加されて提案されている。一方で，パーソナルリカバリーは，医療や福祉サービスから単純に卒業したという意味ではないこともたびたび指摘されている。

パーソナルリカバリーの構成要素（図5-1）から，それぞれの構成要素にたどり着くことがパーソナルリカバリーであるというように考えてしまいがちである。しかしながら，パーソナルリカバリーは夢や希望にたどり着いた結果というより，結果に行き着くまでの旅路（プロセスあるいは過程）であることが強調されている。さらに，パーソナルリカバリーは希望をもつことから始まるともいわれている。前述したディーガンなどの当事者個人の視点からみると，そのプロセス（過程）は必ずしも右肩上がりの直線ではない。このように，リカバリーの文脈を考えるとき，主役（意思決定をする人）は常に当事者本人であり，その内容は当事者自身が価値を置く主体的かつ有意義な人生の軌跡そのものといえる。

このような多義的なリカバリーを「臨床的リカバリー」「社会的リカバリー」「パーソナルリカバリー」という形で分けて整理する（図5-2）ことがしばしばある。ここで重要なのは，リカバリーが重層的なものであり，それぞれは意味や意義があり，どれがより重要ではないという点である。これらの分類は，専門職が整理したものであり，当事者や家族にとっては様々な側面をもった1つの体験として生きているということである。

図5-1 パーソナルリカバリーの構成要素

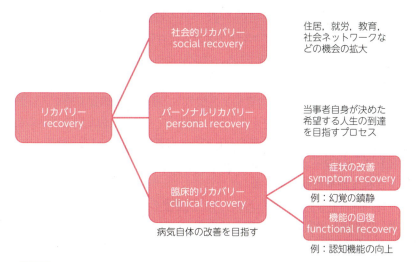

図5-2 リカバリーの分類

(3) リカバリーを支援していくうえで大切なこと[4]

　当事者が主観的にしても客観的にしてもリカバリーをしていくうえで，われわれ専門職が知っておくべき大切なことがある。

　まず，障害を抱える人はその障害がどのようなものであってもパーソナルリカバリーが起こることをわれわれ専門職は知っておく必要がある。これは現場の最前線で支援をしている専門職にとってやさしいものではない。非常に重い障害や困難な環境下で支援を継続していると，当事者と共に絶望的な気持ちを体験することがよくあるからである。一般にパーソナルリカバリーは，治療効果が高いプログラムに参加しても短期間に現れるものではないからである。それでも必ずパーソナルリカバリーが起こることを信じて支援を継続していくことが重要である。

　リカバリーをしていく主体はあくまでも当事者であることも大切な観点である。専門職は様々なサポートを提供するけれども，最終的にそのサポートを受けてリカバリーをしていくのは当事者である。われわれ専門職は彼らのリカバリーを信じてそばでサポートする役割に徹することが重要である。

　リカバリーを支援していく「場」がどのような状況であるべきかは本質的な問題となる。たとえば，閉鎖的な治療環境で，支援する側とされる側との間に明確なヒエラルキー（力関係）が存在するような場においては，リカバリーは起こり得ない。リカバリーを支援していく「場」は，①主体的な生活の場が確保されていること，②人生の選択肢が豊富に準備されており，それらを自分の力で選んでいくことが保証されていること，③仲間集団があり，リカバリーしていく仲間の存在にふれられていること，の３つが条件とされる。

3) エンパワーメント
(1) エンパワーメントとは

　エンパワーメント（empowerment）とは従来，権限・権利の獲得を意味した。ソロモン（Solomon BB）は「スティグマ化されている集団の構成メンバーであることによって加え

られた否定的な評価によって引き起こされたパワーの欠如状態を減らすことを目指して，クライエントもしくはクライエントシステムに対応する一連の諸活動にソーシャルワーカーがかかわっていく過程である」5）と，エンパワーメントを定義している。現在はすべての人，集団，社会の潜在能力と可能性を引き出し，ウェルビーイング実現に向け力づける環境づくりを示す。あらゆる社会資源を再検討し，条件を整備していくダイナミックな考え方である。つまりエンパワーメントとは，元気にすること，力を引き出すこと，そして共感に基づいたネットワーク化に発展するものといえよう。

（2） エンパワーメントの8原則

①目標を当事者が選択する

目標は当事者が最終的に選択する。当事者の意思決定が難しい場合は，当事者の代弁者として相応しい者が選択する。目指すところがどこなのか，最終決定は当事者であることを常に意識する必要がある。

②主導権と決定権を当事者がもつ

目標を実現するための方法や時間などについて，当事者が希望する方法を最優先する。もちろん，選択肢の可能性と限界については，あらかじめ十分に情報を提供する必要がある。

ネットワークが機能するためには，他者依存ではなく，自らの意思で共感をつなぐパワーが基本となる。そのパワーを十分に発揮できる環境を整えるのがわれわれ専門職の役割となる。

③問題点と解決策を当事者が考える

課題を遂行するうえで，どこが障害になってくるのか，問題になるのか，自らが考え，解決策を工夫するよう働きかける。

④新たな学びと，より力をつける機会として当事者が失敗や成功を分析する

ネットワークは継続し発展するものである。成功でも失敗でも何か動きがあった後には，次の機会のためになぜそうなったかを当事者が自ら考え，次の動きに備える機会を設ける。

⑤行動変容のために内的な強化因子を当事者と専門職の両者で発見し，それを増強する

「内的な強化因子」とは，当事者が強く必要と認識し，自らの意思で求めようとするきっかけを意味する。外側から与えられ矯正されるきっかけ（外的な強化因子）では長続きしないことが多い。行動変容のための価値を自らが発見し，それを強めることで実現していく。われわれ専門職はそのための環境の整備に徹する。

⑥問題解決の過程に当事者の参加を促し，個人の責任を高める

「自らの問題解決の能力を増強する」ために，すべての問題解決の過程に当事者がかかわり，自らの責任で判断することで個人の責任を高めていく。

⑦問題解決の過程を支えるサポートネットワークと資源を充実させる

問題解決の過程を支えるため，サポートネットワークと資源を適切に活用するよう環境条件を整える。

⑧当事者のウェルビーイングに対する意欲を高める

何よりも大切なのは当事者の「やる気」である。やる気を育てるための技術を縦横に用

いる。

4）レジリエンス
(1) レジリエンスとは
　レジリエンス（resilience）の語源はラテン語の跳ねる（salire）や跳ね返す（resilire）であり，反動で跳ね返る（to recoil or leapback）という意味である。

　復元力，回復力，快活，元気，弾性，弾力，反発などに訳されているレジリエンスは最近よく耳にするようになった。アメリカ同時多発テロ事件や東日本大震災など極度のストレスを経験した人が病的な症状を呈する場合ばかりではなく，直後から予想外の力を発揮して，人生に立ち向かっていくことができる人もいる。レジリエンスの存在は，人が逆境に陥ったときや恵まれない環境で育った場合でも，あるいは地域社会が災害に遭遇した場合でも，その状況に耐え，やがて立ち直る能力を本来的に有していることで説明される。

　レポアとレヴェンソンは，レジリエンスという現象を風が吹きつける木にたとえている[6]。荒野に立つ１本の木に対し，嵐が沸き起こり，強風が吹きつけるとどうなるか，「回復」「抵抗」「再構成」の３つの点から論じている。

①回　　復

　木に強風が吹きつけたとき，限度を超えればその木は折れてしまう。しかし，柔軟な幹をもつ木は強風にあおられたわみながらも，また元の姿に戻ることができる。このような木の様子は回復を表している。人の場合も同じで，困難な状況に直面し強いストレッサーにさらされれば，一時的に落ち込んだり混乱が生じたり，心身に何らかの問題が生じることもあり，また，そこから回復していくこともある。その回復こそがレジリエンスといえる。ただ，回復の過程には個人差が生じてくる。その個人差をどのようにとらえるかが，レジリエンスを理解する１つのポイントになる。

②抵　　抗

　太い強靭な幹をもった木の場合は，どのような強風にも耐え，少しも揺らがない。あたかも「何も起きていない」かのように見える。つまり，どのような厳しい状況にさらされたとしても全く動じない様子は強さをイメージされる。動じない姿は望ましい状況ではあるが，全くダメージを受けないのも不自然である。その意味では病的であるとの考え方もある。

③再　構　成

　嵐のなかで木が耐えるうちに，その構造自体を変えるということが起きるかもしれない。外見を変えて強い嵐に耐えられるようになる，より柔軟になって風を受け流すことができるようになる，など多くの選択肢を考えることができる。これは逆境を経験してそこから立ち直ることによって，それ以降の逆境に適応しやすくなる。

(2) レジリエンスの概念
　八木ら[7]によれば，21世紀の精神医学において期待されるのが，明確な予防・治療的視点を打ち出すレジリエンスモデルであり，「このモデルの何よりの特徴は，発病の誘因となる出来事，環境，ひいては病気そのものに抗し，跳ね返し，克服する復元力，あるいは回復力を重視・尊重し，発病予防，回復過程，リハビリテーションに正面から取り組む観点

をもっていることに求められる」という。このようにレジリエンスモデルは、もともと個々人に備わる復元力を引き出すために、総合的な観点から柔軟で前向きの方法で治療に取り組む精神科臨床のパラダイムシフトで期待される概念である。

各段階におけるリカバリー概念に基づいた当事者理解と看護援助

　人の噂も七十五日といわれるように、世間で人があれこれ噂をしても、それは長くは続かず、やがて自然に忘れ去られてしまうものである。これを精神科病院への入院に置き換えてみると、入院期間が長引けばそれだけ世間の人に忘れ去られてしまうことになる。できるだけ早期に元の地域での生活に戻すことが求められる。そのために3か月以内という時間制限を設けて退院へ向けての各時期での援助を述べる。今回は3か月という期間設定をしたが、近年、やや軽症の入院やクリティカルパスを導入してより短期の入院の場合がある。その場合、パスなどの入院計画書に沿って計画的に看護を展開する必要がある。

　さらに3か月の入院期間だけの援助に限定せず、入院前後の援助についてもふれ、地域生活を基盤とし精神科医療を活用するという当事者の視点、つまりリカバリー概念をもとに述べていく。

1) 入院前（精神科救急を含む）

　精神障害の症状は、不眠、ひきこもり、生活の乱れ、自傷・自殺行為、人間関係のトラブル、学業や仕事の極端な停滞などで気づかれることが多い。そのときの当事者の体験としては、外界の変容感や、幻聴、妄想などがある。そのような場合、病院を受診することが必要になる。しかし、本人はその必要性を感じないことが多く、家族や周囲の者も、なかなか受診に踏み切らせることができない。その結果、症状が増悪し、救急医療が必要になるのである。

　精神科医療の利用者から救急医療をみると、生活上の危機や病状再燃に際して、いつでも気軽に相談できる医療機関が身近にあることが最善のシステムである。通院先の病院や診療所に顔見知りのスタッフがいれば、電話相談だけで当面の危機が緩和されることは珍しくない。緊急な医療を必要とする精神障害者などのための精神科救急医療体制を確保するため、2008年度から精神科救急整備事業が開始された。都道府県・指定都市が主体となり精神科救急情報センターの設置等の事業を進めている。精神科救急情報センターへの電話相談件数や、精神科救急医療施設への夜間・休日の受診件数や入院件数は増加している一方、地域差が大きくなっている現状がある。

　この時期の援助技術としては、その地域における精神科救急医療体制を把握し、実際に活用できるような情報を提供することである。本人だけでなく家族に対しての情報提供も忘れてはいけない。また、症状が悪化する最初の引き金は眠れなくなることが多い。本人のセルフチェックも大切だが、客観的に観察できる家族へ症状悪化のサインとして認識してもらうことも重要である。

　以上のことは少なくても1回以上精神科医療を受けた場合に該当する。患者が初めて精神科医療につながる場合は次のような家族の気持ちの葛藤があり、それらを経て受診に至っ

- **受診させることへのためらい**：生活そのものに支障がきたすくらい急性の精神病状態になっても精神科への受診はためらうことが多い。まさか家族が精神病になるなんて，精神病に対する偏見，世間体などから精神病であることを認識することができず受診に至らない場合が多い。
- **本人を刺激しないように周囲から隠す**：異様な現行動に対して苦慮しながらも，なるべく刺激を与えないように本人の要求をできるだけ叶えるように尽くす。その交換条件として周囲の人に知られないように外出を控えさせることもある。
- **差別・偏見・スティグマ**：前述したように精神病に対する偏見や世間体を考えてしまう。精神病は一生治らない，精神科病院は一度入ったら出ることができない恐ろしい場所だなどと，勝手なイメージを抱くこともある。また，仮に良くなっても結婚や仕事ができないなど烙印（スティグマ）を捺されたと考えてしまう。
- **受診が遅れる理由**：自分たちの育て方が悪かったのかという自責の念や，自分たちで何とかしなければという家族愛のために受診には時間がかかる。また，なぜこのような状態にさせたなど医療者に叱責されるという恐怖感もある。

2）入院直後（～2週間程度）

　入院直後は患者が望むか否かにかかわらず，早急に保護し，治療やケアを開始しなければならない状態にある。そのため，まず入院に対する不安への援助を行いつつ，生命の安全を確保するための処置（薬物投与による安全確保，行動制限による身体の損傷予防，睡眠の十分な確保，栄養および水分の十分な確保）が必要になる。次いで，基本的日常生活援助，そして，家族への援助と続く。

(1) 入院に対する不安への援助

　入院に対する不安として，①病気の症状による不安，②家族から引き離される不安，③精神科（病院，医療者や他患者）への不安，④（精神科入院による）将来への不安，⑤自分の意志に反して見知らぬ場所に入れられた不安などがある。

　いずれの不安に対しても丁寧な言葉による説明が必要である。ただ，入院時の状況により十分に聞き入れる状況でないことが多い。それでも誠意をもって伝えることが重要である。特に，重要なキーワードは「今のつらい状態から楽になりましょう」「今は医療が必要な状況です」「このままではあなたの身体が心配です」のように説得ではなく納得のいく内容を強調することが望ましい。

(2) 薬物投与により急性症状の安定を図る

　入院直後には薬物を投与することで安全の確保を図る。興奮状態の場合には経口投薬ではなく，鎮静作用が強く，かつ，即効性を求められる筋肉あるいは静脈注射を行うことがある。その際には，どんなに興奮状態で状況の理解ができないようでも，「このまま暴れていたらあなたの命が危険です」「今は薬の力を借りて楽になりましょう」など薬物の必要性や効果をはっきり伝える。これは，その後の服薬を継続する際の動議づけにつながるため重要である。入院直後の患者を保護的に，安心および安全を提供することを前提に，決して侵襲的にならないようにかかわる。大量の薬物投与に対し，急激かつ重篤な副作用が出

現する場合もあるため，投与後の観察の必要性はいうまでもない。

(3) 安全確保のため必要に応じて行動を制限し身体の損傷を予防する

興奮が激しい，自傷他害のおそれが強い，身体状態の不良または副作用が著しいため薬物療法が十分に行えない場合には，精神保健福祉法に基づき精神保健指定医の指示により，一時的に身体を拘束したり，保護室に隔離するなどの行動制限が行われる。

①身体拘束

どのような状態であっても身体拘束の理由と，どのような状態になれば解除できるかを説明する。拘束時には患者・スタッフ双方の安全のために十分なスタッフ数でかかわる。拘束後しばらくは主治医あるいは看護師が残って観察する。それは大勢で押さえつけられて拘束され立ち去ってしまったら，余計な混乱を招く結果を避けるためである。そして，拘束して安心ではなく継続した観察が必要である。

②保護室への隔離

保護室への隔離は，患者の言動が外界に影響を及ぼすのを防ぐためと，外界からの刺激を削減して患者に及ぶ影響を減らすために行う。身体拘束の場合と同様，どのような状態であっても保護室への隔離の理由と，どのような状態になれば開放できるかを説明する。危険を防止するために私物の持ち込みに注意する。保護室に隔離して安心ではなく，頻回に訪問して患者の安全を確認すると同時に観察を行う。頻回に訪室することで見守ってもらえるという安心感を与えることができる。保護室内の環境整備を行うことも看護の業務になるが，保護室内への出入りの際には声をかけるなどの安心感を与え，患者の突発的な行動に対応できるように可能であれば2人体制が望ましい。

(4) 睡眠障害を改善する

幻覚や妄想などによる興奮，不安，恐怖により心身ともに疲労した状態で入院に至ることが多く，不眠，昼夜逆転など何らかの睡眠障害を呈している。入院直後には質量ともに十分な睡眠をとれる環境を提供し，心身の疲労回復やエネルギーを確保することが援助の基盤となる。

まず睡眠障害を把握し，採光や音など睡眠を阻害しない環境に整える。場合によっては看護師がそばにいて安心感を与えたり，睡眠を導入するための薬物を投与する。

(5) 栄養および水分摂取のバランスを改善する

前述した睡眠障害と同様，入院治療を必要とする精神状態では飲まず食わずの状況になっていても不思議ではない。栄養および水分摂取のバランス状態を把握したうえで，生命を維持するためには経鼻経管栄養法を用いて強制的に補給する必要もある。

(6) 基本的な日常生活への援助

前述したように，この時期は日常生活の多くを看護師にゆだねなければならない状態にある。排泄や清潔など看護援助によって患者のセルフケア不足を補うことができる。その際には患者の自尊心を傷つけない配慮と患者一人ひとりのペースに合わせた援助が重要である。

(7) 家族への援助

入院に至るまで24時間患者への対応をし続けて来た家族は，心身ともに疲労困憊状態である。入院したことで一種の安堵感は否めず，また，精神科病院へ入院させたことへの後

悔，今後の将来への不安など，多くの複雑な思いに悩まされる。また，入院までの経過を家族から聞き出そうとする行為そのものが負担となることも忘れてはならない。家族への対応を誤るとスタッフや病院への抵抗感から面会に来院しなくなることもありえる。

　この時期の家族への援助の基本は，家族の立場にたって話しを聴くことである。患者本人の状況や家族関係，そして家族の悩みや苦悩すべてを受け止めるような姿勢で聴くことが重要である。そして適切な情報を提供することで情緒的な支援を行う。

　今後，退院へ向けて進めていくうえで，家族は大切な治療パートナーになりえるため，入院直後からの信頼関係を構築していくことが求められるのである。

　このように，入院直後は生命の安全を確保するためのケアが中心となる。ただ，看護の基本である人間対人間の関係性を忘れてはいけない。患者の身近な存在である看護師だからこそ，人間対人間の関係性は重要である。

3）入院中（臨界期：入院2週間〜6週間程度）

　入院直後のインテンシブな治療およびケアにより，この時期の患者は，激しい精神症状は消退し，幻覚・妄想などの病的体験に振り回されることが少なくなっている。入院直後の急性期を脱したことによる心身の消耗感や意欲減退感も現れてくる時期でもある。

(1) 心身機能の回復を促す援助

　十分な休息を確保して急性期の疲労を癒すことが目標となる。ともすれば生活リズムを整えようと朝食の時間に無理に起こしてしまいがちであるが，自ら起きてくるまで十分な休息を確保することが大切である。休息には保護的な環境が必要であり，十分な休息を保証するために，病室では刺激を最小限とし安全と安心を確保できる雰囲気を感じられるように配慮する。

(2) セルフケアの自立を促す日常生活への援助

　激しい精神症状は消退しているが，心身の消耗や意欲減退によって患者のセルフケアは不十分である。入院直後の全面的な援助は必要としないが，自ら行動する行為を観察しアセスメントしながら，不足している部分に対して援助をしていく。基本的には自発性を期待しつつ見守っていく姿勢をとる。具体的なケアに関しては「第Ⅲ章　普遍的セルフケア要素への援助技術」を参照されたい。

(3) 医療が必要なことが認識できるような援助：服薬の必要性の理解を促す

　入院直後には非経口的な薬物投与を行われていた場合でも，状態が落ち着き始めた頃から経口的な薬物投与がすすめられる。医師からの説明を受けても薬の必要性については十分納得していない場合もある。看護師は投与場面ではもちろんのこと，他の場面でも薬の必要性について時間をかけて説明する。「薬を使ってよく寝られるようなって身体が楽になりましたね」「入院時に調子が悪いって言っていたけど薬を飲むことで調子が良くなりましたね」など薬の効果を強調した声かけを行う。また，薬に対する疑問に誠実にこたえたり，余裕をもって焦らずにすすめることも大切である。このように状態が落ち着き始めた段階での早期からの服薬の必要性への理解を促すことは，早期退院への足がかりとなり，また再入院を繰り返さないための抑止力となりうる。これはまさにリカバリー概念に基づいた援助であり，薬を活用してリカバリーするという当事者の力を高めることに結びつく。

(4) 活動範囲の拡大を促す援助

この時期は，急性期を脱したとはいえ，いまだ周囲の刺激に対して敏感である。入院直後に受け持ち看護師から得られた安心感や信頼感をもとに，1対1の関係が良好に継続されるようになったら，患者のペースを尊重しながら徐々に複数の人間関係を成立させていくことが必要である。コミュニケーションでは過去と現在が入り交じったような内容になることもあるが，看護師は患者自らが語り出したことを傾聴し，すべてを受け入れる受容的な姿勢が重要である。そしてその姿勢により信頼関係がさらに深まっていく。

看護師との言語的なコミュニケーションが成立するようになったら，個室内でのコミュニケーションから病棟ホールでのコミュニケーションへと導いてみる。病棟ホールでの現実に直面することで未だ脆弱で壊れやすい患者にとっては負荷が強すぎる場合もありうる。患者の状態を十分に観察しながら少しずつ刺激に慣らして，行動拡大を図っていく。

また，この時期から作業療法などが開始されるが，早期退院へ向けて病院内外へのサポート体制への準備を開始する。

4）退院へ向けて（回復期：入院後3か月以内を目指して）

この時期の患者は，生活リズムがほぼ整い日常生活におけるセルフケア能力も自立してくる。また，行動範囲も拡大すると同時に，現実の社会生活上の問題も生じてくる。退院へ向けての現実に面することで，焦りや苛立ちも生じて抑うつ的になったりする。また，安心できる病院環境から離れることへの不安と，退院後どうなるのだろうという予期不安も生じやすい。

(1) 規則的な生活リズムの維持への支援

自分のライフスタイルに合った生活リズムを維持できるよう支援していく。そのために，病前あるいは入院前に生活技術の何ができていて何ができていないのか情報収集をしたうえでアセスメントする。必ずしも自分自身で全てできるという完璧な生活ではなく，他人にサポートを得ながらできることも含めてアセスメントする。

(2) 服薬の継続のための支援

退院後に地域で生活していくために服薬を継続していくことは重要な要素の1つである。臨界期から進めてきた服薬の必要性をもとに，退院後の具体的な生活に沿って自己管理ができるようになるための援助を行う。

(3) 退院後の生活を見据えた行動拡大に向けての援助

この時期には病院内の生活から院外へ行動範囲を拡大していく。3か月の短期間とはいえ，体力の衰弱は計り知れない。看護師と一緒に外出を始め，患者の疲労度に合わせて行動範囲を広げていく。外出を繰り返し体力の回復と自信を取り戻した頃に，自宅への外泊を試みる。外泊には家族の協力が不可欠である。

発病および入院に至る過程で，家族との関係がこじれている場合が少なくない。患者および家族ともに自宅での生活を再開することへの不安を抱えている。そのため家族が気をつかいすぎて，普段とは異なる食事を準備するなど客としてもてなすような対応をしてしまうこともある。このようなことを避けるために，初めての外泊前には患者および家族と一緒に，退院後の生活へ向けて現段階でできることや，しなければならないことを具体的に

話し合っておくことが必要である。そして外泊から病棟に戻って来た際には，患者および家族の双方から外泊時の様子を把握して次の目標へステップアップさせていく。このような過程を何度か繰り返すことで，患者および家族がお互いに信頼関係を取り戻し，スムーズな退院へ移行することができる。

(4) 退院後の生活を開始するにあたっての調整

精神疾患は慢性疾患のため短期間の入院期間だけですべての課題を解決できるわけではない。むしろ，入院期間を活用し一度リセットし，退院後の生活における課題を整理および調整するために援助する。

主治医，病棟看護師，作業療法士，精神保健福祉士，薬剤師など入院医療機関内での関係者だけではなく，外来看護師，デイケアスタッフなどの外来医療機関や保健所，市町村，福祉事務所など地域の関係機関の担当者と共に，退院後の生活へ向けて役割分担をしていく。そのなかで，たとえば訪問看護を担当する看護師が，入院中の患者と接する場を設けて顔なじみになっておくことも，退院後の生活を考えるうえでのスタートとなりうる。

(5) 退院を受け入れる家族への支援

外泊を繰り返して大丈夫なことは頭では理解していても，退院して24時間生活をともにすることに関して不安を抱える家族が少なくない。病気であることで半人前や子ども扱いしたり，逆に，退院したから完全に元どおりの生活ができると過度に期待する場合もある。そのことで患者本人には，劣等感や不安感，絶望感などを生み出しやすい。そのため以下のような家族への教育をしていくことが求められる。

・病気の理解（病因，予後，病気の特徴，治療法など）。
・薬物療法への理解。
・患者に対する家族の対応方法（日常生活の過ごし方，接し方，患者のストレス脆弱性への対応，社会参加の長期化の理解，休息の重要性）。
・社会資源に関する知識の提供（サポートシステム，福祉制度）。
・再発の兆候の理解。
・再発防止のための注意事項（服薬の継続，焦らない，あきらめない，過干渉や過保護を避ける，本人の意志を尊重する）。

5）退院後（地域生活支援）

退院後は病気の再発防止，病状悪化の早期発見，地域社会への適応の促進，社会生活の維持などを目的とした看護が地域生活支援となる。

(1) 精神科訪問看護

精神科訪問看護は，「その人なりのライフサイクルによる社会生活の維持・社会参加の促進」を目的とし，精神科を標榜する医療機関および訪問看護ステーションから提供される地域生活支援サービスである。詳細は第Ⅳ章2「精神障害者を地域で支える支援」の訪問看護（p.307）を参照のこと。

(2) 通院医療

精神科デイケアは，精神科通院医療の一形態であり，積極的で濃厚な治療を受けることができる。デイケアの目的は，集団を単位として社会生活機能の回復を図ることである。

デイケアの治療効果は，①生活場面と治療場面との区別によって治療の場が確保される，②精神科病院と社会との接点となりうる，③家族ぐるみ，地域ぐるみの治療が可能である，④職業訓練的や前職業訓練的要素ももちうる，⑤集団療法が可能であり，対人関係の回復が図られやすい，があげられる。

デイケアでは，生活のリズムをつくり，社会参加の意義を高め，人とのかかわりを学び，家庭や社会生活にうまく溶け込んで，社会的にも経済的にも自立できることを目指した活動を実施している。具体的なデイケアの療法や訓練としては，①集団療法（グループミーティング，サークル活動など），②レクリエーション療法（スポーツ，音楽など），③作業療法（園芸，木工など），④創作活動（絵画，陶芸など），⑤日常生活訓練（料理，喫茶など），があげられる。他にもキャンプや海水浴など大規模なフィールドを活用したものや，ひな祭りやクリスマスなど季節に合わせたプログラムもある。

デイケアでは多職種がその運営にかかわるが，看護師がかれらと協同してデイケアにかかわる場合，職種のもつ専門性によってデイケア利用者を理解する視点や役割の違いを知っておく必要がある。たとえば，精神科医は精神疾患の症状把握や薬の管理，作業療法士は利用者個人のデイケアへの適応，心理士は利用者個人の心理的側面，精神保健福祉士は家族調整やデイケア終了後の社会生活面を理解し，それぞれの役割を共有することにより，利用者を総合的に理解し，互いに不足の部分を補うことが可能になる。

一方，「今後の精神保健医療福祉のあり方等に関する検討会」報告書では，今後デイケアの方向性は，①急性期や回復期を対象とし，一定の利用期間を定めて認知行動療法，心理教育などを重点的に行う，医療としての機能を強化したデイケア，②対象者・利用目的・実施内容が福祉サービスと重複しているデイケアについては，障害福祉サービスの充実などをさせて移行を図る，③地域生活の足かせにならないようにデイケアの長期・頻回な利用や長時間利用については，それが漫然としないように促す，の3点があげられた。今後は従来の福祉的側面を排して医療モデルによる枠組みが強化されつつあり，その時代の流れに沿って看護専門職としてデイケアをすすめていく必要がある。

(3) 社会資源の活用：セルフヘルプグループを中心に

精神障害者の地域支援ネットワークにおいて，公的およぶ民間の社会資源は不可欠である。そのなかでも当事者活動の存在を欠かすことはできない。精神障害者の人権尊重の重視と精神保健医療の地域化の流れのなかで，当事者活動の重要性は今後ますます注目を浴びてくるものと思われる。本項ではリカバリーの視点，かつ，当事者活動の源であるセルフヘルプグループに焦点を当てる。

セルフヘルプグループとは，何らかの共通の問題や課題を抱えている本人や家族自身のグループで，「当事者であること」が最大の特徴である。その特徴である共通の問題や課題を抱える人同士が，対等な立場から支え合い，協力し合いながら自分たちの問題を解決したり，社会に働きかけるような当事者活動を地域で展開する。つまり，セルフヘルプグループの特徴は以下の6点にまとめることができる。①メンバーは共通の問題や課題をもっている当事者であること，②参加は自発的であること，③メンバーは対等な関係であり，仲間（ピア，peer）であること，④感情を共有していること，⑤共通の目標をもっていること，⑥基本的には専門家の関与がないこと，である。現在盛んに行われているセルフヘルプグ

ループの原型となるものは，20世紀初頭にアメリカで始まったAA（alcoholics anonymous：アルコール依存症者の匿名グループ）とよばれるアルコール依存症のセルフヘルプグループである。わが国はその影響を受けて文化や風土に合わせた断酒会へと発展していった。

精神障害当事者のセルフヘルプグループによるわが国の歴史をみれば，1960年代に主に病院を拠点として，医療主導型で最初の患者会が結成されたとみられる。60年代後半に入って保健所や精神衛生センター（現.精神保健福祉センター）のデイケア，共同作業所，家族会などが母体となって，地域レベルの患者会がつくられるようになった。あすなろ会（神奈川県，1969年）やすみれ会（北海道，1970年）などが，精神障害当事者のセルフヘルプグループの先駆けである。

3 多職種連携と看護職の役割

1) リハビリテーションの専門家として知っておきたい技術

多職種連携の前提として，まずは専門職としてリカバリーの視点で必要な技術を説明する。

(1) 精神科病棟やデイケアなどの治療環境をリハビリテーションの視点から活用する知識・経験・技術

生活していく環境での行動を観察する。安心して過ごせる居場所の提供，患者同士の温かい交流をサポートし，リカバリーのための治療の場での生活のステップを用意するなどの工夫が必要である。これはスタッフとチームとして協働しなければ実現できず，日々の細やかな介入が実る地道な作業となる。

(2) リハビリテーションプログラムを実施する技術

心理教育，社会生活トレーニング（SST），認知行動療法などの専門的なプログラムを実施する技術である。特にSSTは，看護師が入院中の患者に行うことで診療報酬を得ることができる技術である。当事者や家族と一緒に，新しい対処方法を切り開いていくセッションは創造的な場となり，リカバリーに関心がある人にとっては誰もがやりがいを感じるものになる。リカバリーのためのインテンシブな手段が提供できるだけでなく，個々の技術を修得することで，日常の面接に活用することができる。

(3) 環境支援の技術，特に就学・就労支援や家族支援

生活環境やその背景にある社会制度や文化が変わるとき，日常生活の障壁であったはずのものがそうでなくなることをしばしば経験する。当事者の生活する環境を支援する技術のなかでも，就労支援は特に重要とされている。就労支援については，複雑な制度の知識や複数の連携機関との協働が必要であり，専門的なトレーニングが必要となる。

2) 多職種連携における看護職の役割

多職種連携では，本人の希望や意向に沿ったリカバリーの視点で，多様な職種が相互に連携しながら，それぞれの専門性を活かして，総合的に援助や支援を行うことが原則となっている。また，精神医療的な問題のみならず身体的治療や心理社会的問題などの多様な課題にきめ細かく対応できるように，本人の希望や意向にこたえて，各職種がその専門的な

治療・リハビリテーション・社会復帰援助などを総合的かつ有機的に提供することができる。また，地域においても，多職種チームの形態による援助方法を取り入れていくことにより，その症状や障害について，より多角的なアセスメントを行い，本人の希望や意向に合わせた，きめ細やかな地域生活支援ができる。

　自分の専門職性について考えながら，援助や支援を行うことは少ないと思われる。たとえば，デイケアでの調理の場で，看護職として当事者と一緒にカレーライスを作ることはない。同じ作業を行うときには，専門職者ではなく一人の人として自然にかかわっていることが多い。筆者は学生に「専門職をいったん捨ててかかわるように」と勧めている。その代わり，カンファレンスの場では専門職性を最大限活用できるよう参加する。その結果，多職種連携が強化される結果になる。そのためには，他の専門職の専門性を把握すること，自分の看護職としての専門性は何か常に考えておくことである。その意味では多職種連携における看護職の役割は，看護職である自分自身にその専門性を問いかけ，当事者にとって必要と思われる専門性を研鑽することであると考えている。

文　献

1) ラップ CA・他著，田中英樹監訳：ストレングスモデル―リカバリー志向の精神保健福祉サービス，第3版，金剛出版，2014.
2) Deegan PE：Recovery；The lived experience of rehabilitation, *Psychosocial Rehabilitation J*, 11(4)：11-19, 1988.
3) Leendertse JCP, Wierdsma AI, van den Berg D, et al: Personal recovery in people with a psychotic disorder: a systematic review and meta-analysis of associated factors, Front Psychiatry, 12：622-628, 2021.
4) 池淵恵美：精神障害リハビリテーション―こころの回復を支える，医学書院，2019.
5) Solomon BB: Black empowerment: Social work in oppressed communities, New York, Columbia University, 1976.
6) Lepore SJ & Revenson TA: Resilience and posttraumatic growth; Recovery, resistance, and reconfiguration. Handbook of posttraumatic growth, Lawrence Erlbaum Associates, 2006.
7) 加藤敏，八木剛平：レジリアンス―現代精神医学の新しいパラダイム，金剛出版，2009.

第 Ⅲ 章

普遍的セルフケア要素への援助技術

1 空気・水・食物の十分な摂取

学習目標
- 空気・水・食物の摂取とセルフケア支援について理解する。
- 正常な呼吸，酸素交換が阻害されている状況と観察および援助を理解する。
- 水分出納バランスが崩れている状況と観察および援助を理解する。
- 食物の摂取に過不足をきたしている状況と観察および援助を理解する。
- 問題となる食行動と観察および援助を理解する。
- 食物の購入や管理について患者の権利とセルフケアを考慮した援助を理解する。

1 空気・水・食物の摂取とセルフケア

　空気や水，食物をバランスよく摂取することは生命過程を維持するために必要不可欠であり，この領域で問題が生じると生命を脅かす危険もはらんでくる。また食物の摂取は栄養の補給という側面だけではなく，食物を獲得・管理する生活技能が必要となる。さらに誰かと食事を共にすることは，相手に不快を与えないように食事のマナーを守ることが求められ，食事を楽しみながら相手と心を通わせる機会ともなることから社会的・心理的側面も併せもっている。

1）空　気

　ナイチンゲール（Nightingale F）が『看護覚え書き』[1]のなかでケアの第一義的要素として「新鮮な空気」を取り上げているが，精神看護で空気が問題になるのは過換気，誤嚥・窒息である。慢性的な不安や緊張，過度の疲労が誘因となって過換気発作が起こりやすいため，ストレスコーピングやリラクセーションの方法を身につけることが症状コントロールにつながる。誤嚥は抗精神病薬の影響が大きく，気づかないうちに誤嚥性肺炎や窒息を起こしていることがある。食行動の観察も重要になるため，食事の項と関連させて述べていく。

　統合失調症患者の喫煙率は一般集団および健康な対象者よりも有意に高く，非定型抗精神病薬の投与量と一日の喫煙本数には正の相関関係があることが明らかになっている[2]。またニコチン依存は不快な感情の除去，ストレス，刺激を得るため，動揺した感情表出のコーピング，飲食のコーピング，習慣，精神症状（陽性症状）との関連も認められる[3]ことから，患者の禁煙指導には喫煙による健康被害について教育しつつ，レクリエーションや余暇で不快な感情を除去する，自己評価を高める，療養生活のなかで程良い刺激を与えるといった，心理社会的なかかわりも必要である（図1-1）。

図1-1 禁煙に向けた多角的なかかわり

2）水

　水は空気同様に生命に欠くことができないものであり，水分出納バランスが崩れると，重篤な身体疾患を招くことがある。水分不足は容易に脱水に至るが，精神看護に関連する要因として精神状態の悪化（昏迷・抑うつ状態などによる水分摂取意欲の低下，精神運動性興奮），発熱（誤嚥性肺炎，悪性症候群などの身体疾患）がある。また行動制限下にある患者は飲水のセルフケアが著しく低下してしまうため，こまめな水分補給が必要である。精神看護では過剰な水分摂取も大きな問題であり，水分不足以上にケアが困難になる場合が多い。病的多飲水（飲水行動がコントロールできず低ナトリウム血症に陥る）から水中毒に移行すると生命の危機に至る。安全を保つセルフケア能力が低下している患者の行動や精神・身体症状を観察して危機回避をしていくこと，飲水行動を健康的な別の行動に変えていくことなど，患者のセルフケアを部分代償，支持・教育していく必要がある。

3）食　事

　栄養を過不足なく摂取することで健康の維持・増進が図られ，食事が疾病の予防・治療そのものにもなる。また人々の食習慣や食文化を満たし，おいしく食べることで心の豊かさや満足感をもたらすとともに，人間関係やコミュニケーションの形成に役立ち，QOLや社会性を高めることにつながる（図1-2）。精神看護で食事が問題になるのは，食欲低下・食欲亢進，拒食・過食といった栄養摂取に関すること，異食や早食いなどの食行動に関すること，食物の購入や食物の管理といった生活技能に関することである。また，嗜好品（アルコール，コーヒーなど）のなかには依存性の高いものも含まれており，過剰な摂取で生命の危機に至ることもある。入院生活では栄養バランスに配慮した食事が提供されるが，地域の生活に移行すると食物の選択，調理，管理などあらゆる場面で患者のセルフケア能力が試されることとなり，個々の能力に応じた社会資源を利用していくことも必要となる。

2 正常な空気の取り込みを維持する

　不安が高まるとストレスによる緊張反応で交感神経が興奮し呼吸にも影響を与える。息

図1-2 人が食事によって得るもの

切れや浅い呼吸で呼吸回数が増えたり，肩呼吸や手に冷や汗をかいたりしてないか観察をしていく。息切れは貧血や心不全といった身体疾患の兆候でもある。抗精神病薬の多剤併用・長期投与と心不全，心臓突然死のリスクはよく知られているところであるので，日頃から患者のバイタルサインの観察と変化を見逃さないようにすることが大切である。

　過換気発作になると深く速い呼吸となり，「息を吸っても酸素が入ってこない」と感じるため酸素を吸いすぎて二酸化炭素の血中濃度が下がり，効果的なガス交換が行われず失神発作に至る場合がある。患者は過換気発作でパニック状態になるとさらに不安が増して呼吸をしすぎるという悪循環になってしまうので，落ち着いて，慌てずに，ゆっくり呼吸することを患者に声かけする。過換気でも二酸化炭素の濃度が低下するとは限らず，過換気発作後の低酸素血症を指摘する報告[4]もあるので，安易に紙袋で口を覆うなどの処置はしないようにする。過換気になったときは患者が自ら対処できるように，横隔膜を使った腹式呼吸で，ゆっくりと息を長く吐くといった呼吸法[5]を指導していくことはセルフケア支援として有効である。交感神経の乱れが過換気発作につながりやすいので，生活習慣を改善していくことが発作の予防になる。疲れをためない（体内に乳酸がたまることで発作が起こりやすくなる），睡眠不足を避け生活リズムを整える（交感神経を整える），お酢や柑橘類などを積極的に摂る（乳酸の分解を促す）などがあげられる。また患者のなかには「今度大きな発作が起きたらどうしよう」と予期不安を募らせ，抗不安薬をお守り代わりに常に携帯している者もいる。患者が取り入れやすい習慣や対処方法を一緒に考えていく。

　誤嚥・窒息は，精神科では起こりやすいエピソードである。さらに食事中に激しくむせ込んで誤嚥性肺炎を引き起こすケースだけではなく，明らかな誤嚥がなく，発熱を契機にX線検査や血液検査で肺炎と診断されるケースもある。気道に異物が入っても防御する機構が働かずむせや咳き込みがないタイプの不顕性誤嚥が精神科では多い。理由として①過鎮静による覚醒不足，②短時間でかき込むように食べる食行動，③錐体外路症状による嚥下機能の低下，④サブスタンスPの低下が考えられている[6]。サブスタンスPは神経伝達物質の一種で，気道系で働くと，気道平滑筋の収縮，気道分泌腺からの分泌亢進などの働きがあるが，ドーパミンの放出と連動しており，抗精神病薬によって過剰にドーパミンが遮断さ

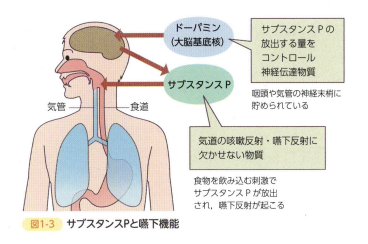

図1-3 サブスタンスPと嚥下機能

れるとサブスタンスPの低下を招く（図1-3）。そのため気管に異物が入っても咳き込まなくなり、また食物の食道への入り込みが悪くなって容易に気道に入ってしまう。誤嚥・窒息は理由②にみられるような食行動の問題とも絡んでおり、別項で観察と看護について詳しく述べる。

身体拘束中の患者では不適切・不完全な拘束で過度に締め付けが起こったり、拘束をすり抜けようとして拘束具に首が引っかかったりして、呼吸抑制や窒息事故の危険性もある。拘束部位の確認や適切に拘束が行われているか、頻回に観察していくことが必要である。

3 適切な水分摂取と出納バランスを維持する

1）水欠乏性脱水

体内水分量が著しく欠乏すると脱水状態となるが、本項では水分摂取不足による水欠乏性脱水について述べる。脱水になると口渇や倦怠感、めまいといった症状が現れるが、症状を自覚しづらかったり上手に表現できなかったりする患者も多いので、他覚症状を見逃さないことが大切である。血圧低下や頻脈、発熱といったバイタルサインの変化に加えて、腋窩や皮膚の乾燥、尿量減少・濃縮尿、軽い意識障害（ぼんやりしていて元気がない）がないか観察していく。また高齢者の脱水はせん妄の誘発因子になりやすい。

意欲・自発性が低下した昏迷・うつ状態の患者は水分摂取不足で、また精神運動興奮で多動の患者は発汗で、体内の水分喪失が増加し脱水を招きやすい。退院後、独居生活で水分摂取に無関心である場合にも問題になることがある。精神症状の増悪で十分に経口摂取ができないときは、in-outのバランスを考えながら輸液による水分補給も検討していく。経口摂取が可能であれば、一日の水分必要量がわかるように容器に水を入れて、視覚的に水分摂取を意識づける指導もしていく。また行動制限中の患者はあらゆるセルフケアが低下してしまうため、こまめな水分補給を忘れずに行う。隔離・拘束時は肺動脈血栓塞栓症のリスクが高いことが知られているが、血流の停滞（過鎮静による臥床）、血管内皮の損傷（身体拘束による血管損傷）、血液凝固能の亢進（脱水）で血栓形成が起こりやすい治療環境（図1-4）であることを理解し、必要時や希望時はそのつど飲水ができるようにしていく。

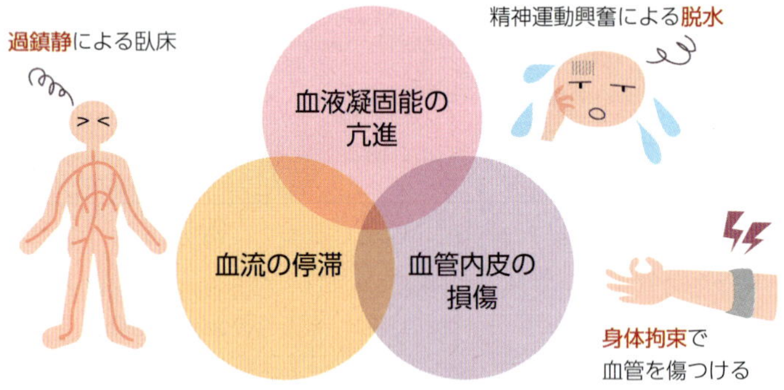

過鎮静による臥床　　　　　　精神運動興奮による脱水

血液凝固能の亢進

血流の停滞　　血管内皮の損傷

身体拘束で血管を傷つける

図1-4 精神科における肺動脈血栓塞栓症のリスク

特に身体拘束解除後，初回の歩行や排尿は，血栓が肺動脈にとぶリスクが高いことも留意しておく。急に始まる呼吸困難，息切れ，胸の痛みは重大な症状であるが，その他にも冷汗，動悸，下肢のむくみや腫れといった症状も見逃してはならない。

2）多飲水・水中毒

精神科長期入院患者の20％前後が多飲傾向にあり，3～5％は水中毒の状態にあるという。多飲にとどまっている場合は行動障害とみなすことができるが，多飲が止められず血液中のナトリウム濃度の低下が進むと，血漿浸透圧が変化し脳浮腫から神経・精神症状を呈する水中毒に移行する。さらに全身状態が悪化すると，横紋筋融解症や悪性症候群をきたし生命に危険も及ぶため，日常的なかかわりのなかで飲水行動の観察が重要になる。

多飲水・水中毒の引き金は様々な原因が複合的に絡んでいると考えられている[7]が，原因として，①抗精神病薬・抗うつ薬の副作用（抗コリン作用による口渇），②脳の器質的異常の可能性（身体機能を維持するホルモンを司る間脳下垂体系の脆弱性），③抗精神病薬によるSIADH（抗利尿ホルモン分泌不全症候群），④口渇中枢を刺激する物質であるアンジオテンシンⅡの活性化，⑤幻覚に左右された飲水，⑥常同行為としての飲水，⑦ストレスによる心因性多飲などが知られている。また喫煙習慣が低ナトリウム血症を招くこともわかっている。過度のニコチン摂取でADH（抗利尿ホルモン）の分泌が増加し，体内の水分の再吸収が促進されることで，体水分量が増加・尿量が減少した結果，多飲水でなくても容易に低ナトリウム血症に陥る。もともと多飲傾向にある患者でニコチンの本数が急激に増えた場合，電解質異常が生じることを心にとめておく。水中毒による有害事象は先に述べた横紋筋融解症や悪性症候群だけでなく，急いで飲水をすることによる誤飲からの誤嚥性肺炎，失禁を繰り返すことによる自尊心の低下も起こる。また水だけではなく甘いジュース類を好んで多量に飲用を続けると，糖質過剰摂取からメタボリックシンドローム，糖尿病性ケトアシドーシスを引き起こすことにもなる。

体重の日内変動（ベース体重を基準とした測定時の体重増減）が3％以上なら多飲症，5％以上であれば水中毒という目安があるが，重篤な状態に至る前に様々な自覚症状・他覚症状を把握しておくことが大切である（コラム「多飲水・水中毒のメカニズムと観察のポイント」を参照）。多飲水・水中毒状態にある患者は，飲水欲求がコントロールできず飲水に執着し，他者とのトラブルも少なくないため，看護師の陰性感情も働きケア困難事例と

> **コラム**　多飲水・水中毒のメカニズムと観察のポイント

ナトリウムとカリウムは細胞内液（ナトリウム＜カリウム）と細胞外液（ナトリウム＞カリウム）の濃度を維持し，細胞内外の浸透圧バランスを保つ働きがある。多飲水によって細胞外のナトリウム濃度が急激に低下（低ナトリウム血症）すると，細胞内のカリウムが細胞外のナトリウム濃度との浸透圧バランスを維持しようと，細胞外にカリウムを放出し始める（高カリウム血症）。カリウムは血流を増加させて筋肉を収縮させる働きがあるが，細胞内のカリウムが低下していると筋肉を収縮しても血流が途切れてしまうので，細胞膜が破れて筋肉が壊死し横紋筋融解症を招く。また体内の水分が過剰な状態になれば，浸透圧によって水分が脳細胞に移動（脳浮腫）し，様々な神経症状を引き起こす（図1-5）。

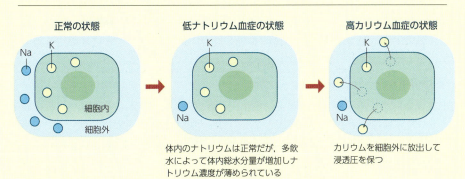

図1-5　水中毒のメカニズム

低ナトリウム血症と水中毒の観察のポイントは以下のとおりである。
① 精神症状：イライラ，易怒性，空虚感，無関心，幻覚や妄想的な訴え
② 神経症状：めまい，頭痛，ふらつき，手足の震え，失調状態，不随意運動，脱力感，無気力，もうろう，けいれん，意識障害，昏睡
③ 身体症状：尿量，トイレ回数，尿比重，尿失禁，下痢
　　　　　　体重の増加，腹囲の増加，悪心・嘔吐，全身倦怠感
　　　　　　血液データ（ナトリウム135mEq/L以下，カリウム5.5Eq/L以上）
④ 行動の変化：飲水回数，1回の飲水量，飲水の仕方（強迫的飲水，持続飲水，隠れ飲水，蛇口飲水，汚水飲水），コップを常に持ち歩く，衣服がぬれている

また血中ナトリウム値の低下と現れる症状の目安があり，症状変化を見逃さないことが大切である（表1-1）。なお低ナトリウム血症が急速に進行しているケースでは，血清ナトリウムが120mEq/L程度あっても意識障害などの重篤な症状を呈することがある。

表1-1 血清ナトリウム値と出現しやすい症状

血清ナトリウム値	出現しやすい症状
120mEq/L以上	全身倦怠感，脱力感，頭痛，食欲低下
120mEq/L〜110mEq/L	イライラ，易怒性，幻覚/妄想，嘔気・嘔吐
110mEq/L以下	意識障害，けいれん

萩原大輔・他：高齢者と水・電解質異常，日本老年医学会雑誌，59(2)：140-146, 2022. を参考に作成

なりやすい。過度の飲水が進むと脳浮腫や心不全といった生命の危機に直結する事態になることから，徹底した水分制限が優先されがちである。しかし厳しい制限が患者のストレスになり，かえって飲水行動をエスカレートさせるという悪循環に陥ってしまうことも多い。そのため，「水を飲ませない」看護から「安全に水を飲んでもらう」看護にシフトしていく[8)9)]。水分過多で軽度意識障害が起こると，欲求を自制する能力，状況を理解し判断する能力が低下してしまう。その状況で看護師から飲水行動をとがめられ続けると，「怒られた」という体験だけが積み重なり患者の自尊感情も低下していく。看護師自身が患者の飲水行動に執着せず，飲水をしないで時間を過ごせた，飲水以外のことに集中できたなど，患者の頑張りを承認していくことが大切である。

〈看護のポイント〉

①**安全な飲水の声がけ**：水中毒は一気に大量に水分を摂取することで，急激に希釈性低ナトリウム血症が進むことが起因となるので，ゆっくり時間をかけて飲むことを意識してもらう。冷水の代わりに暖かいお茶にしたり，茶話会などで他患者や看護師と談話しながら飲む習慣をつくったりすることも効果的である。

②**飲水から意識を逸らす時間をつくる**：作業療法やレクリエーションで何かに集中して取り組めると，飲水に固執している時間を減らすことにつながるので，他職種とも連携しながらかかわっていく。

③**飲水に代わる代替行動を見つける**：緊張やストレスが高まると交感神経が活発に働き口渇が生じる。患者がなじみやすいストレス緩和方法を一緒に探して実践してもらう。

④**多飲水・水中毒の心理教育**：多飲水や水中毒がからだに与える影響や水中毒の前駆症状，飲水量や体重をコントロールする大切さなど，患者が理解しやすい内容で，実際に体重測定のメリットがわかるように行動療法的に，同じように水中毒で苦労をしている患者と集団療法的に，学ぶ機会をつくっていく。入院中のかかわりだけでなく，よりセルフケアが必要となる地域生活をイメージしながら働きかけていく。

⑤**安易な行動制限は避ける**：生命を守ることを理由に身体拘束・隔離に至ったとしても，「罰を受けた」という認識を患者にもたせてしまったり，行動制限による運動機能の低下や自尊感情の低下につながってしまったり，患者にとっての弊害が大きいことも意識する。

適切な食物摂取を維持する／適切な食行動をとることができる

　食物の摂取エネルギーと消費エネルギーのバランスが崩れると肥満，やせが生じるが，精神疾患患者は精神状態によって体型変化が著しく現れる。入院生活では活動量の低下，間食の習慣，ストレスからの過食，偏食で体重増加につながりやすく，肥満から高血圧，糖尿病，虚血性心疾患，脳疾患など様々な合併症を引き起こすことはよく知られている。抗精神病薬による体重増加や耐糖能・脂質異常といった副作用も肥満の原因としてあげられるが，薬の副作用を嫌がり内服を自己中断してしまう患者もいるため，薬の使用によって食欲の亢進や体重増加はないか，丁寧に聞き取っていく必要がある。また著しく体重が減少すると活動性の低下や認知機能の低下が起こり，特に統合失調症慢性期の無為・自閉の患者では，やせと陰性症状の悪循環からQOLの低下を招くため，栄養補給だけではなく，薬剤の調整や生活環境を整えるといった総合的なアプローチが大切である。

　食物摂取に影響を与える精神症状では気分障害（うつ・躁）にみられる意欲の低下と亢進，幻覚・妄想症状に左右された拒食，拒絶による拒食，摂食障害の食行動異常でみられる拒食と過食が代表的なものである。これらの精神症状と易疲労や倦怠感，皮膚や爪の変化といった身体症状，活動量と食事量，体重変動，血液データ（貧血や低栄養など），食習慣・嗜好について観察していく。

　うつ状態では意欲全般の低下を伴うが，そのなかでも食欲の減退はよくみられる。うつ病の場合は食べたくないだけではなく，食べ物がおいしく感じられない，味がしない，砂をかんでいるようだなど，食事の満足感も低下してしまう。食事に気持ちが向かわなくても，何とか食べようと頑張っていることも多く，「食欲が出てこなくてつらいですね，それでも頑張って食べようとしているのですね」と患者の気持ちに沿った声をかけ，食事摂取を無理強いせず患者の回復を待ちつつ，必要栄養量が維持できないときは補液も検討する。

　躁状態になると食欲も旺盛になり，衝動性が高まっていると食欲をコントロールすることが難しくなる。患者一人では行動が抑制できないときは，お菓子などが目に入らないようにする，間食を摂る時間を決める，他患者と楽しみながら食べるなど過食行動が起こらないように療養環境を整えることが大切である。

　幻覚・妄想に影響された拒食には，幻聴（食べるなと言われている），幻味（口の中でひどい味がする），被毒妄想（食べ物に毒が入っている）といった精神症状が影響している。このようなときは独語があるか，何かに聴き入っている様子はないか，声かけに応答できるかなど，食事中の様子を観察していく。症状が減退するまで食事を待ってみる，味見と称して看護師も食事を口にして毒が入っていないか患者と一緒に確かめてみる，といったことも行っている。

　緊張病症候群はカタレプシー，昏迷，拒絶などの特徴的な症状を呈する精神運動の障害である[10]。拒絶による拒食は医療者からの働きかけに食事を摂ることを抵抗，拒否し，看護師が食事を誘導すると身体を強ばらせ緊張したり，介助をしようとしても口を固く結んでまったく受けなかったり，栄養補給が困難になることが多い。声かけを続けながら反応の変化を観察し，緊張病症状が改善するまで補液が必要になることもある。

栄養のない非食用物質を摂取することを異食というが，食物の認識ができない精神発達遅滞や認知症の患者のほかに，統合失調症や急性精神病，ストレス過多状態などで食行動の異常が現れる。消化管閉塞，穿孔をきたし生命にかかわる事態になることがあり，胸痛・腹痛や嘔吐，腹部膨満，蠕動運動の低下，便秘などの消化器症状に留意していく。

食事摂取の行動様式が著しく乱れる摂食障害は，成人期では主に拒食症（神経性やせ症）と過食症（神経性過食症と過食性障害）に大別される[11]。

拒食症は若い女性の発症が最も一般的で，ほとんどの患者は発症に先立ってダイエットなどによって体重をコントロールしようとした経験があり，自分の身体的外観についての満足感と自尊心が密接に結びついている。また家庭内の対人関係の葛藤を抱え，うつ病や依存症の併存が多いなど両疾患の間には多くの共通点もある。拒食症はさらに制限型（食事の制限をする，体重減少のために過剰な運動をする）と過食／排泄型（むちゃ食いの有無にかかわらず，排泄行動をしている）に分けられる。栄養失調や重篤な身体合併症に至る危険もあり，長期間の治療と継続観察を要することが多い。特に急な栄養補給はリフィーディング症候群（飢餓状態から高エネルギー投与した結果生じる心不全，肝障害，意識障害など）を招くため，慎重な栄養管理が必要になる。拒食症患者は，太ることへの激しい恐怖や自己ボディイメージの妄想的な歪みがあり，体重測定を避ける・体重の値を操作する，強迫的に運動をする，必要以上に下剤を使うといった行動がみられる。また完璧主義的・融通性がないといった性格の特徴や，他者と信頼関係を結ぶことや感情表出が不得手で，自尊感情の低さも知られるところである。

神経性過食症は極端に食欲が増加して摂食行動が制御できず，過食による体重増加を打ち消す代償行動が特徴である。他者と一緒にいるときは控えめに食べ，人目につかないところでむちゃ食い，その後の代償行動（自己誘発性嘔吐，下剤・利尿薬の乱用）を繰り返す。むちゃ食いは情緒的なストレスによって誘発され，食べることで緊張はいくらか軽減できるが，その後にやってくる激しい後悔と自責の念に対する反応として過剰な排泄行動に至る。神経性過食症の患者も完璧主義的な傾向があり，自分自身の振るまいが正常でないことを自覚し自己批判的な面がみられる。一方で過食性障害の患者は体型のこだわりはそれほど強くなく，過食や食べ物の依存が中心にあるため，大食後の代償行動をとることは少ない。

摂食障害患者の観察は患者の「摂食行動」に視点がいきがちだが，看護の基盤になるのは信頼関係の構築であることにかわりない。ケアを通じて看護師のかかわりのなかで自分の感情を安心して語れることを大切にしていく。食習慣（決められた時間に食事の席に着く，食べられなくても決められた時間に食事を終えるなど）を身につける，食事に対する強いストレスを和らげるために，食事前後のリラクセーション，休息時間をつくっていく。また自尊感情が低下している患者には，どんな小さな目標，成功体験でもできたことを承認していくことも大切である。

慢性期の精神疾患患者の食行動をよく見てみると，食事に集中できず手を止めながら食べる，周囲を気にせず黙々と食べる，切迫的摂食（早食い），食物を次々と口に入れてため込む，よく噛まないで丸呑みする，といった特徴的な食行動に気づく。これは他者と楽しみながら食事を共にするという，食事の社会的な側面が失われていることの表れともいう

ことができ，サリヴァン（Sullivan HS）が「精神医学の対象範囲は対人関係の世界」[12]と考え，精神病は対人関係の病ととらえていたことに結びつく。これらの食行動に加え，抗精神病薬の長期投与によって嚥下機能が低下し，口腔ケアが行き届かず，う歯や欠歯で咀嚼能力の低下が起こり，窒息・誤嚥のリスクは高まる。先に述べたように精神疾患患者は不顕性誤嚥が多いため，看護師が気づかないうちに静かに誤嚥が進んでいることもある。「むせていないから誤嚥は起こしていない」と思うのではなく，いつもと違って活気がないなど一般的な全身状態を見ながら，食事に時間がかかっている，唾液が口角からこぼれている，喉元がゴロゴロ鳴っている，顔色が悪いなどの観察をしていく。入院生活で看護師の観察によって誤嚥を防ぐことができるが，地域生活では患者自身が食べ方を意識していかなければならない。前屈みの姿勢で，一口が大きすぎず，よく噛んで，飲み込みを意識して，味わいながら食べるといった食行動の注意点のほかに，話したり歌ったり発声することも嚥下機能低下の予防につながることを伝えていく。

5 食べ方のマナーが守られる／適切に食物を購入・管理ができる

　精神科病棟では食堂（ホール）で食事をする患者もいるし，自分の部屋に運んで食事をする患者もいる。他者との交流という点では食堂で食べるほうが望ましいが，一人で落ち着いて食べたいという人もいるし，病状によりほかの患者を避けたいときもある。無理せず好きなところで食事ができるように取り計らい，苦痛でない範囲で交流がもてるようにする。食事のマナーに無関心で，他者からどのように見られているか頓着せず寝起きのままで食堂に出てきたり，見苦しい食べ方をしたりする患者もいる。精神状態の改善に伴って，いつの間にか問題にならなくなっていることもあるが，食堂に入る前の身なりや相手に不快を与えない食事のマナーについて，そのつど一つひとつ声をかけ，時には看護師が実際に行ってみせることもある。抗精神病薬の副作用で食べこぼしが多くなったり，食器が上手にもてなくなったりすることもあるので，一概にマナーの問題ととらえないように観察していくことも必要である。

　身の回りに注意が行き届かない患者は食べ物を床頭台の中に入れて忘れていたり，強迫的に物への固執がある患者は食べる予定がないものまでため込んでいたりする。ベッド周囲の整理のときに一緒に床頭台を確認することや，病棟の共同冷蔵庫に入れっぱなしになっていないか，消費期限を確認しながら患者の了解のもと破棄をする必要がある。患者が所有している食べ物であるので衛生上の問題があるからといって，看護師の独断で捨てることをしてはならない。患者と共に一つひとつ確認する看護行為は，食物購入・保管のセルフケアの点から，患者の予算のなかで食べきれる分だけ購入すること，期限を気にしながら食べることを指導する場にもなる。

看護技術の実際

A 適切な食行動

- **目　　的**：幻聴，思考途絶があり食事が進まない患者に食事の注意を向けてもらう。
- **事例紹介**：Aさん，50代後半，男性。20代で統合失調症を発症し長期入院となっていたが，1か月前にグループホームに入居し地域生活が開始された。入居当初は幻覚・妄想が強くなると同じホームの利用者と口論になることがあったが，現在は「幻聴とわかっているんだけど，自分の噂話をしているのが気になる」とスタッフに相談したり，「考えが急に止まってしまう」と思考途絶を訴えたりできるようになっていた。精神症状に左右されて食事をはじめとした日常生活動作が止まってしまうことがあるため，声がけをしながら食行動をすすめていく必要があった。
- **場　　面**：食事の時間になったが，何かに聴き入り食事が開始できないでいる。

	患者の言動	対応技術と根拠
1	昼食の時間になり，食堂の席につくが視線を上方に向け，何かに聴き入っている様子。独語もみられる	行動を観察する（➡❶） ❶Aさんは病的世界（幻聴）を自覚し，現実世界と折り合いをつけながら生活している二重見当識の状態にある。幻聴時にどのような対処行動をとっているか観察することで，本人のセルフケア能力をアセスメントする
2	食事に手をつけようとせず独語が続いている	「Aさん，お食事ですよ」と，静かにAさんに近づき声をかける（➡❷） ❷自我機能が脆弱で外部からの声（幻聴）に左右され，病的世界から離れられない状態である。スタッフも迫害者として認識されることがあるので，できる限りAさんの幻聴に侵入的にならないように介入し，現実的な声かけをする
3	声かけに反応なく独語が続いている	「Aさん，お食事ですよ」と，声かけを繰り返しタッチングする（➡❸❹） ❸内的異常体験が強いときは，特に身体に触れられることを脅威に感じるため，声をかけてからタッチングをする ❹現実的な声かけを繰り返し，病的世界から離れられるようにする
4	「あぁ。今誰かに話しかけられているんだ，ずっと悪口言ってる。何か聞こえる？」 スタッフの声にようやく反応し，幻聴の存在をスタッフに確認する	「私には聞こえないけど，Aさんには聞こえるんですね。悪口を言われたら，嫌ですよね」（➡❺） ❺現実的にあり得ないことであっても，まずAさんの体験を受容する。体験内容には触れず，そのことによって生じた感情に共感的な態度を示す 「今は食事の時間ですが，食堂で摂ることができそうですか」（➡❻） ❻現実的な会話に話題を戻し，幻聴に左右されず食事を摂ることができるか確認する

	患者の言動	対応技術と根拠
5	「やっぱり幻聴か」 内的異常体験から離れ，食事を摂りはじめる	食事を見守る（→❼） ❼食事の進み具合を観察する。様子を見ながら介入の方法を考える。幻聴を気にしないようにと黙々と食べたり，かき込んで食べて早く食事を済ませようとすることもあるので，誤嚥がないかも合わせて観察していく（幻聴を消すことはできなくても，幻聴であると自覚し日常生活行動が営める患者もいる）
6	食事の手が止まり，うつむいて一点凝視する	「Aさん，周りが気になるなら，お部屋で食べましょうか」（→❽） ❽自我機能が脆弱なときには，幻聴だけでなく他患者の存在も刺激になることがあり，環境の配慮が必要である
7	自室に行き，再び食事を摂りはじめる	食事を見守る（→❾） ❾スタッフの存在も刺激にあることがあるので，様子を見ながら観察の頻度や患者との距離を考える

B 食品購入・保管

- **目　的**：患者と一緒に購入・保管できる食べ物の量を考えながら冷蔵庫を整理し，古くなった食べ物を処分する。
- **事例紹介**：Bさん，60代前半，男性。20代で統合失調症を発症し，長年通院治療していた。身の回りのことは同居の母親に介助してもらっていたが，最近その母親が亡くなり独居となったことから訪問看護が導入されることとなった。自分で買い物に行き調理をすることもあるようだが，冷蔵庫に入りきれないほどの食材を購入することがあり，適量の食物を購入して保管できるようにアドバイスしていく必要があった。
- **場　面**：訪問看護の前に近所のスーパーで買い物をしていたが，自宅は食材であふれており生ものもテーブルに置かれたままであった。冷蔵庫は乱雑に食材が保管されている。

	患者の言動	対応技術と根拠
1	スーパーで大量に購入した食材をテーブルに置きっ放しにしている	「Bさん，今日はスーパーに買い物に行ってきたんですね。生ものもあるようだけど，どんなものを買ったか見せてもらってもいいですか」（→❶❷） ❶明らかに購入しすぎると見てとれる場合でも，頭ごなしに行為を批判せず，独居となったBさんのセルフケア能力をアセスメントしていく ❷実際に購入した食材と量を把握する。Bさんの嗜好も確認しながら，栄養バランスの良い食事が摂れているか，栄養摂取の教育的介入が必要かアセスメントしていく
2	「いいよ。食べたいものがたくさんあったから全部買ってきた」	「スーパーには食べたいものがたくさんあるから迷ってしまいますよね。冷蔵庫に入りそうですか？」（→❸） ❸統合失調症患者の「たくさんあるもののなかから選択することが苦手」という行動特性を理解しつつ，現実的な問題に注意を向けてもらう
3	「いやそれがね，冷蔵庫はいっぱいなんだ」	「冷蔵庫の中を一緒に整理してみませんか？」（→❹） ❹患者の了解を得て，冷蔵庫の整理を行う

	患者の言動	対応技術と根拠
4	「そうしてくれると助かるわ」	「まず冷蔵庫の中に入っているものを全部出してみましょう」(➡❺) ❺思考の混乱をきたさないように，指示は具体的に一つひとつ行う
5	ゆっくりした動作で，冷蔵庫の中のものをすべて出す	「消費期限は大丈夫ですか。確認してくださいね」(➡❻) ❻自分自身の目で確認してもらう
6	「あ，この牛乳5日も過ぎてる」	「あぁそうですね，過ぎてますね。これはどうしましょうか」(➡❼) ❼自分で考えて判断することを促す
7	「捨てます」	「他に食べられなくなったものはありますか」(➡❽) ❽冷蔵庫の中が整理できるように，他の食材の期限切れも確認するように促す
8	「結構捨てるものがあって，もったいないね」	「そうですね，もったいないですね。食べ物を無駄にしないように，次に買い物をするときは残っている食べ物をメモしておきましょうか」(➡❾) ❾適量の食品を購入し保管できるような方法を提案する。Bさん一人では難しいときは，看護師も一緒に行う
9	「そうしたほうがいいね。でも，また買い物に行ったらまた迷いそうだな」	「近くのスーパーなら，一緒に買い物に行って選びましょうか」(➡❿) ❿Bさんの食品購入の選択を助ける ＊予算のなかで必要なものを購入できるようにしていくことは，金銭の自己管理にもつながる支援である
10	「はい，そうしてくれると助かります」	

文献

1) Nightingale F著，湯槇ます・他訳：看護覚え書 看護であること看護でないこと，第6版，現代社，2000，p.15.
2) Ohi K, et al: Smoking rates and number of cigarettes smoked per day in scizophrenia: A lage cohort meta-analysis in a Japanese population, *International Journal of Neuropharmacology*, 22(1)：19-27，2019.
3) 棟近孝之・他：統合失調症患者の入院環境，精神症状，ストレス，コーピングがニコチン依存に及ぼす影響についての検討，福岡大学医学部紀要，38(1)：7-16，2011.
4) 陳和夫：症例に学ぶ呼吸機能検査(3)過換気後の低酸素血症，呼吸，26(7)：652-656，2007.
5) 宮沢直幹：過換気症候群・臨床的視点症状，他の疾患との識別，対処法など，ファルマシア，47(12)：1138-1142，2011.
6) 長嶺敬彦：予測して防ぐ抗精神病薬の「身体副作用」，医学書院，2009，p.154-158.
7) 前掲書6)，p.88.
8) 川上宏人・他：多飲症・水中毒―ケアと治療の新機軸，医学書院，2010.
9) 吉浜文洋：水中毒・多飲症患者へのケアの展開―取り締まりから患者参加のケアへ，精神看護出版，2010.
10) 黒瀬心：緊張病症候群，神経心理学，35：197-206，2019.
11) 日本精神神経学会(日本語版用語監修)，高橋三郎・大野裕監訳：DSM-5精神疾患の分類と診断の手引き，医学書院，2014.
12) サリヴァン HS著，中井久夫・他訳：現代精神医学の概念，第4版，みすず書房，1979，p.20.

2 排泄と排泄のプロセスに関するケア

学習目標
- 排泄に関する情報収集，アセスメントの視点を理解する。
- 精神科における排泄障害に対する援助方法を理解する。
- 排泄に関する習慣，身だしなみ，倫理的側面を考慮した支援方法を理解する。

1 排泄ケアに関する考え方

　排泄と排泄物の処理のプロセスのケアは，規則的な排泄と排泄に伴う衛生を含めてのレベルである[1]。この領域は看護師にとって重要である。というのは，患者が排泄に関して自分のことを話すとしたら医師にではなく，看護師に話すことが多く，そのことにより排泄の調整をしていくという看護の機能があるからである。そして，排泄に関しては精神科の患者の病気そのものでは問題が生じなくても，向精神薬の服用により排泄障害を引き起こすことがある。したがって，向精神薬が投与されている患者に対しての看護の役割は重要なものとなる。

　排泄物と排泄のプロセスに関するケアのセルフケア要素は以下の4点である[2]。
①規則的な排泄のプロセスに必要な内的・外的状態を達成し，維持すること
②排泄のプロセス（関連する諸構造と諸プロセスの保護も含む）と排泄物の処理ができること
③排泄後の身体表面と身体部分の衛生的ケアを行うこと
④環境を整え，清潔な状態を維持すること

　排泄は，身体だけでなく日常生活，心理，倫理的な側面から多面的に考える。日常生活面の例としては，頻尿や尿失禁は，排尿場所の確保についての不安などから，外出を控えるようになってしまう。便秘は，気分を不快にさせ，易怒性の高まりなどを生じ，場合によっては他者との関係性の悪化を引き起こすこともある。

　排泄に関することは，羞恥心や尊厳に影響することも多いため，ケアをする際には細心の注意を払う。入院患者の場合，排泄行動に対する羞恥心から，介助が必要な状況でも医療者を呼ばず，自身で一連の行動を実践しようとして失敗してしまうこともある。さらに，転倒や転落事故などにつながってしまうことがある。患者の多くは羞恥心をもっていることを念頭に入れて，ケアを行う。

　排泄が問題になりやすい条件として，高齢者，認知症がある人，排泄へのこだわりがある場合などがある。さらに，精神看護の特徴的なものとしては，隔離や身体拘束時におけ

る患者の排泄の問題がある。隔離や身体拘束が必要なほどの精神症状であるため，患者に確認しても，正確な答えが返ってこない場合があったり，フィジカルアセスメントを行おうとしても，患者に近づけないこともある。患者の食事量や水分量などから，排泄状況の予測をすることも必要になってくる。逆に，フィジカルアセスメントなどの身体接触をとおして患者との関係性を構築するきっかけとなることもある。たとえば，便秘の際に腹部状態を観察するために触診や聴診，腹部マッサージなどをとおして，言語的なやりとりが困難な患者に安心感をもたらすこともある。

2 排泄の種類と観察のポイント

　排泄物の主なものには便，尿，汗，経血，二酸化炭素，吐物がある。これらのうち排便と排尿の援助は精神看護においても特に大切である。精神科の患者は，排泄に無関心であったり，過剰に気にするということがある。また，精神症状により活動性が低下したり，向精神薬などにより排泄に関連した障害を起こしやすい。

　排便と排尿に関する観察項目には，量，性状，回数だけではなく，習慣，排泄後の行動，関心と注意，落ち着き，イライラの有無，腹部の状態（腹部膨満，疼痛など），食欲や食物・水分の摂取量などがある。また，腸閉塞や尿閉を生じても訴えられない患者もいるので，看護師からの働きかけやフィジカルアセスメントを行う必要がある。

　排泄量の減少がみられるときは，表情や動作の外観や，バイタルサインにも注意する。反対に排泄量の増加がみられるときは，多飲や下痢，電解質異常の有無を確認する。

　排泄の一連の流れを図2-1に示す。

　病院では，上記に示した内容は確認しやすいが，地域においては難しいことが多い。原則，患者への問診による自己申告となる。排泄行為に問題を抱えている患者の場合は，あ

図2-1　排泄の一連の流れ

らかじめセルフモニタリング項目に，排泄に関する内容（たとえば，排尿回数や排便回数など）を事前に組み込んでおくと，確認がしやすい。排泄後の処理については，居住場所の臭気などで気づくこともある。しかし，排泄に関する内容についてのケア（観察，質問も含む）は羞恥心を伴うことが多いため，配慮することが大切である。

3 排　便

便の性状は，様々な表現がある。一般的に使用されているスケールについて図2-2に示す。このことにより，患者はもとより医療者間での共通認識を図りやすくなる。

1）便　秘

精神科領域において，便秘は最も問題になりやすい状態である。

意欲低下，抑うつ状態などで活動性が減退した状態では，腸への刺激が減少し動きが低下するために便秘になりやすい。薬剤による腸蠕動運動の低下は麻痺性イレウスや糞便性イレウスの原因にもなる[3]。その他にも，不規則な食事や水分摂取の減少，排泄への無関心などがある。腹部膨満がみられたり，食欲が減退するほど便秘が続いていても，苦痛を訴えないことがある。便秘の診断は排便回数や日数で決まるわけではなく，患者自身の主観によることも大きいが，3～7日排便がない場合は何らかの対応を行ったほうがよい[3]。

2）下　痢

下痢に関しては，精神症状の影響により過剰な水分や食物摂取，下剤の乱用，食料管理ができずに腐敗したものを食べてしまうことなどから起こる場合がある。また，認知機能

消化管の経過時間			
非常に遅い（約100時間）	1	コロコロ便	硬くコロコロの便（ウサギの糞のような便）
	2	硬い便	短く固まった硬い便
	3	やや硬い便	水分が少なく，ひび割れている便
	4	普通便	適度な軟らかさの便
	5	やや軟らかい便	水分が多く，非常に軟らかい便
	6	泥状便	形のない泥のような便
非常に早い（約10時間）	7	水様便	水のような便

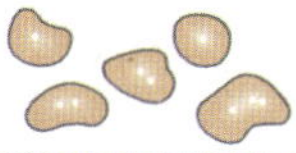

図2-2 ブリストルスケール

Lewis SJ, Heaton KW：Stool form scale as a useful guide to intestinal transit time. *Scand J Gastroenterol*, 32(9)：920-924, 1997.

の低下から適切な感染管理が行えず，ノロウイルスなど感染力の強いウイルスに罹患し，病院などでは集団感染が起きる可能性もある。羞恥心に配慮しつつ，便の性状を確認したり，患者のトイレが頻回になっていないかなどの観察も必要になる。

　そして，下痢になった場合は，脱水や電解質異常がないかなど全身状態を観察する。水分，栄養の補給や電解質の補正や輸液が必要なこともある。摂取している食物によって下痢を引き起こしている場合は，食事管理を医療者が行う。

3）排泄行動の問題

　精神状態の影響で，今まで行えていた排泄行動の一連の動作ができなくなってしまう患者もいる。もともとできていた患者であれば，精神状態が悪いときには一部代償で支援しつつ，精神状態の回復とともにできるようになっていく患者が多い。

　しかし，認知症をはじめとした不可逆的な疾患に罹患した場合については，人格水準の低下から，以前のように戻れない可能性が高い。その際も，すべて看護師がやってしまうのではなく，どこが障害されているかを考えながら，極力セルフケアを維持できるようなかかわりが大切になってくる。

　また，精神遅滞患者や認知症患者などは，弄便をすることもある。不衛生であり，すぐにでも止めたくはなるが，患者にとって弄便をする意味を考えていく。

　下痢の項でも述べたが，摂食障害患者の一部には下剤を乱用している患者もいる。入院した際には，内服を一時的に医療者管理などとし，適切な下剤を使用する。

4）行動制限がある患者の場合の注意点

　患者が保護室で隔離されているときは，便の性状や回数の確認などのために，患者自身では排泄物を流せなくしているときもある。その際は，臭気などにも配慮して確認後は，素早く流し消臭スプレーを使うなど臭気への配慮が大切になる。

　また，身体拘束中の患者は，トイレで排泄をすることが難しい状態であり，原則，床上排泄となる。羞恥心などの影響もあり，床上での排泄に抵抗感をもつ患者は少なくない。精神状態をアセスメントし，拘束の早期解除を目指すほか，チーム内で相談して，どのような条件であれば，便器で排泄できるかなどを事前に共有しておく。

4 排　尿

1）向精神薬による排尿困難・尿閉

　精神科領域で排尿に関して問題となるのは，一部の抗うつ薬（三環系抗うつ薬，SNRI）や抗精神病薬（特にフェノチアジン系），抗コリン薬の副作用による排尿困難や尿閉がある[4]。排尿に限らず排泄に関する副作用は，患者から訴えてくることが少ない。理由としては，羞恥心が伴う内容であることや，抑うつ状態などの精神状態の影響により言語量が減少すること，排尿困難の程度によるが気づきにくいということがあげられる。これらの薬剤が処方されている場合は，副作用として排尿困難や尿閉が起こりうることを患者に伝え，定期的に排尿状況を確認する。治療法としては，これらの薬剤の中止が必要である。次い

で，尿閉に関しては導尿を行うこともある[5]）。

2）高齢者や認知症がある人の排尿の問題

　高齢者や認知症がある人の排尿に関する問題としては，排尿困難や頻尿がある。特に，男性の場合は前立腺肥大などにより，排尿困難を引き起こしやすい。さらに，腎機能や肝機能の低下により，副作用も出やすくなるため，より注意深い観察が必要になる。

　認知症がある人の場合は，機能性尿失禁と切迫性尿失禁が多い。①トイレに行けない，②トイレの場所がわからない，③放尿する，④ズボンを下ろせない，⑤トイレへ行く意欲がなくなるなどによる機能性尿失禁を呈することが多いとされている[6]）。

　行動療法として，排泄の介助（一定の時間ごとのトイレ誘導，パターン排尿誘導，排尿習慣の再学習），膀胱訓練，腹圧性尿失禁には骨盤底筋のリハビリテーションが推奨されている。

　さらに，床上安静が必要な状況の場合は，尿道留置カテーテルが挿入されていることもある。それに伴う，膀胱訓練症状は患者にとって不快感情を募らせる原因となることもあるので，留置するメリットとデメリットを考え，デメリットのほうが大きいと判断した場合においては，早期に抜去する。

　また，高齢者の患者で睡眠薬を服用している場合は，夜間トイレに行く途中で覚醒が不十分であったり，筋弛緩作用からふらつきが強くなっている場合がある。普段，歩行状態が問題ない患者の場合は，自らトイレに行こうとして転倒する危険性が高い。そのような場合は，事前に医療者を呼ぶように伝えておいたり，一定の時間ごとの排尿誘導をしてトイレに同行する。

3）そのほかの排尿の問題

　排尿（排便）時にトイレを汚してしまったり，あちこちに放尿したり，衛生的な問題を抱えている患者もいる。患者が起こした行動は，何が影響しているのか，排泄行動のどの段階が阻害されているのかをアセスメントし，セルフケア不足の場合は看護師が代償していく。

　失禁がみられた場合には，間をおかずに後始末をし，患者が失敗したという思いが強くならないような配慮もする。精神状態が悪化している患者は，尿意に気づかず失禁することもあるため，定期的な声かけを行うことも大切である。

5　月経障害，射精困難などの問題

　女性の場合は，月経障害がある。男性の場合は，一部の向精神薬などの副作用による勃起障害からの射精困難や，乳汁分泌などが問題になることが多い。特に，月経障害については月経前症候群（premenstrual syndrome：PMS）として，イライラや抑うつ，不安などの精神症状として現れやすいことも意識しておく。

　そして，これらはセクシュアルに関連する内容であり，患者自ら訴えてくることは非常に少ないものの，患者のQOLへの影響が大きい。一般的には，異性の医療者には伝えづらい

内容でもあるため，患者が話しやすい年代や性別の医療者が，これらの状態を確認することが羞恥心への配慮につながる。

6 排泄の援助を受ける患者の精神的負担への配慮

　排泄の援助をする看護師と排泄援助を受ける患者の間には，意識のずれがあり，患者にとっては羞恥心が伴う行為であるため，自ら訴えることが難しい。その反面，看護師は人間が排泄行動をとることは当たり前のことであり，困ったときには訴えてくるという認識がある。

　池田ら[7]は，日常倫理の視点で看護師が行う排泄援助を分析した結果，［排泄は人間にとっては当たり前のこと］［嫌だろうなあ］［するべきところで，自分で，ゆっくり，すっきりできるようにしたい］［やりとりしながらすすめる］［気配を消す］［なれたらいかんなあ］の6つのカテゴリを抽出している。そのなかで，排泄援助［やりとりしながらすすめる］パターンは，患者と看護師との合意を形成しながら行う共同行為であり，これらの行為の際に看護師は［気配を消す］ことを大切にしていたと述べている。

　精神疾患がある患者の場合，精神状態の影響により意思決定が困難であったり，合意形成が難しい場合も多い。しかし，排泄援助という患者に精神的負担が最もかかる場面において，看護師が患者の立場を尊重しながら排泄の援助を行うことは，日々のケアを行うための関係性をつくるうえで大切なことである。

　そして，性器およびその周辺に関する苦痛を訴えることは，羞恥心をさらに伴うことであり，なかなかできない（図2-3）。医療者は性器も単なる身体の一部にすぎないという見方をしがちであり，患者との間にギャップが生じることがある。こうしたことを避けるために，他の身体的な問題よりも注意して，問題の兆候を観察したり，訴えを受け止めるようにしなければならない。特に思春期の患者では注意深く配慮する。

　地域で生活している患者では，医療者が排泄に関しての継続的なフィジカルアセスメントをすることが難しいことが多い。そのため，患者の自己申告による情報から得るものが大きい。その際も，羞恥心に配慮したかかわりが重要である。

図2-3　排泄の援助における患者と看護師の意識のずれ

看護技術の実際

A 排便ケア

- 目　　的：排便状況が不明な患者に対し，腹部の状態と精神状態をアセスメントし，適切な排泄行動が行えるように援助する。
- 事例紹介：Cさん，50代，女性，統合失調症。20代のときに統合失調症を発症し，その後，入退院を繰り返している。自宅で，両親と暮らしていたが昼夜逆転と妄想により食事が摂取できなくなってしまい入院となった。入院後，薬物調整を行った結果，睡眠リズムは整い食事も摂取できるようになった。
- 場　　面：食事場面で，最近は全量摂取できていたが，数口で食事を止め下膳している。

	患者の行動	援助の手順と根拠
1	食事を数口食べて下膳する	「Cさん，食事を残すのは珍しいですね。あまり，好きではないものでしたか？」（➡❶） ❶過去に被毒妄想により食事を食べられなくなってしまった経歴はあるが，まずは現実的な理由からたずねる
2	「いいえ。あまり食べたくなくて」	「それは，心配ですね。何か気になることはありますか？　たとえば以前のように食事に何かが入っていると思うこととか」（➡❷） ❷看護師が心配であるというメッセージを患者に伝えた後，精神症状に関連しているものなのかを確認する
3	「いいえ。ただ，お腹に赤ちゃんがいるんです」	「赤ちゃんですか。何か，そう思うようなことがあったのですか？」（➡❸） ❸年齢的，状況的に妊娠している可能性は低く，妄想の可能性が高いが，いきなり否定はしない
4	「お腹が張っていて。苦しいんですよ」と腹部をさする	「確かにお腹が張っていて，苦しそうですね。そういえば，今日は便が出ましたか？」（➡❹） ❹まずは，問診で患者の排泄状況を確認する
5	「少しだけ」	「そうですか。便があまりすっきり出ていないようですね。お腹も張っているように見えるので，お腹を触らせてもらってもいいですか？」（➡❺） ❺患者が便は出たと話しても，腹部が張っているように見えることから，客観的に評価する必要がある
6	「嫌ですよ。赤ちゃんに何かあったらどうするんですか？」	「なるほど。Cさんは，お腹にいる赤ちゃんが心配なのですね。ただ，私もCさんのことが心配なんです。聴診器でお腹の音を聴いて，少し触るだけです。短時間で終わるのでお願いします」（➡❻） ❻患者の心配事（妄想ではあるが）に共感を示し，看護師も患者が心配なのでケアを行うことを伝える。そして，これから行うことの内容を事前に説明することで，安心感を提供する

	患者の行動	援助の手順と根拠
7	「そうですか。わかりました」	聴診，触診し，「お腹があまり，動いていないようですね。お腹も張っているのでつらそうですね。Cさんのお話から便秘の可能性もあります」（➡❼） ❼患者に客観的な事実と，看護師の考えを伝えることで，患者に今起こっていることを理解してもらう
8	「便秘ですか。最近は便が出づらい気がします」	「便がたまると，体に良くないですからね。まずは，お腹に負担がかからない程度に，一緒にマッサージをしてみましょう」（➡❽） ❽現在の状態が続くとどうなるかを簡単に伝え，患者が受け入れやすいと考えられる対処行動を提案する
9	「それならば。お願いします」	患者と一緒に腹部マッサージを行う

B 排尿ケア

- 目　　的：尿意を訴え徘徊が多い患者から，多角的に情報収集をして原因を考える。
- 事例紹介：Dさん，70代，男性，せん妄，認知症の疑い。今回は肝がんの手術のため，消化器病棟へ入院となった。手術後より，会話のつじつまが合わないことが多くなり，特に夕方から夜間にかけて「足元に虫がいる」という幻視や徘徊がみられた。家族の話によると，入院前からもの忘れが多くなっていたが，幻視などはみられず，あまり気になることはなかったとのこと。これらのことから術後せん妄が疑われ，薬物療法が開始となった。幻視の訴えはなくなったが，「トイレへ行きたい」と徘徊することが多くなった。
- 場　　面：「トイレへ行きたい」と，5分おきにトイレへ行っており，それが1時間ほど続いている。

	患者の行動	援助の手順と根拠
1	トイレから病室へ戻ってくる	「こんにちは。今日もお天気がいいですね」（➡❶） ❶目的は排泄についての情報収集だが，本人への羞恥心や精神状態の査定のため，話題の導入から始める
2	「そうだね。天気がいいね。ちょっと，トイレへ行ってくるよ」	「わかりました」（➡❷） ❷トイレへ何度も行っていることは知っているが，まずは何度もトイレへ行っていることは指摘せず，排泄行動が終わるまでは呼び止めない
3	再度，トイレから病室へ戻ってくる	「Dさん，先ほどからトイレへ通っているようですけども…」
4	「そうなんだよ。すぐにトイレへ行きたくなっちゃうんだ。すっきり出ないし」	「すっきりしないんですね。前にもそのようなことがありましたか？」（➡❸） ❸過去の排泄状況を思い出せるか確認する
5	「いや，なかったよ。なんだか，入院してからトイレ行きたくなるんだよな」	「つらいですね。横になっていてもソワソワしてしまうこともあるのですか？」（➡❹） ❹入院後に多くなったということであれば，手術後に開始となった抗精神病薬の副作用のアカシジア（静座不能）や尿閉も考え質問する
6	「そういうことは，ないと思うんだけどね」	「入院する前と比べて，出づらくなりましたか？」（➡❺） ❺❹で，過去の排泄状況を思い出せるレベルにあると判断したため，今までの排泄パターンと比べてどうかを確認する

	患者の行動	援助の手順と根拠
7	「前はこんなことなかったからな」	「そうですか。すっきり出ないとのことなのですが，医師の指示で管を入れてとることもできますが？」
8	「なら，頼むわ。何とかしてほしい」	間欠的導尿行う（➡❻） ❻実際の残尿がどれくらいかを確認する
9	「すっきりした。随分出たね」	「そうですね。これだけたまっていたら苦しかったと思います。すっきり出ないことは医師に伝えておきますね」（➡❼） ❼状況としては，薬剤性の尿閉の可能性もある。医師に状況報告し，薬物調整を依頼するなどする

文献

1) 南裕子監修：セルフケアの概念と看護実践－Dr.P.R.Underwoodの視点から，へるす出版，1987, p.55.
2) 前掲書1), p.56-57.
3) 野村総一郎監修：精神科身体合併症マニュアル, 医学書院, 2018, p.216.
4) 前掲書3), p.216.
5) 厚生労働省：重篤副作用疾患別マニュアル 尿閉・排尿困難, 2021, p.12.
6) 日本神経学会監修：認知症疾患診療ガイドライン2017, 医学書院, 2017, p.112
7) 池田富三香, 丸岡直子：排泄援助における看護師の日常倫理, 日本看護倫理学会誌, 8(1)：62-69, 2016.

3 体温と個人衛生の維持

学習目標
- 清潔を保持することの意義を理解する。
- 患者の清潔保持を困難にする要因を理解する。
- 身だしなみを整えることの意義を理解する。
- 患者が身の回りの整理・整頓を行ううえで支障となる要因を理解する。
- 患者の清潔，身だしなみに関するニーズをアセスメントし，状態に適した援助方法を選択することの必要性を理解する。

1 清潔の意義

　身体の清潔を保つことは，皮膚や粘膜の生理的機能を高め，新陳代謝を促す。精神面でも心地よさや爽快感をもたらし，リラックス効果が得られる。また，身だしなみを整え清潔であることは，他者によい印象を与え，肯定的な評価を得ることができる。このように清潔であることは，人間関係の形成や社会と交流をするうえで大切である。

　入院生活では，病室のベッドや床頭台，ロッカーは患者にとってプライベートスペースとなる。他の患者と入院生活を送るうえで，身の回りを整理・整頓できると，他の患者に迷惑をかけることなくお互い快適に過ごすことができる。

　患者の精神症状や，統合失調症による陰性症状，清潔に対する考え方や認知機能の低下により，清潔行動がとれなくなることがある。また，薬物の影響により，身の回りへの関心が低下したり，副作用による身体運動の困難が生じることがある。

　このような場合には，患者は清潔行動だけでなく，更衣や洗濯，身の回りの整理整頓ができなくなる。そのため，患者の精神症状，清潔行動についての必要性の理解度，幻覚・妄想による清潔行動の妨げや緊張状態，意欲や関心の低下などを観察して，患者のセルフケア能力に応じた援助を行う。患者の精神症状が悪化した場合には，身体拘束や，保護室への隔離などの行動制限を行う場合がある。その際は，患者自身清潔を保つことができないため，精神症状や疾患の特性を踏まえ，個別性や自立性に配慮し，患者の自尊心を傷つけないように援助を行う。

2 洗面・口腔ケア

1) 洗面

　洗面の習慣がない患者や，洗面の必要性について理解できない患者がいる。そのため，起床時に洗面をせず，寝起きのままで顔が脂ぎっていたり，目やにがついていても気にしなかったりする。

　患者へは，洗面の必要性について理解できるように促す。洗面によって得られる爽快感や，他者からよい印象をもたれること，規則正しい生活が送れることについて説明し，洗面を促していく。患者の精神状態が悪い場合や，疾患の特性から自分で洗面を行うことが難しい場合には，患者のセルフケアレベルに応じて，患者と洗面所まで一緒に行き洗面を促す。他には，ベッドサイドへ蒸しタオルを持参し援助する場合もある。患者の起床時には，看護師は患者へ朝の挨拶をして洗面を促し，一日の始まりを実感して時間を認識できるようにする。生活のリズムが得られるようになると，規則正しい生活を取り戻していく。このように，時間の認識や生活のリズムを得られるようにかかわる。

　患者によっては，清潔に関して独特のこだわりがあり，一度洗面をしただけでは清潔感を感じることができず，皮膚が擦り切れるまで強迫的に洗面を繰り返す場合がある。そのような場合には，洗面を繰り返すことについての思いをじっくりと聞く。そのうえで適切な洗面の方法を患者と一緒に考える。

2) 口腔ケア

　歯磨きの習慣がない，起床時や食後に適切な歯磨きができない，寝る前の歯磨き後に間食をしてしまう場合などには，口腔内に食物残渣物や歯垢がたまり，清潔が保ちにくい。また，向精神薬には，唾液の分泌を抑制するものがあり，口腔内の自浄作用が低下する。これによって，う歯や，歯周病，舌苔が発症しやすくなる。口臭や食欲不振，疼痛の原因となるため，患者には毎食後や就寝前に丁寧に歯磨きをするように促す。患者は，う歯や炎症があっても気にすることや，訴えることも少ないため，定期的に口腔の観察を行う。

　患者のなかには，う歯や歯周病，症状悪化時の自己抜歯により，歯が抜け落ちたり，数本の歯しか残っていないことがある。そのため，義歯を使用することになり，義歯を清潔に保つことが課題となる。歯磨きや義歯を清潔に保つことの必要性について，患者が理解できていない場合には，患者と一緒にその必要性を考え，患者自身がその習慣を身につけられるように援助を行う。

3 入浴

1) 身体の清潔

　皮膚の新陳代謝によって生じた汚れは，そのままにしておくと皮膚疾患の原因となる。皮膚を清潔にして機能を高めるために，常に身体を清潔にすることが大切である。患者は，長期間にわたり入浴をしないことや，自身の皮膚の状態に無関心なことがあり，皮膚や粘

膜の損傷が生じることがある。そのため，患者の全身や，陰部，足底などについて，湿疹や発赤，白癬など皮膚疾患や褥瘡の有無に注意する。

　身体の清潔の援助は，入浴やシャワー浴，部分浴，清拭など様々な方法がある。身体を清潔にする援助は患者とのコミュニケーションを図るよい機会となり，患者との信頼関係の構築につながる。看護師は，患者の身体の清潔が保たれ，爽快感を感じ，皮膚や粘膜の働きが活発化するように援助する。また，清潔の援助では，肌の露出を伴うことが多いので，患者の羞恥心に配慮して清潔の援助を行う。

　患者の精神症状により，保護室で身体拘束を行うことがある。その場合，患者は自分で清潔行為を行うことができないため，看護師が全身清拭，陰部清拭，洗髪，洗面，口腔ケアを行い清潔の維持に努める。また，患者の身体拘束時には，抑制帯の締まり具合や，擦過傷や褥瘡の有無など，皮膚の状態に異常はないか観察を行う。

2）入浴の援助

　入浴は，患者の身体を清潔に保つと同時に，血液循環を促し新陳代謝を高める。精神的な緊張や焦燥感をほぐし，爽快感をもたらし，リラックスさせる効果も期待できる。また，皮膚疾患や褥瘡の有無など，皮膚の状態を観察できる。患者の精神状態や身体状態に十分に配慮しながら，入浴前後の観察を十分に行い，安全で快適な入浴の方法を検討する。

　長期間入浴を拒む患者や，無関心な患者がいる。皮膚や頭髪が汚れ悪臭を放ち，皮膚疾患を伴うなど清潔が保たれないことがある。このような患者は，清潔への無関心や，入浴拒否，薬物の副作用による動作の制限などで清潔保持行動が行えないことがある。入浴に恐怖感や不安感が強い場合には，無理に勧めずに，シャワー浴や全身清拭に切り替える。

　統合失調症の患者では，「風呂に入ってはいけないと言われた」「風呂に入ると殺される」などの陽性症状によって入浴を拒むことがある。また，気分障害でうつ状態にある患者では，気分の落ち込みや倦怠感，不安感により，入浴ができないことがある（図3-1）。

　症状が落ち着いても，入浴を拒むことがあるため，患者の不安感や緊張感を緩和できるよう看護師が患者と一緒に浴室へ行ったり，患者が信頼をしている看護師が入浴を促すなど配慮をする。患者が自分で体を洗うことができない場合には，看護師が声かけをして促すことや，洗うことができない部分の介助を行う。ただし，セルフケア能力の向上のため

図3-1　精神症状による入浴への影響

に，患者が自分で洗うことができる部分を少しずつ増やしていくことができるように援助する。

患者によっては，体を洗わずに湯船に入ったり，浴室から出た後に，ぬれたまま体を拭かずに更衣をする場合がある。このような場合は，入浴や更衣の方法について患者と一緒に考え，清潔行動への関心がもてるように促す。

3）入浴に際しての注意

患者が入浴をする際には，様々な危険が伴う。入浴することにより，体力を消耗し疲れやすくなる。また，向精神薬の副作用により，めまいやふらつきが起こりやすい。さらに，浴室や更衣室のぬれた床は大変滑りやすいため，手すりや滑り止めマットなどを使用し転倒や転落を防ぐ。他には，幻覚や妄想などの精神症状により，浴槽で溺れたり，熱湯を浴びたり，自傷他害行為や自殺などの危険性があるので，患者の入浴時には注意する。また，冬場には，気温の変化による血圧の急変動により脳卒中や心筋梗塞の原因となるヒートショックを起こす危険性があるため，浴室や更衣室は温度を暖かく保ち，入浴前に患者の体調を確認し，血圧や体温の変動に注意する。

4 洗　　髪

頭皮は皮脂腺が他の皮膚より多く，皮脂や汗，埃で汚染されやすい。頭皮の汚れは悪臭や，ふけ，かゆみを生じさせ，感染や皮膚炎，湿疹などの二次感染を引き起こす。また，汚れた頭髪や頭部からの悪臭は，入院生活のなかで他患に不快感を与える。

患者は，清潔観念のゆがみや認知機能の低下により，洗髪の意味や必要性が理解できないことがある。自分で洗髪を行う患者でも，お湯を頭にかけるだけで洗髪をせずに済ませたり，シャンプーを大量に頭髪につけたまま洗い流さないことがある。また，頭皮や頭髪の一部分だけしか洗わないため，皮脂などの汚れが残っている場合がある。一方，こだわりのある患者では，長時間，強迫的に何度も髪を洗い続け，皮膚に損傷を起こす患者もいる。患者の精神状態や洗髪方法を観察し，必要に応じて声かけや洗髪の介助を行う。

洗髪は，頭皮や毛髪を清潔にするだけでなく，頭皮への温熱効果により，爽快感やリラックス効果が得られる。洗髪後には，ドライヤーの適切な使用ができているか，ブラッシングをして髪型を整えることができるか観察をして，自分で洗髪をできない場合には，セルフケアレベルに応じて介助を行う。

患者が洗髪を拒否する場合は，患者の思いを把握したうえで，洗髪の必要性について理解を促す。洗髪をすることができた場合には，できた部分について，肯定的な評価を行い患者の自信につなげ，少しずつ自分でできるところを増やしていく。

5 陰部の清潔に対する援助

陰部は，排泄物や分泌物により汚染や湿潤で不潔になりやすく，皮膚・粘膜のトラブルを起こしやすい。また，陰部を清潔に保つことで，尿路感染症を予防することにつながる。

陰部の洗浄や，清拭を行い，清潔を保ち感染予防に努める。

　看護師は，患者の下着の汚染状況や，陰部からの臭気，皮膚や粘膜の損傷の有無などの観察を行う。必要に応じて入浴やシャワー浴，陰部洗浄や陰部清拭を行い，陰部の清潔を保つ。

　患者が，陰部洗浄や陰部清拭を行うことに拒否的な場合には，無理に行うのではなく，清潔の必要性について根気強く声かけをして理解を促し援助する。陰部はデリケートな部分であるため，援助の際は，強い力がかからないように配慮する。また，陰部の清潔の援助を行う際には，患者のプライバシーや羞恥心に配慮しながら，排泄時の介助や入浴時などの機会を利用して観察を行う。臭気や音の拡散に気をつけ，周囲の患者にも配慮してカーテンなどを利用しプライバシーの保護をする。

　精神状態が悪化している急性期の患者で，身体拘束時に膀胱留置カテーテルを挿入している場合は，床上安静により陰部の清潔が保たれにくいため感染症予防に努める。

　女性の患者は，月経時に精神状態が不安定になることがあるため，月経によるものか，精神疾患によるものかをアセスメントしてかかわる。また，経血や帯下から異常の発見につながることもあるため，患者の月経周期を把握する。陰部の清潔の援助を行う際に，月経の不順や，帯下の状態，生理用品の適切な使用ができているかなど，陰部の清潔が保たれているのかについて観察をし，不十分な場合には援助を行う。

　患者は，生理用品の使用方法について十分に理解していないことがあるので，適切な方法を患者と一緒に考え，必要時に適切に着用できるように援助を行う。

6 身だしなみ

1）更　衣

　精神科病棟では，病衣と私服の着用を自由に選択できるところが多い。患者が自分で衣服を選び着用することで，自分らしさの表現ができたり，生活にメリハリをつけられること，気分転換になることなど，入院生活の質の向上につながる。また，衣服は，そのときの気分や感情を反映しやすいため，患者の精神状態を把握するための手がかりとなる。

　更衣の援助では，幻覚・妄想あるいは，認知や思考の障害により独特なこだわりがあり，更衣をしない場合や，促しても拒否することがある。そのような場合には，更衣をしない理由を質問したり，その思いを尊重しながら必要性について説明し，患者自身で更衣するように促す。また，衣服の汚染がひどい場合には，汚れた衣服を脱ぐように促し，着替えられるようかかわる。

　患者は，季節や気温などの環境や，場に適した服装について，考えることが困難であったり，まったく関心を示さないことがある。

　環境に適さない服装により，真夏に服を何枚も重ね着した上に，コートを着用し，大量に発汗をして，脱水症状を起こして入院したり，真冬にシャツ一枚だけで屋外で過ごしたために，肺炎を起こし入院することがある。また，患者によっては，他人に与える印象を考慮せずに，病棟の中で，派手で奇抜な服を着たり，下着が露出してもまったく気にしないなど，精神状態や自発性の低下により服装が変化することがある。

看護師は，患者に季節感や気温に応じた服装を着用することの必要性を伝え，環境に合った衣服を身につけられるように援助する。患者の服装を観察し，どのような服装が本人らしく，環境に適したふさわしい衣服なのかを患者と一緒に考え，他の患者の評価も取り入れながら，患者自身の意向を尊重し，衣服を選択できるように促す。患者が自分で考えて衣服をコーディネートできたときには，肯定的な評価を行い患者の自信につなげる。

2) 化　　粧

　化粧は，自己表現の機会となることや，リラクセーション，精神的な満足感，自尊感情を高めることにつながる。メイクセラピーを病棟プログラムとして取り入れているところもあり，そこでは，化粧を通じて看護師や他の患者とのコミュニケーションが生まれ，患者の承認欲求を満たすなどよい影響をもたらす。

　一方で，入院生活が続くと，患者は化粧に対して関心や欲求をもたなくなったり，自閉的になり，気分の落ち込みにより化粧をしなくなることがある。また，精神状態が高揚しているときや不穏があるときには，アイシャドーで目の周りを黒くしたり，口紅を濃くしたりするなど，化粧が派手になったり，奇抜になったりすることがある。患者の化粧の仕方は，精神状態を判断する手がかりとなる。

　患者の化粧の仕方が奇異な場合や，身だしなみとして適切でないときには，精神状態に変化がないかを観察する。また，どのような化粧が自分らしさを表現できるのかを患者と一緒に考え，その人らしさを上手に表現した適切な化粧ができるように促す。

3) ひげそり

　患者のなかには無精ひげを生やしている人や，ひげのそり残しが目立つ人がいる。頭髪の一部分や眉毛をそるなど，不必要な部分をそる人もいる。セルフケア能力の低下により，十分にひげをそれないことや，ひげを伸ばすことへのこだわりをもつことがあるので，介入の前に患者の意向を確認する。ひげをそること，そらないことの意味を一緒に考え，その人らしさを保てるように援助する。患者がひげを上手にそることができない場合は，洗面時や入浴時に看護師が声かけをして，できない部分の援助を行う。安全カミソリで患者が自分でひげをそる場合には，看護師が見守り，使用後は病棟で管理する。電動シェーバーは患者が自分で管理できるため，セルフケア向上の手段としやすい。

4) 爪 切 り

　爪を伸ばしたままにしていると垢や汚れなどが詰まるため，不衛生になりやすく感染症の原因となる。また，伸びた爪で自分や他者を傷つけたり，皮膚の損傷や，剝離，巻き爪の原因となる。そのため，爪の状態を観察し，必要に応じて爪切りを行う。爪の形状にこだわりをもち伸ばしている場合や，関心をもたない患者には，患者の思いを尊重しながら，爪を切ることの必要性について丁寧に説明する。

　爪白癬を生じている患者の爪は硬く肥厚しており，割れやすい。入浴や手浴，足浴の機会に，お湯で爪を温めやわらかくすると切りやすくなる。また，爪の肥厚や，巻き爪などにより，爪切りが難しい場合には，専用のニッパーを使用する。その際，患者の皮膚を損傷

しないように注意する。患者によっては，爪切り，ニッパーなどの刃物に対して強度の恐怖心を抱いていることもあるため，患者に確認したうえで十分に配慮して爪切りを行う。

身の回りの整理・整頓

1）洗濯の援助

　患者の精神状態が落ち着き，入浴や更衣ができるようになった際には，自分で衣類やタオルなどを洗濯し整頓できるよう促す。患者が洗濯機や手洗いなど自分で洗濯ができるのかどうかを観察する。自分で洗濯ができない場合には，看護師が患者に促し，部分的に援助を行う方法や，クリーニングで洗濯を行う方法，家族に洗濯を依頼する方法などがあるので，患者のセルフケア能力や経済状態に応じて，どの洗濯方法を選択するのか一緒に考える。

　患者が自分で洗濯をした後には，洗濯物を干すことができるか，取り込むことができるか，きちんとたたんで棚やロッカーなどに収納するなど整理整頓ができるのかについて観察する。

　洗濯物を他の患者の洗濯物と誤って取り込むことがあるので注意する。患者が自分でできたところについては肯定的な評価を行い，患者の自信につなげる。患者が自分で行うことが難しい部分は，患者の能力をみながら丁寧に説明を行い，患者と一緒に方法を考え促す。少しでもできている部分を伸ばせるように介助を行う。

2）リネン・寝具

　リネン・寝具は，清潔なものに交換することにより，保温力，吸収力を高め，皮膚の排泄機能を正常に保つ。また，清潔なリネンは気分を爽快にするため，患者が快適に過ごすことができるように整理整頓されていることが望ましい。

　精神症状や，統合失調症の陰性症状などにより自発性の低下が顕著になると，臥床を好み，不潔な状態であっても気にしない場合がある。そのような患者は，自分で身の回りの整理整頓を行うことが難しい。このような場合には，患者のセルフケア能力に応じて，リネン・寝具交換を看護師が援助するのか，患者と一緒に行うのか，患者が自分で行うのかについて判断し，患者ができる部分は自分で行い，患者が難しい部分は援助を行う。

　患者が自分でできたところは肯定的な評価をして，難しい部分については患者と一緒に方法を考え，徐々にできる部分を伸ばせるように患者に促していく。

3）床頭台・ロッカー・ベッド回りの整頓

　床頭台には，患者のコップやスプーン，おやつ，内服薬，メモ帳，患者の家族の写真，作業療法で作成した塗り絵など患者の私物が保管されている。テレビや冷蔵庫が備わった床頭台もある。また，ロッカーには，タオル類，衣類，洗面用具，本などが収納されている。

　患者の私物の配置状況や，それらの整理・整頓の状態により，患者の精神状態を判断する手がかりとなる。

　床頭台やロッカーには，患者が残した食事をため込み，放置されて腐敗し悪臭を放って

図3-2　ベッド周囲の整理を一緒に考える

いることがある。また，アルコール依存症の患者では，外出時や外泊時にジュースのペットボトルに，日本酒や焼酎を入れて帰院し，他人に知られないように床頭台や冷蔵庫にしまうことがあるため，帰院時には注意する。さらに，多飲水で低ナトリウム血症の危険性がある患者では，床頭台や冷蔵庫の中に水の入ったペットボトルをたくさん置いていることがある。これらのことから，患者の私物は注意して観察を行う。

　ベッドの上やベッド周辺に，たくさんの本や雑誌，衣類，おやつなどの私物を置いていることがある。看護師には雑然と感じられても，患者にとっては私物をこだわりがあって置いていたり，意味があって置いていることもあるため，患者に確認したうえでどのように片づけるのかを一緒に考える（図3-2）。

　妄想のある患者の私物を片づけた後で，「あの看護師に私の物をとられた」「整理したときに私のお金を盗まれた」など，妄想の対象となることがある。また，看護師が私物を触るのを拒む場合もある。こうしたトラブルを回避するため，患者の私物整理を行う場合には，患者の精神状態を観察し把握したうえで患者と共に行う。このような際には，看護師は，1人で対応するのではなく2人以上で整理を行うことが望ましい。床頭台やロッカーの中を確認したり，ベッドの周囲の整理をする際には，本人の了解を得てから行う。

4）ごみ箱

　患者によっては，自室のごみ箱の始末ができず，ごみ箱があふれて周囲に散らかっていても，まったく気にせずそのままにしていることがある。患者へは，ごみを捨てる必要性について一緒に考え，片づけるように促していく。患者のセルフケア能力によっては，ごみを自分で片づけることが難しい場合，声かけをして一緒に行う。患者が片づけられない場合には，看護師が代わりにごみの処分を行う。

　ごみ箱の中には，患者が内服拒否した薬や，おやつや食事の食べ残し，危険物などが捨てられていることがある。また，ごみへのこだわりがある患者では，看護師がごみを処分しようとすると拒否することがあるので，患者のごみに対する思いを把握したうえで，一緒に片づける方法を考えて処分を行う。たとえごみであっても患者の私物である。本人の了解を得て行う。

看護技術の実際

A 洗面

- **目　　的**：何度も同じ部位を洗い，きれいにならない気がするという患者の洗面を援助する。
- **事例紹介**：Eさん，30代前半，女性，強迫性障害で入院中。高校1年生頃より，他人が使用したものに触れた後は，手洗いをしないと落ち着かなかったことがあったり，自分のものを他人に触られるのを極端に嫌った。大学卒業後は，高校の教員となり，勤務態度はとてもまじめで周囲からの評判もよかった。27歳で結婚後は，夫が触れたトイレのノブや便座などは，時間をかけて消毒クリーナーを使い拭き取らないと気が済まず何度も拭くことがあった。最近では，強迫的に何度も洗面や手洗いをしないと気が済まない状態であり，長いときには，1時間以上手を洗っていた。また，同じところを何度も掃除していた。そのうちに，Eさんは疲れ果ててしまい，食事を作ることも食べることもできなくなったため，夫に付き添われて精神科を受診し，入院となった。入院後，1週間経過したが，患者は，「顔を洗っても洗った気がしない，水道のレバーも汚くて触ることができない」と訴えている。
- **場　　面**：患者は，洗面所に行くと，水道のレバーを拭くことから始まり，何度も拭いて確認してから，水道の蛇口を開いたままにし，顔に石けんをつけ，その泡を洗い流すという行為を繰り返している。

	患者の言動	対応技術と根拠
1	洗面所で洗面を行っている	「洗面されているのですね」と声かけを行い，洗面の方法について観察を行う（➡❶） ❶強迫のアセスメントのために観察する
2	何度も顔を繰り返し洗っている	「Eさん，何度も顔を洗っているようですが，何か気になるのですか」（➡❷） ❷オープンクエスチョンを用いて患者の意向を確認する
3	「何回も洗わないと汚れがとれない気がするのです」と顔を洗い続けている	「何回も洗わないと汚れがとれないと考えているのですね」「教えていただいてありがとうございます」とやさしい口調で患者の発言を繰り返す（➡❸） ❸患者の訴えを傾聴する。患者の強迫行為について，アセスメントをする
4	「そうなのです，汚れがとれないので洗わないといけないのです」	「汚れがとれないので洗わないといけないと思われるのですね」患者の洗顔を見守る（➡❹） ❹患者の自発性を尊重し，途中で無理にやめさせようとしない。やめさせようとしても，ほとんどやめることができず，苦しませるだけである
5	「少し顔が痛くなってきました」頰の部分が薄く赤くなっている	「顔が痛くなってきたのですか。頰の部分が赤くなってきましたよ。心配です」（➡❺） ❺患者の洗顔を止めさせようとせず，患者が感じている苦痛に焦点を当てて，看護師が心配していることを伝える

	患者の言動	対応技術と根拠
6	「頬が痛いですけれども，洗わないと汚いような気がするんです…」不安そうな表情で話す	「そのように考えているのですね。顔も痛くなってきたようですし，そろそろ洗うのをやめて，ぬれた顔を拭きませんか」と穏やかな声かけをする（→❻） ❻強迫行為に苦痛を伴い，止めることができない場合には，穏やかに声をかけ，患者が強迫行為を中止できるよう促す
7	「そうですね…。そろそろ洗うのをやめますね。心配してくださりありがとうございます」	「そうですね。十分に顔を洗うことができたと思いますよ。そろそろ休みましょうね」「顔の痛みは大丈夫ですか？」（→❼） ❼洗顔による患者の労をねぎらう。洗顔によって生じた頬の発赤を観察する。頬の痛みについて患者に確認する
8	「大丈夫です。ありがとうございます」表情はさえないが，少し落ち着いた様子である	「またお声かけさせていただきますね」「何かありましたらいつでも教えてくださいね」（→❽） ❽強迫行為は不安の表現の一つであるため，行為だけでなく，根底にある不安の表出に努める

B 入　　浴

- 目　　的：清潔セルフケア能力の低下した患者の入浴を促す。
- 事例紹介：Fさん，40代後半，男性，統合失調症。高校卒業後，就職するが，人間関係がうまくいかず，3か月で辞職。その後，家にひきこもるようになった。独語，空笑あり，心配した両親に連れられ，精神科病院を受診し統合失調症と診断され入院となった。入院後，1週間が経過した。精神症状は落ち着いているが，ベッド上で，ぼんやりと過ごしている。更衣もせず，髪はぼさぼさで，無精ひげも生えており，清潔セルフケア不足の状態である。
- 場　　面：入浴を促すも，なかなか入浴行動に移れない状況である。

	患者の言動	対応技術と根拠
1		「Fさん，今日は入浴の日ですよ，入浴しましょう」（→❶） ❶患者に入浴について注意を喚起し促す
2	「今日はお風呂なの？　お風呂には入らないですよ」面倒そうに話す	「Fさん，どうして今日はお風呂に入りたくないのですか？」優しくかかわる（→❷） ❷入浴を促すのではなく，患者の考えを聞く
3	「今日は，面倒なので，お風呂には入りたくないです」	「そうですか，面倒なのですね。そうでしたら，私がお手伝いしますよ。お風呂に入ると気持ちよいですし，さっぱりしますよ。浴室まで私と一緒に行きましょう」（→❸） ❸患者の思いを確認したうえで，患者に入浴を促す
4	「そうだなあ…，それでは，お風呂に入ってみようかな」	「ありがとうございます。では，準備しましょう」入浴準備を手伝い，一緒に浴室まで行く（→❹） ❹できるだけ入浴の必要性について考えてもらい，患者に自分で意思決定してもらう。患者が入浴する気持ちになったことについて謝意を伝え，肯定的にフィードバックする
5	脱衣所でゆっくりと脱衣をし，浴室へ行く	患者の更衣を見守りながら，観察を行う。「体や髪の毛で洗えないところがありましたら教えてください」（→❺） ❺患者の入浴セルフケアレベルはどの程度あるのかを観察する

	患者の言動	対応技術と根拠
6	「体を洗うことはできますが，髪の毛を洗うことがうまくできません。手伝ってもらえませんか」と話す。洗髪，ひげそりができない，体は，腕や腹部の周囲しか洗うことができていない	「わかりました。教えてくださりありがとうございます。髪を洗うことができないのですね。体も洗えていない部分は私が洗いますね」洗うことができない部分や，ひげそりについては，看護師が介助する（➡❻❼） ❻患者の自尊心を傷つけないように注意しながら，保清の援助を行う ❼患者が洗えないところがあっても，もう少し洗うことができないか確認し，セルフケア行動の向上につなげる
7	「お風呂に入ってさっぱりすることができました。気持ちよかったです」	「お風呂に入ってさっぱりできたのですね。よかったですね」と目を見てにっこり笑う（➡❽） ❽入浴後に患者が表出した感情表現について支持する。適応行動をとることができたら，そのつど，賞賛，感謝など肯定的な評価をしながら，好ましい行動を積極的に強化できるように働きかける

文献

1) 岩﨑弥生・渡邉博幸編：新体系看護学全書 精神看護学① 精神看護学概論/精神保健，メヂカルフレンド社，2021．
2) 岩﨑弥生・渡邉博幸編：新体系看護学全書 精神看護学② 精神障害をもつ人の看護，メヂカルフレンド社，2021．
3) 萱間真美・林直樹編：ストレングスからみた 精神看護過程：＋全体関連図，ストレングス・マッピングシート，医学書院，2021．
4) 石川ふみよ・髙谷真由美監修：疾患別看護過程の展開 第6版，Gakken，2020．
5) 坂田三允編：心を病む人の生活をささえる看護，中央法規出版，2018．
6) 坂田三允総編集：救急・急性期Ⅰ統合失調症＜精神看護エクスペール6＞，中山書店，2009．
7) 坂田三允総編集：精神看護と関連技法＜精神看護エクスペール13＞，中山書店，2005．
8) 坂田三允総編集：患者の安全を守る看護技術＜精神看護エクスペール19＞，中山書店，2006．
9) 阿保順子：精神科看護の方法―患者理解と実践の手がかり，医学書院，1995．

4 活動と休息のバランスの維持

学習目標
- 日々の生活のリズムを整えることの必要性を理解する。
- 一日の始まりの起床の大切さとその援助方法を理解する。
- 睡眠，活動，休息の意義とそれらについての援助方法を理解する。
- 活動と休息のバランスの必要性を理解する。
- 生活のリズムを整えるための援助方法を理解する。

1 活動と休息のバランスの維持に関するケア

　人は心の不安や精神的な問題を抱えると，活動と休息のバランスが崩れやすい。それは精神疾患をもっていても健康な人であっても大きな変わりはない。たとえば，看護学生は普段からとても忙しい生活を送っており，「大学に入ったらもう少し遊べると思っていた」と嘆く者は多い。日々の課題や演習，試験も多く，試験前や実習前の勉強や記録などに追われて，睡眠不足で頭がボーッとしたことはないだろうか。

　健康な人であっても，忙しいと活動と休息のバランスが崩れ，精神的にも身体的にも不調をきたしやすい。精神疾患を有する人であれば，よりバランスが崩れやすいといえる。その場合には，起床，睡眠，活動，休息，生活リズムと一日の過ごし方についてのケアが必要となる。生活リズムは人それぞれ異なるため，看護計画を立てるにあたっては，患者のニーズに合わせて活動内容や一日の過ごし方を患者と話し合いながら決めていく。患者の自己決定を尊重し，地域生活を主体的に送ることができるように取り組む。

2 起　床

　起床は一日の生活の過ごし方に非常に大きな影響を与える。起床時刻は心身の健康状態により変化する。躁状態のときは朝早く起きて動き始めるため周囲への影響が問題になる。一方，うつ病でも早朝覚醒がみられることが多いが，躁病とは違って強い気分不快を伴い決められた時間に起床することが困難となる。統合失調症では陰性症状からくる活動性の低下による起床の遅れにより，一日の生活の流れが滞りがちである。このように疾患によって起床時の様子は異なる。

　起床にかかわる観察の要点としては，起床時刻，起床時の気分，眠気の有無と程度，起き上がるときのふらつきの有無，起床後の活動への滑らかな移行などがある。また，ケアにあたっては，患者の年齢や身体状態を考慮する必要がある。若年者は起床時刻が遅れが

ちであり，高齢者は早く起き出す傾向がある。

1）起床への状態別援助

　急性期の精神症状が活発な時期には混乱が強いため休養が優先される。この時期は薬物療法などにより脳の過剰な活動を鎮静化させ，身体的にも十分な休息がとれることを目指す必要がある。そのため朝は起床の促しを控え自然な覚醒を待つ。また日中も眠ければ活動のための声かけはせずに眠らせておく。こうした状態は数日ほど続く。入院直後の数日が過ぎたら，朝の声かけをしていく。声かけで覚醒することができれば，パジャマから服に着替えて動くことができるかどうか尋ねてみる。起きることができそうであれば，セルフケア能力の不十分なところを援助する。起きることが困難であれば，そのまま休んでいるように話す。その場合，起床の目安は薬物の影響や症状と一日のリズムを総合的に判断する必要がある。

　回復期には，日課に沿って起床するよう働きかけるが，もともとの生活習慣や退院後の生活を考慮したうえで，一日のリズムが整うように積極的に取り組んでいく。

　うつ病の場合は，十分改善するまで朝の挨拶をする程度にして，起床の促しは保留する。また，疾患にかかわらず，前夜に不眠で睡眠薬を追加した場合は起床の促しを遅らせる。

2）目覚めと起床に関する援助

(1) 目覚め／起床が早い場合

　患者が朝早くから起き出して動き回り，周囲が迷惑する場合は物音を立てないようにと伝える。軽躁状態で起床が早い場合は，朝の散歩などをすすめることもあるが，著しい躁状態の場合は個室や保護室を使用する場合もある。

　うつ病では睡眠不足にもかかわらず早朝覚醒が多く，強い気分不快を伴う。何かしてほしいことはないかと確認する程度にとどめ，必要以上に介入しない。多くの場合，患者は何もしないことを望む。なお，この時期には，自殺防止を目的とする観察が重要である。

(2) 起床が遅い場合

　眠気が強く残りがちな場合は，一般に入床，入眠を促すケアを計画するか，あるいは薬物調整を行う。

　統合失調症の回復期または慢性期にある患者の場合，起床困難時にはその程度を確認してケアを行う。朝のあいさつで起きる患者にはあいさつだけをする。必要以上の援助はしないが，毎日のあいさつは忘れないようにする。朝の忙しさにかまけてあいさつをしないと，起床時間がかなり遅れてしまうことがある。毎日の催促が必要な患者もおり，その場合は「起床の時間ですよ」「洗面の時間ですよ」などと声をかける。それでもなかなか起きられない場合は「○○さん，朝食の時間ですよ。起きてください」と名前を呼んではっきりと指示をする。夜間の睡眠状態を質問したり，その日の予定を話して自然に目覚めを誘う方法もある。

　また病室のカーテンを開け，朝日を取り込むことで起床を促したりもする。ただし，この際は必ずカーテンを開けることを患者に伝えてから行うこと。時には通常どおりの声かけでは起床できず介助が必要なこともある。その場合は，日中のしっかり起きているときに，

生活のリズムについて患者と話し合い，患者が問題を自覚しケアを受け入れることができるように計画を立てる。なかには，起床時に起立性低血圧が起きる患者もいる。そのような患者に起床時の介助をする場合は，血圧の変動はないかについても観察する。起立性低血圧がある場合は，薬物の調整とともに，いきなり起き上がるのではなくベッド上で体を動かしてから起きるなどの対処が必要になる。

なかには起床時だけ不機嫌な人がいて，普段は穏やかなのに起床の促しに対してだけ不機嫌になるので驚かされてしまう。この場合，特に介入の必要はないが，看護師自身が戸惑わないようにそのような患者もいるという心づもりをしておくとよい。

地域で生活している人には，毎日決まった時刻に目覚まし時計をセットするなどの助言が役立つこともある。その他，長年にわたる生活習慣や職業上の理由で，昼頃に起床する生活を続けている人がいる。それで生活が安定しているならば，そのような生活を続けることができるような支援を行う。

一日を眠気と共に過ごし悪影響を及ぼすような昼寝をすると，夜になっても睡眠のスイッチがなかなか入らない。そのような患者は全体に脳が活動的になっている可能性があり，夜になっても脳の興奮が収まらないことが考えられる。

朝しっかり覚醒するためには，ベッドから出たら，天候にかかわらず朝の光を浴びることが大切である。ごくシンプルだが効果はとてつもなく大きいため，なくしたくない行動習慣である。

3 睡 眠

日本は世界一の睡眠負債国といわれている。日本人の睡眠時間は，2021年の調べでは442分（7.2時間）でOECD加盟国30か国中最下位と，社会的な問題となっている。

ヘンダーソン（Henderson V）は『看護の基本となるもの』[1]のなかで，患者の休息と睡眠を助けることは看護師の役割であり，看護師には不必要な服薬を減らすために自発的にできることがたくさんあると述べている。たとえば，人をイライラさせるような刺激，不快な物音や臭いなどを取り除くことも入眠を助ける。就寝時に心を沸き立たせることは楽しい興奮であっても禁物である。一方，静かでリズミカルな音，またマッサージなども眠りを誘う。音楽で眠りを促すこともできるし，ある種の読み物も眠りを誘う。誰かが触れてくれていたり，そこにいてくれるのがわかったりすると，独りの寂しさやホームシックを認めない大人の患者さえも安らかな気持ちになれる。寝具の具合がちょうどよいかを確認するなどの働きかけは，しばしば患者の睡眠準備に効果を上げる。

ちなみに，翌朝の起床時間が早い場合の対策としては，早く就床するよりも，いつもどおりに寝て睡眠時間を1時間削るほうが，スムーズに入眠できて睡眠の質が確保できる可能性が高い。睡眠の性質として，短期間で前にずらすのは困難なのである。

1）睡眠を看護に生かす

精神科医の中井は，次のように述べている。「われわれ医療従事者は，睡眠をはじめとする身体の自然治癒力に助けられ，その上にうまく乗っかることで医療を遂行できるのであ

る」[2]。睡眠は患者の看護や治療にとって重要なばかりではなく，医療従事者も十分な睡眠をとる必要がある。睡眠不足で仕事をすれば思考力は鈍り，イライラしやすくなり患者にも伝わってしまうからである。

(1) 入眠環境

夕食後は，できるだけ落ち着いた環境を提供して入眠に誘う。夕食後の活動はできるだけ控えめにする。レクリエーションやゲームは，精神活動を高めるので落ち着くまで入眠できなくなってしまうことがある。また消灯間際になっても病棟がざわついていると，眠れなくなる患者がいる。夕方になると緊張感が緩んで，打ち明け話をする患者や，反対に不安が高まって訴えが多くなる患者もいる。放置していると不安を消灯後まで持ち越し不眠につながりやすい。こうした患者の精神状態を見計らいながら話を聞き，落ち着いて就床できるようにする。

消灯後になると窓口に来て話をしたがる患者がいる。日中忙しい看護師が消灯後になると時間ができると思うからである。看護師の動きをよく見ていると感心するが，この時間にあまりじっくり話を聞くと習慣化してしまう可能性もあるため，危機的な状況の場合以外は昼間にゆっくり話を聞くことを約束し，できるだけ短めに切り上げて就床を促す。

また，眠れない患者が集まって雑談が盛り上がると，なかなか就床しようとしない場合がある。看護師が介入しないと，かなり遅くまで起きていることになって，集まっている患者にとっても周囲の患者にとっても不眠の原因となる。ただし，本人たちにとっては，他者との結びつきを感じることのできる時間であり，また心を開いて話せる貴重な機会でもある。このような場合は，ほかの患者に迷惑をかけないように，時間を区切って話をしてもらい，その後は解散を見届け就床を促す。

病室内でも問題が起こることがある。消灯時間の間際になって就床準備を始める患者，ベッドライトを消さない患者，お菓子を食べ始める患者などである。「隣のベッドの患者がせんべいをかじるのでうるさい」という苦情が来ることもあるが，消灯後の暗闇のなかにせんべいをかじる音がポリポリと響き渡れば，眠れなくなるのも無理はない。

このような問題は，長引くと折り合いをつけることが難しくなり，同室者同士の関係も悪くなってしまう可能性があるが，早めに介入すると解決しやすい。看護の要点としては，普段から患者の訴えを大切にして信頼関係を深めておくことである。そうすれば，患者は問題が生じた時点で看護師に訴えることができるので，早期の介入が可能となる。問題を起こしている患者との話し合いのなかでも，信頼関係が十分であれば応じてくれるが，そうでなければ介入は難しい。

(2) 不眠のタイプと援助

睡眠は患者の病状を安定させ，日中の生活を充実したものにするために重要である。看護師は患者の入眠環境を整えるとともに不眠の対策を行う。また，若者と高齢者では睡眠時間やリズムが異なることを理解しておく。

不眠には入眠障害，中途覚醒と再入眠困難，悪夢，早朝覚醒，熟眠感の不足などがある。患者が悪夢で目覚めた場合は，ナースステーションなどの明るいところで話を聞き，患者の不安感を取り除いてから再臥床を促す。この際，希望があれば眠剤を内服して休んでもらうこともあるが，あまり遅い時間に眠剤を飲んで眠気が残らないように注意する。なかに

図4-1 昼夜逆転

は夜中の3時，4時になって眠剤をもらいに来る患者もいるが，できるだけ日付が変わらないうちに飲んでもらう。なかなか納得しない患者もいるが，まずは眠れない理由として思い当たることはないかをたずね，本当に睡眠時間が不足しているかどうかを確かめる。そのうえで，遅い時間に眠剤を飲んで日中まで眠気が残ってしまい，生活に支障が出ることへの危惧にふれ（図4-1），薬の飲み方について主治医と相談することを勧める。

患者は「眠れない」と訴えるが，看護師の巡回時に眠っている患者の場合，眠剤は不要であると話しても理解が得られないことが多い。こういった場合には，熟眠感に注目することが重要である。眠っているか否かだけではなく，本当に熟睡しているかどうかや，よく眠った気がするかどうかということを取り上げて話し合うことで，共通理解が得られお互いに納得できる。

いびきを伴う睡眠は呼吸に問題があるため，眠りが浅く中途覚醒を伴うなど，良好な眠りとはいえないことについては，広く知られるようになってきた。

2）睡眠時無呼吸症候群

寝ているときに大きないびきをかき，時折，10秒以上の呼吸中断がみられる場合は，睡眠時無呼吸症候群を疑う。自分では気づかず，身近な人から指摘を受けて気づくことが一般的であるが，治療を受ければ改善する。睡眠時無呼吸症候群では，睡眠が何度も中断し深いノンレム睡眠が少なくなるので，寝ている間も体が休まらず十分な休息がとれない。疲れが取れないので長く眠る傾向があるが，長く眠れたからといって元気になるわけでもない。そのため日中も強い眠気があり，居眠りをしていることも多いが疲労感が取れない。放置していると高血圧や糖尿病などの病気を招き，重度になると心疾患や脳梗塞などの血管障害にもつながる。睡眠時無呼吸が肥満の人に多くみられるのは，空気の通り道である気道が塞がりやすいからであり，痩せるだけで症状が改善することもあるが，正確な診断と治療が必要である[3]。

4 活　動

人間は適度な活動と休息を必要とする。たとえ精神疾患によって活動性が低下していても，無理のない範囲で活動を行う。過度な活動は過労や健康破綻を引き起こすが，活動の不足は機能障害や日常生活の停滞などを招く。特に高齢者は短時間の活動不足でADLの低下が生じるリスクが高い。

活動の過剰は，躁状態や気分の高揚，活動の不足は抑うつ，意欲低下，無為などで生じる。活動に関する観察のポイントとしては，活動量，活動時間，活動の激しさや内容，身体的な活動制限や活動の必要性に対する認識，本人の好み，周囲への影響，行動のまとまり，活動を通じた他者との交流などがある。

1）活動に関する状態別の援助

　患者にとって，どのような活動の内容や分量が最適かは，多くの条件によって左右される。精神状態，身体状態，薬物の量，普段の活動量，年齢，好み，経験，理解力，性格，人数など，様々な情報により，一人ひとりの患者にとって適当な活動量と内容を判断する。普段動きの少ない女性患者が，卓球を始めると見違えるような動きをしたり，十代の男性患者が編み物に興味を示したりすることもある。個々の患者に適した活動内容には意外性があり，患者が興味を示す活動を見つけることは，観察の重要なポイントといえる。

　急性期には休息が重視されるが，急性期を過ぎる頃は，日課以外の活動を始めるのによい時期である。最初は，ゆっくり座れる場所のあるデイルームなどに行って少し時間を過ごす。患者自らそうした行動をとることもあるし，看護師の誘導が効果的なこともある。長時間の精神的集中が必要な活動は難しいので，テレビを長く見ていられなかったり，長く見過ぎて疲れてしまったりする。急性期を抜け出した直後は，活動を開始する時期であるが，活動量は慎重に増やしていく必要がある。

　回復期に入ったら，思い切って活動量を増やしていく。自主的に活動量が増える場合は手出しせずに見守り，本人が慎重すぎる場合は積極的に働きかけて活動量を増やしていく。患者の希望を尊重することは大切だが，任せっきりにしておくと，ズルズルと不活発な日が続いて無為・自閉の生活に陥る危険性がある。身体的な活動は積極的に働きかけたほうがよいが，対人接触や精神活動の増加については慎重に進めていく。グループ活動が急に増えたり，ルールの難しい活動に加わったりすると負担になり，活動をやめてしまう患者がいるからである。

2）活動の主な内容と効果

　入院中，病棟で行われる活動のプログラムとしては，様々な種目を挙げることができる。トランプ，囲碁，将棋，オセロなどの室内ゲーム，バレーボール，卓球などのスポーツ，陶芸や絵画などの美術，カラオケや合奏などの音楽，部品の組立などの軽作業，ひな祭りや七夕などの行事活動，社会生活の自立に向けた料理教室などである。

　退院後は，デイケアや作業所に通所し同様の活動を行うが，自宅で行う家事などの日常生活が主な活動となる。

　こうして活動内容を数え上げると，目に見えやすい活動の身体面に関心が傾きがちだが，患者が他患者やスタッフとの人間関係のなかで，何を感じ，何を考えているかという活動の精神面に注目することも重要である。また，活動には家族や友人など身近な人との対人関係や，地域における社会参加まで，様々な側面があることがわかる。したがって，病棟という生活環境のなかでも，治療プログラムへの参加状況だけではなく，活動中の対人関係や心の動きなどにも注目して，それらの側面についても援助する。

患者がどのような状態にあるときでも活動として利用しやすいのは散歩である。1人でも2人でも数人でも行えるし，行先や歩く速度によって活動量を調整できる。スポーツやゲームなどと違って盛り上がりがなくても構わない。

スウェーデンの脳科学者で精神科医のアンダース・ハンセン[4]は抗うつ薬を飲みたくないという患者に対して，運動を勧めている。薬物療法や広い意味での精神療法はストレス性疾患の二大治療法であるが，最も効果がある精神療法は運動であると述べている。

厚生労働省は2012年に，国民の身体活動や運動についての意識や態度を向上させ，身体活動量を増加させることを目標として「健康日本21」[5]を制定した。そのなかで，「身体活動量が多い者や，運動をよく行っている者は，総死亡，虚血性心疾患，高血圧，糖尿病，肥満，骨粗鬆症，結腸がんなどの罹患率や死亡率が低いこと，また，身体活動や運動が，メンタルヘルスや生活の質の改善に効果をもたらすことが認められている」としている。

3）活動を援助するための方法

活動の効果を高めるうえで最も大切な要因は，患者が興味をもって自発的に活動に取り組むことである。とはいえ，患者が自分で適切な活動を見つけるのは難しい。そこで病棟チームは，2）で紹介したように，患者の興味を引きそうな個別あるいは集団による活動種目のプログラムをできるだけ豊富に用意し，そのなかから選べるようにしておく。そこから気に入った種目を選んで取り組めると，患者にとってちょうどよい刺激となって活動性を高めることができる。様々な種目を刺激のタイプによって分類すると，芸術刺激（美術，音楽），運動刺激（スポーツ，レクリエーション），課題刺激（軽作業，園芸），関係刺激（おしゃべり，ディスカッション）などに大別できる[6]。患者とよく話し合いながら，好みや回復の程度にふさわしい種目やプログラムを選んでいく。

活動への誘い方としては，「体を動かしてみませんか？」「デイルームでほかの患者さんたちと一緒に遊んでみませんか？」などの問いかけ型の誘い，「ラジオ体操の時間ですよ」「バレーボールをします。参加する人は集まってください」などのお知らせ型の誘い，「○○さんと一緒に参加したいのでお願いできませんか？」などのお願い型の誘いがある。「誘い方や促し方は患者の病状や性格を考慮して使い分けるとよい。「何かしませんか」という誘いはあまりに漠然としていて効果的でないことが多い。

レクリエーションでは，看護師も活動の楽しさを知っていて，患者と一緒に楽しめることが大切である。そうはいっても，看護師が夢中になってしまい，患者の状態を観察し配慮することができなくなっても困る。参加している一人ひとりの患者が，自分にとって適切な活動量を保てているかどうかを観察し，頑張りすぎているようであれば休息の声かけをする。

患者に過剰な活動を求めず，また患者の主体性を尊重しセルフケアの向上を促すためにも，患者の希望や考えをよく聞くことが大切である。患者の一日の生活リズムを考慮し，動きたい時間帯と休みたい時間帯を教えてもらって，活動を促す時間帯を決めるが，病棟で決められた日課との調整は意外に難しいことがある。

病院では起床時間，食事時間，消灯時間などが定められているが，地域に出れば患者が自分で生活リズムを決める。患者によっては，明け方に寝て午後に起き出すことが当たり前で，昼夜逆転と見なされる場合もあるので，事前によく話し合っておく。

5 生活のリズムと一日の過ごし方

　ヒトの体内時計の周期は環境の影響を受けない状態では25時間である[7]といわれており，地球の周期とは約1時間のずれがある。このずれを修正できず，睡眠・覚醒リズムに乱れが生じたために起こる睡眠の障害を概日リズム（サーカディアンリズム）睡眠障害とよぶ。体内時計の機能が保全され，睡眠・覚醒リズムが秩序正しく刻まれるためには，生活空間における光の環境は大切である。午前中は明るく強い光を浴び，夕方以降は照明を徐々に落としていくのが理想である[8]。

　ただし，人間の生活リズムは自然環境や社会生活などの影響を受けるので，朝早く目覚め夜眠くなることが生理的に絶対というわけではない[8]。生活リズムが乱れている場合には，自然の状態に戻すというより患者に適した生活リズムを形づくるという観点で対応する。生活リズムを立て直すためには，これまで述べてきたような活動と休息全般に対する観察から得られた情報を活用する。

1）状態別の援助

　患者が混乱している場合のほかは，どのような状態でも一日の生活リズムを考慮したケアを行う。急性期でも消灯時間は守られるし，食事の時間を多少はずらすことはあっても，不規則に食事を用意するわけではない。

　回復期に入ると，起床，食事，服薬，活動，消灯などについての様々な規則性を導入し，日課に沿った生活を送れるよう援助する。これは病院生活の型にはめるということではなく，与えられた環境のなかで生活リズムを築き，安定した生活を送れる力をつけるためである。病院にせよ地域にせよ，ある程度はその場に見合った規則的生活を身につける。介入がなければ，かなり多くの患者が日中も寝ていて生活のリズムを乱してしまうので，積極的に働きかけて乱れを調整することもある。ただし，今までの生活状況や患者の考えなどについてよく聞きながら話し合うことが大切である。

　規則的な生活ができなくなる理由は，患者によって様々であり，同じ患者でもいつも同じとは限らない。考えがまとまらないことや，理由は特に思い当たらないこともあるので，無理に問い詰めないように気をつけながら一緒に探していく。生活リズムの調整にあたって患者の考えを聞くことは退院後の生活のためにも重要である。患者が生活リズムを整える必要を実感していないと，看護介入がされなくなる退院後は，生活リズムが乱れがちとなる。退院後まもなく家族から昼夜逆転の生活に戻ったと聞かされることも少なくない。それを防ぐために，退院後の日課を患者と相談しながら一緒に作成するのも一つの有効な方法である。

　退院後の生活を地域で支えるのは訪問看護師の役割であり，昼夜逆転などの生活の乱れがないかどうかを確認し規則正しい生活が送れるように支援する。近年，入院期間の短縮に伴い訪問看護師のこうした役割は増大しつつあるが，入院中から病棟看護師との緊密な連携を心がける必要がある。

2）一日の過ごし方

　回復期にある患者の病院での一日を例示する。一応の目安であるが、朝は6時から7時が起床時刻で、7時半から8時頃に朝食を摂り服薬をする。起床時刻に起きられない場合も、朝食の時刻までには起床してもらう。その後は、テレビを見るなど、ゆとりをもって過ごす。10時から昼食前までは活動の時間であり、散歩や買い物、あるいは作業療法などのプログラムに参加して過ごす。12時に昼食を摂って服薬し、その後は自由時間となるが、活動のプログラムが設定されている病棟もある。午後3時頃には、おやつを食べる患者も多い。患者はそれぞれに思い思いの活動をするが、ずっと同じ活動を続けることは少ない。午後6時に夕食を摂り食後薬を服用して、その後はのんびり過ごしたりテレビを見ている患者もいるが、早めに臥床する患者もいる。午後8時頃に眠前薬を服用する時刻となり、午後9時から10時頃が就寝時刻である。

　一日の生活リズムを保つためには時間的な規則性だけではなく、活動に強弱のメリハリをつけることも必要である。昼寝は有益な場合もあるが、あまり長くならないように止め、その前後は活動性を意識的に高めるようにする。夕方以降は活動性を下げ、リラックスしたときを過ごして、入眠に移行しやすいようにする。

6 休　息

　身体疾患と同様に精神障害でも休息をとることは重要である。とりわけ、統合失調症の患者に、無為・自閉、活動性低下などの状態が生じた場合は、休息と活動のバランスがとれるようにするための働きかけが大切となる。休息に関する観察の要点としては、時間帯、継続時間、必要性の認識、睡眠への影響、活動性、意欲・感情などが挙げられる。

1）休息に関する状態別の援助

　急性期には十分な休息が必要である。特に混乱が強く服薬量も多い患者の場合は、食事や排泄など最小限の生活行動に起きる以外は、一日中寝ていることもある。この時期には、日中眠り過ぎると夜眠れないのではないか、などという心配は無用である。むしろぐっすり眠ったほうが夜も眠れるということがよくある。

　統合失調症の患者は、急性期が過ぎたばかりの時期も、日中から眠気が強いことが多い。急性期の時期に蓄積した疲労に、薬物による眠気が加わっていることを考慮して、無理に起こさず徐々に活動時間を増やすように促す。食後薬の服用後には一定時間休むとか、昼寝の時間を十分にとるなどしながら、個人差にも配慮しつつ、徐々に休息が一定時間内に収まるように働きかけていく。

　回復期に入ると、適切な休息が取れない患者や、反対に休んでばかりいる患者がはっきりしてくるので、活動と休息の過不足をよく観察する。休息のとれない患者には2つのタイプがあり、無理して動いている患者と、休息の必要性に気づかない患者がいる。

　無理して動いている患者には、活動と休息のバランス（図4-2）が大切なことを話すと納得してくれることが多い。一方、休息の必要性に気づかない患者は、過度の活動性を示して生活が破綻しやすい。「頑張りすぎですよ」と声をかけるだけで気づいてくれる場合もあ

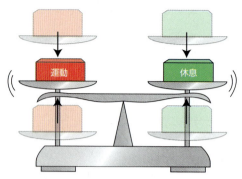

図4-2 運動と休息のバランス

る。気分障害の躁状態がその典型であり，休息の必要性を認めず，指摘されてもなかなか自制できない患者もいる。

　統合失調症の患者も，眠気がとれると今度は気分が高揚して動き回り，頑張りすぎて調子を崩す場合がある。デイケアや作業所などに通い始めてから，休息がとれなくなったり，頑張りすぎて破綻する患者にもよく出会う。このような患者には状態が安定している時期に，頑張りすぎて生活が破綻したときのことを思い出してもらい，行動にブレーキをかけるための方法を一緒に話し合う。

　就労する患者の場合は，雇用者の協力を得て就労時間を徐々に延ばす，昼休みに横になれる場所を確保する，職場が忙しくなっても休息時間を確実に取れるようにするなどの対策をとる。

2）様々な状況における休息の援助

　生活のリズムに問題がある場合は，リズムが確立できるように生活のスタイルを見直し，前夜に不眠があれば日中に休息を取るなどの工夫をしてもらう。

　躁状態の場合は休みなく動き回るので，本人だけでなく他患者の休息も妨げられやすい。本人の休息を確保することはかなり難しいが，ベッドに誘導すると短時間休むことができる場合もある。誘導にはタイミングと患者の気持ちに寄り添った声かけが必要であり，患者が強制的と感じたり，無理になだめるような言い方だったりすると，かえってそれが刺激となって反発を招き休息を妨げる。

　退院が近づいた患者には，外出や外泊をしたときの疲れの具合を確認し，休息時間の必要を自覚してもらう。先に話し合っておくと，その場では看護師のアドバイスに納得していないような態度を見せても，退院後にアドバイスを取り入れていることがある。

看護技術の実際

A 生活リズムを整える

● 目　　的：生活が不規則な利用者の生活リズムを整えるための介入

- ●事例紹介：Gさん，10代後半，男性，統合失調症，精神発達遅滞。母と2人暮らし。特別支援学校に通っているが，過去にいじめられた経験があること，学校で具合が悪くなり入院になったことなどから，学校にはあまり通えておらず自宅に引きこもりがちである。ゲームが好きで，朝方までゲームをやってから就寝，午後に起床することがたびたびみられた。担任教員，クリニック医師，訪問看護師，相談支援員，ヘルパーなどがかかわっており，支援者の間で，昼夜逆転して学校に通えていないことが問題になっていた。
- ●場　　面：訪問看護師が訪問に訪れた際，昼夜逆転により内服時間がずれていることが発覚した。

	患者の言動	対応技術と根拠
1		（15時に訪問すると，眠そうな表情で出迎えてくれた） 「あら，眠そうな顔してますね。昨日はよく眠れなかったのかな？」（➡❶） ❶訪問時には生活リズムについて本人に確認する。言語化できていなくても表情やしぐさから反応を読み取ることができる
2	「うーんとね，朝までゲームやっちゃったから，あんまり寝てない。午前中に寝て，さっき起きたばっかり」	「そうなんですね。明るくなってから寝たから熟睡はできなかったのかな。今はどんなゲームをやっているのか教えてくれますか？」（➡❷） ❷まずは本人に状況を確認してみる必要があるが，利用者自身の好きなことに対して興味をもって接するよう心がける。いきなり昼夜逆転について注意をすると相手が萎縮したり反発したりしてしまうので，責めるような言い方はしないようにする
3	「今はね，RPGをやってるんだ。ずっとやってるの」	「すごい集中力！でも疲れたりはしないか，ちょっと心配だな」（➡❸） ❸率直に心配していることを伝える
4	「疲れるよ。目が痛くなる」	「ずっと画面に向かっていると目が疲れるよね。少し休憩を入れたり，終わりにする時間を決められるといいね。寝る時間と起きる時間についてはどうかな？　困ってることはない？」（➡❹） ❹利用者自身に考えてもらう
5	「午後に起きるとね，薬の時間がずれちゃう。幻聴が強くなるからちゃんと飲んだほうがいいと思う」	「とっても大切なことだね。朝の薬はなるべく朝に飲めるといいね」（➡❺） ❺内服状況の確認は毎回行い，服薬の必要性への認識が高まるように働きかける
6	「自分で起きれるようになりたい。学校は朝起きれないし，楽しくないからあんまり行ってない」	「毎日行くのは大変？　担任の先生も毎日じゃなくて週に3回くらいを目指したらって言ってくれてるから，教室がつらかったら保健室でもいいんじゃないかな」
7	「それくらいなら行けるかな。でも朝起こしてもらわないと起きれないんだ」	「目覚まし時計は使ったことある？」（➡❻） ❻人に起こしてもらわないと起きれない状況を改善するための提案をする
8	えへへ，1回も使ったことない	「そっか。じゃあ一緒に使う練習してみましょうか。次の訪問のときに，何回早起きできたか教えてね」（➡❼） ❼一緒に使い方を練習してみることで，できることを増やしていくことがセルフケア支援である
9	うん，わかった	

Ⅲ-4 活動と休息のバランスの維持

B 離　　床

- ●目　　的：活動性が低く，日中臥床傾向のある患者の離床を図る。
- ●事例紹介：Hさん，60代後半，女性，うつ病。元来，真面目で大人しい性格で，精神科の通院歴はなかった。仲の良かった友人が自殺したことをきっかけに，自殺の原因は自分にあると考えるようになり，食欲低下，不眠が出現した。「何千万も借金がある」「借金で家がなくなった」などの貧困妄想が出現し，「もう殺してくれ！」と息子にせがむようになった。息子に付き添われ受診し，焦燥感が強いため医療保護入院となった。現在は入院から半年以上が経過し，薬物調整は一段落しており自宅退院を目指している。ADLは自立しておりセルフケア能力は高いが，活動性が低く，「もうだめ」「何もできない」が口癖で臥床傾向が続いていた。
- ●場　　面：朝の訪室時に担当看護師が睡眠状況について確認したところ，夜間の不眠を訴えた。

	患者の言動	対応技術と根拠
1		「昨日の夜は眠れましたか？」（➡❶） ❶夜間の睡眠状況は精神科において重要な観察項目である
2	「だめよ。全然眠れない」	「あら，眠れなかったんですね。どうして眠れなかったのだと思いますか？」（➡❷） ❷不眠の原因を探る。貧困妄想はあるが思考力は保たれているため，不眠の理由を自分で考えてもらう質問が可能である
3	「昼間眠っちゃったから，夜，目が冴えちゃったの」	「なるほど。お昼寝をしたら，夜は目が冴えちゃいますよね」
4	「そうなのよ」	「もう少し，夜眠れるといいですね」
5	「でも，しょうがないのよ」	「しょうがない？　どうしてそう感じるのですか？」（➡❸） ❸何か理由があるようなので，繰り返しの技法により，発言を促す
6	「だって昼間はすることがないし，一人じゃなにもできないもの。寝ているしかないのよ」	「では，一緒に散歩に行きませんか？　グラウンドできれいな桜が咲いているんですよ」（➡❹） ❹患者が興味をもてる話題で気持ちをつかむ。慢性化したうつ病患者には散歩などの適度な運動や，対人関係による刺激などが有効である[1]
7	「桜が咲いているの？　でも無理よ」	「とてもきれいなので，Hさんと一緒に見に行きたいのですが，ご一緒していただけませんか？」（➡❺） ❺興味を示してくれたが，まだ不安がある様子。看護師が一緒に行きたいと，お願い型の誘いをする

	患者の言動	対応技術と根拠
8	「一緒に行ってくれるの？ そんなにきれいなら，行ってみようかしら」 	「ええ是非，ご一緒させてください」（➡❻） ❻患者は入院が長くなり活動性が低下しているため，一人で離床することへの不安がある。看護師が一緒に出かけることで，安心してもらえるよう働きかける

❶堀川英起：うつ症状が慢性化した患者の回復過程に影響を与える要因，精神科看護，40(2)：57-67，2013.

文献

1) ヘンダーソン V著，湯槇ます・他訳：看護の基本となるもの，日本看護協会出版会，2016，p.52-54.
2) 中井久夫，山口直彦：看護のための精神医学 第2版，医学書院，2004.
3) Newton別冊『睡眠の教科書』，ニュートンプレス，46：46-47，2019.
4) ハンセン A著，御舩由美子訳：一流の頭脳，サンマーク出版，2018.
5) 厚生労働省健康局：健康づくりのための睡眠指針2014平成26年3月 厚生労働省健康局.〈https://www.mhlw.go.jp/file/06Seisakujouhou10900000Kenkoukyoku/0000047221.pdf〉（アクセス日：2022/7/11）
6) 堀川英起：うつ症状が慢性化した患者の回復過程に影響を与える要因，精神科看護，40(2)：57-67，2013.
7) 武藤教志編著：メンタルステータスイグザミネーション1，精神看護出版，2017，p.166.
8) 大川匡子：睡眠と体内時計―現代型睡眠障害を克服するために，環境と健康，26(2)：141-148，2013.

5 孤独と社会相互作用のバランスの維持

学習目標
- 対人関係の技術を理解し，精神科看護の視点から社会相互作用を理解する。
- 人間の発達という視点から社会相互作用の意味を理解する。
- 患者を孤立させ，社会相互作用を困難にする要因を理解する。
- 患者が社会の一員としての役割を認識し，自律性を発達させ，社会的関係を維持することができることの意義を理解する。
- 患者が孤独と社会相互作用のバランスを維持できるよう，患者のニーズをアセスメントし，状態に適した援助方法を選択する。

1 人間の発達からみた孤独の意味

　人間は社会的存在であり，"一人でいること／孤独"と"人々と共にいること／社会相互作用"は，人間の生存の2つの側面であって，人間の発達と健康に影響を与える。そして，すべての精神障害者がもっているのが，この「孤独と社会相互作用のバランスの維持」の問題である。精神障害者の多くは，このバランスをうまくとれたという体験をしていない人たちである。特に，統合失調症の慢性期にある患者は，長年にわたり問題となっていることが多い。

　孤独と社会相互作用のバランスを維持するためには，以下のことが必要である。①自分自身の自律性を発達させること，自分自身が効果的に機能できるような社会的関係を持続すること。②愛情や友情のきずなをはぐくむこと。そして，他者の個性，人格，権利を無視して利己的な目的のために利用しようとする衝動を効果的に管理すること。③発達と適応を継続するのに不可欠な社会的温かさと，親密さのある状態を整えること。④個人の自律性と集団の成員としての協調性の両方を促進すること。これらのセルフケアの要素は，個人や社会集団の日常生活には不可欠である。

　人間の社会的接触の最初は，家庭である。子どもは，母親との関係が安定し十分に甘えられたと感じている場合には，その関係性を良いイメージとしてとらえ，母親が実際にそばにいなくても，安心して一人で遊んでいることができるようになる。このことは，母親が一緒にいても自分一人でいられることも意味している。すなわち，母親のことが気になり他のことに集中できないとか，母親の顔色をうかがってばかりいるというのでは，一人でいられるとはいえないのである。この「一人でいられる能力」は，エリクソンが述べているところの"基本的信頼"と"基本的不信"という発達課題に結びつくもので，そこには，他者から受け入れられているという安心感や信頼感が生まれ，希望という強さを獲得する

ことができる。

　しかし，こうした経験が乏しかったり，不安感や不信感しか経験できなかった場合には，社会的接触はますます少なくなり，発達に悪影響を及ぼすことになり，他者との接触を避け，一人でいることを選択することになる。孤独は，単にたった一人でいる場合だけをいうのではない。大勢の人々のなかにいてもなお，自分が一人であり，誰からも受け入れられていない，理解されていないと感じているならば，それは孤独であるといえる。すなわち主観的なものであって，たとえ他者がその人と交流があると思っていても，当の本人がそれを感じていなければ孤独であるといえる。

　孤独は，社会的接触が少なくなるか接触を断つことではあるが，必要な状況でもある。孤独は，社会的刺激と社会的反応の機会を減少させ，心の安寧を保つことに役立つ。また，自己の内的世界に目を向け，自らを振り返る機会をも生み出す。この孤独に耐えることができなければ，絶えず他者と一緒にいることを求め，その結果として，他者への依存的関係を生み出す。人間は，孤独に耐えられる力も身につけなければならない。

　喪失に伴う悲観反応は，時として孤独に耐える力を超え，うつや自殺のリスクが高まることがある。

2 対人関係のスキルと社会相互作用

　社会は人間と人間とが接触する場であり，お互いの感情の交流という関係性によって成り立っている。関係性を構築するためには，自分の感情を処理し，それを適切な形で相手に伝え，それによって生じる相手の感情を認識し，その感情に適した応答をすることが必要である。それができなければ，社会生活を円滑に営むことはできない。このようなやりとりの過程はお互いのなかで生じているため，この関係の間には，相互の交流が生まれていることになる。つまり，人間関係は，お互いの感情の送信，処理と受信のやりとりから成立しているのである。

　具体的なスキルには，「挨拶をする」「相手のほうを見て話す」「質問をする」「依頼する」「礼を言う」などの日常生活上の基本的な対人関係の技術がある。時には，「断る」「謝罪する」「譲る」などのように，自分の感情を抑えたり，否定的な感情を表現しなければならない場合もある。これらは，日常生活を送るうえでの対人関係の技術であるが，かなりの勇気と心的エネルギーが必要となる。

　また，対人関係の技術で最も高度な技術は，相手の気持ちを汲んだり，察したりすることである。言語的コミュニケーションと非言語的コミュニケーションによって伝えられるものの違いを知って実践に活かせることも重要である。社会生活を営むなかで難しいとされる「人と交渉する」場合には，この技術が要求される。

　また，コミュニケーションをとる際には，他人に近づかれると不快に感じる距離がある。この距離は相手によって異なるものであり，自分と相手との間の空間はパーソナルスペースとよばれるが，この心的な空間のとり方や保ち方も重要な技術である。パーソナルスペースは固定されたものではなく，お互いの関係性により変化したり，そのときのその人自身の精神状態にも左右される。したがって，看護師は，患者の精神状態やそのときの患者の内

的世界にも関心を寄せなければならない。加えて，看護師自身の状況や自身の内的世界にも目を向けなければならない。

　対人関係は，人と人との心理的な結びつきであり，その人の人間としての成長・発達に深くかかわるものである。精神科看護においては特に「患者−看護師関係」が重要であり，患者が健康上の問題を解決するための望ましいあり方は，信頼関係に基づいた援助的・治療的な人間関係であるといわれている。ペプロウは『人間関係の看護論』において，「看護とは，有意義な，治療的な，対人関係である」と述べている。また，トラベルビーは『人間対人間の看護』において，「看護師は，看護師−患者関係ではなく，人間対人間の関係を確立するように努力するべきである」と述べている。つまり，精神障害者にかかわる看護師には，常に患者に関心を寄せ，患者が置かれている状況を理解しようとし，治療的で，よりよい「患者−看護師関係」を構築することが求められている。

　さらに，患者の社会化を支援することも看護師の役割である。対人関係の技術が未熟な患者にとって，病院は，対人関係の技術を磨き向上させることができる場である。入院生活において，患者は他の入院患者と接触することが多くなり，関係性の構築を学ぶ機会が増える。また，患者とその家族との関係においても，関係性の距離感覚を磨く絶好の機会である。看護師は，患者が他者との相互作用をうまく活用し，良好な人間関係を構築することができるよう，患者が対人関係の技術を磨くための支援を実践しなければならない。その意味においては，入院している患者は孤独ではないのである。

　しかし，この感情のやりとりから生じてくる問題が，社会生活を営むうえでの葛藤というストレスを生じさせることを忘れてはいけない。

3 患者を孤立させ，社会相互作用を困難にする要因

　人間の成長・発達において集団生活は必要不可欠ではあるが，一方では個人を脅かすもとにもなる。人々は，集団生活のなかで傷ついたり，孤独になったり，不安やストレスが高まり，時には心の病を体験することもある。

　特に，精神障害者の多くは，人間関係に傷ついた体験をもっており，現在も対人関係にかかわる葛藤を抱え続けている。その体験が他者とかかわることに恐怖感を抱かせ，他者との交流を妨げている。

　社会生活における対人関係の技術は，子どもの頃から，家庭における日常生活で学習し始め，その後の集団生活において経験を積み，自らが習得していくものである。特に，家庭生活は基礎的で重要な学習の場となる。しかし，そうした学習がうまく蓄積されない場合には，社会生活において様々な不利益をこうむることになる。たとえば，相手が信頼できる人なのかどうかを判断できないために，人に頼むことができずに一人で抱え込んでしまったり，文句を言えないためにストレスとなってしまったりすることがある。また，自分の思いを伝えることができないために友人を失ってしまったり，交渉することが苦手なために問題を解決することができなくなってしまい，さらに葛藤を抱え込むことになる場合もある。

　社会相互作用に影響を与える要因としては，上記以外にも，次のようなことが考えられ

その1つ目は，患者に生じている精神症状である。これには陽性症状と陰性症状がある。陽性症状とは，幻覚・妄想や思考障害などであり，現実にはあり得ない知覚，思考や行動などを指し，発症時や急性期に多くみられる。陰性症状は，意欲低下や感情の平板化など，通常はあるはずの意欲や感情，自発性，活動性などが低下したり，失われたりしている状態であり，慢性期によくみられ，陽性症状よりも目立たない場合が多い。

　2つ目は，抗精神病薬の影響による会話の困難さである。内服により精神症状は落ち着いたとしても，副作用として構音障害，ろれつが回らないなどの症状が出現することがある。そのために，患者は，自分の思いが伝わらないことへのもどかしさやいらだちを感じてしまう。さらに，相手に自分の思いを伝えようとして頑張ったために疲労し，どうせ伝わらないという諦めが生じ，そのうちに意欲が減退してしまうことがある。

　3つ目は，対人関係の体験の少なさである。患者は，もともとのストレス脆弱性に加えて，ライフサイクルに伴うライフイベントを経験していない場合がある。または，若くして入院したり，長期に入院生活を送っていたために，社会生活から隔絶されていたことが対人関係に影響している場合がある。言語的コミュニケーションの方法を学習していないため，相互作用にますます消極的にならざるを得ないのである。

　4つ目は，インフォームドコンセントの不足である。現在の精神科医療においては，説明の内容や方法について適切なインフォームドコンセントが実施されているとは言いがたい精神科病院が存在している。病名や精神症状を説明しても，その内容が複雑であるために，患者とその家族が正しく理解できない場合もある。また，精神病に関する誤解やスティグマが存在するために，患者とその家族が受け止められない場合もある。

 個人の自律性と集団の一員としての立場の両立

　人間は，自分自身が生まれ育った環境，受けてきた教育，人間関係やその他様々な経験から，知識を習得し，ものの見方や考え方，価値観を構築し，それをよりどころにして生きていく。発達過程において安全や自己実現などの欲求が満たされるためには，孤独と社会相互作用のバランの維持は不可欠である。つまり，人間の発達過程においては，社会的接触をとおして情緒的・知的な発達，文化受容と社会化，潜在能力発揮の機会が提供される。それぞれの個人は，自己実現を果たすために，対人関係の技術を活用して，社会相互作用により実りある日常生活を選択的に営んでいる。そこには自律している個人が存在する。

　また，人間は，発達過程において家庭を出発点として様々な集団に受け入れられ，その集団の一員としての存在や役割を獲得していく。そして，自分は何者であるかという問いに向き合いながら，自己を確立していく。精神に障害があろうとなかろうと，人間は，他者とかかわっていたいという愛着欲求をもち続けて生きている。他者と接触し，互いに影響し合いながら，その相互作用のなかで役割を遂行し，成長・発達し，自己実現を果たすのである。その過程において，その人がその人らしく，社会のなかで期待される役割を果たしながら生きていける能力を身につける機会が提供される。精神障害者は，自律している個人として生活する機会や集団に所属し役割を発揮する機会が少ない。病棟は精神科に入院している患者

にとって社会環境そのものであるため，看護師は，病棟で患者が自律している個人として生活する経験や，集団に所属し役割を発揮できるような機会をつくる役割がある。

5 孤独と社会相互作用のバランスを維持するための援助方法

　人間は，他者との関係性のなかで生活しているため，自分と周囲との関係に違和感を抱いてしまうと，どうにかしてその関係性を修復しようとする。しかし，精神障害者の多くは，この関係性を修復するための技術が未熟であったり，修復しようとする能力が低下していたりし，時にはその能力が欠如している場合がある。そのため，人間関係の修復を体験しようとする精神障害者にかかわる看護師は，看護師自身のあり方が問われていることを自覚しなくてはならない。また，患者を生活者としてとらえ，生活に焦点を当てながらも，その背景には精神疾患が存在していることを忘れてはいけない。

　看護は，患者を「観る」「聴く」「看る」ことをとおして実現される最も人間的な活動である。この活動は，精神障害者が孤独と社会相互作用のバランスをとり，相手との人間関係を構築しようとする行為に対しても適用される。看護とは，援助する一人の人間と援助を受けるもう一人の人間との社会的出会いなのである。

1）急性期における社会相互作用とケア

　精神疾患の急性期には，激しい精神症状が短時間のうちに出現し，陽性症状や陰性症状により認知・情動面が障害される。時には生命の危機に直面することもあり，直ちに保護を開始し，医療を始めなければならない時期である。多くの場合，精神機能が著しく障害され，幻覚・妄想に支配された奇異な言動を示し，激しい興奮状態で思考は滅裂となり，周囲の人々を混乱や危険な状態に巻き込み，通常の社会生活を営むことができなくなる。

　急性期にある患者の多くは，自分は一人孤独の世界に存在していると感じている。この時期の患者は，他者からの支援がなければ生きていけない状態であるが，周囲に対する不信感が強い。そのために，看護師のかかわりにおいて，看護ケアを実施するたびに挨拶と丁寧な説明を行い，病院は安全で安心できる場所であり，患者を脅かさない場所であることを伝える必要がある。また，自分たちは信頼してもよい人であることを理解してもらい，安心感や信頼感をもってもらえるよう，丁寧な対応と説明をすることが必要である。

　患者が社会活動や社会的役割について気にかけていることがあれば，家族と連絡を取り合い，他職種とも連携して適切に対応する。このことが患者に信頼感と安心感をもたらすことになる。

　患者は対人関係に関しても，幻覚・妄想の影響が強い時期であるため，薬物療法を行いながら注意深く観察し，患者の言動の特徴と前兆やパターンを知り，患者に言語化を促し，話し合うことが必要となる。この時期は，関係性を構築するために求められる記憶力・判断力・注意力・集中力が低下しているため，まずは社会的出会いを大切にしていく。現実感覚を取り戻してもらえるよう，その日の日付と時刻を看護ケアのたびに伝え，時間と空間の見当識が回復するようにする。入院と治療の必要性を理解してもらえるよう，看護ケアの機会を見つけて説明を繰り返す。質問をする場合には，最初は選択肢を少なくし，患者

が「はい・いいえ」で答えられるようにする。言語的なコミュニケーションをとることができるようになった場合には，患者自身が自由に答えられるように，選択肢を示しながらオープンな質問を心がける。

2) 回復期における社会相互作用とケア

　精神障害者は，これまでの対人関係の経験から，人に対する不信感や見捨てられてしまうのではないかという不安感を抱いていることがある。

　精神疾患の回復期になると，幻覚・妄想に影響されたり，不安になることも減ってくる。これまでは自分のことで精一杯であった患者も，自分自身の内的世界を振り返り，周囲の状況にも目を向けることができるようになる。入院後からの看護師の適切な接し方により，看護師への信頼感も高まってくる。他の看護師や医療スタッフとの接触も増え，他のスタッフに対する安心感や信頼感が持続するようになり，自分一人でも時間を過ごすことができるようになる。

　セルフケア能力も徐々に向上してくるが，まずは，身体面や日常生活におけるセルフケアの援助から始める。毎日の挨拶や看護ケアのたびの言葉かけは，対人関係の技術の初歩であるため，急性期と同様に，こまめに実施する。バイタルサインの確認時をはじめとして，モーニングケア，清潔や食事の介助，服薬時などあらゆる看護ケアの機会を活用することが効果をもたらす。特に身体的接触を伴う看護ケアは，人間関係を安定させるためにも重要である。その際には，丁寧で優しく，温かさが伝わるような接し方を心がける。食事の際には，食事内容や食欲のことを話題にして，患者の反応を観察する。たとえ患者の反応が乏しかったり拒否的であったとしても，ただそばにいて，同じ時間と空間を共有することは大切な看護ケアであり，対人関係が成立し，関係性に安心感を与える。

　そのようなかかわりをしていると，患者のほうから，挨拶やお礼の言葉が発せられるようになり，質問や自分の思いを語り始めることがある。それは，対人関係が進展したことを意味するので，患者の変化に注意しながら観察することが重要であり，変化が見られた場合には正のフィードバックを行うことが有効である。

　まだ患者が混乱している時期であれば，身体面へのかかわりをとおして，現実感覚を取り戻すことができるようにじっくりと待つことも大切である。そして，この人は自分を脅かすことがない人であると認識してもらえるように挨拶を続ける。

　セルフケア能力が回復するにつれ，他者との交流の場が広がり，レクリエーション療法や作業療法などに参加する機会が増えてくる。しかし，患者はもともと対人関係に不安があったり苦手意識が強かったりするため，少しずつでよいから対人関係の技術を学んでいこうと伝える。時には，社会生活スキルトレーニング（SST）を活用することにより，対人関係の技術が向上し，自分の思いを言語化できたり，できることとできないことを伝えることができるようになる。その際には，看護師がモデルになることも伝えると，より患者に勇気を与えることができる。

3) 退院準備期における社会相互作用とケア

　退院準備期には，病院での生活を振り返り，退院後の社会での生活に向けて準備を整え

ていく。外出や外泊を繰り返し実施し，しばらく離れていた家庭，職場，学校や退院後に支援を受ける必要がある地域の支援機関などと連絡・調整を行う。

　この時期になると，日常生活のリズムが整い，社会生活に必要な行動に関心が向いてくる。個室から多床室へと環境も変化し，担当看護師だけではなく，複数の医療スタッフや他の患者と安定したかかわりができるようになる。看護師がいなくても，患者同士の関係性に気づき，行動範囲が広がりをもつようになる。

　患者が戻っていく生活環境は，家族が暮らす家庭のこともあれば，グループホームや下宿などのような集団生活の場であることもある。時には，アパートでの一人暮らしの場合もある。入院前の生活環境に戻る場合と，新しい生活環境に移る場合では，準備する内容は異なるので，看護師は，どのような生活環境になるのかを事前に把握しておかなければならない。そのためには患者を生活者としてとらえ，患者が戻っていく地域社会について患者自身と看護師が具体的にイメージできるよう，入院時から患者の家族をはじめとする関係者から広く情報を収集し，社会資源についても明らかにしておく。家庭に戻る場合には，外出や外泊を繰り返しながら患者の居場所を確保し，患者と家族の関係性が円滑なものとなるように患者と家族に働きかける。

　患者によっては，職場や学校などにおける支援が必要となる場合があるため，社会復帰に向けて，病院内の精神保健福祉士やソーシャルワーカーとのやりとりの機会が増えてくる。また，職場や学校などへの復帰の準備が具体化し，かかわる範囲が拡大していく。看護師は，患者自身が有効活用できる社会資源を紹介し，その資源を無理なく上手に活用していけるよう，病院内だけではなく，広く地域社会の諸機関や福祉関係の専門家などと連携・調整を図る。

　地域社会の人々には，外出や外泊の機会をとおして患者の回復状態を伝えることができる。患者にとっては退院後の生活の状況を肌で感じ，社会生活からくるストレスへの対処方法を考える機会となる。そういう際には，看護師は患者に対して，共に患者の将来への対処方法を考える存在であること，患者に関心を寄せていることを伝える。

4）社会での生活における社会相互作用と支援

　本項に関しては，第Ⅵ章2「精神障害者を地域で支える支援」で詳述（p.300参照）しており，ここでは要点について述べる。

　2004年，厚生労働省は精神保健医療福祉の改革ビジョンにおいて，「入院医療中心から地域生活中心」を国の基本方針として打ち出した。また2012年に，「障害者自立支援法」が「障害者総合支援法」に改正され，翌年から施行されている。その法律に基づき，障害福祉サービスである精神障害者の地域移行，および地域定着を目指す支援と個別給付の主体が市町村として行われるようになった。その後，徐々に地域精神医療や福祉サービスも整備され，通院医療や訪問医療あるいは訪問看護を利用しながら，地域で暮らす精神障害者が多くなってきている。また，医療費削減という国の方針もあり，入院期間の短縮化も進み，精神疾患で入院しても，多くの患者が以前に比べて短期間で退院するようになってきた。

　病院側の退院促進の努力だけではなく，地域側の努力も必要となる。精神障害者が安心して退院でき，その人らしい生活を送ることができるようなサービスや資源を整備し，その

人が必要とする支援にかかわるすべての機関や人々が連携・協働し，地域の人々の理解と協力を得るなどの地域づくりを進めることが求められる。そのためにも，病院と地域が切れ目のないサービスを提供するための機能をもつ地域連携室や医療相談室を設けたり，訪問看護部門を開設したりする病院が増えてきている。

　このように切れ目ないシームレスな精神保健医療福祉サービスを提供できるように調整する役割は，精神看護の重要な役割の一つである。精神科看護師は，患者の入院中だけではなく，退院し地域で生活するうえでも，精神障害者とかかわるメンバーの専門性を活かすことができるよう多職種チームとの連携・調整を図らなければならない。

　一方で，地域で生活する精神障害者は，サービスを利用する主体である。そのことを精神障害者に伝え，本人の意向を確認しながら，本人が思いを表現しやすいように工夫することが地域における支援の始まりとなってくる。実際に地域で精神障害者を支援する看護の専門家である訪問看護師や保健師との連携も重要な役割である。

　このような地域における支援体制を，患者に伝えることにより，自分の思いを伝える場所があり，支援を提供してくれる人々が身近にいることが理解できれば，自分は一人ではないという自信にもつなげることができる。

看護技術の実際

A 職業性ストレスによる孤独の場合

- 目　　的：希死念慮のある患者に対して，患者の状態を観察して環境を整え，身体の安全を守り，症状軽減の援助を行う。
- 事例紹介：Ｉさん，30代後半，男性，会社員。気分障害で入院している。Ｉさんは，几帳面な性格で，仕事ぶりも大変真面目であったこともあり，4か月前に昇進した。その後，一生懸命に仕事をこなしていたが，最近になって，仕事上のミスが増えるようになり，遅刻や無断欠勤をするようになった。「仕事がうまくいかない，どうにもならない」「消えてなくなりたい」と訴え，心配した妻に連れられ，精神科外来を受診し入院となった。入院後は，憔悴した様子で，病室のベッドで臥床して過ごしている。時折，病棟の廊下を行ったり来たりして落ち着かない様子もみられる。
- 場　　面：患者は，ベッド上でうつむきながら座っている。看護師の声かけに対し，つらそうな表情をして不安を訴えている。希死念慮を示す発言もみられる。

	患者の言動	対応技術と根拠
1	ベッドの布団の中で横になり静かに過ごしている	「Ｉさん，ご気分はいかがでしょうか」と声をかける（➡❶） ❶不安感，無力感，焦燥感，悲壮感，自責感など，症状の程度を把握する
2	「とてもつらいです」と，悲愴感，自責感が強く，小さな声でポツリと話す	「とてもつらそうですね。よろしければ，つらい理由を聞かせていただけませんか」と，落ち着いた態度で穏やかに声かけをする（➡❷） ❷患者自身が安心して思いを表出できるように落ち着いた態度でかかわる

	患者の言動	対応技術と根拠
3	「仕事のことをずっと考えていました。眠れないですし、食欲もありません…」静かに話す	「仕事のことをずっと考えられていたのですね」「眠れなくて食欲もないのですね」「それはとてもつらかったですね。教えていただきありがとうございます」患者のそばに座り会話を続ける （➡❸） ❸患者が表出した思いを傾聴、受容、共感する。患者の話にじっくりと耳を傾ける。患者の発言を繰り返すことは、基本的かつ最も重要なコミュニケーション技術の一つである
4	「私のせいで、職場のみんなに迷惑をかけてしまいました、私が悪いんです…」つらそうな表情で話す	「仕事のことで、とてもつらい思いをされているのですね」「教えていただきありがとうございます」患者のそばに座りながら会話を続ける （➡❹） ❹患者が自分の思いを表出することにより、患者の不安や緊張を少しでも緩和することができる。つらい思いを話してくれたことに謝意を示す
5	「私なんか役に立たないのです。消えてしまったほうがいいのです…」。うつむきながら静かに話す	「今は大変つらいときだと思います。少しずつよくしていきましょう」「奥さんもゆっくり休んでよくなってほしいと思っていると思います」患者の背中をさすりながら安心感を得られるように穏やかに話す （➡❺） ❺タッチング技法を用い、患者が安心感を得られるようにかかわる。希死念慮を訴える場合には、観察を密にし、患者の行動に注意する
6	「そうですね…」うつむきながら静かに話す	「お話を聞かせてくださり、ありがとうございました」「今は、回復のために十分な休息をとることが大切ですよ。ゆっくりとお休みしましょう」（➡❻） ❻回復のために今は休息することの必要性について説明し、患者が十分に休息がとれるようにかかわる
7	「そうですね。今は休むことが大切ですね…」	ベッド周辺に自殺につながりやすい物品がないかどうかを確認し、あれば本人の了解を得て預かる

B 妄想のある患者

- **目 的**：妄想の症状がある患者が、緊張、不安、恐怖について表出でき、看護師の援助により、現実に戻ることができるよう援助する。
- **事例紹介**：Jさん、20代前半、男性、統合失調症。高校卒業後、大学受験に失敗し、2年間予備校に通っていたが、希望する大学の入学試験に合格できなかった。このことがきっかけとなり、自宅に引きこもるようになった。食事をとらなくなり、清潔も保たれない状態になった。その後、「誰かに狙われている気がする」など支離滅裂な内容の訴えが多くなり、心配した両親に促されて精神科病院を受診し、統合失調症と診断され入院となった。入院後は、気分の変動が激しく、時折同室の患者を威嚇したりすることもあった。
- **場 面**：患者は、妄想による苦痛で、おびえた様子で自室ベッドに座っている。

	患者の言動	対応技術と根拠
1	自室のベッドに座り、落ち着かない様子で不可解な言動を発したりしている	「Jさん、何か不安なことがあるようですけれども、どうかされましたか」 （➡❶） ❶患者が自分の状態を自覚できるようにかかわる

	患者の言動	対応技術と根拠
2	「はい…」態度，表情ともに緊張感が高い様子である	「そうだったのですね。とてもつらそうにされていましたので，心配でした。よろしければ，お話を聞かせていただけませんか」患者のそばに座りながら話を聴く（➡❷） ❷患者から思いを表出しやすい雰囲気や関係づくりに心がける。患者と会話が続かなくても，一緒にいる時間をもつ
3	「実は，いつも，誰かに狙われている気がしていてとてもつらかったのです」と，おびえた様子で話す	「そうだったのですね。よく話してくださいましたね。いつも誰かに狙われているような気がしていたのですね。教えてくださりありがとうございます」患者のそばに座りながら話を聞く（➡❸） ❸患者の思いを話してくれたことに謝意を表す。患者が言語化し，表出した気持ちをくむ
4	「今も同じ部屋の人から，何かされるのではないかという気がして怖くてたまりません」と，小さく震えている	「それは，おつらいですね。よく周りの人に対して怒らずに我慢されていましたね。私がそばにいますからもう大丈夫です。私たちは，Jさんのことをいつでも助けたいと思っていますので，安心してください」と身を乗り出して伝える（➡❹） ❹患者が看護師に対して，自分を受け止めてくれる安心できる存在であると思えるように受容的な態度で接する。今まで我慢していたことを賞賛し，怒りのコントロールを強化する
5	「いままで誰にも相談できず，孤独でしたが…。でも，看護師さんに話を聞いてもらえて少し落ち着きました」ほっとした様子で話す	「Jさんが不安に思ったことを話してくれましたので，Jさんの気持ちがよくわかりました」「Jさんは一人ではないので，不安になったときには，いつでも相談してくださいね」肩や背中をさすりながら，患者の話を聞く（➡❺） ❺患者自身が自分の気持ちを表出できるように，つらさを受容し患者の苦悩に共感的な態度で接する。今後に向けた支援を行う。患者の名前を繰り返すことで関係を深める

文献

1) トラベルビー J著，長谷川浩・藤枝知子訳：トラベルビー 人間対人間の看護，医学書院，1974.
2) オトゥール AW，ウェルト SR著，池田明子・小口徹・他訳：ペプロウ看護論－看護実践における対人関係理論，医学書院，1996.
3) オレム DE著，小野寺杜紀訳：オレム看護論－看護実践における基本的概念，第4版，医学書院，2005.
4) 南裕子・稲岡文昭監修，粕田孝行編：セルフケア概念と看護実践－Dr. P. R. Underwoodの視点から－，へるす出版，1997.
5) 平野馨：対人関係の基礎知識－カウンセリングとグループダイナミックスの活用，日本看護協会出版会，1993.
6) 阿保順子：精神科看護の方法－患者理解と実践の手がかり，医学書院，1996.
7) 武井麻子：精神科看護学ノート，第2版，医学書院，2005.
8) 川野雅資：精神科臨床看護技術の展開，中央法規出版，2009.
9) 坂田三允・他：救急・急性期Ⅰ 統合失調症〈精神看護エクスペール6〉，中山書店，2009.
10) 坂田三允・他：患者の安全を守る看護技術〈精神看護エクスペール19〉，中山書店，2006.
11) 坂田三允：心を病む人の看護〈シリーズ 生活をささえる看護〉中央法規，2018.
12) 水野雅文・藤井千代・佐久間啓・村上雅昭編：リカバリーのためのワークブック－回復を目指す精神科サポートガイド，中央法規，2018.
13) 厚生労働省：精神保健医療福祉の現状（2020年3月18日），〈https://www.mhlw.go.jp/content/12200000/000607971.pdf〉（アクセス日：2022/8/20）
14) 岩崎弥生編：精神看護学〈1〉精神看護学概論／精神保健〈新体系看護学全書〉，メヂカルフレンド社，2021.
15) 岩崎弥生編：精神看護学〈2〉精神障害をもつ人の看護〈新体系看護学全書〉，メヂカルフレンド社，2021.

16) 萱間真美，林直樹：ストレングスからみた 精神看護過程：+全体関連図，ストレングス・マッピングシート，医学書院，2021.
17) 石川ふみよ・高谷真由美監修：疾患別看護過程の展開，第6版，Gakken，2020.
18) 日本精神科看護協会監修，高橋良斉・中庭良枝・編：精神科ナースのアセスメント&プランニングbooksうつ病・双極性障害の看護ケア，中央法規，2017.
19) 宇佐美しおり・他：オレムのセルフケアモデル－事例を用いた看護過程の展開，第2版，ヌーヴェルヒロカワ，2003.
20) 坂田三允総編集：精神看護と関連技法〈精神看護エクスペール13〉，中山書店，2005.
21) 坂田三允総編集：救急・急性期Ⅱ　気分障害・神経症性障害・PTSD・せん妄〈精神看護エクスペール7〉，中山書店，2005.

6 安全を保つための能力

学習目標
- 安全を保つことの意義を理解する。
- 患者の安全保持を困難にする要因を理解する。
- 患者が,服用している薬物,私物および金銭などを自身で取り扱うことの意義を理解する。
- 患者が,服用している薬物,私物および金銭を取り扱う際に,患者の安全を阻害する要因を理解する。
- 患者の安全の保持,薬物の管理,私物や金銭の取り扱い,火の始末に関するニーズをアセスメントし,それぞれの患者の状態に適した援助方法を選択する。

1 安全を保つことの意義

　安全の欲求は,マズローの自己実現理論において,生理的欲求の次の段階に位置づけられている重要な欲求であり,安全を保つための能力は人間にとって欠かせない能力である。筆者の経験ではこの能力には,①安全を保持するために,起こる可能性の高い危険の種類について気をつけていること,②危険な状況に発展するかもしれない出来事が起こっている場合にそれを避ける行動をとること,③危険な状況にあるとき,自身を守ったり,そうした場から遠ざかること,④生命や健康の危険を避けるために,状況を修正して危険を減少させたり制御することが含まれると考えている。すなわち,個人が自らの安全を保つためには,起こりうる危険に対して常に注意を払っていられる能力が必要になる。

　精神疾患は人間の意識,知覚,思考,認知,情動に影響を及ぼす。また,薬物療法で使用される向精神薬も,精神活動に影響を及ぼす。そのため,精神障害者は安全を保つための能力が低下していることが多いので,看護師には患者が状況の危険性を理解できるように支援することが求められる。また,安全の保持に関して学習する機会を設けることも必要である。場合によっては,看護師が,患者に代わって予防的・保護的な役割を実践することもある。しかし,患者の安全を保つための対応は,時には患者の自由を奪うことにもつながる。自由を奪われることは人間にとって最大の恐怖の一つであり,自尊心が傷つくということを忘れてはならない。そのためにも,患者の精神症状や状況を観察し,患者のニーズを把握し,適切なアセスメントをすることが重要である。

　観察する場合には,患者が看護師に監視されているのではなく,看護師から気にかけられている,見守られているという感覚がもてるようにかかわる。患者の様子を見ながら言

葉をかけ，かかわりながらの観察（参与観察法）を行い，その反応から精神状態や患者が置かれている状況などをアセスメントする。同時に，看護師の存在が患者を脅かしていないかということも含めて，患者にどのような影響を与えているのかを確認する。

2 安全を保つ能力への支援

1）安全で安心できる環境の整備

　安全で安心できる環境の整備は看護の基本であり，どのような領域の看護においても重要であるが，精神看護においては患者の精神症状と関連する安全も考慮した環境の整備が重要である。また，看護師自身にとっても安全で安心して看護を提供できる環境でなければならない。そのためには，物理的に整備するとともに，情緒的にも安心感が得られるように人的環境を整備することが求められる。病院や病棟全体での事件・事故などのトラブルを未然に防ぐための体制づくりが重要である。

　しかし，安全の確保を優先するあまり，患者のプライバシーや人権を無視した過剰な監視的体制になってはならない。幻聴，妄想，不安，抑うつなどの症状があって入院してきた患者が，「自分は守られている」「大切にされている」という思いを抱き，「ほっとできる生活空間」であるような環境を提供することが，精神看護の基本である。患者は入院生活をとおして他者と交流していくが，時には一人になる空間と時間も必要である。

　一方では，患者が一人になるということは，看護師の目が届かない空間と時間の死角が生じることでもあり，特に，自傷や自殺のおそれのある場合には，危険と隣り合わせの状況となる。患者のプライバシーや人権を保護するだけでは，安全で安心できる看護ケアを提供することはできない。実際に，患者からの暴言・暴力などは珍しいことではないし，他の患者・看護師や医師などが被害者となるリスクもある。

　看護師自身のプライバシーと人権を守り，安全を確保することも重要である。安全の確保と患者の人権の尊重との両者が，時には倫理的課題となり，看護師が遭遇するジレンマの原因となることもある。

2）急性期において安全を保つためのケア

　精神疾患の急性期には，激しい精神症状が短時間のうちに出現し，活発で病的な体験をはじめとする陽性症状や感情鈍麻などの陰性症状のために，認知・情動が障害される。したがって，安全の保持に必要な記憶力・判断力・注意力・集中力・見当識などが低下し，セルフケア能力が損なわれていることが多い。そのため，かなりの患者が閉鎖病棟へ入院することになり，時には保護室（隔離室）や身体拘束が適用される。その場合には，精神保健福祉法に規定されている入院形態や行動制限に関する事項を遵守し，患者のプライバシーや人権を尊重した対応をする。この時期には，看護師が積極的に介入して患者の生命の安全を確保する。しかし，患者に代わって看護師が行うことにより，患者がもっているセルフケア能力を奪うことはできるだけ避けなければならない。適切なアセスメントを行い，患者が安全にできることは見守り，できない部分を患者に代わってケアする。

　この時期の患者は，不安が強く，妄想や幻聴などの病的体験に左右されやすくなる。そ

のために，イライラして，不穏状況になったり，自責感が生じ，悲観的・絶望的となり，追い詰められ，衝動を制御できなくなる。歩行時に突然転倒したり，ベッドや壁などに頭や腰などをぶつけたりすることもある。「自分は死ななければならない」「死んで証明する」「生きている価値がない」と言語化している場合は患者自身で安全を保つ能力が失われている。また，心気的な訴えをしたり，逆に何も訴えない場合にも安全を保つ能力は低下しており，表情のこわばり，目つきと視線，普段と異なる言動，意思疎通の程度や暴力の有無について注意深い観察を行う。身近にあるボールペン，眼鏡のフレームや箸などを使って自傷行為に及ぶこともある。時には，病棟内にある手指用消毒液などを飲んで自殺しようとすることもある。このような自傷行為や自殺企図などの予期しない行動をとることによって，患者の生命の安全が脅かされる。看護師や他の患者が妄想の対象になっている場合には，その他者に暴力を振るったり，暴言を吐いたり，危険物を使用して被害を及ぼすなどの他害行為を行う場合もある。

　患者の生命の安全を確保するためには，病室や病棟内に，消毒液や消火器をはじめシャンプー，洗剤，タオルやベルトなどの日用品のなかで危険物になり得る物について置き場所を見直したり，確認したりして，できるだけ安全な環境を整備する。また，患者がカミソリ，鏡や必要以外の薬物などの危険物を所持していないかについて普段から注意している必要がある。行動制限が守られているか，施錠しているドアから飛び出そうとする様子はないかなどの観察が必要な場合もある。患者は無断離院によってだけではなく，医療スタッフの死角エリアにおいて自傷・自殺を企図している場合もあるため，患者の所在を確認する。

　患者の話に耳を傾けることも安全を保つ看護ケアとして重要となる。「ヤクザに狙われている。殺される」「ご飯に毒が入っているから食べられない」「ご飯を食べてはいけないとお母さんが命令する」「院長が死ねって言っている」などと生命に関する不安や危険を意味するようなことを訴えることがある。幻聴に支配されている患者は不安が強く，衝動が制御できずに自傷や自殺を企てたり，恐怖のあまり他者に暴力を振るうこともある。そのような幻聴や妄想に苦しんでいるときは，患者の表情や態度に注意し安全のための介入を行う。

　幻覚・妄想にとらわれている状況では，周囲への反応，独語の有無とその内容，同一姿勢や行動停止の様子などを観察する。患者の話に対して「それは幻聴だから」「妄想だから」と単に否定することは避け，幻覚・妄想によって日常生活に支障がないか，身体的に障害が生じていないか，治療や看護ケアによってどのような変化が生じているかを観察する。落ち着きがないときには，患者が経験している内的世界について問いかけ，その思いを受け止め共感することが効果的な場合がある。幻覚や妄想によって患者がどのような思いを抱いているのか聴いてみる。患者のこれまでの体験に関連している部分はないか，話を聞きながら質問してみて，その内容に対する患者の反応を観察する。話の内容が安全を脅かすのであれば，現実との折り合いをつけられるような認識に向けて話し合うなど，幻覚や妄想に伴うリスクに対処することも大切である。

　活発に幻聴が聞こえている場合や希死念慮が強い場合など安全を保つ能力が失われているときは，患者の言動・表情や様子について前日と比較しての変化や日内変動に気をつけ，些細な変化でも注意深く観察・記録する。そして，その情報を看護スタッフ間で，さらに

病棟内の医療チームメンバーと共有する。チームで対応していくことが危険の防止につながる。

　また，患者が身体的に疲労・衰弱している場合には，精神症状に対するケアだけではなく全身的な管理が重要となり，生命の安全を守ることになる。そのため精神科看護師には，精神科看護の専門的技術だけではなく，身体管理ができる看護技術も求められる。

3）安定期において安全を保つためのケア

　精神疾患の安定期になると，激しい衝動的行動はなくなり，自傷他害の危険生は低下する。しかし，抑うつ感に伴う希死念慮が消失したわけではないため，「死にたい」などと自殺をほのめかしていた患者については，引き続き注意が必要である。

　セルフケア能力が向上してくると，レクリエーション療法や作業療法などに参加する機会が増え，他者との交流の場が広がる。その際には，患者は自分で自分の安全を守るために，危険を予測したり，回避するための対処行動をとったり，意思を表したりすることができなければならない。看護師は，患者が「休みたい」「作業療法に行きたくない」「嫌だ」などという思いを抱いていると感じた場合には，患者にその思いを確認し，患者の意思を自分で伝えられるよう支援する。その際，一方的に言い方を助言するのではなく，患者が言いやすいような言い方を一緒に考えたり，その思いを伝えるときに傍に付き添ったりするとよい。患者が思いを言葉にできない場合には，看護師がアドボケート（代弁者・擁護者）として患者の思いを伝えることもある。その場に患者が同席した場合には，看護師は患者に対してロールモデルを示すことにもなる。

　この時期になると，退院後の生活を意識して，患者自身が自分の安全を守るための能力を向上させることが重要となる。患者自身が，精神状態の変化に気がつき，その原因となる出来事が理解できるように支援する。そのためには，患者が自分の日々の精神状態や体調に関心をもって，注意を払いながら日常生活を送ることが必要である。看護師は，患者が実践できる体調管理の方法を一緒に考え，実践できているときには患者を褒めて自己効力感を高め，自信をもってもらう。精神状態については，患者と一緒にリーフレットなどを作成して患者が理解しやすいように内容を工夫することなども有効である。また，社会生活スキルトレーニング（SST）や心理教育を活用することにより，精神状態の安寧を保つための対処方法を身につけることができる。

3 薬物療法を受けている患者の看護

　薬物療法に関しては，第Ⅴ章1「薬物療法」で詳述しており（p.234参照），ここでは安全を保つことに焦点を当てて述べる。

1）薬物を患者自身が取り扱うことの意義

　薬物療法は，精神症状を改善するためには不可欠な治療である。慢性的で完治することが少ない精神疾患と長く付き合っていくためには，患者自身が服薬を安全に管理できなければならない。薬物を自分自身で取り扱うということは，自分の生命の安全を自分で確保

することである。患者が安全に薬物療法を受けるためには，服薬することに伴い生じる様々な有害反応から自身を守れなくてはならない。そのための支援は看護師の重要な役割である。

2）薬物療法に伴う有害反応に対する看護

　従来型の抗精神病薬を長期に服用していると，身体の硬さ，動作の緩慢さ，手指の振戦など運動器に影響が現れやすい。また，抗精神病薬の服用により出現する錐体外路症状であるパーキンソニズムのように，運動機能に影響を与える神経性の副作用もみられる。特に，薬物療法を長く続けている場合や高齢の患者では，薬剤代謝機能の低下により，あるいは多剤併用大量処方により過鎮静，筋弛緩作用や注意力の低下による転倒・転落などの問題が起こりやすい。一方，新規抗精神病薬では糖尿病のリスクがある。これらを予防する看護が必要となる。

　抗精神病薬を服用している患者は，鎮静・鎮痛作用によって，疼痛の閾値が高くなっているため，痛みを自覚しにくい状態にあることが多い。そのため，痛みを訴えたときには身体症状が重症化している場合がある。精神障害者は，認知機能の障害，理解力の低下，時にはコミュニケーション能力の低下によって，自覚症状を訴えることができないことがある。したがって，看護師は，目に見える運動機能の低下以外にも，腸管の蠕動運動の抑制からくる便秘，あるいは口渇からくる病的多飲による低ナトリウム血症や低浸透圧血症など様々な副作用に関心を寄せ，積極的かつ意図的に情報収集しなければならない。そのためには，薬物の作用と副作用に関する知識を身につけるとともに，日常生活のなかで，患者がいつもと違うというわずかな変化も見逃さないよう注意深い観察が必要である。

　入院当初は，看護師が薬物を保管し，定時に与薬するという「看護師管理」が多いが，精神症状が安定し，セルフケア能力が向上してくると，少しずつ「患者管理」の割合が増える。その場合には，患者が適正に服薬していることを確認することが重要である。時には，患者は自殺の手段として大量の抗精神病薬を服用することがあることも忘れてはならない。

4 私物と金銭の取り扱い

　私物と金銭の取り扱いは，「活動と休息」として取り上げることができるが，様々なトラブルの原因になることもあるので，本書では「安全を保つための能力」で取り上げる。

1）私物と金銭を自身で取り扱うことの意義

　社会生活を送るなかで，私物や金銭を取り扱い，自己管理することは，必要不可欠な行為である。しかし，精神的問題を抱えていたり，精神症状を呈するようになると，管理能力が低下し，私物や金銭を取り扱うことができなくなる。

　私物や金銭は，基本的には患者が自己管理できることが望ましい。したがって，入院後，精神症状が安定した早期から，患者の今後を見据えた対応をする。そのためには，病棟内に金品を保管することができるような鍵付きのロッカーが，個々の患者のための設備として必

要である．また，私物や金銭は患者間のトラブルの原因になりやすいので，看護師は，常に患者のセルフケア能力についてアセスメントし，他の患者との私物や金銭に関連したトラブルが発生しないように，適宜支援していく必要がある．

　精神科においては，隔離や拘束などによって患者の行動が制限されている場合や，精神症状の悪化によって，セルフケア能力が低下したときなど，一時的に医療者が患者に代わって患者の私物や金銭を管理することがある．患者に制限の必要がなくなったときには，速やかに患者本人が管理できるようにする．

2）私物管理への支援

　入院時には，洗面用具や衣類，シャンプーやリンスなどの日用品が取りそろえられる．私物として患者が身の回りに置いているもののなかには，一見すると入院生活に必要ないと思われるものがあるが，患者にとっては思い入れの強いものであったり，大切にしているものであったりする．そのため，看護師の判断で必要がないと決めつけないように留意し，私物の許容範囲を患者と話し合い，必要時には指導していくようにする．入院生活にはある程度の規制が伴うが，花を飾ったり書物を並べたりといった行動から，患者の健康的な側面や個性をとらえることができる．

　看護師は，毎日の環境整備をとおして，私物の整理状況を観察しながら，患者の精神症状の変化だけではなく，患者の私物管理に関するセルフケア能力をも把握し，アセスメントに活かす．

　患者によっては，携帯電話やレコーダーの持ち込みを許可する場合がある．その場合には，他の患者への配慮ができているかどうかに注意しながら，病棟内の規則を守ることができるよう指導する．

3）私物に関するトラブルへの支援

　患者によっては，私物が増え，自分の床頭台やロッカーに入りきらない場合がある．私物が他の患者のスペースや共同のスペースまで侵すようになると，他の患者とのトラブルを引き起こす原因ともなる．入院時オリエンテーションで，あらかじめ必要な物品を具体的に提示し，私物が多くなりすぎないように説明をしておくとよい．また，多くなりすぎた私物は，患者や家族の理解を得たうえで持ち帰ってもらうようにする．

　時に，患者は自分の私物がなくなったと訴えることがある．理由は様々であるが，他の場所に置き忘れたり，家族に持ち帰ってもらったことを忘れていたり，他の患者が間違って持ち去ったことが考えられる．このような場面では，患者は不安や興奮といった感情を抱えていることが多いため，看護師は落ち着いた態度で接するように心がける．必要であれば，患者の了解を得て，一緒にベッド周囲や床頭台の中を探すことも効果的である．また，どのような物を持っていたのか，他の患者の私物が置かれていないかなど，日頃から患者の私物に関心を寄せ，ある程度把握しておくことも必要であろう．

　患者間での私物の貸し借りは，「貸した」「もらった」といったお互いの認識の違いや，患者間にできた上下関係などが絡み合い，トラブルを招きやすい．看護師は，私物の貸し借りはしないように説明をするとともに，日頃から患者の様子や患者同士の交友関係にも注意を

払っておく。また，トラブルが生じた場合には，介入して患者双方に事情を聞くとともに，私物の貸し借りはしないことを繰り返し指導していく。

4）金銭管理の支援

金銭管理は，小遣いから生活全般の範囲まで幅が広く，家計状態が直接反映する。患者が，収入に応じた適切な支出ができることが基本となる。しかし，困窮度が大きい場合には，原因を把握し対応策を考える必要がある。

金銭は，基本的には患者自身が管理する。しかし，精神科に入院している患者には，陰性症状や認知機能障害の影響によって，社会的機能が低下して金銭管理ができなくなっている人や，金銭を管理した経験がない人，管理能力はあっても長年の入院生活のなかで，看護師や家族に管理してもらうことに慣れてしまった人などがいる。金銭管理の経験がない人や他者に管理されることに慣れてしまった人については，少額の自己管理から始め，最初のうちは買い物に看護師が付き添い，必要時に助言する。お金を使いすぎてしまう人については，所持金の範囲で計画的に使っていけるよう，看護師が患者と一緒に1日に使える金額を設定し，徐々にお金の使い方に慣れていけるようにする。

5）金銭管理に関するトラブルへの支援

私物と同様，金銭に関してもトラブルが発生する。トラブルを未然に防ぐためにも，入院時に必要以上の多額の現金は持ち込まないように伝え，貴重品は家族に持ち帰ってもらうなど，患者や家族の理解と協力を得る。貴重品は鍵のかかるロッカーで管理し，患者には額の多少にかかわらず金銭の貸し借りはしないように指導する。

患者によっては，自己管理を行うことで不安や動揺が生じ，不穏状態となる場合もある。看護師は，患者の自己管理能力についてアセスメントを行い，適宜指導を行う。

5 火の始末と火災予防

近年、多くの病院では敷地内を全面禁煙としている。精神科病院でもその傾向にあり，病棟内を禁煙とする病院が増えている。しかし，精神障害者には喫煙者が多い。禁煙を厳しくすればするほど，隠れて喫煙する人も出てくるため，火災予防は，精神看護においては，重要な課題の一つである。

精神科病棟には閉鎖病棟があり，開放病棟であっても夜間閉鎖し，病棟の出入り口を施錠していることが多い。また，患者が保護室（隔離室）に収容されていたりするため，火災時に速やかに避難することが難しい場合がある。火災が発生した場合には，多くの患者は睡眠薬を内服しているため，覚醒せずに誘導が遅れてしまうこともある。さらに，身体拘束されている患者がいる場合には，その対応がさらに難しくなる。実際に，火災により患者が焼死した事件もあった。

夜間帯の巡回時に，火の始末を含めた確認を行うことはもちろんであるが，日頃から防火対策を整えておくことが重要となる。たとえば，病室内のカーテン・カーペット・寝具などは，不燃性・難燃性の素材を使用する，廊下や階段などの避難路に物を置かない，消火

器の位置や非常口などはわかりやすく表示するなど整備する。また、看護スタッフは、消火器や消火栓の場所と使用方法を熟知しておき、避難経路と避難方法を周知し、患者を含めた避難訓練を行うなどの体制を整えておく。

最も重要な防火対策は、喫煙に伴うライターやマッチの安全な使用方法と管理方法について、患者とともにルールを決め、それを守るように教育的かかわりを行うことである。喫煙者や以前に火災を起こした経験がある患者については、注意しながらかかわる。

6 社会で安全に生活を送るための支援

精神科の入院治療の目的は、患者が退院した後、地域での社会生活を維持できるようにすることである。看護師には、患者が入院してきたときから、その患者が退院し社会で安全に生活するためにはどのような能力が必要であり、どのような能力が不足しているかを見極めるアセスメント力が問われる。

患者は完治することが少ない精神疾患とこれからも長く付き合っていくことになる。そのためには、患者が退院し社会で生活していくに際し、自分の能力と限界を知り、支援してくれる人が誰であり、そのときに相談できる窓口はどこにあり、どのような対処方法があるかを考えて行動できるように自分自身の社会生活を管理していかなければならない。そのためにも、精神障害者と日々かかわることになる家族をはじめ、外来の看護師、主治医やデイケアのスタッフ、作業所などの福祉関係者、地域で精神障害者を支援する看護の専門家である訪問看護師や保健師、グループホームの世話人やヘルパーなどと、患者の状況やかかわりの方針などについて情報を共有し、多職種チームとして連携し共同していくことができるように調整するのも、精神科看護師の重要な役割である。

看護技術の実際

A 私物管理と安全

- ●目　　　的：被害妄想のある患者への援助を行う。
- ●事例紹介：Kさん、50代前半、女性、統合失調症。20代前半より入退院を繰り返している。今回は、不安が強く本人の希望で入院となった。お金が盗まれたという思い込みにとらわれ、安心して日常生活を送ることができない。患者の安全を阻害する要因を理解し、安全の欲求を満たすためのかかわりが求められる。
- ●場　　　面：部屋の入り口付近で、不安な表情でそわそわしている。

	患者の言動	対応技術と根拠
1	部屋から出ようとせず、入口付近でうろうろしている	「Kさん、これからカラオケが始まりますよ」（→❶） ❶穏やかに話しかける
2	声をかけられ困っている	「どうかしましたか」（→❷） ❷心配している態度を示す

	患者の言動	対応技術と根拠
3	「あ…いえ…」 不安そうにしている	「どこか，体調が悪いのですか？」（➡❸） ❸相手のペースに合わせながら声をかける
4	表情が硬く，黙ったまま不安そうにしている	「どうしたんですか」（➡❹） ❹患者によっては，自分の気持ちを他者に訴えることを躊躇する場合もある
5	「お金を盗まれて…」	「お金がないのですか？」（➡❺） ❺相手に関心を寄せている態度を示しながら，反応を待つ（相手のペースに合わせる）
6	「はい…」思いつめた表情をする	「Kさんは，困っているんですね」（➡❻） ❻患者が自分の気持を伝えられるように最初はクローズドクエスチョンで聞く
7	「はい」 「お金を払わないと殺されるかもしれないし」緊張した表情をする	「何があったのか，よろしければ話してください」（➡❼） ❼患者が自分の言葉で伝えられるようにオープンクエスチョンで聞く
8	「…」	「…」（➡❽❾） ❽相手のペースに合わせる ❾沈黙を活用しながら傾聴の姿勢を示す
9	「お金が盗まれたんです…」	「どうしてそう思うのですか」（➡❿） ❿患者の考えを否定せず，患者が自分の言葉で気持ちを言語化できるようにかかわる
10	「お財布の中に入れておいたお金がないんです」	「入れていたお金がないんですね」（➡⓫） ⓫「盗まれた」には触れず，患者の気持ちを理解し受容する
11	「お金を払わないと危ない目にあわすぞって言われて…」	「そうだったんですね。それは，落ち着いていられませんね」（➡⓬） ⓬「盗まれた」から会話内容がそれても，患者の気持ちを理解し受容する
12	「どうしよう…」	「Kさんは何にお金を払わないといけないのですか？」（➡⓭） ⓭患者の気持ちを受け止め，対応策を一緒に考えることで不安を軽減させる
13	「…」 「カラオケとか…」	「カラオケにお金を払わないといけないのか，一緒に確認してみましょうか？」（➡⓮） ⓮患者の気持ちを受け止め，対応策を一緒に考えることで不安を軽減させる
14	「でも，高かったら払えないし」	「一緒に確認をして，高かったらカラオケをやめるのはどうですか？」（➡⓯） ⓯お金を払わないといけない，という患者の考えを訂正するのではなく，対処行動に焦点を当てる
15	「やめてもいいのかな」 「いつも，同じ人が担当だからわかるかもしれない」	「大丈夫ですよ」患者と一緒に作業療法士のところに行き，Kさんが確認するのを見守る（➡⓰⓱） ⓰現実と折り合いをつけられるような行動に向けて声をかける ⓱患者が自分のペースで行動できるように見守る

	患者の言動	対応技術と根拠
16	「入院費用に含まれるから，お金はいらないって」と少し落ち着いた	「安心しましたね。確認できてよかったですね」（→⑱） ⑱患者の対処行動が成功した際には，できたことに対して評価し賞賛する
17	「でも，お金が盗まれた…」	「どうしてそのように思うのですか」（→⑲） ⑲「盗まれた」には触れず，患者の気持ちを理解し受容する
18	「わからないうちにお金がなくなっていくんです」	「そうだったんですね」（→⑳） ⑳患者が自分の気持ちを看護師に打ち明けやすくなるような声かけをする
19	「どうしよう…」	「わからなくならないように，メモを書いてお財布に入れておくのはどうですか？」（→㉑） ㉑対処行動を一緒に考えることを提案することで気持ちを前向きに誘導する
20	「大丈夫かもね」柔らかい表情で答えた	「Kさん，安心できましたね」（→㉒） ㉒安心できたことを患者にフィードバックし，患者の自信につながるようにかかわる

文　献

1) オレム DE著，小野寺杜紀訳：オレム看護論－看護実践における基本的概念，第4版，医学書院，2005.
2) 南裕子・稲岡文昭監，粕田孝行編：セルフケア概念と看護実践－Dr. P. R. Underwoodの視点から，へるす出版，1997.
3) 阿保順子：精神科看護の方法－患者理解と実践の手がかり，医学書院，1996.
4) 川野雅資：精神科臨床看護技術の展開，中央法規，2009.
5) 坂田三允・他：救急・急性期Ⅰ　統合失調症〈精神看護エクスペール6〉，中山書店，2009.
6) 坂田三允・他：精神看護と関連技法〈精神看護エクスペール13〉，中山書店，2005.
7) 坂田三允・他：患者の安全を守る看護技術〈精神看護エクスペール19〉，中山書店，2006.
8) 川野雅資：精神科Ⅰ〈新看護観察のキーポイントシリーズ〉，中央法規，2011.
9) 川野雅資：精神科Ⅱ〈新看護観察のキーポイントシリーズ〉，中央法規，2011.
10) 坂田三允：心を病む人の看護〈シリーズ　生活をささえる看護〉，中央法規，2018.
11) 水野雅文・藤井千代・佐久間啓・村上雅昭編：リカバリーのためのワークブック－回復を目指す精神科サポートガイド，中央法規，2018.

第Ⅳ章 症状マネジメント

1 興奮と暴力

学習目標
- 興奮や暴力を引き起こす要因を患者・環境・医療者側の視点で理解する。
- 興奮を伴う主な疾患と症状を理解しアセスメントできる。
- 興奮状態にある患者に対する看護援助の方法を理解する。
- 暴力の発生要因と介入について理解する。
- シミュレーション演習「躁状態における興奮時の援助」ができる。

1 興奮症状の特徴

1）興奮状態とは

　興奮は急激に感情が高ぶり，抑えられなくなることをいう。精神医学では，このことを精神運動興奮とよぶ。精神運動興奮は，認知（物事の見方や考え方）と行動および生理学的変化（血圧の上昇や脈拍数の増加，筋肉の緊張など）として現れる。何らかの刺激によって不快な感情（驚き，怒り，恐怖，嫌悪など）が起こると，自律神経系の交感神経が優位に働き，全身が緊張状態を呈する。また，激高する感情表現は言葉のみならず行動にも現れ，激しく統制できない運動が過剰に現れる。

　興奮状態で最も注意する点は，考えや観念が次々とつながってまとまりを欠き（思考の混乱），激しく高ぶる感情を自分では抑えられなくなるために，周囲の状況を冷静に判断する力を失ってしまうことである。衝動的な行動や暴力・暴言は，周囲には脅威となり，患者自身や他者に危害を及ぼす可能性がある。患者が被害的内容の幻覚や妄想に苦しんでいる場合や看護師の誤った対応によって興奮が助長される場合もある。

　精神運動興奮に関連する主な精神疾患には，気分障害（躁病性興奮）と統合失調症の緊張型（緊張病性興奮）があげられる。その他には，せん妄や認知症にみられる攻撃性や暴力がある。

2）興奮状態を引き起こす主な疾患と特徴

(1) 気分障害（躁病性興奮）

　躁病性興奮は，双極性障害の躁状態にみられる精神運動興奮である。躁状態にある患者の特徴は，爽快で気が大きくなり（爽快気分），すばやく様々な考えや観念を連鎖的に思いつき（思考の促進），何らかの行動をせずにはおれない（意欲の亢進）状態であるが，程度を超えると些細なことが刺激となり（易刺激性），次第に攻撃性や腹立たしさ（易怒性）へと変化していく。患者は，自分が知的能力に優れ，体力的にも疲れを知らず，実行力にも

富んでいるという万能感をもっている。周囲がうっかり注意を与えようものなら，猛烈な攻撃を浴びることになる。しかし，興奮が強くても周囲との情緒的つながりは保たれているのが躁病性興奮の特徴である。以下に特徴的な症状をあげる。

①感情面

感情は高揚し，自己の能力を過大評価し自信に満ちているため，休みなくしゃべり続けたり（多弁），落ち着きなく動き回る（多動）といった状態になる。このような状態を論理的に制しようとすると鋭い反撃を受け，激高する感情を逆なでしかえって興奮を助長することになる。

②思考面

躁状態の思考障害の特徴は思路の障害である。思路とは，考えの道筋が大きく脱線することなく，論理的につながって目的地点にたどり着く思考の過程である。観念奔逸は，考えがよどみなく次々と浮かび，目的地にたどり着けない状態である。注意や関心も次々と変わるため一つのことに集中できない（注意散漫）。また，自分が誰よりも立派であると感じるため尊大で，"誰にもできない発明をした"などといった誇大妄想に発展することもある。このような思考は周囲の人と軋轢を生じやすく，否定すると興奮を引き起こす可能性がある。

③意欲・行動面

躁状態では，意欲が病的に亢進する。患者は次々に湧き上がる意欲によって行為や話題がめまぐるしく変化していく。行為の目標が短時間で次々に移り変わっていく（転導性の亢進）ために一つの行為を完成させることが困難となる。

(2) 統合失調症（緊張病性興奮）

緊張病性興奮は，緊張型の統合失調症においてみられ，意味の読み取れない，周囲の状況にふさわしくない奇異な行動が唐突に現れる。なかには，興奮と昏迷（意識障害はないにもかかわらず，まったく自発的行動がとれない）が交替で現れることがある。緊張病性興奮では，急に走り回ったり，奇異な声を出したりするなど突発的な行動がみられ，幻覚・妄想体験による不安や緊張を伴っている場合がある。

①感情面

緊張病性興奮の状態にある患者は，感じたことをなめらかに表現できず，表情は硬く冷たい。また，思考や知覚は幻覚や妄想といった病的体験に支配され，不安感や恐怖心，警戒心のような他者と鋭く一線を隔てるといった情緒の不安定さが認められる。

②思考面

統合失調症患者には様々な程度の思考障害がみられる。連合弛緩では思考を構成する観念と観念の結びつきが弱く，思考のまとまりを欠く。緊張病性興奮では，発言がほとんど聞かれず，思考内容を表出することもめったにないが，妄想知覚，作為体験，幻覚などに伴う興奮が生じる場合がある。

③意欲・行動面

緊張病性興奮は，緊張病症候群（欲動をその場にふさわしく調整する力が欠けた状態）の一つの症状であり，興奮と昏迷が核となる。患者は，急激に大声で叫んだり，動き回ったりするが，その行動は周囲の状況と関連性がなく，他者には了解不能で奇異な行動とし

てとらえられる。患者はきわめて混乱しており，激しい興奮や暴力，衝動的行為によって自傷・他害行為に至る場合がある。また，激しい興奮から昏迷状態になる場合があり，自発的行動がまったくみられなくなる。

(3) せん妄性興奮

せん妄は軽い意識障害のうえに，錯覚や幻覚が加わるもので精神科に限らずあらゆる医療の現場でみられ，特に高齢者に多い（第Ⅳ章4「せん妄」p.192参照）。

アセスメント

1）躁病性興奮

気分の高揚や思考の障害の程度から，生活上の逸脱行為・迷惑行為が生じていないかに注目して以下を観察する。
- 機嫌の変化（気分高揚，爽快感，万能感，易刺激性，易怒性，攻撃性）。
- 落ち着きのなさ（多弁，多動）。
- 転導性に伴う注意力，集中力の低下（注意散漫，観念奔逸，行為心迫）。
- 誇大的，楽観的な自己の過大評価（誇大妄想，発明妄想，血統妄想，宗教妄想など）。
- 逸脱した行動（無謀運転，無分別な浪費・投資・通信・訪問・飲酒，性的逸脱）。
- 奇抜で派手な身だしなみ（衣服，化粧，髪型，装飾品）。
- 他者に対する過干渉，無遠慮，威嚇，攻撃，暴力行為，非協調的・反発的な態度。

2）緊張病性興奮

強い不安や恐怖，全身の筋緊張から，自傷・他害または昏迷状態に至らないかに注目して以下を観察する。
- 硬い表情や筋緊張（強い不安，緊張，恐怖心，警戒心，興奮，昏迷）。
- 不安定あるいは不適切な情動反応。
- 自我意識（能動性，単一性，同一性，境界性）障害の有無。
- 被害的な内容の幻覚・妄想（関係妄想，被毒妄想など）。
- 一つひとつの関連性がなく，まとまりのない思考（連合弛緩，滅裂思考）。
- 無意味で，無目的に見える奇異な行動。
- 暴力あるいは破壊的な行為（自傷・他害行為，自殺，器物破損）。
- 刺激に対する過剰な反応。

3）せん妄性興奮

身体侵襲の程度や意識の回復の程度，環境への適応状態に注目して以下を観察する。
- 原因となる身体疾患の観察（バイタルサイン，神経学的診察，検査データなど）。
- 軽度から中等度の意識混濁。
- 症状の急激な出現（ICUせん妄：ICUに搬送後2～3日間の意識鮮明時期を経た後に興奮が出現し，一般病棟に転室する時期には消退する。術後せん妄：手術後に麻酔からの覚醒を確認した後に急激に現れる興奮。夜間せん妄：日内変動を伴い昼間は穏やかで現実

的な会話がとれているにもかかわらず，夜間は急激な興奮状態になる。夜間せん妄はしばしば高齢者にみられる）。
- 認知の変化（見当識障害：時間や場所，人物などに関する認識が低下する。即時・短期記憶障害：最近起こった出来事が思い出せない）。
- 睡眠-覚醒リズムの障害（概日リズムが崩れ，昼夜逆転の睡眠パターンになることが多い）。

3 援助方法

1）興奮の原因と程度を観察し，患者の置かれている状況や周囲への影響を査定する

興奮は，気分障害や統合失調症，またその他に脳の器質的な障害やクリティカルケアの現場からも引き起こされる。そのため，興奮状態の患者がいる場合，何によって興奮がもたらされているのかを環境要因・個人要因・スタッフ要因[1)][2)]からアセスメントし理解することは有用である。特に躁病性興奮と緊張病性興奮の精神機能の違いに着目し，患者の言動，他者との交流や態度，意欲の程度や活動の範囲などを把握し，患者はもちろん周囲の人々が不利益を被らないかを査定する必要がある。

2）興奮を助長させない

①過剰な刺激を与えて興奮を煽らない

躁病性興奮状態にある患者は，自分に対して過大評価し尊大な感情（自我感情が亢進）をもっている。そのため，些細なことが気になり，腹立たしい気持ちになって他者を攻撃することがある。このとき，攻撃を向けられた看護師にも，怒りや恐怖といった感情が湧いてくる。看護師が患者に対して批判的になって，説得や議論をすると患者の興奮はさらにエスカレートすることになる。看護師は，興奮を煽る言動を慎み，人間関係などの刺激を調整し，なぜ患者が興奮しているのかを理解することが重要である。緊張病性興奮では，患者のなかにある怯えや恐怖，病的体験世界があり周囲から自分を守ろうとしていることを理解しようとする姿勢が重要である。急激な接近を避け，保護的な見守りを続けながら，病棟全体が「恐怖を感じさせない」「安心感がある」環境になることが必要である。

②安全で安心できる場を提供する

激しい興奮や暴力がみられる場合，特に緊張病性興奮で思考の混乱が著しく自傷・他害の危険が切迫している状況では，速やかに個室や保護室（隔離室）を使用して安全を確保する。これは行動制限にあたり，指定医の指示が必要であり，心理的副作用や信頼関係への阻害要因となりうる。さらに，患者の人権や尊厳にかかわることを忘れてはならない。また，薬物療法を効果的に行うことなどにより，身体拘束といった最も厳しい行動制限を避けることができないかどうかを十分検討する。薬物療法で対処可能な場合は，興奮時に使用可能な薬剤を適切に選択し投与する。攻撃や暴力を適切にケアするためには，CVPPP（Comprehensive Violence Prevention and Protection Program：包括的暴力防止プログラム）の活用やディエスカレーションも有効である。いずれも，攻撃や暴力への対抗措置と

いうことではなく，患者を中心とした主体性・自律性を尊重した取り組みといえる。
③**心理的距離に配慮しながら関係性を構築する**
　精神運動興奮状態にある患者は，しばしば周囲を驚かす。特に緊張病性興奮は，他者には了解不能で奇異な行動ととらえられる。そのため，患者自身がどれだけ周囲と関係性を築けるかが重要である。すなわち，患者が安心と信頼を寄せることを可能にする「つかず離れず」の対人関係スキルが看護師に求められる。

3）セルフケア不足を補う
　興奮状態にある患者は，生活全般にわたってセルフケア行動（食事，排泄，清潔，睡眠，活動と休息，対人関係，服薬など）の過不足が生じる。思考の混乱が著しい場合は，簡潔な言葉で，ケアの方向性を示し指示的にかかわる。心地よい睡眠や十分な栄養などのセルフケア行動を丁寧に支援することをとおして患者に安心感が育まれることを理解しておく。

4）感情の表出を助ける
　患者は不安や不満，怒りなどの感情を言葉にできず，興奮というかたちで表現する場合がある。行動の背景には患者なりの理由があることを理解する。患者の感情を受け取るためには，1対1の面接はもちろんのこと，病棟のコミュニティミーティングをとおして安心して語れる仲間や風土が必要である。

暴力とその要因

1）暴力とは
　医療の現場での暴力には，"殴る，蹴る，ひっかく"といった身体的暴力，"侮辱や暴言，罵声，中傷や脅迫"といった言語的暴力，そして"胸に触る，抱きつく，性交渉を求める，わいせつな発言"といった性的暴力が挙げられる[3]。いずれも，被害者，加害者，目撃者への心身への影響をもたらす。しかし，被害を受けた看護師が，傷ついた体験を言葉にすることは容易ではない。なぜなら，被害を受けた悔しさや怒りばかりが沸き起こるのではなく，患者を怒らせたのは自分のせいであり，自分が未熟だからといった自責感や恥の意識が生まれるからである。看護師の職業倫理として，病んで苦しんでいる患者を助け，癒しを与えることを第一義とするなら，患者の暴力や暴言に対して怒りの感情をもつことは看護師として適切ではなく，むしろあるまじきこととらえやすいのである[4]。そのため，患者が引き起こす問題を解決するための対処行動だけに目を向けるのではなく，傷ついた被害者（看護師）の感情を受け止める組織の風土や個人にのみ責任を負わせない安全管理やメンタルヘルス対策が求められる。そして，医療者は当事者が省察とセルフマネジメントできるようにエンパワーメントすることが必要である。

2）暴力が生じる要因
(1) 患者側の要因
　暴力が生じる患者側の要因として，精神症状の急性増悪が考えられる。精神運動興奮を

引き起こす脳の神経伝達物質（ドーパミン，ノルエピネフリン，アセチルコリンとアミノ酸γ-アミノブチル酸）の活性化が攻撃性に関連しているといわれている。また，共依存の関係にある者は，被虐待者の離脱を怖れ，暴力と慰めをもって引き留めようとする病理もみられる。よって，小児期逆境体験のある者や嗜癖，パーソナリティ障害，知的障害による衝動性なども患者自身の抱える内的要因として理解しておく。

(2) 治療環境による要因

治療環境がもたらす暴力は，厳しい行動制限を強いられている環境下で生じる。隔離・拘束といった心的外傷となり得る制限や医療者の圧倒的なパワーと医学的知識で制された場合，患者の抑圧された感情が暴力となって現れる場合がある。特に不当な仕打ちを受けていると思わせるような厳しい行動制限は，治療的といえない。精神科医療では，治療・保護のために非自発的な入院形態がある（措置入院・医療保護入院など）。また，患者の意思による任意入院でさえ，集団生活のためのルールや制限はいたるところに存在する。このような物理的・心理的な強制治療や制限が患者の怒りやフラストレーションを生む場合がある。精神科入院医療においては，安全と安楽が天秤状態となり，安全を優先する厳しい環境では，患者は常に緊張状態を強いられ安楽ではない環境となる。

(3) 医療者側の要因

患者とかかわる医療者が引き金となる暴力がある。患者のパーソナルスペースに無闇に入り込み，聖域を侵すような医療者の言動が，暴力を煽る場合がある。また，患者の自尊感情やプライドを傷つける言動や医療者の不適切なコミュニケーション，隔離・拘束を含めた強制的な介入があげられる。特に精神科救急・急性期においては重度の認知機能障害や情動の制御が難しい患者に対して，隔離や身体拘束，薬物投与が最善とみなされる場合がある。しかし，パターナリスティックな治療介入は，後々の治療者または看護師と患者の信頼関係に影響を与えたり，患者のセルフマネジメント能力の獲得を阻む結果を生みやすい。よって，医療者自身の言動を振り返り，言語的・非言語的コミュニケーション技術を駆使し，強制的な介入を極力避けながら，患者と対話していくことが求められる。

3）感情と暴力

暴力の背景にある感情に目を向けると無風地帯（何らかの対人関係のない状態）での暴力は起こり得ない。ラザルス（Lazarus RS）[5]は特定の感情の生起に認知が関与しているという。攻撃性は，欲求不満に基づき，自分に危害を加えるもしくは不当な仕打ちを受けたと認知したときに怒りや暴力となって現れる。そのため，上述した疾患や興奮が起こりやすい医学的特徴や生理的理由が見当たらない場合でも暴力は起こる。

怒りは，防衛の感情である[6]。攻撃を受けた・脅かされた・蔑ろにされたと感じたとき，怒りの感情が発動する。人間は，この怒りの感情を理性によってコントロールする。しかし，なかったことにしたり感じないようにしたりするのではなく，怒りの感情が生じることは自然なこととしてとらえることが重要である。なぜなら，自分を守る（防衛の）ための怒りなので，その怒りの意味を知ることが必要なのである。

愛着形成と情動調整も感情表出や暴力に影響することがある。乳幼児期の愛着形成が不安定であれば感情調節は非適応的なものとなる[7,8]。すなわち，何らかの小児期逆境体験を

経験した子どもは、感情の調整がうまくできない。患者が不適切な感情表出をするとき、患者の生活史や小児期逆境体験やアタッチメントの形成にまで目を向けることが必要である。

4）訪問看護におけるケアと暴力

　2019年全国訪問看護事業協会は、本邦初の大規模調査（2,024部/回収率36.3％）を実施し、訪問看護師が利用者・家族から受ける暴力の実態を明らかにしている[9]。過去1年間に利用者から受けた身体的暴力は、20％（393人）、家族からの身体的暴力は1.7％（32人）、さらに利用者から受けた精神的暴力は、25.5％（494人）、家族から受けた精神的暴力は18.4％（364人）であり、身体的暴力を上回る結果を示した。このような状況から、訪問看護ステーションなどの事業所では、暴力などの対策や体制整備を進めており、暴力などのリスクが高い場合の複数での訪問や暴力などの被害を受けた職員に対する管理者の面談体制をとっていると7割以上の事業所が回答している。このように、病院か地域かの場の違いによっても、暴力に対するリスク管理は異なってくる。たとえば、個人宅を訪問する際、予定した時間や約束を守ることは重要である。予約や方針の変更は、患者を混乱させたり、怒りの感情の引き金になるため、遅れることを連絡するなど見通しが立つようにかかわることは有効である。また、初めての訪問宅や情報が少ない場合は、リスクアセスメントする時間のゆとりをもっておくとよい。退室しやすいドアの近くや人目につく場所などに身を置き、危険な状況を察知すれば、その場を立ち去る準備をすることも考慮しておく[10]。また、華美な服装や挑発は避け、興奮させないようにする。イヤリングやネックレス、聴診器やネームカードの紐なども時として危険物になる場合がある。これらの状況を回避するために、組織的な取り組みが求められ、ペアまたはバディの体制をとること、訪問スタッフは暴力の予防に向けた十分なトレーニングを受けていること、利用者を苛立たせる態度や特徴についての自己点検や情報の共有、報告体制を整えておくことが重要である。

5）攻撃・暴力への介入

　攻撃や暴力に対しては、発生要因をコントロールすることを第一とし、暴力の発生兆候を知ったうえで、予測や予見をすることが重要である。しかし、予測できないまま突発的・衝動的に暴力が発生したりすることもあり、そのような場合、適切に対応していく必要がある。いくつかの介入を示す。

(1) 心理的介入

　心理的介入としてディエスカレーション[10][11][12]がある。ディエスカレーションとは、対立的な方法によらない共感の連鎖によって、潜在的な暴力的・攻撃的できごとを解消することと定義される[10]。発生要因にもあげた周囲の環境の管理や挑発的な態度や振る舞いを避けること、相手のパーソナルスペースの尊重と自分自身が安全なポジションを保つこと、穏やかではっきりと、短く、具体的な言語的コミュニケーションスキルを用いることなどがあげられる。また、衝動性・攻撃性への対拠法としてタイムアウトと限界設定がある。隔離や身体拘束の代替として、自室や刺激の少ない施錠のない空間を一定の時間使用し、興奮をしずめ、回復や休息、静穏化を促進する方法である。さらに、ポジションパワーの

活用としてトレーニングを積んだ複数のスタッフでかかわったり，観察とかかわりのレベルを密にする。

(2) 薬物療法

患者の協力が得られるかどうかの判断のもとに静穏化のための薬物療法を展開する。

(3) 身体的介入

看護師自身の護身のためのブレイクアウェイ（予測困難な突発的攻撃を受けた際，相手にダメージを与えず1人で離脱するテクニック），最終的な方法として徒手拘束などがある。

6）暴力を被った人へのケア

暴力を直接被った人または目撃者は，心的外傷体験として，後々まで心身に影響するトラウマ反応を呈し，適切な治療やケアを受けなければ社会生活に支障がでるおそれがある。そのため，トラウマインフォームドケア[12]（trauma-informed care：TIC，p.322参照）では，トラウマに注目した介入を組織的に展開する。精神疾患を有する人のトラウマ体験やトラウマと脳の発達との関連性，トラウマが個人に及ぼす影響をアセスメントし，スタッフと当事者の双方に身体的・心理的・感情的な安全と安心を確保した介入を行う。

シミュレーション演習「躁状態における興奮時の援助」

1）到達目標

(1) 一般目標

躁状態における興奮について，気分が変化しやすいことを考慮に入れて，予測的に対応する方法を理解する。

(2) 行動目標

①上機嫌から，興奮状態に変化する可能性を予測し，慎重に応答する。
②怒りの表出に，心理的および物理的距離をおいて，安全を確保する。
③興奮が短時間で鎮まる可能性を予測し，慌てず落ち着いて応答する。

2）学生提示課題

（病室に立っていてください。そうすると○○さんが話しかけてくる）。○○さん（可能であれば姓も名も仮名を用いる），50代の男性，双極性障害の診断で入院し治療を開始したが，まだ躁状態が落ち着いておらず，誰彼となく話しかけている。あなたの受け持ち患者ではないが，そばを通りかかったら，上機嫌であれこれ話しかけてきて，避けることができそうにない状況にある。指導者はあなたが受け持つ予定の患者のところへ行って，もう少しで戻ってくる。指導者が戻るまで，○○さんに対する適切な対応をしてください。──シミュレーション時間は7分です。

3）患者役状況設定（患者役への演技上の指示）

○○さんは，50代の男性で会社のサラリーマン。新規プロジェクトの担当になり張り切っ

て仕事をしていたが，徐々に空回りするようになり，同僚や上司と意見が衝突すると一方的に自分の考えで行動するようになった。周りへの影響が大きく，職場の上司の強い勧めで病院を受診し，双極性障害の診断で入院した。入院直前には，短時間睡眠で夜も活動し，浪費も目立つようになっていた。

入院後もじっとしていることができず，誰彼となく話しかけている。周りの患者は迷惑そうだが，本人はお構いなしに声をかけては，思いつくままに話をしている。そこへ看護学生が実習にやって来て，（実習指導者がその場を離れたので）一人でぽつんと立っている。ちょうどよい話し相手を見つけた。

［ここから演技］上機嫌で，最初に学生の名前を聞き，次に，勉強，実習，私生活などを思いつくままに質問する。そして，徐々に説教口調になる。やがて発言内容は職場での自慢話に移り，話が大きくなる。しばらくして，学生の携帯の電話番号を質問する。学生は理由を言って教えない。すると，急に不機嫌になり，「俺を信用できないのか」「ごめんですめば警察はいらない」と興奮する。

しかし間もなく，「そういえば，"ごめんで済めば警察はいらない"というセリフを久しぶりに使った」と面白そうに言い，急に上機嫌になる。

〈学生への対応の基本的な順序〉

① 「君，看護学生？」と馴れ馴れしく話しかけ，返事も待たずに「名前はなんて言うの？」と聞く。

② 「実習に来たんだよね」「これまでどこの実習をしてきたの？」「実習中は，授業がないから勉強しなくてよくて楽でしょう」「彼氏いるの？」などと機嫌よく話をする（話の内容は何でもよい。次々と話すのが大切）。

③ 「ここの実習は話をしていればよいから楽なようにみえるけど，話し方も勉強しないと良い仕事にならないよ」「一日何時間勉強するの？」「しっかりした成果を上げるには食生活が基本だから，三食をきちんと食べることだね」「体力つけて寝る暇も惜しんで勉強するんだ」（ここも次々と話すのが大切で，学生の発言に対しては応答してもしなくてもかまわない）

④ 「私は寝る暇も惜しんで働いたおかげで，会社の新規プロジェクトを任されたんだ」「そのプロジェクトは，会社にとって極めて重要で，職場の存亡が私の肩にかかっているんだ」（自慢話であることと，話が大きくなることがここの要点）

⑤ 「ところで君の携帯の番号は何番？　教えてよ」

⑥ 学生は，患者の要求に応じません。学校の番号を教えたり，自分の番号は教えてはいけないと指導されていると言ったりする。

⑦ 「俺を信用できないのか」「患者が困ったときに連絡もできなくても平気なのか」「もうわかった。こんな冷たい学生が実習している病院に入院していられない」「主治医を呼んで来い」「お前は何考えているんだ」「ごめんですめば警察はいらない」と興奮する。

⑧ 間もなく，「そういえば，"ごめんですめば警察はいらない"というセリフを久しぶりに使った」「いやあ，懐かしい」「君，聞いたことあるか？」「わっかるかなぁ，わかんねえだろうなぁ」「おっとと，これも昔のセリフだ」と急に上機嫌になる。

文献

1) Nijman H：A model of aggression in psychiatric hospitals. Acta Psychiatrica Scandinavia. 106〈Suppl.412〉：142-143．2002．
2) 一般社団法人日本こころの安全とケア学会監修，下里誠二編著：最新CVPPPトレーニングマニュアル―医療職者による包括的暴力防止プログラムの理論と実践，中央法規，2020，p.34-49．
3) 鈴木啓子・吉浜文洋：暴力事故防止ケア―患者・看護者の安全を守るために，精神看護出版，2005，p.22-32．
4) 水谷英夫：感情労働と法，信山社，2012，p.122-145．
5) ラザルス RS・フォルクマン S著，本明寛・春木豊・織田正美監訳：ストレスの心理学「認知的評価と対処の研究」，実務教育出版，2007，p.273．
6) 田辺有理子：ナースのアンガーマネジメント―怒りに支配されない自分をつくる7つの視点，メヂカルフレンド社，2020，p.32．
7) 奥山眞紀子・三村將編：情動とトラウマ，朝倉書店，2017，p.51-57．
8) 飯田順三編，春木豊著：子どもの発達と行動―脳と心のプライマリケア，シナジー，2010，p.218-244．
9) 全国訪問看護事業協会：訪問看護師が利用者・家族から受ける暴力に関する調査研究事業報告書，2019，p.1-40．
10) Linsley P著，池田明子・出口禎子監訳：医療現場の暴力と攻撃性に向き合う―考え方から対処まで，医学書院，2010，p.82-170．
11) 蛯原樹恵：精神科看護師が行う入院治療におけるディエスカレーションの概念分析，聖路加看護学会誌，21(1)：5-10，2017．
12) 日本精神科救急学会監修，杉山直也・藤田潔編：精神科救急医療ガイドライン2022版，春恒社，2022，p.84-109．

2 気分障害

学習目標
- 気分障害（うつ病と双極性障害）に関する基礎知識を理解する。
- うつ状態と躁状態にみられる典型的な症状について理解する。
- 気分障害の治療と経過および予後について理解する。
- うつ状態と躁状態を抱える患者へのセルフケア不足について考えることができる。
- うつ状態と躁状態を抱える患者への援助方法を理解する。
- シミュレーション演習「産後うつ病の女性への援助」ができる。

1 症状の特徴

　気分障害とは，文字どおり気分が沈んだり，ハイになったりするように気分のコントロールができず，日常生活に支障をきたす病気の総称である。以前は感情障害とよばれていたが，泣いたり笑ったりする"感情"の病気というよりも，もっと長く続く身体全体の調子の病気という意味で，気分障害とよぶようになった。

　気分障害には，大きく分けて2つの病気がある。1つは単極性うつ病（うつ病），もう1つが双極性障害（躁うつ病）である。他に非定型うつ病もあるが，本書では取り扱わない。

　人は誰でも，生活のなかの様々な出来事をきっかけに，気持ちが落ち込んだり憂うつな気分になったりすることがある。しかし，このような気持ちの落ち込みや憂うつな気分は，原因が解決したり，あるいは解決しなくても，気分転換をしたり，時間が過ぎることで，自然に回復する。いわゆる，健康な私たちの普通の反応である。ところが，原因が解決しても気分が回復せず，強い憂うつ感が長く続いて普段どおりの生活を送るのが難しくなったり，思い当たる原因がないのにそのような状態になるのがうつ病であり，そのようなうつ状態で落ち込んだり，気分が高まる躁状態を繰り返すのが双極性障害である。

1）気分障害に分類される疾患
（1）うつ病

　悲しいことがあったり，大きな失敗をしたときなどは，誰でも食欲がなくなったり眠れなくなるが，うつ病はこれがひどくなって，そのまま治らなくなってしまった状態である。「一日中続き，どんなにいいことがあっても改善しないような嫌な気分（抑うつ気分）」または「それまで興味のもてたどんなことにも興味がなくなった状態（興味喪失）」のうちの少なくともどちらかがあって，5つ以上の症状が2週間以上続いたときに，うつ病と診断される。

　一生のうち，うつ病にかかる確率は約15人に1人といわれている。女性に多く，男性の

約2倍である（女性10〜25％，男性5〜12％）。女性は妊娠，出産など女性ホルモンが大きく変化するライフイベントがあり，また，家庭，職場において，男性と比べると，ストレスがたまりやすいことが起こりやすいことが考えられる。このように考えると，決して特別な病気でないことがわかる。

うつ病が起こりやすい性格として，几帳面，限界まで頑張ってしまうなどの真面目な性格と，社交的な反面，気が弱いところもある性格がある。この性格をもつ人すべてが，必ずうつ病になることではないことを注意されたい。

うつ病の主たる原因はストレスである。ストレスにさらされると，副腎皮質ホルモン（ストレスに立ち向かうホルモン）が分泌されるが，健康な状態ではフィードバック機構が働いて次第にストレス反応が止まる。しかし，うつ病になるとこれが止まらなくなってしまう。強い持続的なストレスにさらされたら，ほとんどの人がうつ病になりうると考えられるが，ストレスに対する弱さには個人差もある。また，レジリエンスによりストレスという逆境に耐え，やがて立ち直る能力を本来的に有している人もいる。ストレスに対する弱さは，生まれ育った環境などによって決まるといわれている。遺伝的体質や生育環境などがストレスによるうつ病への罹りやすさに影響し，ストレスが加わることによって発症すると考えられる。ストレスによって，脳の一部では神経細胞同士のつながりが低下し，一部では逆に強まるなど，神経細胞の形にも変化が生じてしまっている状態であると考えられる。

うつ病には，気持ちの落ち込み，憂うつな気分など抑うつ気分とよばれる症状とともに，意欲が出ない，考えがまとまらないなど，うつ病に特徴的な精神症状がみられる。また，多くの者に眠れない，疲れやすいといった身体症状がみられる。つまり，うつ病とは抑うつ気分などの精神症状と眠れないなどの身体症状が現れる病気である。

(2) 双極性障害

うつ状態と躁状態，または軽躁状態が出現する病気である。躁状態とは，家庭や仕事に重大な支障をきたし，人生に大きな傷跡を残してしまいかねないため，入院が必要になるほどの激しい状態のことをいう。一方，軽躁状態とは，はたから見ても明らかに気分が高揚していて，眠らなくても平気で，普段より調子がよく，仕事もはかどるけれど，本人も周囲の人もそれほどは困らない程度の状態のことをいう。

躁状態がある場合は双極Ⅰ型障害，軽躁状態だけの場合は双極Ⅱ型障害とよばれる。躁状態だけの人も，いずれうつ状態が出てくることが多いので，双極性障害と診断される。一方，軽躁状態だけでうつ状態がない場合は，双極性障害とは診断しない。

双極性障害は，100人に1人くらいしかかからない病気で，男女差はない。20代〜30代前後で発症することが多いが，幅広い年齢層で発病する病気である。このように誰でもなりうるうつ病とはかなり異なる。いったん治っても，放っておくとほとんどの人が数年以内に再発するので，ほぼ生涯にわたる予防管理が必要になる。

双極性障害の主たる原因は，遺伝的な体質により，細胞内のカルシウム濃度の調節に変化をきたし，これによって神経細胞の働きが変化することだと考えられている。ただし，遺伝病とは異なり，こうした体質をもっていても病気になるとは限らず，むしろこの体質には良い面もあるかもしれない。ストレスは発症のきっかけにはなるが，直接の原因ではない。

つまり，双極性障害は，薬でコントロールすれば，それまでと変わらない生活を送ること

が十分に可能である。しかし，放置していると，何度も躁状態とうつ状態を繰り返し，その間に人間関係，社会的信用，仕事や家庭といった人生の基盤が大きく損なわれてしまうのが，この病気の特徴の一つといえよう。このように双極性障害は，うつ状態では死にたくなるなど，症状によって生命の危機をもたらす一方，躁状態ではその行動の結果によって社会的生命を脅かす，重大な疾患であると認識されている。

2）典型的な症状

気分障害という病名から，どうしても気持ちだけが落ち込む病気かと思いがちになるが，実際はもっとからだ全体の調子が悪くなってしまう疾患である。以下，うつ状態，躁状態，軽躁状態の典型的な症状について説明する。

(1) うつ状態

うつ病になると，一日中嫌な気分が続き，朝起きたときが一番ひどく，どんなに好きなことをしても全く気が晴れない（抑うつ気分）。食欲がなくなり，好きな食べものを食べてもおいしいと思えず，まるで砂をかんでいるような感じで，食が進まないので体重がどんどん落ちていく。夜は寝つきが悪いうえに，夜中に何度も目が覚め，朝は暗いうちから目が覚め，眠れないままに布団の中で悶々と過ごす。動作や頭の働きも，いつもよりゆっくりになってしまう（制止）。いつもなら決断できることが，迷いが生じてなかなか決められない。本を読もうとしても，同じ行を何度読んでもいつものようにすらすらと頭に入らない。それどころか，仕事も，家事も，趣味さえも，とにかく何かをしようという意欲はまったく湧いてこない。いつも楽しみにしていたテレビや，毎朝読んでいた新聞にも興味がわかず，とにかくやり場のない苦しみに一日中苦しんでしまう。何をしていても気持ちが落ち着かないので，ため息をつきながら，立ったり，座ったり，うろうろしたりと落ち着かなくなることもある（焦燥）。何を考えても悪いほうにしか考えられず，自分は今まで何の役にも立ったことがない駄目な人間だとしか思えなくなる（微小念慮）。これが高じると，自分は生きる価値のない人間だとしか思えず，死にたくなってしまう（希死念慮，本章第9節，p.224参照）。

こうした症状のうち，2，3の症状が4，5日続くということは，肉親の死などの強いストレスにさらされたときにはよくあるが，このうち5つ以上が2週間以上というと，そうそうあることではないことが理解できると思われる。

うつ状態がひどくなると，こうした症状が極端になり，「恐ろしい罪を犯した」「決して治らない身体の病気にかかった」「家が破産した」など，ありもしないことを信じ込む症状（妄想）や，こうした内容の幻声まで聞こえてくることもある。この場合は「精神病症状を伴ううつ病」といわれている。

(2) 躁状態

躁状態では，気分は爽快で楽しくて仕方がなく，夜はほとんど寝なくても平気で，疲れを知らずに活発に活動する。多弁で早口になり，ほとんど口を挟むことができない。豊かな連想，素晴らしいアイデアがあふれるように湧いてくる。自分は周囲から尊敬されている素晴らしい人間だと確信して（誇大性），突然選挙に出ようなどと言い出す。最初のうちは，仕事がむしろ捗るようにみえるが，あっという間にひどくなり，ちょっと口を挟むだけで怒り出す。いろいろな考えが浮かぶので，すぐに気が散り集中できない。誇大性が高じ

ると，「超能力がある」などの誇大妄想に発展する。うつ状態だった人が急に躁状態になること（躁転）はまれでなく，一晩のうちに躁転することもある。逆に躁状態の人は，治るまでの間に，多かれ少なかれうつ状態を経験する。

(3) 軽躁状態

躁状態による行動は，借金を背負い，本人の信頼を失わせ，離婚や失職などにつながってしまうなど，本人にとって不利益となるばかりでなく，周囲の人たちも大変困ってしまうために，入院が必要となるほどの状態である。一方，気分が高揚し，行動も多くなるなど，周囲から見てもいつものその人とは全く違うような躁的な状態となってはいるけれど，入院を要するほどではないのが，軽躁状態である。

3）治療と経過および予後

(1) うつ病の治療

体調がすぐれずかかりつけ医を受診し異常ないといわれたが，やはり具合が悪い場合は，うつ病を考える必要がある。前述したようにうつ病は精神症状と身体症状が現れる病気である。他の医療機関を受診し続けることより，精神科を受診したほうがよい場合が多い。周囲の人が特に心配したほうがよい点は，重症のうつ状態で本人が病気という認識がもてず，どんどん悪くなっているとき，うつ病として治療を受けていたが具合が悪くて病院に行けないとき，食事ができず栄養不良や脱水状態になりかけているとき，死にたいと訴えているときなどである。特に，いてもたってもいられない状態（焦燥）と希死念慮があるときは自殺の危険が高まる。

うつ病，および双極性障害のうつ状態の治療は，患者の苦しみを改善し，できる限り早く症状をとることに加え，自殺予防が何より大切である。うつ病で自殺して亡くなる人は，日本でおそらく年間1万人以上いると思われ，交通事故の死亡者より多いと考えられている。自殺予防の第1歩は，希死念慮の有無とその強さを把握することである。必要に応じて精神科病院への入院することもあり得る。入院しても安全が確保できない場合は，「修正型電気けいれん療法（m-ECT）」（第V章2節，p.251参照）という，自殺念慮に対して即効性のある治療法もある。

うつ病の治療には抗うつ薬を使うが，効き目が出るのに1～2週間ほど時間を要する。どの抗うつ薬にも副作用があるため，どのような副作用が出る薬なのかをよく主治医から説明を受けておく必要がある。

最初の抗うつ薬が効かない場合には，別の薬に変更することがある。最終的にはm-ECTを使えば，ほとんどの患者が，少なくともいったんは急性期から脱することができる。難治性のうつ病にみえる人は，ほとんどの場合，治療が不十分なことが多い。

また，難治性うつ病にみえる者のなかには，実際は双極性障害なのに見過ごされている者も少なくない。躁状態を本人にとってはつらい経験ではなく，むしろ快適な状況だと誤解し，過去の躁状態について医師に話さないことが多いことで的確な診断がされないことがある。自分自身では客観的な見方ができない場合が多いため，過去に躁状態になったことがないか，家族や周囲の人の意見を聞いて，医師に正しく伝えることが確定診断につながっていく。

(2) 双極性障害の治療

　躁状態の患者は，本人はとても調子が良いと思っている一方，周りの人を困らせていることが多いので，なかなか治療に結びつけにくいという問題がある。何とか本人の訴え（眠れない，イライラするなど）を引き出して受診に結びつけたり，上司から指示してもらうなどして受診につなげていく。躁状態の患者を治療せずに放っておくと，社会的信用や家族との信頼関係を失ってしまうので，早期の治療が必要となる。外来治療を拒否する場合は，入院が必要となる。

　躁状態では，子ども扱いせず相手を立てるようにしながら対等に話す，根気よく説得し，相手の正常な部分を引き出して交渉する，しつこい場合は話をそらすなど対応を工夫しながら，薬物療法による改善を待つ。躁状態は，治療すればたいてい2，3か月以内に改善の方向に向かう。なお，躁状態の症状にうつ状態の症状が混ざる状態を混合状態とよばれるが，こうした状態では自殺のリスクが高まることがあるので注意を要する。

　双極性障害のうつ状態に対しては，抗うつ薬は有効とはいえず，むしろ，抗うつ薬によって病状が不安定になる場合があると考えられている。そのため，リチウム，オランザピン，ラモトリギンなどで薬物療法を実施する。

　双極性障害の治療で最も大切なのは，再発予防である。患者の人生を脅かすのは，再発を繰り返すことによる二次的な社会的ハンディキャップとなる。一度でも激しい躁状態になった場合，うつ状態が自殺のおそれがあるほど重症な場合，躁状態やうつ状態を繰り返している場合などは，ほぼ生涯にわたる薬物療法が必要となる。

　予防薬として，まず試みるべき薬がリチウムとなる。しかし，リチウムだけでは効果がない場合は，ラモトリギンを用いる。なお，リチウムは病相を予防する効果に加え，自殺を防ぐ効果があるため，リチウムで効果が得られない場合でも，併用するメリットがある。その他，バルプロ酸，カルバマゼピン，そして非定型抗精神病薬のオランザピン，アリピプラゾール，クエチアピンなども用いられる。リチウムは，手がふるえる，喉が渇くなどの副作用があり，中毒になりやすい薬なので，医師の指示を守りながら服薬し，定期的に採血して血中濃度を測定する必要がある。これらの薬を効果的に使えば，多くの患者は薬を飲んでいる限り病相（躁状態，うつ状態）が全くなくなるか，軽い病相で済むことができる。

(3) 経過と予後

　うつ病の経過は人によって様々である。一生に一度きりで二度とならない人もいるし，何度も繰り返す人もいる。なかには途中から躁状態が出てきて双極性障害になる人もいる。

　双極性障害では最初のうちは，ストレスでうつ状態になることが数年に1回あるという程度だが，次第に回数が増え，ついには特にストレスがなくても1年に4回以上病気を繰り返す状態（ラピッドサイクリング）になってしまう。

　双極性障害は治療が確立している病気なので，薬物療法に従い定期的な服薬をすることで再発は防げるか，仮に再発しても軽度で済むことが多い。しかし，一生薬を飲むのは並大抵のことではなく，ほとんどの場合薬をやめてしまい，再発を招くことになる。躁状態，うつ状態はいずれも治療が確立しているため，自殺さえしなければ，それ自体で命を落とすことはない。しかし，躁状態，うつ状態を繰り返したまま治療もせず放っておくと，離婚，失職など，社会的には相当のハンディキャップを背負うことになってしまう。双極II型障害

も，基本的には双極Ⅰ型障害とほぼ同様の治療を行う。ただし，最近では，軽躁状態がそれほどはっきりしない場合にも双極Ⅱ型障害という診断がなされている場合もあるため，こうした場合には，治療方針もケースバイケースとなる。

2 アセスメント

オレム-アンダーウッドの普遍的セルフケア要素に基づいて，以下の観察点をもとにアセスメントをする。

(1) 空気・水・食物の十分な摂取

うつ状態では悪心（嘔気）や嘔吐，食欲の低下，呼吸困難感，口渇を訴える。うつ状態における食欲の低下は，何を食べても味がしない，砂をかむようであるという訴えが多く，結果的に体重が数キロも減少する。

一方，躁状態では食欲の亢進を訴える。食物摂取量は増えているが，それ以上に活動量が極端に増加するためやせる。また，躁状態ではアルコールを多飲することも多く，代謝が亢進することでやせる。

このように，うつ状態，躁状態ともにやせる傾向にある。

(2) 排泄と排泄のプロセスに関するケア

便秘と下痢は，躁状態，うつ状態どちらの場合にも非定型的にみられる。

うつ状態では便秘が最も多いが，下痢を繰り返すことや，両者を繰り返す場合がある。また，うつ状態では月経異常，頻尿がみられる。

(3) 体温と個人衛生の維持

うつ状態では，絶えず億劫な感じが伴うため，入浴や着替えなどが面倒になり，身だしなみが乱れやすくなる。一方，躁状態では，過度に活動性が亢進するため，派手な衣服を身につけたり，不自然な化粧をするなど社会的に不適応となりやすい。

(4) 活動と休息のバランスの維持

うつ状態では，活動性は極端に低下する。朝から午前中にかけては憂うつで寝床から離れにくく，午後から夕方にかけては比較的調子が良いという日内変動を起こしやすい。寝つきが悪い，眠りが浅い，中途覚醒，過眠，いくら寝ても頭がすっきりしないなどの睡眠障害がみられる。

一方，躁状態では，じっとしていることができなくなり，絶えず何か活動していなければ落ち着かない興奮状態になる。そのため，短時間睡眠した後，午前2～3時に覚醒して活動を始めるか，全く眠らずに一晩中しゃべり続けたり，音楽を聴き続ける。

うつ状態，躁状態，どちらの場合も，体力をかなり消耗し続ける状態となり，衰弱することが多い。

(5) 孤独と社会的相互作用のバランスの維持

うつ状態：自分のことで精一杯なため人に対する関心が薄れやすい。性欲も減退し夫婦関係も保ちにくくなる。

躁状態：社交的となり陽気に振る舞うようになるが度を越えるとまとまりがなくなり，ちぐはぐな行動をとる。また，性欲は過度のことが多い。

(6) 安全を保つ能力

うつ状態から自殺を考えるようになる。うつのどん底状態では活動性が高まらないため自殺企図には至らない場合が多い。しかし，回復に向かって活動性が増してきた時期に自殺のリスクが高くなる。

援助方法

1) うつ症状を呈するうつ病

(1) 安心と休養をもたらすかかわり方

うつ病の人には，これが病気であり，休養をとって服薬すれば必ず治ること，治るまで重大な決定をしないこと，治るまでには一進一退があることを説明する。うつ状態にある人は，いくら頑張ろうとしても気力がついてこないため，自信をなくしていることが多い。周囲は激励したりせず，やさしく支えることが重要である。

(2) 安心できる対人関係とコミュニケーション

うつ病の患者とかかわるときは，患者が元来しっかりした人であったことを忘れてはならない。うつ病の患者は，いかにも自信がなさそうに見え，自分は何もできない人間だと強く訴えるが，実際は能力もあり，人に信頼され，きちんと仕事をしてきた人だ，ということを忘れずに接するようにしないと，患者自身も治る目標を見失ってしまう。

うつ病の患者に絶対してはならないのが，「気のもちようなのだから，薬にばかり頼っていないで自分で頑張って何とかしなさい」といった励まし方である。精神科にかかることを名誉と思う人はいないし，薬を飲みたい人もいない。それを我慢して薬を飲んでいるのに，周囲の人にこのように言われるほどつらいことはない。

(3) 患者の意思を尊重しながらセルフケア不足を補う

①**食事**：食欲の低下による栄養障害や脱水症状の出現に注意する。愁訴や客観的データをもとに栄養状態をアセスメントする。食事量を増やすために，患者の嗜好に合わせた食事内容の検討や，患者が望む場所や相手と食事をする配慮も必要である。うつ状態が悪化し，摂取困難な場合は，点滴などで栄養補給を検討する。

②**排泄**：活動性の低下から終日臥床し動かないことや，抗うつ薬の副作用もあり，便秘や尿閉になりやすい。患者自らがその苦痛を訴えてこないことがあるため，看護師は積極的に腹部の聴診や触診，排泄状況を把握するとともに，時には薬剤の調整など必要に応じた対処が求められる。

③**清潔**：患者は整容などにも興味を示さず，洗面や歯磨きが精一杯のこともある。入浴や更衣など無理な促しや過度の支援は，患者の無力感を強め，「こんなこともできなくなった」と悲観的にさせやすい。患者の意思を尊重しながら，さりげなくセルフケアの不足を補う。

④**活動と休息**：「眠れない」という訴えは多くの患者にみられ，「眠れない，薬が効かない」と焦ることで余計に眠れなくなることがある。就寝前に呼吸法などのリラクセーションを実施したり，不眠時薬の適切な投与も必要になる。また，レクリエーションなどの活動場面では，他人と自分を比較して頑張りすぎたり，劣等感をもたないよう，エネルギーの消耗を最小にとどめる。

(4) 自殺企図の予見と回避に努める

うつ病患者とのかかわりでは，常に自殺のリスクを考えておかなければならない。

2) うつ症状と躁症状を呈する双極性障害

(1) 本人・家族が病気を正しく理解して受け止める

まずは病気と治療法について正しい知識を身につけて，病気を受け入れられるようかかわる。ほぼ生涯にわたり薬を飲むというのは，誰にとっても受け入れがたいことである。しかし，それを受け入れない限り，患者が社会的ハンディキャップを背負うことを予防できない。そのためには，疾病を受け入れ，病気についてよく知ることである。それができて初めて前向きに治療を開始することが可能となる。

(2) 薬を飲み続けて再発を防ぐ

病気の症状が落ち着いてきたからといって，薬を飲むのをやめたり，飲む量を自己判断で変えてしまうと，再発したり副作用が出現することがある。また，飲み忘れないような工夫を本人と考えることも再発防止への支援につながる。

(3) 薬の作用と副作用について正しく理解する

自分の薬という意識をもち，薬の作用と副作用を理解してもらう。副作用が気になる場合は主治医に相談できることを話すのと同時に，相談するのに躊躇している場合は看護師が仲介役として介入する。

(4) 完璧主義の思考を変える

うつ状態では自己嫌悪に陥ったり，考え方が否定的になりがちになる。認知行動療法などで「70〜80％できれば十分」という肯定的な考え方に変えていく。

(5) 生活リズムを乱さないようにする

規則正しい生活リズムを維持することが重要である。徹夜業務がある仕事に就くことや時差を伴う海外旅行は最初の引き金になる可能性もあるため，必ず主治医に相談するよう促す。

(6) 再発のサインを知る

過去に再発したときを振り返り，再発を引き起こしやすいストレスと最初に現れる症状について，患者と家族とで話し合っておく。自分自身では実感がないことが多いため，紙に書き出しておくことも工夫できる。「いつもと違う」と感じたら，それはサインかもしれないと考えることも再発防止につながる。

4 シミュレーション演習「産後うつ病の女性への援助」

1) 到達目標

(1) 一般目標

産後うつ病の患者の精神症状をアセスメントし，看護介入ができる。

(2) 行動目標

①患者の状況に合わせたコミュニケーションができる。
②患者の精神症状をアセスメントできる。

③患者の意思を尊重しながら，セルフケア能力に応じた援助ができる。
④希死念慮の確認ができる。

2）学生提示課題

　○○さん（可能であれば姓も名も仮名を用いる），30代の女性，産後うつ病。第一子を出産後，3週間目から育児がうまくできず泣き続け，食事も摂れず，不眠状態が続き，4週目にはうつ症状が悪化し，希死念慮を訴えたことで入院となった。入院後1週間が経過し，薬物療法の効果もあり希死念慮は消失し，食事量は増えてきたが，不眠の訴えは変わらない。○○さんは，昨日からあなたが受け持ちになることを快く応じてくれた。
　○○さんの精神症状をアセスメントして援助してください。──シミュレーション時間は7分です。

3）患者役状況設定（患者役への演技上の指示）

　○○さん，産後うつ病。大人しく真面目な性格。大学を卒業後，金融関連の企業に就職した。28歳のとき，同じ系列会社の職員と結婚した。妊娠が判明した後，仕事は継続したいという意思が強く，産休を取得した。○○さんは女子を望んでいたが，夫と両親は男子を希望していた。妊娠中の経過も良く，無事に男児を出産した。母乳を飲んでいるわが子を可愛いと感じていた。
　翌日から母子同室の生活になった。授乳に時間がかかり，すぐに次の授乳時間が来るため，眠れない状態が続いていた。また，毎日面会に来る義母に対して気をつかい，疲労がたまっていった。それでもわが子に対する愛情と夫からのサポートが救いになり，母親として頑張らなくてはならないという思いが強くなってきた。
　退院後は育休を取得した夫と共に，3人での生活がスタートした。しかし，手先が不器用な夫はあまり頼りにならず，逆に夫が家にいることで家事の負担が増すことになった。徐々に疲労が蓄積され，退院後3週目くらいから不眠となり，家事や育児がうまくいかないことを自分のせいとして責め，泣くようになっていった。赤ちゃんを可愛いと思えず，そのような自分は異常だと思うようになった。そして4週目になると，子どもが泣きじゃくっても対応することができず，夫から「しっかりしろ」と叱責された。母親としても妻としても失格者と考え，死にたい気持ちが強くなった。何もできなくなった○○さんを心配した夫は，産婦人科医に相談した。産婦人科医からはうつ病を疑われ，精神科受診を勧められた。○○さんを引き連れて精神科を受診したところ，精神科医からは「産後うつ病」と診断され，希死念慮（死にたい気持ち）もあることから精神科病院に入院となった。薬物療法（抗うつ薬や睡眠薬）のため授乳をあきらめてもらい，子どもは夫の実家に預かってもらうことになった。
　入院したことで家事や育児から解放され，安心感から食事摂取量も増え，希死念慮も消失した。しかし，様々なことが気になり，中途覚醒により熟眠感は得られていない状態が続いている。気分転換になると思い，学生が受け持つことを了承した。

<学生への対応の基本的な順序>

①基本的には通常のコミュニケーションができる。

②学生の問いかけに対し，次の項目に対しては，通常の表情で，以下のように対応してください。

- 食事：「入院して最近，（量的に）食べられるようになってきた」「最近，食事が美味しく感じるようになった」「妊娠前の体型に戻りつつあります」
- 排泄：「時に問題ないです」
- 清潔関連：「特に不自由なことはありません」
- 活動：「ちょっと億劫だけど，動き始めると問題ないです」「午前中はあまり動きたくない」「午前より午後のほうが動きやすい」など。
- 希死念慮：「死にたい気持ちはないです」「今思い返すと，入院前は本気で死にたくなっていました」

③学生から「睡眠」の問いかけに対し，ちょっと表情を曇らせながら，回答してください（例．「それが問題なのよ」「夜中に何度か目が醒める」「午前中は眠気が残っている」「いろんなことを考えると寝れないし，寝た気がしない」など）。

④学生から「何か心配事がないか」と問いかけられたら，ちょっと表情を曇らせながら，次の項目に対しては，以下のように対応してください。いずれも学生が解決策を提案しても，「うーん」とか言って受け入れないでください。

- 男児：「医師からはまずは自分のことを第一に考えるように言われているけど，やっぱり子どものことは気になります」「おっぱい飲むのに時間かかっていたけど，今は哺乳瓶で大丈夫かしら」「自分（○○さん）のことを忘れてしまうのではないか」「生まれてきてすぐに母と分離したことが将来何らかの影響にならないか不安」「一瞬でも可愛いと思わないことがあった自分が嫌」「ちゃんと育児ができるか不安」など。
- 病気や治療（産後うつ病や薬）のこと：「医師からは特別な病気ではないと言われているけど，ずっとこの状態が続いてしまわないか心配」「治ったとしても再発しないか心配」「今は薬に頼っていいと言われているけど，薬をやめられないのでは」「薬によりおっぱいをあげられないことが，自分の身体に悪い影響を与えているのではないか」「まだ全然考えられないけど，次の子どもが生まれたときも同じようにうつ状態になるのでは」など。
- 夫：「身の回りのことができないから，ちゃんと生活できているか心配」「家事や育児を手伝いたい気持ちは嬉しいけど，実際は役に立たないから困る」「こんな病気持ちの女と一生いてくれるだろうか（離婚の心配）」など。
- ○○さんの将来（職場復帰も含む）：「産休明けで仕事ができるか不安」「仕事を辞めて育児に専念したほうがいいのか悩んでいる」「良い妻，良い母でいられるだろうか」など。
- 義母：「子どもを義母さんに預けている安心感と，取られてしまう不安感が混じっています」「男子を希望していたって言っていたけど何を期待しているのだろう」など。

文献

1) 髙橋良斉・中庭良枝・米山奈奈子：うつ病・双極性障害の看護ケア，中央法規，2017.
2) 加藤忠史：双極性障害，第2版，ちくま新書，2019.
3) 南裕子編著：実践オレム-アンダーウッド理論―こころを癒す（アクティブ・ナーシング），講談社，2005.

3 幻覚・妄想

学習目標
- 幻覚・妄想の特徴を理解する。
- 幻覚・妄想状態にある患者のアセスメントの視点を理解する。
- 幻覚・妄想状態にある患者に対する看護援助の方法を理解する。
- 幻覚・妄想状態にある患者への対応技術を理解する。
- シミュレーション演習「体感幻覚のある患者への援助」ができる。

1 症状の特徴

1) 幻覚とは

幻覚（知覚の障害）とは，対象なき知覚のことである。これには，次のような種類がある。
- 幻聴：人や神の声が聞こえる。耳から，頭の中から，口の中から聞こえるなど。
- 幻視：アリなどの小動物や黒い人影が見える。
- 幻触：皮膚の上を虫が這う，性器を触られる，電気をかけられるなど。
- 幻嗅：ガス，大便，ものの腐敗した臭いがする。
- 幻味：変な味がする。
- 体感幻覚：脳が流れ出す，腸が腐っているなど，奇妙で奇異な体験。
- 幻肢：四肢を切断した後に，その切断した四肢が存在するように感じられること。その部位に激痛を感じることなどは，幻肢痛という。

2) 妄想とは

妄想（思考の障害）とは，強く確信され，論理的に訂正不能な外的現実に対する誤った思考・判断のことである。妄想は，一次妄想と二次妄想に分類される（表3-1）。このような幻覚・妄想の背景には，統合失調症，うつ病，躁病などが存在する。
- 一次妄想：その内容が現実の生活史とつながらず，他者から了解不能なもの。
- 二次妄想：その内容が現実の生活史とつながり，生じている状況が他者からある程度了解可能なもの。

表3-1 一次妄想と二次妄想

一次妄想	
妄想気分	周りの環境が何となく変わったように感じる。何となく不気味な感じがする
妄想知覚	たまたま見た猫が前足を上げたのを見て，「これは母が今日死ぬことを教えている」などと，他者にとっては了解不可能な特別な意味づけをして強く確信する
妄想着想	突然「自分はキリストである」などと，何のきっかけもなく頭に浮かんだ考えが異常に強い確信をもつ
二次妄想	
関係妄想	テレビや新聞で自分のことを報道している
注察妄想	外出しているといつも誰かに見られている
被毒妄想	食べ物や薬の中に毒が入れられている
憑依妄想	神や悪魔が自分に乗り移っている
恋愛妄想	ある女優が私と結婚したいと思っている
血統妄想	自分は皇族の家系である
宗教妄想	自分は神に召された救世主である
発明妄想	珍しい機械を発明した

2 アセスメント

1）幻覚・妄想によるセルフケア不足の状態を把握する

幻覚・妄想が現れることによって，患者の日常生活にどのような支障が出ているか，セルフケア不足の状態や程度に目を向ける必要がある。

表3-2 幻覚・妄想をもつ患者が体験する世界

知覚の変化	人の声が聞こえる ないものが見える テレパシーを感じる	身体的変化	脳が溶けるように思う 心臓が止まるように思う 身体がふらつく 胃がむかつく
思考の変化	ありえないことを考える 思考が混乱する 思考力が低下する 考えが空っぽになる 突飛な思いつきをする	気分・感情の変化	イライラする 精神的に疲れる 圧迫感がある 恐怖感がある 気分の浮き沈みを感じる 絶望感がある 死にたいと思う 気分が重い 生き生きした感じがない
日常生活行動の変化	幻覚の声に従って行動する 人との交流を避ける 独り言を言う 物忘れが多くなる 時間の感覚がわからなくなる 掃除・洗濯・外出・買い物などがおっくうになる	自律感の喪失	誰かに動かされる感じがする 自分が自分でなくなるように思う

表3-3 幻覚・妄想状態にある患者の症状への対処

- ☐ 音楽を聴く
- ☐ ハミングをしたり，歌を歌う
- ☐ 症状が止まるようにと願う
- ☐ 『これは本当の声ではない』と心の中でいう
- ☐ 友達と話をする
- ☐ 好きな趣味にとりかかる
- ☐ 症状に消えてほしいという
- ☐ 手紙を書く
- ☐ コーヒーやコーラなどを飲む
- ☐ 散歩に行く
- ☐ 映画に行く
- ☐ 本，新聞，雑誌を読む
- ☐ テレビ／ビデオを見る
- ☐ 横になってリラックスする
- ☐ 昼寝をする
- ☐ 運動する
- ☐ ラジオを聞く
- ☐ タバコを吸う
- ☐ 好きなものを食べる

2）患者が語る体験世界を理解する

　幻覚・妄想をもつ患者が体験する世界は，実に様々であり主観的である（表3-2）。このような病的体験という患者の主観的世界を理解することなしに，看護はありえない。

3）患者自身による症状のマネジメントを理解する

　幻覚・妄想状態の患者は，無意識的または意識的に症状への対処を行っているものである（表3-3）。看護師にはその内容を理解しようとする姿勢が必要となる。

3 援助方法

1）看護の原則

①否定も肯定もしないで受け止める。
②深く追求して聞き出さない。
③知的な論争をしない。
④決して茶化さない。
⑤いつものこととして軽視しない。
⑥体験に伴う不安やつらい気持ちを受容する。

2）看護の要点

(1) 安心できる環境を提供する

①体験に伴う情緒的な反応の表出を促す。
②できるだけ刺激を避ける（静かな場所の選択，1対1のかかわり）。
③誠実で一貫した態度で対応する。

(2) 患者が自分で症状に対処するために行っている思考や行動を理解する

①原因を追求するのではなく，症状に伴って生じる生活上の困難を理解する。
②患者が解決しようとする方法や行動を見出す。
③患者が自分でしている楽に過ごす方法や自分自身を守る方法を見出し強化する。

(3) 新しい対処方法について共に考える

①症状が出現する前後の体験，誘因やパターン，出現頻度と強度を話し合う。

②症状を軽減する方法について話し合う。
③症状が軽減する方法を実行した効果について話し合う。

(4) 現実的なかかわりを強化する
①症状に対処しようとしている健康な側面に働きかける。
②短く，具体的でわかりやすい言葉で話す。
③日常の具体的な話題を利用する（食事，音楽など）。
④患者が関心をもてる実際の活動を増やす（スポーツ，レクリエーションなど）。
⑤患者が気分転換できるような活動を増やす。
⑥活動できたことについて肯定的なフィードバックをする。

(5) 現実世界のなかでセルフケア能力をはぐくむ
①患者が幻覚や妄想のために日常生活上できない行動を介助する。
②休息を保証する（状況によっては昼寝の邪魔をしない）。
③患者ができることを用意する（携帯音楽プレイヤーなどの持ち込みを許可する）。
④患者が自分で対処していることについて，その努力を支持する。
⑤患者が成功したことを肯定的に認め支持する。
⑥患者が幻覚や妄想のために日常生活にどのような問題が生じているかを話し合う。

4 シミュレーション演習「体感幻覚のある患者への援助」

1) 到達目標
(1) 一般目標
　体感幻覚が出現している患者の精神症状と身体症状をアセスメントし，適切な看護援助ができる。

(2) 行動目標
①体感幻覚をアセスメントするための適切なコミュニケーション技法を行使できる。
②体感幻覚について患者に言語化を促し，対処行動を確認できる。
③現実検討能力を判断するために必要な情報を収集することができる。
④体感幻覚によるつらい気持ちに共感的な声かけをすることができる。
⑤排便状況が不明な患者に対し，腹部の状態について情報を収集することができる。
⑥フィジカルアセスメントによる看護実践ができる。

2) 学生提示課題
　○○さん（可能であれば姓も名も仮名を用いる），50代の女性，統合失調症。10代で統合失調症と診断された。不調による入退院を繰り返しながらも，両親と同居生活を送っている。若い頃は作業所などに通所していたが，40代頃からは，外に出るのが億劫となり，ほとんど家で過ごしている。
　同居していた両親が親戚の法事で3日間留守をしたことをきっかけに，おなかの中に大きな石があるという体感幻覚の症状が現れた。そのため，食事が摂取できなくなり，入院

となった。入院時は，排便状況が不明であり，腹部膨満が顕著であった。

入院3日目の本日，看護学生が受け持つことを快諾した。○○さんから得た情報をアセスメントし，適切な援助を行ってください。──シミュレーション時間は7分です。

3）患者役状況設定（患者役への演技上の指示）

○○さんは，10代で統合失調症と診断された。若い頃は作業所などに通所していたが，40代からは外に出るのが億劫になり，両親と一緒にほとんど家で過ごす生活を送っている。ライフイベントのちょっとした変化（たとえば，隣人の引越しなど）に敏感で，不調を訴え短期間の入退院を繰り返してきた。

同居していた両親が親戚の法事で3日間留守にしたことをきっかけに，おなかの中に大きな石があるという体感幻覚の症状が現れ，腹痛を訴えた。旅行から戻った両親は腹痛を訴える○○さんを心配し，かかりつけ医である精神科病院を受診させて入院となった。入院時は，排便状況が不明であり，腹部膨満が顕著であった。

入院後の観察により排便の確認はできたが，活動量が極めて少なく，かつ，長年の抗精神病薬の副作用による強度の便秘傾向にある。

入院3日目となり，腹痛は大分落ち着いたが，おなかの中に大きな石があると体感幻覚の症状は変わりない。

〈学生への対応の基本的な順序〉

対応例（学生役に合わせる必要はない）
①ベッド上に横になって，終始，おなかをさすりながら，つらそうな表情をする。
②学生に主訴を確認されたら「はい，おなかの中に大きな石が入っている」と確信をもって言う。
③学生に石のことを聞かれたら，「いつの間にか，おなかの中に，小さな石が入ってきて，そのうち，徐々に成長してきた」と言う。
④石ができた時期を聞かれたら，「1週間前の法事の頃」と言う。
⑤学生がお腹の張り具合を聞いてきたら，「とても張っていてつらくて苦しいです」と言う。つらさに対して学生が共感的な姿勢を示したら，嬉しそうにうなずく。
⑥学生から排便の確認をしてきたら，（何を関係ないことを聞いているの？って感じで）「ちょっとしか出ていない」と言う。
⑦学生から触診の提案をしてきたら，「（キッパリと）ダメです。石が入っているから，触るとおなかが破れてしまうかもしれません」と断る。
⑧再度，学生から気持ちに寄り添うような触診の提案をしてきたら，おなかを触らせることを受け入れる。例．「そうですか。私のことを心配してくれているのですね…。わかりました。お願いします」。ただし，この段階で学生を信頼できていなければ最後まで拒否をする。
⑨学生が触診や聴診をし，何かを語りかけても，「ね，張っているでしょう」「ね，パンパンでしょう」「はちきれそうでしょ」を繰り返して言う。
⑩学生からつらさに対して行っていることを聞かれたら，「石が動いておなかが破れるので，

おなかが破れないように押さえている」と答える。
⑪学生からその対処法を褒められたら素直に喜ぶ。
⑫学生から再度の排便確認があったら，「(もしかしたら便秘かもしれないと一瞬思い)，よく思い返してみたら，出ていないかもしれません」と応える。
⑬学生から「お便がたまると，体によくないですね。今の○○さんのようにおなかがパンパンに張ることがあります」などと便秘との関連づけを説明されたり，「○○さんとこれまで話をした内容と，先ほどおなかを触らせてもらったことから，便秘の可能性があります」などとアセスメントされたら，「(これまで，おなかにあるのは石と主張していたが，お便の影響で，おなかが膨らんでいると考えるようになり) そうですか。便秘なのですか」と納得した表情を見せる。
⑭たとえば「おなかの痛みの原因が石ではなくお便でしたら，出すと楽になるかもしれません」のように学生から言われたら，「そうですね。(救いを求める感じで) もし，石ではなくて，お便でしたら楽になれますか」と言う。
⑮たとえば「今の苦しみから解放されて，楽になれると思います」と学生から安全・安楽を提案されたら，「そうですか。(ケアを受けることを前向きになって) それでは，私はどうしたらよいのですか」と質問する。
⑯学生から便秘に対する具体的な処置をいくつか説明されたら，素人の気持ちになってわからない点は学生に質問してください。たとえば，専門用語に対しては「わからない」と言ってください。
⑰学生から提示された処置について，納得したら「(笑顔で) わかりました。ぜひ，学生さんにお願いします」と応じてください。

文 献

1) 松下正明・他監修：新クイックマスター精神看護学, 医学芸術新社, 2009.
2) 上島国利・渡辺雅幸・榊恵子編著：ナースの精神医学, 改訂3版, 中外医学社, 2011.

4 せん妄

学習目標
- せん妄の病態や症状の特徴を理解する。
- せん妄状態にある患者のアセスメントの観点を理解する。
- せん妄状態にある患者とのかかわり方について学ぶ。
- シミュレーション演習「せん妄状態にある患者への援助」ができる。

1 症状の特徴

1）せん妄とは

せん妄とは，身体的原因や薬剤を原因として急性に出現する意識・注意・知覚の障害であり，その症状には変動性があると定義されている[1]。発症のメカニズムは明らかになってはいないが，急性の脳機能不全とされている。具体的な症状の例として，つじつまが合わない発言，不眠や昼夜逆転，易怒性，幻視や錯視などがみられ，これらが1日をとおして変動することが特徴である。病態から考えると，身体疾患の治療のために入院した高齢患者に多くみられるが，地域で生活する精神障害者においても身体疾患を有する場合や，特定の薬剤変更の際などに発症する可能性もある。

DSM-5の診断基準を表4-1に示す。表のA〜Eすべてを満たすことでせん妄と診断される。せん妄は，その活動性によって3つのタイプにわけられる。

2）せん妄の原因

単一の因子で発症する場合もあるが，多くは複数の因子で発症する。せん妄をもともと発症しやすい素因としての「準備因子」，せん妄を発症する直接要因となる「直接因子」，そして，せん妄を誘発したり，重症化させたりする要因となる「促進（誘発）因子」の3つがある。具体的な内容を表4-2に示す。

3）他の疾患との鑑別

せん妄は症状の特徴から，精神疾患がある患者の場合，精神症状の悪化としてみられてしまうことがある。たとえば，認知症の行動・心理症状や，うつ病の抑うつ状態，統合失調症の陽性症状などである。せん妄は原則，治療やケアにより改善するものであるが，他の疾患として誤った対応をされた場合は，さらに症状が重症化する可能性も考えておく。

主な疾患とせん妄との違いについては，表4-3に示す。

> **表4-1** DSM-5せん妄の診断基準

A．注意の障害（すなわち，注意の方向づけ，集中，維持，転換する能力の低下）および意識の障害（環境に対する見当識の低下）
B．その障害は短期間のうちに出現し（通常数時間～数日），もととなる注意および意識水準からの変化を示し，さらに1日の経過中で重症度が変動する傾向がある
C．さらに認知の障害を伴う（例：記憶欠損，失見当識，言語，視空間認知，知覚）
D．基準AおよびCに示す障害は，他の既存の，確定した，または進行中の神経認知障害ではうまく説明されないし，昏睡のような覚醒水準の著しい低下という状況下で起こるものではない
E．病歴，身体診察，臨床検査所見から，その障害が他の医学的疾患，物質中毒または離脱（すなわち，乱用薬物や医療品によるもの），または毒物への曝露，または複数の病因による直接的な生理学的結果により引き起こされたという証拠がある

過活動型：その人の精神運動活動の水準は過活動であり，気分の不安定性，焦燥，および/または医療に対する協力の拒否を伴うかもしれない
低活動型：その人の精神運動活動の水準は低活動であり，昏迷に近いような不活発や嗜眠を伴うかもしれない
活動水準混合型：その人の注意および意識は障害されているが，精神運動活動の水準は正常である．また，活動が急速に変動する例も含む

日本精神神経学会日本語版用語監修，髙橋三郎・大野裕監訳：DSM-5 精神疾患の診断・統計マニュアル，医学書院，2014，p.588-589．より転載

> **表4-2** せん妄の因子

準備因子	直接因子	促進（誘発）因子
・高齢（70歳以上） ・認知症 ・脳器質性疾患の既往 ・せん妄の既往 ・アルコール多飲　など	・身体疾患 ・薬剤 ・手術 ・アルコール（離脱症状）　など	≪環境的≫ ・入院 ・明るさ，騒音　など ≪身体的≫ ・疼痛 ・脱水 ・低栄養 ・点滴やドレーン挿入などによる強制的な臥床 ・身体抑制　など ≪精神的≫ ・心理的ストレス ・不安，抑うつ　など ≪睡眠関連≫ ・不眠 ・昼夜のリズムの乱れ　など

日本総合病院精神医学会　せん妄指針改訂班：せん妄の臨床指針〔せん妄の治療指針第2版〕日本総合病院精神医学会治療指針1，星和書店，2015，p.33-34．井上真一郎：せん妄診療実践マニュアル，羊土社，2019，p.12．を参考に作成

2 アセスメント

　せん妄のアセスメントは，上記で述べたように原因となりそうな因子の視点から行う．特に，入院患者の場合は何らかの身体疾患を有していることが多いため，感染や電解質異常や脱水などがないか検討することが必要である．
　せん妄の症状は多岐にわたるが，以下の3点が急激に起こっていないかを査定する．日

表4-3 せん妄・認知症・うつ病の比較

	せん妄	認知症		うつ病
		アルツハイマー型	レビー小体型	
発症	急性	緩徐		亜急性
経過	一過性のことが多い	慢性進行性		持続性
意識障害	あり	なし		なし
注意障害	あり	通常は正常		通常は正常
日内変動	あり（夜間に増悪することが多い）	少ない	あり（1日の中で変動する）	午前中に不調なことが多い
幻視	あり	少ない	あり	なし

井上真一郎：せん妄診療実践マニュアル，羊土社，2019，p.24, 30. を参考に作成

内変動もあることが多いため，入院患者においては各勤務での様子をチームで共有していく。そして，今までと比べてどう違うかという視点も大切になる。家族から「家では，しっかりしていたのに，入院してから認知機能が落ちた」といったような言葉が聞かれることがある。せん妄は，急激に起こるのが特徴なので，入院前と比べての様子というのは非常に大切な情報の一つである。

1) 注意障害がないか

せん妄の多くに注意障害がみられる。注意障害とは，一つのことに集中できない状態である。話していても，ぼんやりしていることや，他のことに注意が向いてしまっている状態などがある場合は，注意障害を疑う。たとえば，看護師と話している最中にテレビのリモコンを触ったり，話がかみ合わないときなどである。

2) 睡眠覚醒リズム障害がないか

せん妄は主に，夕方から症状が出現し夜にかけて悪化する場合が多い。対症療法的に抗精神病薬などを使用している場合，状況によっては翌日に鎮静作用が残ってしまい日中眠って，夜間覚醒する昼夜逆転がみられることもある。夜の睡眠時間にのみ注目するのではなく，一日をとおしての睡眠リズムがどのようになっているのか，確認していく。

3) 思考の障害がないか

せん妄は幻視や錯視がみられることがある。患者によっては，見えているものが幻視であると理解している患者もいる。場合によっては，幻視があっても「このようなことを言ったら変だと思われる」と感じている患者もいる。本人の主観的な訴えだけではなく，客観的な行動観察も重要である。

これらの影響から，興奮状態や，暴力に至ってしまうこともある。暴力は，患者にとっても，医療者にとってもつらい体験となる。当然ながら，このようなことが起こらないようにケアしていくことが大切である。

場合によっては，身体抑制が必要なときもある．やむを得ず身体抑制を実施する際には，一日でも早く解除できるように毎日話し合うことが大事である．

3 援助方法

1）せん妄の予防的介入

せん妄への援助方法として大切なのは，予防的な介入である．せん妄は可逆的な病態ではあるが，遷延化することにより，改善後も認知機能の低下が続くこともある．準備因子（素因）は減らせないが，観察することで直接因子になりうるものを見つけ，多職種と連携して除外することは可能である．促進（誘発）因子は，ケアで減らせるものが多くある．環境調整は，予防的な介入としても有効である．具体的には，図4-1のような環境調整などを行うとよい．その際には，患者の視点で考えることが大切である．たとえば，カレンダーを掲示していても，患者から見えない位置にあったり，読めないような文字の大きさだったりすると，意味をなさないものとなる．患者の意識が清明なときに一緒に確認していくことも必要である．

2）せん妄の治療的介入

せん妄になってしまった場合は，早期に改善できるようにケアをする．せん妄そのものを改善させる治療法はないが，原因となる身体疾患の治療や，薬剤の変更などが主な介入

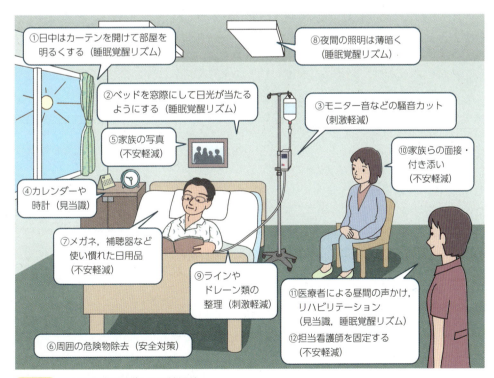

図4-1 せん妄予防に配慮した環境調整

井上真一郎：せん妄診療実践マニュアル，羊土社，2019を参考に作成

方法となる。また，対症療法ではあるが，睡眠障害や易怒性などに対して，薬剤を使用することもある。薬剤の投与量は，医師が設定するものではあるが，患者の状態（高齢，腎機能や肝機能の低下など）によっては，翌日に薬剤をもち越してしまい過鎮静になってしまったり，ふらつきなどが出て転倒リスクが高くなったり，嚥下障害による誤嚥が引き起こされたりする場合もある。看護師として，薬剤使用後の観察も重要なケアの一つとなる。

3）せん妄症状がある患者とのコミュニケーション

せん妄症状にある患者が，つじつまの合わない発言をしたときに，現状を理解してもらうために患者を説得することがある。そのときに，患者の言葉を否定して現実を伝えることは時に患者の怒りや恐怖，不安などの不快感情が増幅する可能性がある。一見，つじつまの合わない発言でも，患者の意図することを会話の中からくみ取っていく必要がある。そのためにも，安易に患者の言葉を否定せず，つらさに共感する姿勢が大切である。

たとえば，「お客さんが来ているから，帰るんだ」と患者が言ったときに，「ここは病院ですから，お客さんは来ませんよ。入院してください」という言葉ではなく，「帰りたいんですね」と，まずは患者の思いを受け止めつつ，「お客さんも来ているかどうか，確認はしてきますが，今は夜中なのでお客さんは病院に来てないかもしれませんね」と，徐々に現実感をもてるようなかかわり方のほうが良い結果をもたらすことが多い。

個人差はあるものの，せん妄状態にあったときのことを覚えていたり，内容までは覚えていなくても，恐怖や不安などの不快感情が残っている患者も多い。患者とかかわる際には，このようなことを念頭に置きながら，患者を尊重しながら，安心感を与えるかかわりをすることが，せん妄回復後の患者の精神的なケアにもつながる。

シミュレーション演習「せん妄状態にある患者への援助」

1）到達目標

（1）一般目標

患者がせん妄により歩き回っている場合に，安全，安心，苦痛の軽減を考慮した看護を提供する。

（2）行動目標

①穏やかな態度でかかわり，強制的な行動の制限を避け，安心感もたらす対応ができる。
②行動を共にして転倒・転落などの危険を避け，安全を保つことができる。
③意識状態と点滴による不快感を考慮した対応ができる。

2）学生提示課題

○○さん（可能であれば姓も名も仮名を用いる），80代の女性，せん妄状態。大腿骨頸部骨折で入院し手術を受けた。術後の回復は良好で間もなく退院予定であるが，低栄養のため点滴を受けている。あなたは看護学生として受け持つことになった。本日が実習初日で，臨床指導者から紹介してもらったときは，ニコニコして受け持ちを承諾してくれた。○○さんには，あなたと同年代の孫（女子大生）がいるので，快く承諾してくれたものと思われる。

本日の実習終了の挨拶に病室を訪れた。病室の照明は消えており，患者が点滴を自己抜去して，呆然と立っている。どことなく焦点の合わない目をしており，心ここにあらずといった様子である。この場面に適したケアをしてください。

あなたのケアで患者がいったん落ち着いたら（あるいは反対に興奮しだしたら），ナースコールで看護師を呼んでください。——シミュレーション時間は7分です。

3）患者役状況設定（患者役への演技上の指示）

○○さん，80代，自宅で転倒し，大腿骨頸部骨折で入院し，手術を受けた。術後の経過は良好で順調に回復し，間もなく退院予定である。入院中に血液検査を受け，低栄養であることがわかった。退院前に栄養状態を改善する目的で点滴が始まった。

数日前に実習指導を担当している看護師から，「来週看護学生が実習に来るので，受け持ち患者の候補に挙げてもいいですか？」と聞かれ，了承した。本日，看護学生が実習に来て，実習指導担当看護師から紹介された。緊張と不安が混じったような様子で挨拶した学生を見て，孫が来たような気分になり，すぐに受け持ちを承諾した。その後学生と話をすることを楽しみに待っていたが，学生は昼食のときに短時間顔を見せただけである。午後から点滴が始まり，もう学生は来ないのかなと思っていた。

やがて外が暗くなりはじめ，なんだか気持ちが落ち着かなくなってきた。周りの状況がうまくつかめなくなり，変な気分である。

【以下はせん妄状態による混乱を反映した意識状態での体験である。ここでは（　）内は現実を表している】自分の家にいて，夕食の準備をしなければならないと気がついた。左手に天井からぶら下がった変な紐がついている（本当は点滴）。夕食の準備をするのに邪魔なので紐をはずした。ちょっと痛いような気がして，腕も気持ち悪いが，夕食の準備のほうが大切。準備にとりかかろうとして，どの方向に行けばよいのかわからなくなった（患者は病室内で茫然と立っている）。自分の家のはずなのに，台所がどこなのかわからない。

〈学生への対応の基本的な順序〉

【ここでは（　）内は患者の心理状態を表わしている】
①病室内で困り果てた様子で立っていてください。
②学生が入室してきます。
③学生はあなた（○○さん）の様子を見て，驚いた様子で声をかけるでしょう。
④学生が声をかけたら，そわそわして落ち着かない様子で，室内をうろつき始めます。
⑤（あなたには，声をかけたのが誰だかわかりませんが，怪しい人のような気がするので，だまされないように何も言わないで黙っていることにしました。）
　学生が声をかけても返事をせず黙ってうつむいたり，周りをきょろきょろしたりしていてください。
⑥学生は何度か名前を呼んだり声をかけたりするでしょう。
⑦（若い女性だと気がつき，大学に行っている孫娘が帰宅したのだろうと思います。）
　「お帰り」と言います。
　（その後は，孫娘のイメージと看護学生のイメージと見知らぬ女のイメージとが入り混

じって，混乱した思考状態です。）
⑧（あなたとしては夕食の支度として，ご飯を炊いたり味噌汁を作ったり，おかずは何にしようかと迷ったりしている状態です。）

室内をゆっくり歩きながら，ブツブツとはっきりしない言葉をつぶやくように言ってください。そして時折，「お米」「味噌」など，夕食の準備にかかわりのあることを，聞き取れるようにはっきり発言してください。→学生にはわけのわからないことを言いながら目的もなく室内をうろついているように見えるかもしれません。

⑨－1 学生があなたの動きに一緒について歩き，転んだりぶつかったりしないように安全を保とうとする行動や穏やかな物腰と言葉かけをし続けたら，少し安心した様子でベッドに腰かけます。

⑨－2 学生が強引に何かをしようとしたり大きな声で話しかけたりしたら「うるさい，何をするの！」と険しい声で言い，（学生があなたの身体に触れていても触れていなくても）腕を振り払うしぐさをしてください。

⑩学生がナースコールを押して看護師を呼び出すところで終了する。

文 献

1) 日本精神神経学会日本語版用語監修，髙橋三郎・大野裕監訳：DSM-5精神疾患の診断・統計マニュアル，医学書院，2014，p.588-589.
2) 日本総合病院精神医学会 せん妄指針改訂班：せん妄の臨床指針〔せん妄の治療指針第2版〕日本総合病院精神医学会治療指針1，星和書店，2015，p.33-34.
3) 井上真一郎：せん妄診療実践マニュアル，羊土社，2019，p.12.
4) 前掲書3），p.24，30.
5) 前掲書3），p.70.

5 不　安

学習目標
- 不安症状の特徴について，程度とレベル，心理社会的反応などの基本的知識を理解する。
- 不安により援助を必要としている人に対するコミュニケーション，看護技術のポイントを理解する。
- シミュレーション演習「不安を抱える患者への援助」ができる。

1 症状の特徴

1) 不安とは

　不安とは，対象のない漠然とした不快な感情をいう。具体的な対象がないという点では，恐怖と区別される。恐怖は，近い将来やってくる具体的な外的事象に向けられている。たとえば，旅行先でレンタカーを借り，初めての道をドライブしている場面を想定しよう。長いトンネルを抜けたときにその先がどのような状況になっているかがわからないのが不安であり，突然目の前に逆走車が現れるのが恐怖と考えることができよう。つまり，不安は，その対象が具体的に特定できないものであり，近い将来起こるとは考えられない可能性の低い危険を想像している場合が多い。

2) 不安の程度とレベル

　通常，不安は人間が生きていくための行動の源泉としても働く重要な心理であり，それ自体が病的な現象ではない。適度な不安は注意力を高め，感覚を鋭敏にするため，準備や練習をする手助けになり，潜在的に危険な状況に注意を払う手助けになる。たとえば，学生が単位を落としたくないという不安から，試験勉強に集中することなどが一種の健康的な不安といえよう。

　また，不安は突如生じることもあれば，数分間から数日間かけて徐々に生じることもある。不安の強さも，かろうじて気づく程度の不安から，急にパニックを引き起こす強い不安まで様々である。不適切な状況において予兆なく，あるいは頻繁に不安が生じたり，不安による苦痛が耐えがたいほど大きく，長期にわたって続くと，日常生活に支障をきたす病的な不安となる。

　不安には，以下の4つのレベルがある。

(1) 軽　度
　日々の生活において個人を動機づける通常の不安。刺激を容易に知覚し処理する。注意

力が高まり，学習と問題解決能力が効果的に高められる。

(2) 中 等 度
　個人の知覚領域が狭くなり，見る，聞く，理解するなどの能力が低下する。学習は他者の指導でかろうじてできる。周囲からの刺激に対する注意が低下することがあるが，注意を喚起されると気がつく。

(3) 重　　度
　小さいこと，細かいことに注意を奪われる。知覚領域は著しく狭くなる。また，問題解決や学習が困難になる。

(4) パニック
　不安の極致である。個人は混乱し，自分自身の安全を保てなくなることもある。動くことや話すことができなくなったり，活動性が亢進し興奮状態になったりする。

3) パニック発作と予期不安
　動悸，胸痛，呼吸困難，めまい，非現実感，死の恐怖などを伴う極めて強い不安が何の前触れもなく突然起こることをパニック発作という。パニック発作を経験すると，発作がまた起こることへの不安や発作が引き起こされることへの不安が生じることがあり，それを予期不安という。予期不安はパニック発作の誘因の一つになり，発作と予期不安が繰り返されることにより，徐々に不安が強くなっていく。やがて，発作が起きたときにすぐ対応できない場所や状況，過去に発作が起きた場所や状況を避けるようになる。パニック発作などが適切に対処されず長く繰り返されると，日常生活が大きく制約され，抑うつが生じる。

4) 不安の心理社会的反応
　不安は自律神経活動を亢進させ，個人の全体に影響を与える。それは，不安が生理的，行動的，心理的反応であり，これらすべてが同時に起こるからである。

(1) 生理的反応
　ストレスによる緊張反応の際，ノルアドレナリンを分泌し，交感神経を興奮させる。ノルアドレナリンは「闘争，逃走」の物質といわれている。たとえとして，原始人がサーベルタイガーに遭遇した場面を想像すると理解しやすい。すでにタイガーはこちらに気づき攻撃体制に入っており，すべきことは「闘う」か「逃げる」のどちらかしかない。直ちに選択しないとタイガーに食べられてしまう。その判断でノルアドレナリンが分泌され脳が研ぎ澄まされ，その影響によりアドレナリンの分泌が起こる。
　アドレナリンの分泌は，血圧の上昇，脈拍・呼吸数の増加，発汗，顔面紅潮，口渇，ふるえ，頻尿，めまい，筋肉の緊張，嘔気，動悸，不眠，下痢，頭痛，胸痛などを生じる。これはストレスなどで脳内の視床下部，下垂体，副腎が活性化されたことによって起こると考えられている。

(2) 行動的反応（影響）
　不安を回避するために非合理的な行動が起こる。そのため，行動能力，自己表現能力，日常の問題への対処能力などの障害が起こる。

(3) 心理的反応（影響）

緊張を強いられることによって，「失敗するのではないか」などの心理状況からそれを回避しようと行動を変化させる。また，心理的反応に伴って，「自分が今にも死んでしまうのではないか」という懸念と繰り返しが起こることによる予期不安が生じる。そのため落ち着きがなくなり，周囲への関心も消失することがある。

2 アセスメント

不安の程度とレベルおよび心理社会的反応を観察し，アセスメントしていくことが重要である。通常時の観察はもちろんであるが，多様な日常活動や運動に取り組む際の不安レベルの変化を観察する。

以下に観察の要点を挙げる。
- 不安の状態・レベル。
- 患者の訴え，表情，言動，行動。
- 不安による行動的反応と程度。
- 不安による生理的反応と程度。
- 不安による心理的反応と程度。
- 睡眠障害の有無と程度。
- 他者とのかかわり，コミュニケーション能力。
- 不安による日常生活への影響と程度。
- 不安や心配の原因と思われること。

また，治療的関係を構築していくうえで，治療的コミュニケーションスキル（表5-1）などを用いながら，対象者のちょっとした表情や行動の変化をとらえることが重要である。

表5-1 治療的コミュニケーションスキル

内容を感覚に翻訳する	「あなたは…と感じているのではないでしょうか」
比較を奨励する	「この体験は…に似ていませんか」
評価を奨励する	「この問題についてどう感じますか」
焦点を絞る	「今話していた問題に戻りましょう」
自己を提供する	「しばらくここにあなたといさせてください」
真実を伝える	「あの音はドアがきしむ音です」
再陳述する	「あなたは不安に感じている。そしてその原因が…ですね」
明確化を求める	「あなたが言ったことを，私はよく理解できなかったです」
合意の確認を求める	「私とあなたの認識は一致しているでしょうか」
要約する	「あなたと私が…について合意しました」
疑問を伝える	「それは異常な体験ではありませんか」

治療的コミュニケーションスキルを駆使することで，看護師が「何かいつもと違う」という感じを抱く場合もある。これは感情伝播といわれ，周囲からポジティブ（またはネガティブ）な感情表現を刺激として受けた人は，ポジティブ（またはネガティブ）な感情を抱きがちになるといわれている。治療的コミュニケーションスキルによって感じた感情をアセスメントして，看護援助に活用することも可能になる。

 援助方法

1）ストレス要因が少なく，静かで快適な人的・物理的・心理的環境を提供する

- 看護師が落ち着いた静かな声で話すことにより，状況に対処できる自信や混乱をコントロールする能力をもっていることを伝える。看護師の忍耐力や理解の容量が大きいことも，これにより伝わる。
- 患者を静かな環境に置く。患者の気が散る原因となる騒音，活動，明かりなどの刺激を減らす。
- 不安が軽減するまでは，患者にかかる心身の負担を減らす。検査，その他の活動，来客などの間に休憩を入れる。
- 患者の支えになる様々な人（ソーシャルワーカー，ボランティア，友人，宗教関係者など）の介入を促す。
- 患者自身や周囲の者に危害を加える可能性をアセスメントし，安全な環境を提供する。

2）患者が不安に対する強さや弱さを現実的に受け止められるように促す

- 患者の置かれている状況について，現実的なフィードバックを与える。うわべだけの励ましは与えない。具体的にどのような感情体験が不安体験であるかを教え，得体の知れない不快な感情体験に名前をつける援助をする。
- 感情表現を促す。泣いたり，怒ったりすることが必要な場合のあることを伝える。
- 不安の引き金となる出来事に気づくように援助する。その出来事が患者にとって何を意味しているのかについて話し合う。
- 不安やパニックが軽減したときに，患者自身の目から見た不安の原因について考えさせる。

3）具体的なコーピング方法を患者と一緒に考える

- 不安を引き起こす状況や，それに近い状況に対して，患者が無意識にとっているコーピング方法を自覚するように援助する。
- 不安を引き起こす状況における患者の反応を繰り返し思い出させ，その反応について熟考させる過程で，その他のコーピング方法を選べる可能性のあることを自発的に気づかせる。
- 現在患者が用いているコーピング方法についてのフィードバックを与え，適応のために

効果的であるものは強化するよう働きかける。
- 患者がパニックにも近い激しい不安のただなかにある場合は，その傍らで患者と共にいることが助けになるが，心痛の理由を説明させたりはしない。コミュニケーションをとろうとすることによって，患者を余計に苛立たせることになりうる。
- 不安の軽減のために，身体的な安楽を与えることが役立つことがある。不自然でなければ，背中のマッサージも良い。温かい風呂や軽い運動も効果的な場合がある。その他，呼吸法，リラクセーション技法，問題解決技法などを用いる可能性も，患者の不安が強くないときに話し合っておく。新しい技術の導入は，不安がある程度軽減されて，集中力が戻ったときに行わせる。
- 抗不安薬が効果的なこともあるので，その投薬の可能性について主治医と事前に相談し，本人の意向に沿って服薬を考える。

4 シミュレーション演習「不安を抱える患者の援助」

1) 到達目標
(1) 一般目標
不安を抱える患者との治療的コミュニケーションをとおして，病態像をアセスメントし，不安が軽減できる対処法を一緒に考えることができる。

(2) 行動目標
①対象者の状況に合わせたコミュニケーションができる。
②不安を呈する患者の観察とアセスメントができる。
③不安を呈する患者に対し治療的コミュニケーションスキルを用いて，援助方法を一緒に考えることができる。

2) 学生提示課題
○○さん（可能であれば姓も名も仮名を用いる），50代半ばの女性，胃潰瘍・不安神経症。胃潰瘍と診断を受け，休養目的で2週間の入院となった。看護学生が受け持つことにも快諾した。学生は臨床指導者に「一人で寂しくしているので，まずは話し相手になって情報を把握して来て」と助言され，病室でコミュニケーションを図るために向かった。──シミュレーション時間は7分です。

3) 患者役状況設定（患者役への演技上の指示）
○○さんは，30代半ばに夫（妻）を交通事故で亡くし，女手1つで遺された一人息子を育ててきた。田舎に帰って子育てすることも考えたが，息子が所属するサッカーチームを辞めたくないとの理由で，頼れる親戚もいない地での子育てを選択した。その息子も大学を卒業し，昨年春には地元の大手企業に就職した。○○さんは，これからは自分のために人生を楽しもうと長年働いた職場を辞め，貯金の切り崩しと息子からの仕送りで生活を営み，空いた時間でカルチャースクールに通うようになった。

ところが昨今の不況の影響により，息子の会社が半年前に倒産した。再就職がなかなか決まらない息子は毎晩のように酒を飲んで帰ってきたり，無断外泊をするようになった。息子のことが心配で話しかけても相手にされず，時には暴言を吐かれることもあった。そのため睡眠も十分にとれず，食事ものどを通らない状態が続き体重も減少した。ある日，息子が帰宅すると○○さんが倒れており救急車で救急入院となった。

〈学生への対応の基本的な順序〉
① 学生は○○さんとコミュニケーションを図ろうとするが，落ち着かない様子で漠然とした不安を訴えてください（例．ああ，何だか苦しいです，調子が良くないです，いろいろ心配なんですなど）。
② 学生が具体的な質問をしてきたら，まずは不眠の訴えをしてください（例．寝た気がしないんです，布団に入っても寝れないんです，ここ1週間はほとんど寝ていませんなど）。
③ さらに寝れないことへのつらさをつらそうな表情で訴えてください（例．毎日，寝れなくてつらいんです，今晩も寝れないと思うとつらいです，寝れなくてイライラしますなど）。
④ 不眠についてと不眠によるつらさを何度も訴えてください（同じ内容を繰り返しても構いません）。
⑤ 不眠について言い尽くした，あるいは，学生が話題を変えてきたら食欲不振の訴えをしてください（例．食欲もない，全然食べれない，美味しいと感じないなど）。
⑥ 食欲不振について何度も訴えてください（同じ内容を繰り返しても構いません）。
⑦ 食欲不振について言い尽くした，あるいは，学生が話題を変えてきたら息子に対する心配をしてください（例．息子の就職が決まらないんです，毎晩，お酒を飲んで帰ってくるんですなど）。
⑧ 不眠，食欲不振，息子の心配事について，くどくどと何度も訴えてください。また，流れのなかで随時，貧乏揺すり，落ち着きのなさ，焦燥感を呈してください。
⑨ （「残り1分です」の合図があったら）それまで以上に切羽つまった感じで訴えてください。（例．考えがまとまらない，将来，どうなるか不安で不安で…，学生の手を握って「助けてください」と哀願する，急に立ち上がりウロウロするなど）。

■ 文 献

1) 坂田三允編：心を病む人の看護〈シリーズ生活をささえる看護〉，中央法規出版社，1995.
2) 川野雅資編：エビデンスに基づく精神科看護ケア関連図，中央法規出版社，2008.
3) ゴーマン RM・他著，池田明子監訳：心理社会的援助の看護マニュアル―看護診断および看護介入の実際，医学書院エムワイダブリュー，1998.

6 無為・自閉

学習目標
- 無為・自閉とは何か，生活上どのような影響を及ぼすのかについて理解する。
- 無為・自閉の観察とアセスメントの方法を理解する。
- 無為・自閉の状態にある人の援助方法を理解する。
- 地域で生活する精神障害者の症状マネジメントを理解する。
- シミュレーション演習「無為・自閉な患者のセルフケア不足への援助」ができる。

1 症状の特徴

　統合失調症の前段階である認知機能障害が生じると，周囲の人は「変わった人だからあまりかかわらないようにしよう」とその振る舞いなどに違和感をもつ。そのため，周囲は距離をとっていくが，本人はその理由がわからず，『嫌われているのではないか？』と感じて本人自身も距離をとっていく。周囲との距離が広がっていくことで，さらに自分の世界に引きこもり，自閉的になっていく。この認知機能障害が悪化していくと，やがて幻聴や妄想などのはっきりとした精神症状が生じていく。これは，自閉が悪化していった結果ともいえる。

　自閉が悪化し，しばらく人と話をしていないことによって，流行っていることや共通の話題がわからない，ハキハキと話せない（どもったような口調になる），声の音量がわからなくなる（大きすぎる，あるいは小さすぎる音量になる），視線の合わせ方が不自然（目を合わせられない，あるいは不自然に合わせすぎてしまう），問いかけに早く答えないといけないと思い深く考えずに即答するなど，コミュニケーションにおいてもうまくいかないことが生じていく。

　統合失調症ではこれら陰性症状としての閉じこもりと，患者がとる対処行動としての閉じこもりの「二次的な自閉」[1]がある。対処行動としての自閉が必要なときもあるが，他者との会話を避けて引きこもり，自閉的になってばかりではコミュニケーション能力が低下していくため，他者との会話を必要とするようなストレスがかかる場に身を置くことも必要である。

　統合失調症では，感情鈍麻とともに能動性，自発性の低下が起こる。患者は積極的に仕事や勉強をしようとしなくなり，家では朝寝坊をし，一日中生産的なことは何もせず怠惰な生活を送り，退屈を感じない（無為）。急性期の能動性低下は被害妄想のために外出できない場合もあるが，慢性期には身だしなみもだらしなく，動作も不活発になり，食べては眠

るという生活になる。注意をすると理屈を言って弁解するが，無気力な生活は改まらず，終日臥床して無為に過ごすようになる[2]）。

アセスメント

　無為・自閉が進行すると日常生活の多くに支障をきたす。単に活動性が低下して終日臥床しているだけでなく，食事の準備や摂取，身だしなみ，整理整頓，活動と睡眠，他者との交流，仕事や学業など社会生活全般に影響を及ぼす。

①活動：終日臥床して過ごす（眠っていない場合も含める），食事や排泄など最低限のみの行動に限られる，ベッド上で過ごす，長時間座ったまま過ごす，外出しようとしない，仕事や学校のほか，社会的な活動に参加しようとしない（興味を示そうとしない）。
②表情：硬く乏しく，ひそめ眉やしかめ顔。
③身だしなみ：洗面やひげそりなどをしないなど，だらしなくなる。
④会話：自ら会話を始めない，反応が鈍くなる，視線が合わない。
⑤身体面：栄養状態，食事や水分摂取量の減少。

援助方法

　無為・自閉のある患者に対しては，現実的なことに少しずつ目を向けられるようにかかわっていく。慢性期にある患者の場合，自閉世界に閉じこもっていた期間が長く，行動変容は容易ではない。しかし，看護師は患者のこの行動は変わらない，この患者はこういう人なんだと決めつけずに，行動変容は可能であると信じることが何よりも重要である。また，無為・自閉のある患者であっても，不意に「○○したい」「昔はよく○○していたんだよね」と話すこともある。そこでタイミングよく，「○○したいんですね，一緒にやってみましょうか？」「○○するためには，どんなことができるといいと思いますか？」などと声をかけることも効果的である。さらに，患者は認知の幅が狭くなっているため，自ら様々な選択肢を考えてそのなかから意思を決定することが難しく，医療者や家族の意見に流されてしまうことも考えられる。そのため，本人が様々な選択肢を考えられない状態の場合には，医療者が複数の選択肢を用意しておくなど，できる限り本人の意思決定を支援する。

1）事例をとおした援助方法
(1) 事例 1
　40年もの間入院していた60代のAさん（統合失調症）は，薬は看護師管理であり，内服する際にも看護師に薬を口の中に入れてもらっていた。自ら新たな行動をしようとしない無為・自閉的な患者であったが，退院したいという希望はもっていた。そこで，退院するために何ができるようになったらよいか尋ねると（リフレーミング），少し考えた後，「薬は必要だと思うから自分で飲めないといけないね」と答えた。そこで，医師の許可のもと，服薬の自己管理を1日分から始め，3日分，7日分と拡大していった（服薬自己管理に向けた援助）。すると薬の容器へのセットは援助が必要なものの，3か月ほどで7日分の服薬自己

管理ができるようになった。看護師が患者の行動変容が可能であると信じ，根気強くかかわることの重要性を実感した事例である。

(2) 事例 2

60代のBさん（統合失調症）は，日中はずっと廊下にしゃがんでいた。発語は同じ内容を短い文章で繰り返すのみであったが，時折，笑顔で話していた。洗濯や入浴，買い物，布団をたたむのは自ら行い（ルーティンの活動），ゲートボールもルールを守り，上手に行うが，自ら何かをしたいという思いが聞かれることはなかった。洗濯物を自分のベッドに干していたため，乾燥室に干すように誘導するも，一向に行動変容はみられなかった。Bさんはそれまでの生活様式に対するこだわりが強く，根気強いかかわりを行ったものの行動の変容がみられなかった事例である。このような患者の場合には看護師自身も一つの行動変容にこだわらずに，他の行動に着目してかかわることも必要である。

(3) 事例 3

40代のCさん（統合失調症）は，一日の大半をベッド上で臥床か座位で過ごしていた。入浴や食事などは自ら行うが，退院を希望することはなく，入院が継続されていた。また，看護師などスタッフの問いかけには即座に応答するが表面的なやり取りに終始し，新たな活動を提案すると拒否することが多かった。話すときには発汗や振戦が目立っていた。このように面と向かって話すことに対して，緊張が強い患者の場合，作業療法などで何か作業をしながら会話をすることも有効である。また，提案に対して拒否的な場合は，本人の思いをゆっくりと引き出しながらかかわることが重要である。

2) 地域で生活する精神障害者の症状マネジメント

地域で生活している人の場合，衣食住は何とか自立しているものの，限られた対人関係のなかで無為・自閉的に日々を過ごしていることも多い。外出の状況や頻度，通院状況，睡眠状況などの活動面，洗面や入浴，歯みがき，更衣などの清潔面，家族や友人，地域の人とのかかわりなどの対人関係面などから症状をアセスメントすることが重要である。また，新たな活動（地域活動，趣味活動，就職など）を促すことも重要だが，対処行動としての自閉とも考えられるので，無理に促さず，本人の希望を聞きながら支援していくのが望ましい。

4 シミュレーション演習「無為・自閉な患者のセルフケア不足への援助」

1) 到達目標

(1) 一般目標

セルフケア行動が低下した患者の精神症状をアセスメントし，看護介入ができる。

(2) 行動目標

①患者と一緒に目標を確認できる。
②患者の状況に合わせたコミュニケーションができる。
③患者の健康的な部分も含めたセルフケア能力をアセスメントできる。
④オレム-アンダーウッドの看護システムに基づき，セルフケア能力に応じた援助ができる。

2）学生提示課題

　〇〇さん（可能であれば姓も名も仮名を用いる），50代半ばの女性，統合失調症。15年間入院している。日中のほとんどを病室のベッド上で過ごしている。〇〇さんは，昨日からあなたが受け持ちになることを快く応じてくれた。また，〇〇さんは，下記の目標を受け持ち看護師と一緒に考えた。
- 長期目標「お姉さんと一緒に暮らす」
- 短期目標「身の回りの整理・整頓ができる」

　〇〇さんのセルフケア能力をアセスメントして援助してください。──シミュレーション時間は7分です。

3）患者役状況設定（患者役への演技上の指示）

　〇〇さんは統合失調症で，性格は大人しく真面目である。幼い頃から人付き合いがうまくできず，高校3年生頃から人間関係に悩むことが多くなった。その後，不登校となり，高校を退学した。

　高校を退学後は，「テレビで自分のことを言っている」などの関係妄想や，何を言おうとしているのかわからなく，まとまりのない発言をするなどの滅裂思考があった。また，不穏状態となり，家族へ暴力を振るうこともあった。その後は，外出することもなくなり家に引きこもるようになった。

　このようなことから，家族に連れられ精神科病院を受診し，統合失調症と診断された。〇〇さんは，病識がないため，退院しても内服継続ができずに精神状態が悪化し，再び入院するため，今回4回目の入院となった。

　入院当初は「退院したい」と述べていたが，入院が長引くにつれ，次第にその希望を看護師に伝えることはなくなり，作業療法にも参加しなくなった。また，〇〇さんは，身体的な機能に問題はないが，日中のほとんどは病室のベッド上で過ごしている。そして，入院中に実母が老衰で死去したが，億劫さから葬儀に参列しなかった。

　〇〇さんの残された身内はお姉さんのみで，キーパーソンになる。お姉さんは今までは母との2人暮らしだったが，死去により一人暮らしを寂しく感じるようになった。唯一の身内である妹（〇〇さん）を心配し，これまで足を運ばなかった病院に面会に来るようになった。お姉さんは，妹（〇〇さん）と一緒に暮らしたいと思うようになるが，少なくても〇〇さんの身の回りのことは自分でできてほしいと思っている。一方，〇〇さんとしては，面会時にお姉さんがおやつを買ってくれるため，それを楽しみにしている傾向もある。

　受け持ち看護師は，これらの状況から，〇〇さんと今後のことを一緒に考え，お姉さんと一緒に暮らすことを将来の目標にあげた。そのために，整容や身の回りの整理整頓は自分から行うことを当面の目標にしたが，自分から行動することはない。

　昨日から，看護学生が〇〇さんを実習で受け持つことになった。〇〇さんのベッドの上には，衣類と本（新聞）が乱雑に置いてあり，掛け布団は床につきそうな状態になっている。また，壁には「〇〇さんの目標」と「カレンダー」が貼ってあり，カレンダーには受け持ち看護師が代筆したお姉さんの面会日が書いてある。

〈学生への対応の基本的な順序〉
①頭側と足側を逆側にしてベッドに斜めに臥床している。表情は無表情。
②学生の問いかけに対し，全く関心ない素振りで言葉少なく応じる（例.「…そうなの」か「ふ〜ん…」「はい」「いいえ」などの短い受け答え）。
③学生にベッド周囲の乱雑さを聞かれても，億劫そうに答える（例.「いや，便利だから…」「失くさないよ…」などの短い受け答え）。
④演習開始後，2分くらい経ったらゆっくり起き上がるが，学生には全く関心ない素振りを続ける。
⑤学生が何も促さないときは，ボーっとしている。
⑥学生から単なる整理整頓の促しだけなら，面倒と言って相手にしない。
⑦基本的には上記の無為・自閉状態を演じ続ける。ただ，学生が「○○さんの目標」に気づいた場合，少し関心がある態度を示す。
⑧そのうえで整理整頓を促されたら，ゆっくり片づけを始める。実際の片づけは雑でよい。
⑨雑な片づけに対して，再度，整理整頓を促されても応じなくてもよい。ただ，学生が「一緒にやりましょう」などの発言があり，補助してもらえるなら応じる。
⑩途中，学生から褒められたら素直に喜ぶ。
⑪学生がカレンダーに気づいた場合，さらに関心があるように対応する。
⑫姉の面会が今日であることを指摘されたら喜ぶ。また，姉の面会に対して，気持ちに添うような言動に対しては笑顔でこたえる。
⑬面会に来てどうするのかの問いに対しては「おやつ」と答える。具体的なおやつは患者役の好きなもので構わない。それ以外は「わからない」と言う。

文　献

1) Huber G：Psychiatrie. Lehrbuch fur Studium und Weiterbildung. 7. Aufl. Schattauer. 2005.
2) 大熊輝雄原著，「現代臨床精神医学」第12版改訂委員会編：現代臨床精神医学，改訂第12版，金原出版，2013，p.347-348.

7 拒絶（拒否）

学習目標
- 拒絶の精神症状とその特徴を理解する。
- 拒絶状態にある患者の観察の視点を理解し，援助方法について学ぶ。
- シミュレーション演習「拒否傾向の強い統合失調症患者に対する作業療法への誘い（援助）」ができる。

1 症状の特徴

　拒絶とは，ある要求や行動を他者から求められたときに承諾せずに拒否することであり，自分を守るための反応として生じることもある。精神看護の臨床場面では拒食や拒薬などの拒絶（拒否）行動に遭遇することがしばしばある。これらは精神症状の影響による場合が多いが，便秘や消化器系の身体疾患も影響している可能性や，時として周囲の不適切な言動に起因することもあるため，総合的なアセスメントが必要となる。

1）拒　　食

　拒食とは食事（飲水も含む）を拒否することである。精神科の臨床場面では統合失調症の患者が拒食になる場合がある。彼らは食べ物や水に毒が入っている，食べてはいけないと言われるなどの思い込む幻覚・妄想などの異常体験により拒食になる。また，摂食障害の患者の場合はボディイメージのゆがみにより，太ることへの強い恐怖の結果として，生命の危機に陥るほど体重が低下することがある。
　このような精神症状により生命維持に必要な栄養や水分を摂取していない場合は，看護問題として取り上げることが重要である。

2）拒　　薬

　拒薬とは様々な理由から服薬を拒否することである。その原因には以下の理由が考えられる。

(1) 病識の欠如

　米国精神医学会が精神障害の診断・統計の手引きを改訂（DSM-Ⅳ-TR，2003）した際に，重度の精神病患者の約半数が薬を服用しないことを明らかにされた。その最も一般的な理由が病識の欠如である。幻覚や妄想などの精神症状が重度になると，自分が病気であることや治療によって良い効果が得られるという認識がなかなか得られない。逆に，病識をもつことで自分が精神病だと認めたら，むしろ生きていけなくなると考える場合もある。

(2) 内服の副作用を嫌う場合

薬への依存が起こるのではないかという不安，内服により活動性が失うのではないかという恐れなどで，内服への抵抗を示すこともある。また実際に，薬の副作用が出現していて，その苦しみから逃れるために服薬していると見せかけて拒薬している場合もある。

(3) 幻覚・妄想などによる場合

誰からの声により薬を飲まないように命令されたり，薬を飲むと死ぬ，あるいは毒が入っているなどと思い込み，服薬どころではないと感じる状況に陥ることがある。

(4) 自殺を図る目的で薬をため込む

服薬していると見せかけて薬を指の間に隠し持っていたり，一度口に含んだ錠剤を吐き出してため込み，自殺の手段に用いようとすることがある。

(5) その他

医療者に対する不信感や疑念，または長期にわたる服薬行動に飽きたり，諦めたりした結果，拒薬する場合もある。

3) その他の拒否

他者への恐怖や不安から，関係性を避ける行動が起こり拒絶に至る場合がある。この場合の他者とは，他の患者はもちろんのこと，家族や医療者が対象になる場合もある。

また，身の回りのことについても関心を示さず，更衣をしない，清潔を保てない，アクティビティなどの活動にも参加しないなど，生活全般に関して拒否を示す場合もある。

2 アセスメント

〈観察の視点〉
①拒絶行動の状況：拒絶の内容，拒絶の対象，拒絶の言動・態度，思考障害の程度。
②拒絶出現時の精神症状：病識，病感，感情・意欲の障害の程度，思路の障害の程度。
③患者の表情・言動・態度。
④日常生活行動への影響：食事，排泄，衣生活，休息，余暇。
⑤他者とのかかわりの程度。
⑥医療者との関係：入院形態，受療態度，行動制限，医療者とのかかわり。
⑦薬の副作用：精神神経症状，錐体外路症状，肝機能，皮膚症状。
⑧意識障害，昏迷の状況・程度。
⑨身体症状。
⑩身体諸機能データ：水分・栄養摂取状況，体重，薬物血中濃度，排泄の量・性状，血液生化学的データ。

3 援助方法

1) 拒食時のケア

①患者にとって食事を摂らない・摂れないことは，つらさや恐怖を伴っていることが多い。

看護師が，一貫した共感的な態度を示すことで，安心感や信頼感を与えることができる。また，食事ができない理由については傾聴の姿勢でたずねる。

②安心して食事ができる方法や手段を患者と一緒に考える。具体的に以下のような方法や手段が考えられる。
・食事の時間や場所を臨機応変に設定し，安心できる環境を提供する。
・幻覚・妄想によって食べることができない場合，可能であれば患者の目の前で試食するなど，安全を確認してもらう。
・食事の内容を患者の好みのものに変えたり，家族に好物を持って来てもらう。
・かかわるスタッフを変えてみることも方法の1つである。

③食事に関心を向けさせ，根気よく食事を促す。

④原則として食べることを強要しないが，生命の危機に陥るほど体重が減少している場合は，点滴や経管栄養で栄養を補う。またその際には，たとえば「あなたの身体が悲鳴をあげるほどつらそうなので」など，生命維持を保つために必要な処置であることを強調した声かけを行う。

2）拒薬時のケア

①服薬に関する患者の訴えを十分に聴き，受容的態度で接する。
・看護師が傾聴の姿勢でかかわり受容的態度をすることで，患者は自分が尊重されていると感じ，自分の思考や感情を表出しやすい状況をつくる。
・患者の要求や訴えなど表面的な言動に惑わされず，その奥にある心理的状態を理解する。

②病識がない場合は，治療の必要性を根気強く説明し，服薬を促し看護師管理による確実な服薬をする。
・病気にならないために服用するという予防的意味を強調することによって，患者は納得することが多い。また，看護師管理のもとで行う服薬によりその習慣を身につけることができる。
・服薬中断により症状の再燃をきたした場合は，内服によって良い状態であった頃を振り返られるようかかわる。病気というより悪い症状であると説明したほうが，状態像を受け入れられやすいこともある。

③薬の副作用による拒薬の場合，患者自身の言葉で身体的変調や苦痛を表現してもらう。副作用症状を緩和するための適切な薬剤調整を医師，薬剤師と共に対応する。

④幻覚や妄想による場合は，服薬を強要せずに，訴えを傾聴する。患者の不安やつらさを受容的な態度で接する。症状による苦痛や苦労を労い，それが服薬により緩和されることを説明する。たとえば，「いつも狙われると思って疲れていることでしょう。十分な休息をとるために薬を飲んで楽になりましょう」など。

⑤落ち着いて食事ができるようになった，夜間の睡眠がとれるようになったなど，服薬による効果を患者へ伝え，症状が安定して回復へ向かっていることを実感してもらう。

⑥内服の変更がないのに急激に状態が悪化した場合，服薬状況を確認する。
・服薬した素振りで指の間に隠したり，一度は口に含むが洗面所やトイレで吐き出していることもある。

- 服薬直後に会話をするなど，確実に服薬しているかどうか確認する。
- ベッド周辺などの環境整備時に薬物をため込んでいないか確認する。

⑦薬の種類によっては，錠剤から散剤，水薬や注射などの選択も可能であることを伝える。

⑧服薬時の表情や言動を常に観察するとともに，時には服薬に関する患者自身の考えや思いを言語化するように促し，現在の状況を見つめてもらう。

3）その他の拒否のケア

①拒絶的な態度がある場合，焦って患者との距離を縮めようとせず，なぜ拒絶的な態度があるのか考えながら患者にかかわっていく。

②行動を起こさないようであれば頻繁に声をかけてみる。スタッフを変えて声をかけることも効果的である。声かけや誘導に対する反応が乏しくても，決して強要的態度はとらずに，患者自身ができる範囲のことを促す。

③援助の際には，患者の考えや感情を確認しながらかかわりをもつ。

- 患者は自分が尊重されていると感じ，安心感をもつことができる。また，自分の感情や思考を表出できる場の保証となる。

シミュレーション演習「拒否傾向の強い統合失調症患者に対する作業療法への誘い（援助）」

1）到達目標

(1) 一般目標

拒否傾向の強い統合失調症患者が作業療法に参加せずに自室でこもっている場面で，精神状態および作業療法に対する意向をアセスメントし，参加を促し，作業療法に参加できないことについて理由を尋ねることができる。

(2) 行動目標

①基本的なコミュニケーションができる。
②拒否傾向のある患者に対する治療的かかわりがもてる。
③作業療法への参加を促すことができる。
④参加できていないことについて理由を尋ねることができる。

2）学生提示課題

○○さん（可能であれば姓も名も仮名を用いる），50代半ばの女性，統合失調症。20歳で統合失調症を発症し，何度か入退院を繰り返していた。ここ5年間は外来治療中であったが，幻覚・妄想状態が悪化したため任意入院となった。入院後2か月が経過し状態は安定してきた。しかし，時々幻聴が聞こえているようであり，慢性期の陰性症状である無為・自閉傾向もみられている。

○○さんを実習で受け持って2週目になった。午前中はホールでのゲームを誘ったが断られ，自室で学生と一緒にトランプをした。午後の作業療法の時間であるが，ホールに来ていない。平日の午後は作業療法のプログラムがあり，これまでは調子が良くないといっ

ても，いったん参加すればビーズ作りなどの手芸に集中して取り組むことができていた。

　自室まで迎えに行き作業療法への参加を促してください。——シミュレーション時間は7分です。

3）患者役状況設定（患者役への演技上の指示）

　○○さんは若い頃に統合失調症を発症し，本人なりの病気の理解もあり，幻覚・妄想によりつらいときには，自分で入院するといった対処能力がある。薬物療法で状態は安定しているが，時々幻聴が聞こえている。また，統合失調症慢性期の陰性症状である無為・自閉傾向がみられ，人に会うのを避け自室にとじこもりがちである。

　病棟生活では主に午前中に入浴やベッド周囲の整理整頓などを行い，午後からは病棟から作業療法室へ移動し，作業療法を行っている。最近はビーズ作りを継続しており，いったん作業をやり始めると，楽しく取り組めるが，無為・自閉傾向があるため部屋や病棟から出ることを億劫だと感じ，また，部屋から出ると良くないことが起こりそうな幻聴が時々聞こえてくる。

　シミュレーションが開始したら椅子に腰掛け，目を閉じて幻覚・妄想の世界に入っていってください（幻聴に聴き入っている）。学生が声をかけても反応せず，3回くらい声をかけられたらビックリしてください。また，肩など身体に触れたら大げさに驚いてください。

　会話には長めの沈黙（考える時間，7秒以上）を入れ，しばらく返答をしないでください。シミュレーションの前半部分（概ね2〜3分）では幻聴が聞こえていることを学生には話さないでください。何かの理由で学生がベッドを離れたら，最初の状態に戻ってください。

　おそらく学生は手を変え，品を変え様々なアプローチで作業療法への参加を促してくるが，原則，最後まで拒否し続けてください。

〈学生への応対の基本的な順序〉
① 何かに聞き入っていたり，横を向いたりして返事をしない。
②「う〜ん」「はぁ」「行きたくありません」「どうして行かなくてはならないのですか」などとはぐらかす。
③「行きたくないんです」と拒否する。
④「よくないことがあるような気がします」「行ってはいけないと思います」と幻聴をほのめかす。
⑤「行ってはいけないと言われているんです」と幻聴の内容をはっきり言う。
⑥「聞こえるんです」と幻聴があることを言う。
＊この流れのなかで随時，「だるいんです」「面倒くさい」など億劫な言葉や態度をしてください。

文　献

1) 上島国利，渡辺雅幸：ナースの精神医学，中外医学社，2003.
2) ザビア・アマダー，アンナ＝リサ・ジョハンソン著，江畑敬介，佐藤美奈子訳：私は病気ではない—治療をこばむ心病める人たち，星和書店，2004.

8 アディクション（嗜癖）

学習目標
- アディクションとは何か，依存によって生じる精神症状とは何かなど，アディクションの基本的な特徴について理解する。
- アディクションによって生じる日常生活への影響や，援助を必要とする人に対する観察の視点とケアのポイントをアルコール依存症の事例をとおして理解する。
- アディクションの背景とアディクションからの回復を支える支援について理解する。
- 代表的な疾患であるアルコール依存症の特徴とかかわり方について理解する。
- シミュレーション演習「アルコール依存症患者に対する援助」ができる。

1 症状の特徴

1）アディクションとは

　アディクションは，日本語では「嗜癖」と訳されている。薬物の摂取やある特定の行動など繰り返すことにより，身体的・精神的・社会的に不利益や不都合な状態が出現しているにもかかわらず，それを自分の意志ではコントロールできない状態を指す。

　アディクションを説明するときに，「依存」と「嗜癖」という言葉が存在する。依存の大きなくくりは嗜癖（アディクション）である。その下に，物質への依存と行動への嗜癖が分類される。依存は医学的定義ではアルコールや薬物などの物質に対する依存にのみ使用される用語であり，行動に対し問題が明確に存在する場合が嗜癖である。依存はアディクションに含まれる概念である。アディクションは，依存だけではなく行為や人間関係なども対象としており，依存よりも対象が広い概念である。本節では，医学モデルに基づき，「依存症」という用語を用いてアディクションを説明する。参考として，アルコール使用障害の診断基準（DSM-5）を表8-1[1]に示す。

2）依存症の発生機序

　依存症の発生は「快の体験」が最初にあり，脳内にある「報酬系」とよばれる神経回路が強化されることによって生じると考えられている。依存性薬物などを摂取すると，脳内の報酬系を刺激して，ドパミンとよばれる快楽物質が放出される。この快楽物質が脳内に放出されると中枢神経を刺激し，快感や喜びを感じるようになった結果，快をもたらす物質の摂取や行動が繰り返されるようになる。報酬系は神経伝達物質の一つであるドパミン

表8-1　アルコール使用障害の診断基準(DSM-5)

A. アルコールの問題となる使用様式で，臨床的に意味のある障害や苦痛が生じ，以下のうち少なくとも2つが，12ヵ月以内に起こることにより示される。
(1) アルコールを意図していたよりもしばしば大量に，または長期間にわたって使用する。
(2) アルコールの使用を減量または制限することに対する，持続的な欲求または努力の不成功がある。
(3) アルコールを得るために必要な活動，その使用，またはその作用から回復するのに多くの時間が費やされる。
(4) 渇望，つまりアルコール使用への強い欲求，または衝動
(5) アルコールの反復的な使用の結果，職場，学校，または家庭における重要な役割の責任を果たすことができなくなる。
(6) アルコールの作用により，持続的，または反復的に社会的，対人的問題が起こり，悪化しているにもかかわらず，その使用を続ける。
(7) アルコールの使用のために，重要な社会的，職業的，または娯楽的活動を放棄，または縮小している。
(8) 身体的に危険な状況においてもアルコールの使用を反復する。
(9) 身体的または精神的問題が，持続的または反復的に起こり，悪化しているらしいと知っているにもかかわらず，アルコールの使用を続ける。
(10) 耐性，以下のいずれかによって定義されるもの：
　(a) 中毒または期待する効果に達するために，著しく増大した量のアルコールが必要
　(b) 同じ量のアルコールの持続使用で効果が著しく減弱
(11) 離脱，以下のいずれかによって明らかとなるもの：
　(a) 持続的なアルコール離脱症候群がある。
　(b) 離脱症状を軽減または回避するために，アルコール（またはベンゾジアゼピンのような密接に関連した物質）を摂取する。

日本精神神経学会日本語版用語監修，髙橋三郎・大野裕監訳：DSM-5精神疾患の診断・統計マニュアル，医学書院，2014，p.483.より転載

が担っており，ドパミンを強める物質や行動は，依存を形成しやすくすると考えられている。

3）アディクションの分類

依存とはやめたくてもやめられない状態に陥ることであるが，その種類は大きく分けて2種類ある。

(1) 物質依存

アルコール，依存性薬物（麻薬，覚醒剤，大麻，鎮痛薬，睡眠薬，抗不安薬など），有機溶剤，ニコチンなど，ある物質の摂取に執着することをいう。ルールや法律からはずれた目的で薬物を使用することを薬物乱用といい，乱用を繰り返した結果，依存が形成され自分の意思では薬物の使用をコントロールできない状態となる。乱用を繰り返すことにより，以前と同じ量や回数では満足できなくなり使う量や回数が増えていき（耐性），乱用が繰り返されることとなる。

(2) 行動嗜癖

ギャンブル・ゲーム・インターネット・買い物・性的逸脱行動・暴力など，ある特定の行為やプロセスに執着することであり，その対象は多岐にわたる。嗜癖行動は，興味・関心から始まるがのめり込むかどうかは，心理的要因（ストレス），環境的要因（アクセスがしやすい，簡単に入手できる），家庭環境などが考えられている。行動嗜癖は，誰もがなり得る可能性があり，開始年齢が低いほど依存しやすい傾向がある。近年では，スマートフォンなどの情報端末や高速インターネット回線の普及に伴い，ゲーム障害が社会問題となっている。

4）アディクションの背景

依存症者のよくあるイメージの一つに，「好きで薬物やギャンブルにはまっている」というものがある。これは依存症を理解するうえで正しいのだろうか。心理学者であるエド・カンツィアン（Khantzian E）は，自己治療仮説（self-medication theory）として依存症の本質は，快楽の追求ではなく，苦痛を避けるための自己治療なのではないかという仮説を提唱している。依存症になりやすい人は，孤立していたり，精神的につらい状況にある人が多いと考えられている。また，依存症者は，対人関係の障害や低い自尊心による生きづらさを抱えているといわれているため，看護師はこれらの特徴を理解してケアをする必要がある。

5）アディクションの理解を深めるために

（1）精神依存と身体依存

薬物依存では，精神依存と身体依存の2つのタイプに分類される。精神依存とは，依存性薬物の摂取の結果，薬物に対する強烈な摂取欲求（渇望）が生じることや，その薬物の入手に固執する行動（薬物探索行動）が誘発された状態を指す。

身体依存とは，依存性薬物の摂取量を減少もしくは中止することにより体内の血中濃度が低下することによって生じる不快な身体症状のことをいう。

（2）家族とイネイブリングおよびイネイブラー

依存症の問題を抱えた人に対して，家族は次々に起こる問題を良かれと思って一生懸命に対処するが，すべて裏目に出てしまうということがある。これは，家族が依存症者本人の依存行動に関連した問題を自分でも気がつかないうちに，手助けしているのである。

このような依存症者の依存的行動の手助けをすることをイネイブリング（enabling）といい，支え手となる人のことをイネイブラー（enabler）という。これらの背景には，共依存が存在しているといわれている。

アルコール依存症を例に説明すると，二日酔いで酔っ払って帰ってきた夫の代わりに妻が会社に欠勤の連絡をする，借金を肩代わりするなど本人に代わって家族が後始末をすることにより，依存症者本人が問題に直面せず本人の責任を肩代わりすることになる。その結果，アルコール依存症者は自分で責任を負うことなく飲酒を継続することが可能となり悪循環が生じる。依存症の治療や回復を行うためには，家族が重要な存在となる。

（3）疾病否認

自分が依存症であることを認めないという特徴的な心理を否認という。否認は，防衛機制とよばれるものの一つであり，自分の心を守るための働きをしていると考えられている。自分が依存症である事実を認めてしまうと，不快な感情や不安が引き起こされるため事実を認めないで心の安定を図ろうとする。特にアルコール依存症は，否認の病といわれており患者を理解するうえで重要な概念である。否認により，酒を飲む理由や飲酒をやめない理由を次々とつくり出してしまう原因となる。

（4）自助グループ（セルフヘルプグループ）

依存症では，飲酒や薬物の使用，行動を「止め続ける」ことが重要となる。そのため，治癒ではなく回復を支えていくことが大切になる。依存症の人の回復は，単に飲酒や薬物，

依存行動をやめるだけはなく，新しい生き方を見つけることまでを指す。しかしながら，これまでの依存を断ち切り一人で回復を図ることは非常に困難である。そのため，自助グループへの参加をとおして回復を目指すことが必要となる。

自助グループとは，同じ悩みや困難を抱えた人やその家族らが自主的に集まり，グループメンバーとミーティングや情報交換を行いながら回復を目指す集まりである。代表的なアルコール関連の自助グループとして，匿名アルコール依存症者の会（alcoholics anonymous：AA）や断酒会などがある。

(5) 摂食障害

人の生命維持に欠かすことのできない「食べる」ということに関する障害を摂食障害という。神経性無食欲症と神経性大食症に大別されるこの障害は，食べ吐きを繰り返す，絶食をしてやせるという行為にはまっている状態ととらえることもできる。常に食べることや，吐くことが頭から離れず摂食行動にとらわれている状態である。空腹感や満腹感といった自然な感覚が失われ，食行動がコントロールできなくなる。摂食障害の患者に対しては，原因の追及ではなく食行動に依存してしまう現在の生きづらさやつらさに関心を寄せてケアを行うことが大切である。

2 アセスメント

情報収集とアセスメントに際しては，精神面・身体面・社会面に加えて，生育環境や生活環境など幅広い視点から患者を理解することが大切である。

以下の視点について，患者の状態をアセスメントすることが重要となる。

代表的な物質依存であるアルコール依存症を例にアセスメントのポイントを述べる。

(1) 精神状況

・抑うつ症状の出現の有無。
・アルコールや依存性薬物への欲求の程度。
・否認の程度。
・焦燥感や不安，ストレスの程度。

> ＜アセスメントの視点＞
> ・アルコール依存症は，うつ病や不安障害と深く関連することが知られている。アルコールは一時的に不安を和らげる効果があるが，治療により飲酒を中止した反動で抑うつや不安が出現することが少なくない。
> ・表情や言動，イライラ感などの観察をとおして，抑うつ症状の出現や不安の程度を把握することが大切である。

(2) 身体状況

・離脱症状や合併症の有無。
・バイタルサイン（体温，脈拍，血圧，呼吸など），検査データ値（AST，ALT，ALP，γ-GTPなど）。
・睡眠状況（睡眠時間，途中覚醒の有無など）。

・飲酒の使用開始時期，飲酒の最終日時。

<アセスメントの視点>
・アルコールの摂取を中断もしくは減量すると離脱症状が起こる。何らかの理由により飲酒を中断すると体内のアルコール濃度が低下し，手指の振戦，不眠，発汗，焦燥感などが起こり，重症の場合は幻覚やけいれん発作が出現する。離脱症状は，早期離脱症状と後期離脱症状に分けられ飲酒を中断して7時間ほどで症状が出現し，2～4日後にピークを迎えることが多い。そのため，最終飲酒からの時間経過の把握が重要となる。
・アルコール依存症の代表的な身体合併症として，肝炎や肝硬変をはじめ糖尿病や心筋症，ビタミン欠乏，ウェルニッケ脳症などがある。
・アルコールは睡眠の質に影響を及ぼすことが知られている。長期間による飲酒の影響により，睡眠が浅くなり頻回に目が覚める，ノンレム睡眠が減少するなどの反跳性不眠が生じることから睡眠状況の観察が重要となる。

(3) 生活状況，社会的状況（社会とのつながり）
・家族の状況（婚姻の有無，職場での）対人関係，職場における病気の理解など）。
・就労の有無（仕事の内容，職場での対人関係，職場における病気の理解など）。

<アセスメントの視点>
・休職により経済的問題や職場へ病気が知られるのではないか，職場復帰後の処遇はどうなるのだろうかなどの不安を訴えることが多い。そのため，以下の視点について情報収集が必要となる。
＊職場上司の理解や連携の状況。
＊産業医や産業保健師，精神保健福祉士などとの連携状況。
＊職場の疾病理解の程度（宴会や打ち上げなどアルコールが伴う場への配慮など）。
＊リワーク支援（復職支援）の活用など。

(4) その他
・生育歴や学歴（幼少期の虐待・ネグレクト・非行歴・犯罪歴など）。
・精神疾患などの既往（気分障害・発達障害・不安障害・境界性パーソナリティ障害・摂食障害など）。
・プログラムへの参加意欲や態度。

<アセスメントの視点>
・依存症患者は虐待やいじめなど，心の傷を負っていることが多く，対人関係に困難を抱えている場合が少なくない。そのため，かかわりのなかから患者の背景にある生きづらさやストレス，孤独感などについて理解を深めることが重要となる。
・アルコール依存症では，気分障害や発達障害，摂食障害などの精神疾患を合併しやすいことが報告されている。したがって，他の精神疾患の有無についても情報を収集していくことが必要となる。

3 援助方法

代表的な物質依存であるアルコール依存症を例にケアの要点とポイントを述べる。

(1) 治療への動機づけを図る：否認の打破

アルコール依存症の患者は，否認や自己中心性から自分の病気を認めない，飲酒の理由を他人のせいにする，揚げ足をとる，問題を正当化するなどといった行動がみられる。否認を突き崩すためには事実を伝え，患者のアルコール問題を直面化させるためのかかわりが必要となる。事実を突きつけられることにより，さらに興奮する可能性があるため，冷静で落ち着いた口調で話すことが重要である。また，断酒の動機づけを図る過程では人生の失敗や後悔を伴うことになりつらい作業となる。そのため，気分の落ち込みや抑うつが生じる場合がある。抑うつは，自分のアルコール問題と向き合う過程での自然な反応であると考えることもできる。しかしながら，抑うつ状態が重症である場合は医師と連携し抑うつへの対処を図ることが必要となる。

(2) 安全の確保：自殺や自傷行為の予防

アルコール依存症の人は依存症ではない人と比較して自殺の危険性が高まることが知られている。そのため，自殺の既往歴やうつ病の合併など自殺の危険性を高める因子について情報収集することが重要となる。また，自傷や他害を予防する点からも危険物（刃物，工具など）の管理を行うことも大切である。特に，離脱期においては安全の確保が特に重要となる。

(3) アルコール依存症の特徴を理解したかかわりを心がける

アルコール依存症の患者は，自己肯定感や他者を理解する能力の低下により相手を思いやった行動がとれず孤独感を感じやすい。そのため，患者の孤独に寄り添ったかかわりが大切となる。看護師は，安心して思いを表出できる環境を提供し，患者から吐露される不安な気持ちやつらい気持ちに共感的にかかわり本音を言語化できるように支援をする。

(4) 離脱症状への対応：振戦せん妄や全身の震え，発汗，焦燥感，幻視，幻聴など

離脱症状の出現時は全身状態が急激に変化する可能性があるため，一般状態や意識状態の観察など全身状態のモニタリングが必要となる。また離脱時には，幻視（小動物や虫，小人が見え，それらが自分の体を這い上がるように感じる）や自律神経系の過活動（心拍数の増加），手指振戦の増加，不眠，悪心・嘔吐など多彩な症状が出現することにより強い不安や苦痛が生じる。ケアの際には，時間の経過によって症状が消失することを説明し安心感が得られるようにかかわることが大切である。

離脱症状が出現している期間はセルフケアレベルが特に低下するため，水分摂取や食事，排泄，清潔の維持などの介助が必要となる場合がある。危険に対する認知力も低下するため，歩行時の転倒やベッドからの転落など事故を予防するためのケアが必要となる。

(5) 回復に向けた支援（本人）：自助グループへの参加の促し，社会参加へ向けた情報提供など再飲酒の予防に向けたかかわり

アルコール依存症の回復の第1段階は飲酒を完全にやめることである。しかしながら，アルコール依存症の患者は，コントロール障害のため一度飲酒を始めると自分では止める

ことができない。また，1人で断酒できると思っていても，誘惑に負け気がつくと以前と同じような飲み方に戻ってしまうことが多い。アルコールを飲まない生活がほとんどない患者にとっては，断酒を継続するために強力なサポートが必要となる。そのため，入院中から断酒会やAAをはじめとした自助グループへの参加を促すことや必要な社会資源の情報を提供するなど，退院後も自発的に自助グループに参加できるための基盤をつくることが重要となる。看護師は，患者が主体的に問題に取り組むことができるように自助グループのメンバーと共同関係を築くことが重要である。

(6) 回復に向けた支援（家族）：共依存の理解向上に向けた支援，家族会や自助グループなどの情報提供をとおしたかかわり

アルコール依存症の治療においては患者だけではなく家族も含めた支援が必要となる。

依存症者との生活において，暴力や金銭的困難などの苦労を重ねて心身状態が悪化していることが多い。さらに，機能不全家族に陥ることで親や配偶者だけではなく世代間を超えて子どもにも影響を及ぼすことが少なくない。また，イネイブリングにより結果として患者の依存症からの回復を遅らせることがある。そのため，家族に対しての教育や相談など積極的な支援が必要となる。

家族が受けられるサポートとしては大きく2つに分けることができ，その一つが専門機関や専門職による支援である。主治医をはじめとした医療専門職（看護師・心理専門職・精神保健福祉士など）と連携し，視覚教材や書籍などを用いた学習会や家族との面接をとおして家族に対する教育と家族の思いに寄り添った支援が必要となる。2つ目が自助グループである。専門機関とは異なり，アルコール問題を抱えた当事者家族が主体となって活動を行っており，代表的なグループとしては「Al-Anon（アラノン）」や断酒会などがある。同じ悩みや体験を抱える家族の話を聴いたり相談にのることで，お互いに悩みをわかちあい孤独を解消し，回復のイメージがもてるようになる。家族支援として重要なことは，家族本人が患者のアルコール問題に巻き込まれずに家族本人の人生を歩めるように支援することである。

4 シミュレーション演習「アルコール依存症患者に対する援助」

1）到達目標
(1) 一般目標

患者の自尊心を傷つけないように配慮しながら，飲酒によって生じた問題を本人が自分の問題として認識することができ，否認の打破につながるように援助する。

(2) 行動目標

①自尊心に配慮したコミュニケーション行動をとる。
②責任逃れをする発言に対して冷静さを保つ。
③飲酒に関連する問題を自分の問題として引き受けるように働きかける。
④断酒会への参加を勧める。

2）学生提示課題

○○さん（可能であれば姓も名も仮名を用いる），50代後半の男性，アルコール依存症。○○さんは，大手電機メーカーで管理職をしている。昇進後の人間関係によるストレスにより，飲酒量が増加しました。二日酔いにより会社へ行けないときは，妻が電話で「今日は風邪で休みます」と尻拭いをしていた。ある日，大事な会議に備えて飲酒を控えていたところ，発汗や手の震えが出現した。妻が半ば強引に専門病院へ受診させた。○○さんは，「俺は病気じゃない」「いつでも酒を止められる」と入院を拒否したが，嫌々ながら入院を決めた。

現在は入院後1か月が経過し，離脱症状は消失している。「病気はもう治った」と話し，退院を要求している。適切な援助を行ってください。──シミュレーション時間は7分です。

3）患者役状況設定（患者役への演技上の指示）

○○さんは大手電機メーカーで管理職をしており，妻と2人の子どもの4人暮らし。もともと酒好きであった。45歳のときに管理職に昇進したことで人間関係によるストレスが高まり，飲酒量が増加した。その後，徐々に飲酒による遅刻や仕事の遅れなどの問題を引き起こすようになり，二日酔いにより会社へ行けない日もあった。そのようなときは，本人が職場に連絡しないので，妻が「今日は風邪で休みます」などと電話をしていた。妻は，その他の飲酒による問題も尻拭いをしていた。子どもたちはあきれて他人事のように見ており，関与しなかった。

ある日，大事な会議に備えて飲酒を控えていたところ，発汗や手の震えが出現した。心配した妻が，半ば強引に専門病院へ受診させた。主治医による入院の勧めに対して，○○さんは「俺は病気じゃない」「いつでも酒を止められる」と入院を拒否したが，妻の説得に，嫌々ながら入院を決めた。

現在は入院後1か月が経過し，離脱症状は消失している。「病気はもう治った」「早く仕事に復帰したい」と話し，退院を要求している。

〈学生への対応の基本的な順序〉
①学生に「相談があります」と声をかける。
②学生が（面談室へ誘導する，あるいは椅子を用意するなどして）話を聞く体制を整えたら「もう退院したいんですよ」と言う（そして「ほら，からだもこんなに元気になったし，早く仕事に復帰しなきゃ会社を首になっちゃいますよ」などと続ける）
③それに対して学生がどう応答しても「妻にむりやりつれて来られたけど，そもそも病気じゃないしね」とやや語気を強めて話す。
④学生が単に話を聞き続けるならば，「管理職だから，上と下に挟まれてストレスが強かったんだ」「酒を飲んでストレス発散するのはみんなやっているでしょ」などと飲酒を正当化する発言を繰り返す。
⑤学生がさらに話を聞き続けるだけならば，「酒を飲んでしまう原因は会社の奴らにもあるんだ」「上司は無理やり仕事を押しつけてくるし，部下は部下で勝手なことばかりし

ている」「家の者も俺の苦労なんか理解しようとしない」などと他罰的発言を繰り返す。
⑥学生が，（繰り返しや言い換えの技法を用いて）患者の発言を受け入れた場合は，表情を緩めて，「まあ，俺の苦労はわからないだろうが，なかなかうまくいかないことが多いんだ」とトーンダウンする（学生がただ聞いているだけなら④⑤と同類の発言を続ける。いきなり患者の責任を追及する発言をしたならば，語気を強めて同様の発言を繰り返す）。
⑦学生が患者の発言を受け入れた後で，慎重な言い回しで，「お酒を飲むことの良い効果と困った効果とを教えてください」などと言った場合は，「二日酔いで仕事に多少の影響がある場合もある」などと言う。
⑧学生からは，以下のような発言が考えられる。「ストレスが多くて大変だったんですね，会社の人や奥さんも理解してくれないと思い，孤独を感じていたのではないですか？」「一度お酒を飲み出すと止まらなくて二日酔いで仕事に行けなかったことも多かったのではないですか？」「学校で習ったのですが，アルコールで身体を壊したり人間関係がうまくいかなかった場合，自分だけでお酒をコントロールすることは困難です」「断酒会に参加して，同じ悩みをもっている人と一緒に断酒を継続していくことが役に立ちます」

※患者役を演じるうえでのポイント
・早期の退院要求をする。
・問題が生じる理由を，職場や家族およびそこでの人間関係にあると主張し，自分の問題として引き受けようとしない。
・飲酒で生じている行動上の問題を，矮小化しようとしたり，身体問題にすり替えようとしたりする。

文献

1) 日本精神神経学会（日本語版用語監修），髙橋三郎・大野裕監訳：DSM-5精神疾患の診断・統計マニュアル，医学書院，2014，p.483.
2) 榊明彦・寶田穂・林直樹：アディクション・パーソナリティ障害の看護ケア，中央法規出版，2017.
3) 津川律子・信田さよ子：心理学からみたアディクション，朝倉書店，2021.
4) Khantzian, E.J : The self-medication hypothesis of addictive disorders: Focus on heroin and cocaine dependence, American Journal of Psychiatry, 142(11) : 1259-1264, 1985.
5) WHO編，融道男・他監訳：ICD-10精神および行動の障害―臨床記述と診断ガイドライン，新訂版，医学書院，2005.
6) 川野雅資編：精神看護学Ⅱ 精神臨床看護学，ヌーヴェルヒロカワ，2015.

9 希死念慮・自殺企図

学習目標
- 希死念慮・自殺企図，自傷行為に関する基礎知識を理解する。
- 不安希死念慮のある患者をアセスメントし，看護介入について学ぶ。
- シミュレーション演習「自殺念慮のあるうつ病患者に対する援助」ができる。

1 症状の特徴

　最初に自殺に関連する用語の整理をする。

　希死念慮とは自らの意図的な死についての願望であり，それを念頭に行う行動のことを自殺企図，その結果としての死に至ったものを自殺あるいは自殺既遂，そして命の助かったものを自殺未遂という。

　また自傷とは，字の示すとおり，自分の身体を自分で傷つける行為（リストカット，アームカット，たばこの火を身体に当てるやけど，過量服薬など）であり，自殺の意図が見え隠れしていることが多い。

1）自殺の実態

　厚生労働省自殺対策室は自殺統計に基づく自殺者数を公表している。1998年のいわゆる金融危機以降，14年連続して日本国内の自殺者数が3万人を超える状態が続いていた。国は2006年に"自殺対策基本法"を制定し，2016年には，都道府県，市町村に自殺対策計画を義務づけるなどとする改正が行われた。さらに，政府が推進すべき自殺対策の指針として2017年に"自殺総合対策大綱〜誰も自殺に追い込まれることのない社会の実現を目指して〜"が閣議決定された。自殺総合対策大綱により，地域レベルの実践的な取り組みのさらなる推進，若者の自殺対策，勤務問題による自殺対策のさらなる推進，そして，自殺死亡率を先進諸国の現在の水準まで減少することを目標とした重点的な自殺対策を講じてきた。その結果，年間自殺者は2万人前後まで減少してきた。数値としては減少傾向だが，金融危機以前の数値に戻った状況であり，さらにいっそうの自殺対策が求められる。

　また，わが国の自殺死亡率（人口10万人当たりの自殺者数）は主要先進7か国の中で最も高い状況が続いている。上記の自殺対策により自殺死亡率が低下してきている一方，若年層では，20歳未満は自殺死亡率が平成10年以降ほとんど減少していない。そして，20歳代や30歳代における死因の第1位が自殺であり，自殺死亡率も他の年代に比べてピーク時からの減り方が少なくなっている。若年層にとって自殺は決して他人事ではなく，自分自身の問題として考えてもらいたい。

2）自殺に傾く人たちに共通する心理

　自殺を企図する人は，はじめから自殺したいと思っていたわけではなく，自殺を実行に移すときでさえ「死にたい」から行うのではない。精神的・肉体的に追い込まれた状況にあって，今抱えている問題や困難を「終わらせたい」，そこから「とにかく抜け出したい」，あるいは「永遠に眠り続けたい」という心境である。

　自殺に傾いている人たちの心理状態には，次のような共通性がある[1]。

(1) 絶望的なまでの孤立感
　孤立感は自殺を考え始めた頃から生じている場合もあるが，幼少期から長年にわたって抱き続けてきた感情であることもある。友人や家族など実際は周囲から多くの救いの手を差し伸べられている環境下にいながら，自分は1人きりだと強い孤立感を感じている。

(2) 無価値観
　「自分は生きるに値しない人間だ」「自分が存在しないほうが周囲の人が幸せになる」などの感情を抱く。自分自身の存在価値を認めない状態は，自殺のリスクが非常に高い。

(3) 極度の怒り
　前述の絶望感とともに極度の怒りを抱く。怒りの対象を周囲の人や社会に向けていた怒りを，何かのきっかけで自分自身に向けることがある。それが自殺に直結することがある。

(4) 窮状が永遠に続くという確信
　絶望的な状況に対して何も解決策はないし，何か努力しても報われず，この窮状が永遠に続くという確信をもつ。

(5) 心理的視野狭窄
　たとえば，トンネルの中にいる状態で，遠くに見える1点の光がこの闇から抜け出る唯一の解決方法であると思うことである。この場合のトンネルは，延々に続くほど長く感じ，その唯一の光は「死」を意味し，他の解決方法は見当たらないという心理的視野狭窄の状態に陥ることである。

(6) あきらめ
　「すっかり疲れた」「もうどうでもよい」など穏やかなあきらめというより，生きることをあきらめている段階で嵐の前の静けさのような不気味さを感じる。このようなあきらめに圧倒されると，周囲の人からはこれまでの不安や焦燥感が薄れ，穏やかになったととらえかねない。

(7) 全能の幻想
　どんなに環境や能力に恵まれた人であっても，自分の置かれた状況を直ちに変えるためには時間も労力もかかるため容易ではない。しかし，自殺の危険の高い人は，ある時点を超えると，唯一，今の自分の力でも変えることができると考え始める。それが「自殺こそが自分が今できる唯一残された行為だ」という完全無欠な能力，つまり全能の幻想を抱くようになる。この幻想はこれまで述べてきた様々な苦痛を伴う感情に圧倒され続けてきた人にとって甘い囁きとなって迫ってくる。このような幻想を抱いていると感じた場合，自殺の危険は極めて高く，直ちに何らかの対策を講じる必要がある。

3）精神疾患と自殺

　死因を明らかにする心理学的剖検（自殺の経緯を詳細に調べて自殺行動の理解と予防に活用すること）という技法が，自殺の原因を探る手法として欧米では活用されている。WHOの心理学的剖検による調査（2012）[2]によると，自殺に及ぶ前にその90％以上の人が何らかの精神障害の診断に該当する状態であることが明らかになった。これほど多くの人が精神的な問題を抱えていたのにもかかわらず，精神科治療を受けていた人はせいぜい2割程度であり，ほとんどが精神科治療を受けていなかった実態がある。このように精神疾患は自殺の危険の背景に存在する。ここでは，うつ病，アルコール依存症，統合失調症，パーソナリティ障害にみられる自傷行為について述べる。

(1) うつ病

　うつ病の患者にみられる柔軟性に欠ける固い病前性格や悲嘆の気分，さらに気分の落差が絶望感をもたらすことは，自殺への誘因となると考えられる。また，うつ病の危険因子や症状はうつ病のサインだけではなく，自殺の注意サインとしても活用することができる。

(2) アルコール依存症

　アルコールの薬理作用（連用効果）によるうつ状態，抑制解除，焦燥感，夢想感，判断力の低下などは，いずれも自殺の促進要因となる。アルコール問題を抱えるケースで精神疾患を重複する場合は自殺のリスクが高まる。

(3) 統合失調症

　統合失調症では主に，幻覚・妄想などの陽性症状に関連する自殺と慢性期における生活上の課題に関連する自殺がある。前者は「死ね」などの幻聴に支配されたり，急性期症状が安定した頃の消耗期に抑うつ状態に陥ることが誘因で自殺に至る。一方，後者は，統合失調症を抱えながら生活するうえでの困難や生きがいの喪失，孤独などによる自殺である。

(4) 自傷行為

　自殺とは致死的な目的で，致死性の予測をもって，現実に致死性の高い損傷を自らの身体に加えることを指す。一方，自傷とは自殺以外の目的で，非致死性の予測をもって，故意に非致死性な損傷を自らの身体に加える行為とされている。ここでいう「自殺以外の目的」とは，たとえば周囲に対する何らかの意思伝達の意図であったり，解離症状を軽減するためであったりするが，なかでも最も多い自傷の理由は，怒りや緊張などの不快感情への対処である。ウォルシュとローゼンは，シュナイドマンの自殺に関するメタ心理学的知見を踏まえて，自殺と自傷の差異を明らかにしている（表9-1）[3]。

表9-1 メタ心理学的視点に基づく自傷と自殺の違い

特徴	自殺	自傷
苦痛	耐えられない，逃れられない，果てしなく続く痛み	間欠的・断続的な苦痛
目的	唯一の最終的な解決策	一時的な解決策
目標	意識の終焉	意識の変化
感情	絶望感，無力感	疎外感

ウォルシュ，BW，ローゼン，PM著，松本俊彦訳：自傷行為―実証的研究と治療指針，金剛出版，2005．を参考に作成

表9-2 自殺予防の考え方:疾病の予防との対比

	疾病の予防	自殺の予防
1次予防（プリベンション）	病気が生じないようにする	自殺が起こらないような日頃の対策
2次予防（インターベンション）	早期発見と早期治療	自殺の危険性の察知自殺をくい止める
3次予防（ポストベンション）	リハビリテーション	自殺が起きてしまった後の対応

4) 自殺予防方略の基本的な考え方

1次予防，2次予防，3次予防という疾病の予防概念に，自殺予防を当てはめると表9-2[4]のようになる。

自殺の1次予防（プリベンション）は，心の健康を維持，増進させるための地域の精神保健活動の推進，自殺予防のための啓発活動を地域や職場・学校などの様々な領域で展開することである。2次予防（インターベンション）は，自殺に傾いている人（次に述べる危険因子を抱えている人）を早期に気づき，自殺が起きないように積極的に関与（介入）し，支援や治療を行うことである。これには，今，目の前で起きる可能性のある自殺を何とか食い止めることも含まれる。そして3次予防（ポストベンション）は，疾病のリハビリテーションとは異なり，不幸にも自殺が生じてしまった後の対応となる。この事後の対応には，遺された人たち（自死遺族や周囲の人々）への支援やケア，事後の自殺の連鎖や群発を防ぐための手立て，そして心理学的剖検）が含まれる。

アセスメント

以下，髙橋[5]にならって自殺の危険因子（表9-3）をあげるが，いずれもアセスメントの必須項目である。

自然災害の予知と同様，自殺の危険性を予測することは難しいが，これらのアセスメントを工夫することで，ある程度，その危険性を予見することは可能である。また，アセスメントを行うことは，これに基づいて対策の手立てをより明確にしていくという点でメリットが大きい。下記の項目についてアセスメントすることで自殺の危険度の評価と対応が可能になる。

・自殺の危険因子の数とその程度。
・自殺手段やその計画性の有無（計画があるとすれば，どのくらい具体性があるか）。
・自殺を防ぐような要因や環境にあるかどうか（ケアや支援などの社会資源とつながっているか，それが利用しやすい状況にあるか）。

表9-3 自殺の危険因子

自殺未遂歴	自殺未遂の状況，方法，意図，周囲からの反応などを検討する
精神障害の既往	気分障害，統合失調症，パーソナリティ障害，アルコール依存症，薬物依存など
サポートの不足	未婚者，離婚者，配偶者との離別，近親者の死亡を最近経験
性別	自殺既遂者：男＞女，自殺未遂者：女＞男
年齢	年齢が高くなるとともに自殺率も上昇する
喪失体験	経済的損失，地位の失墜，病気や外傷，近親者の死亡，訴訟をおこされることなど
性格	依存・敵対的，衝動的，強迫的・病的な完全癖，孤立・抑うつ的，反社会的
自殺の家族歴	近親者に自殺者が存在する
事故傾性	事故を防ぐのに必要な措置を不注意にもとらない，慢性疾患に対する予防あるいは医学的な助言を無視する
児童虐待を受けた体験	幼児期に身体的，心理的，性的な虐待を受けたことがある

3 援助方法

1) TALKの原則

真摯な対応で自殺企図について話し，向き合うことは再企図の予防につながる。その際にTALKの原則（表9-4)[6]をもとにしたコミュニケーションをすることでその効果が高まる。TALKとは，Tell，Ask，Listen，Keep safeの頭文字の語呂合わせである。

2) 希死念慮を訴える患者への対応

TALKの原則をもとに，希死念慮を訴える患者へは次のように対応するとよい。
①真剣に話しを聴く：真剣に聞くことで，患者は「自分のことを理解しようとしてくれている」と感じる。
②話してくれたことをねぎらう：自ら語ったか，医療者が聞き出したかを問わず，心に秘める希死念慮を打ち明けてくれたことに対してねぎらいの言葉をかける。例「ご苦労されましたね」
③心に焦点を当てる：自傷行為自体にばかり注目しがちだが，その行為に至った心の動きが重要であり，そのことを話題にする。

表9-4 TALKの原則

Tell	はっきりと言葉に出して「あなたのこと心配している」と伝える
Ask	死にたいと思っているかどうか，率直に尋ねる
Listen	相手の絶望的な気持ちを徹底的に傾聴する。絶望的な気持ちを一生懸命受け止めて聞き役に回る
Keep safe	危ないと思ったら，まず本人の安全を確保して周囲の人の協力を得て，専門家のもとを受診させる

④徹底して傾聴する：ひたすら相手の言葉に耳を傾ける。効果的なアドバイスをしようと意識する必要はなく，傾聴により患者が語ることが一種の精神療法と同様の効果を得られる。

⑤話題をそらさない：「余計なことを考えないで治療に専念して」など，医療者自身のことだけでなく，患者の話しがそれたときも希死念慮の話題に戻す。

⑥キーパーソンとの連携：特に男性の場合，希死念慮について医療者に打ち明けても家族へは話していないことがある。そのことを確認して，患者から家族へ伝えられるようサポートをする。それが困難な場合は代わりに医療者から伝える。

⑦行動の真意を聴く：「消えてしまいたい」「ずっと眠っていたい」など曖昧な表現を使う場合もあるが，その言葉は実際にどのような意味をもつのか，希死念慮につながるのかを確認する。

⑧自殺しない約束をする：自殺をしそうになったら必ず連絡するとの約束をする。約束には科学的根拠はないが，筆者の経験値から高い確率で約束を守ってくれる。約束の際，たとえば「そんな約束はできません」とか，押し黙ったまま返答がないなどの場合は，それ自体が自殺の危険が高いことを意味する。また，「100％約束はできないかもしれませんが，できるだけそうするように努力する」と答えた場合，これからの治療に積極的にかかわろうとする態度と考えることができる。このように約束をすることには一定の効果および制止力がある。拒否されても「自殺しないように努力する」などの約束をすることが重要である。

⑨心の視野狭窄に陥っていないかに注意する：希死念慮を有し，自殺直前にある人は，冷静に考えれば簡単に解決できそうなことに気づかず，絶望感に陥っている場合も多い。視野が広がるようなアドバイスも効果がある。

⑩カタルシスに注意する：自傷行為によりカタルシス（ストレスや緊張，不安，抑うつ感が一時的に解消すること）が得られ，表面的に状態がよく見える場合があるため，安易に評価せず，専門医へ結びつける。

⑪価値観を押しつけない：たとえば「命を粗末にしないで」「周りの人のこと，ちゃんと考えている？」など医療者自らの価値観や経験などを基準に患者を説得しようとしてはいけない。

⑫根拠のない励ましをしない：具体的な提案とそれに向けた努力を評価しつつ，励ますことは意味があるが，「大丈夫，大丈夫」「すぐに良くなるよ」「とにかく頑張れ」などの励ましは具体性がなく，患者を混乱させるだけである。

⑬本人の気持ちを批判しない：「自殺したいなんて自分勝手だよ」「そんなのたいした悩みじゃないよ」など本人の気持ちを批判するのは禁物である。

⑭沈黙を活用する：患者が黙ってしまっても，次の言葉を発するまでの沈黙の時間を心地よく待つ姿勢をもつ。しかし，初学者にとって沈黙はやさしいスキルではない。沈黙に耐えきれず，場にそぐわないことを口走り，せっかくの関係性構築を自ら放棄してしまうことが多い。沈黙することに意識しすぎず，相手との呼吸を合わせるくらいの気持ちで接すると自然と沈黙になることがあるので試していただきたい。

4 シミュレーション演習「自殺念慮のあるうつ病患者に対する援助」

1) 到達目標
(1) 一般目標

自殺念慮のあるうつ病患者をアセスメントし，受容，傾聴，共感などの治療的かかわりをし，「死にたい」と打ち明けられた場合に自殺予防を図ることができる。

(2) 行動目標
①対象者の状況に合わせたコミュニケーションができる。
②自殺念慮のある患者に対する治療的かかわり（受容，傾聴，共感）がもてる。
③自殺予防行動を実行できる。
④看護スタッフに状況報告できる。

2) 学生提示課題

○○さん（可能であれば姓も名も仮名を用いる），50代後半の女性，うつ病。50歳時に夫が交通事故で他界したことを機にうつ病に罹患，外来通院していた。春に息子が結婚し独立したことを契機にうつ状態が悪化，市販薬を大量服薬し，救急外来を経て精神科閉鎖病棟に入院した。2か月が経過し状態は安定し，明日から初めての外泊が決まっている。

○○さんを実習で受け持った1週目の金曜日，○○さんの状況を確認して，状況に適した看護をしてください。――シミュレーション時間は7分です。

3) 患者役状況設定（患者役への演技上の指示）

○○さんは，4年前の50歳時に夫が交通事故で他界したことがきっかけでうつ病に罹患し，外来通院していた。今春に息子が結婚し独立したことをきっかけにうつ状態が悪化し，市販薬を大量服薬し，救急外来を経て精神科閉鎖病棟（病棟の出入口に施錠が必要な病棟）に初めて入院した。2か月が経過し状態は安定し，来週末，初めての外泊が決まっている。初めての外泊に対しては不安や心配事は尽きないが，もともとの真面目な性格のため，退院へ向けて外泊をしなければならないものだと自分に言い聞かせている。

今週から看護学生が実習で受け持ち，1週目が経った。今週の実習最終日（金曜日）15時過ぎ，実習が終わる間際に学生が状態を見に来る。その際にベッドサイドで，状況に合わない感謝，必要以上に身体症状にこだわる訴え，自責的・罪業的な訴えを言った後，絶望的な訴えで死にたい気持ちを伝えてください。

ベッドの周辺は非常にきれいに整頓されているが，床頭台が少し開いており遺書のようなものが置いてある。また，枕の下に紐のようなものが見えている。

〈学生への対応の基本的な順序〉
①学生に話すかどうするか悩んでください（例．（何か言いたそうに）う～ん，どうしようかな～など）。

②最初は状況に合わない感謝をしてください（例．今までお世話になりましたなど（過去形で言う））。

③必要以上に身体症状にこだわる訴えをしてください（例．うつって言われているけど本当はがんなのかもしれない，最近寝た気がしなくってどこか身体が悪いのかな，食欲もあまりなくて胃の調子が悪くなってきたなど）。

④大切なものを学生にあげてください（例．さっき身の回りを整理したんだけど大事にしていた○○をあげるわなど）。

⑤自責的・罪業的な訴えをしてください（例．私って罪深い人間なんです，夫には迷惑ばかりかけ続けたなど）。

⑥絶望的な訴えで死にたい気持ちを伝えてください（例．生きていく意味がないなど）。

⑦「死んでしまいたい」とはっきり言ってください。

⑧死にたい気持ちは他の人には黙っていてくださいとお願いしてください（例．学生さんを信じて話したので誰にも言わないでねなど）。

⑨学生からの要望にはためらいながら応じてください。

・床頭台の中を見ること
・紐を預かること
・自殺をしない約束

＊遺書や紐を見つけられたときには，申し訳なさそうな顔をして，「（ボソっと）死のうと思って準備していた」と言ってください。

〈備場所と物品〉

目立つ色のロープ，床頭台，遺書，大切な物（リング）

文献

1) 河西千秋：自殺予防学，新潮社，2009．
2) Hirokawa S, Matsumoto T, Katsumata Y, et al: Psychosocial and psychiatric characteristics of suicide completers with psychiatric treatment before death: A psychological autopsy study of 76 cases. *Psychiat Clin Neurosci*, 66: 292-302, 2012.
3) 松本俊彦：アディクションとしての自傷―「故意に自分の健康を害する」行動の精神病理，星和書店，2011．
4) 杉山直也・河西千秋・井出広幸・他編：プライマリ・ケア医による自殺予防と危機管理，南山堂，2009．
5) 髙橋祥友編著：新訂増補 青少年のための自殺予防マニュアル，金剛出版，2008．
6) 日本臨床救急医学会「自殺企図者のためのケアに関する検討委員会」編：救急医療における精神症状評価と初期診療PEECガイドブック，へるす出版，2012．

第Ⅴ章

治療と精神科リハビリテーションの援助技術

1 薬物療法

学習目標
- 精神疾患患者の回復に対する薬物療法の意味を理解する。
- 患者にとって薬物療法との付き合いが快適であるための方法を理解する。
- 抗精神病薬・抗うつ薬などの薬理的作用と副作用を理解する。
- 薬物療法との付き合いを快適にするための看護技術を理解する。

1 治療と看護における薬物療法の位置づけ

1) 薬物療法の位置づけと回復への支援

　統合失調症やうつ病を経験した人のなかには，結婚や就職をしている方も多くいるし，友人関係をもち活き活きとした人生を送っている人も多くいる。現在，精神科での治療目標は，疾病そのものの治癒（病の原因をなくすこと）よりも，患者の人生が前向きになり主体性や喜びが取り戻せること（回復，リカバリー）に重点を移行しつつある。回復の指標となるものはいくつかあるが，家族や友人との関係構築，就職や就学，人生の楽しみや自分らしさの再発見などがあげられる。

　精神科で処方される薬の多くは，精神症状を緩和するために用いられる。薬で精神症状を緩和している間に生活習慣や学習環境を整えて回復を支援することが必要である。一方で，高齢や身体合併症などのために活動性が低くなっている患者の場合には，脳や神経系に作用する薬であることを踏まえて，ADLの低下や合併症の進行を予防するかかわりが必要である。

　以上のことから，精神科薬物療法における看護の役割は，大きく以下のように整理することができる。

- 薬物療法の効果（精神症状や苦痛の緩和）のアセスメント。
- 薬物療法による副作用の程度のアセスメント。
- 本人の薬物療法の受け止め方のアセスメント。
- 患者の活動性（ADL）に応じた予防的介入。
- 本人と医療の協働的関係の形成。
- 心理社会的治療の実施支援（ストレスや症状への対処法の獲得，心理教育）。

2) 神経系の情報伝達の仕組みと向精神薬の役割

　精神科薬物療法を理解するには，中枢神経系での神経伝達物質の役割について理解する

表1-1 代表的な神経伝達物質

	神経伝達物質	中枢神経系での作用（伝える情報）
アミン	ドパミン	快の感情，認知機能，運動機能，意欲など
	セロトニン	生体リズム・睡眠・体温調節，覚醒，危険の察知（不安）など
	アドレナリン	運動器官への血液供給増加など
	ノルアドレナリン	認知，ストレス反応，注意，覚醒，不安など
	アセチルコリン	学習，記憶，覚醒など
	ヒスタミン	睡眠と覚醒，摂食行動，体温調節など
アミノ酸	γアミノ酪酸	神経活動を全体的に抑制させる
	グルタミン酸	神経活動を全体的に覚醒・興奮させる

ことが助けになる。

　神経細胞と神経細胞の間には，シナプス間隙がある。そのため，神経細胞から神経細胞へ情報を伝えるためには，そのすき間を何らかの方法で連絡する必要がある。この，シナプス間隙の情報伝達をするのが神経伝達物質とよばれる様々な物質である。アミノ酸，アミン，神経ペプチド（下垂体ホルモンなど）が神経伝達物質として利用されている。

　代表的な神経伝達物質とその作用を**表1-1**に示す。現在，統合失調症やうつ病などの主要な精神疾患は，これらの神経伝達物質の作用を遮断したり調整したりする薬剤を用いた治療が行われている。

3）薬物療法の効果（精神症状と苦痛の緩和）のアセスメントと複合的な介入

　WHO（世界保健機関）での健康の定義に①身体的健康，②心理的健康，③社会的健康の3つの側面があることから，精神疾患患者に対する治療と援助もこの側面から考える必要がある。たとえば，ある統合失調症患者Aの精神症状と苦痛について考えてみよう。

〈事　例〉

　患者Aは，薬の飲み忘れが増えたり生活でのストレス経験が増えたりすると，「転べ！転べ！」という正体不明の声が聞こえるようになる。その声が聞こえるようになると，声に悩まされるストレスで人との会話に集中できなくなったり，コンビニやデイケアなどで間違って「転ばないぞ，やめろー」と言ってしまったりする。患者A本人には「転べ！転べ！」という声は聞こえているので，周りに人がいるとその人たちが自分を陥れようとしているのではないか，自分には気づかれないように嫌がらせをしているのではないかと考えるようになることがある。

　医師や家族から，「転べという声は幻聴で，薬を飲んでストレスの少ない生活をすれば改善する」と言われているが，何かで失敗して周囲の人に冷たい目で見られるのは自分にはどうしようもないと思っているし，別のことが気になって薬を飲み忘れる悪循環になることもあるので，時々入院して数か月の休養をすることにしている。ただし，薬をずっと飲ん

でいると，身体の動きが制限されているような感じがするので，できれば薬は飲みたくないな，とも思っている。

この患者Aの場合は，幻聴が聞こえることで，自分の心理的安全が保てなくなるだけでなく，周囲の人を信じられなくなり社会的な意味での安全も感じることができなくなってしまうのである。

このような場合には，精神症状とその苦痛の度合いをアセスメントし，薬物療法によって緩和されているかどうかを見定める必要がある。薬物療法は精神科で最も頻繁に用いられる治療法であるが，あくまでも症状の緩和を目指しているものであることを踏まえて，精神医療そのものが患者にとって安心感や安全感をもたらすものであるように工夫をしていくことが望ましい。

4）薬物療法について看護師が認識しておくべきこと

妄想や思考障害が強い場合には，身近な誰かとの考え（認知）のずれが大きくなりやすく，幻覚や感覚障害が強い場合には自分自身の居心地の悪さ（状況解釈や感情の不具合）として患者が苦労することになる。この妄想や幻覚は，ドパミンが中脳辺縁系とよばれる神経経路で作用しているために起きるので，薬物療法によって症状の改善が期待できる。だが，幻覚や感覚障害が改善しても，その間に経験していた様々な苦労までが変わるわけではなく，過去の苦労の経験を抱えたまま未来に向かって生きていくことになるのである。

この「過去の苦労の経験を抱えたまま未来へ向かって生きる」という人生のプロセスを応援することが，看護師をはじめとする医療福祉の専門職者の大きな役割である。よって，医療者の支援は，その患者が人生に希望や楽しみや自分らしさを見つけて主体的に生きていく（リカバリーする）ことが目的であることを忘れてはならない。苦労の経験をもつ人が安心して生きていけるようにそっと寄り添うことが保健医療の役割であり，看護師の重要な役割である。

2 薬物療法における当事者との協働

1）当事者からみた服薬行動

医療者の多くは，治療効果がある薬を服用するのは当然であると考えがちになるが，服用する側に立つと服薬行動は当然のことではない。たとえばサプリメントやレストランでの食事は自分で好みに応じて決めることができる（自己決定できる）のに対して，薬は医師が処方するため患者は自分一人で薬を決めることはできず，医師を選ぶことと処方された薬を飲むか飲まないかを選ぶことになる。

この「医師が処方した薬を自分が飲む」という行為は，「自分で決めていないものを実行する」ということであり，服薬行動は不快な行動になりやすい。当事者にとっての服薬行動の不利益には，表1-2のような可能性がある[1]。当事者にとっての服薬行動は基本的には不快なものである可能性が高いので，服薬するのが当然だという態度で医療者が接すると，ますますその不快度が高まってしまう。

そこで，医療者は患者の状況をアセスメントして，治療への患者の参加を慎重に見極め

表1-2 当事者が認識しやすい服薬の不利益や不安

生活リズムによる制約	・服薬の時機を覚えておく必要がある ・生活リズムが一定ではない場合の服薬の乱れ
身体感覚の変化	・不調を感じる場合，副作用なのか単なる体調不良なのかがわからないという不安 ・体重増加などの現象が起きたときの不快感や苦痛
患者であるという認識	・周囲の人々からの配慮や視線に対する違和感 ・薬を飲むたびに「自分は患者だ」と思い，健康ではないという感覚が劣等感につながる

ていく必要がある。急性期では治療が優先になることが多い一方で，回復期には患者自身は病院にいる患者の立場から地域で暮らす当事者の立場へ変容していくので，治療の実施と本人の意思の尊重が両立されていくことが必要である。最終的に当事者が一生活者として積極的な医療を必要としなくなる場合には，当事者の思い描く価値観やライフスタイルを阻害しないような医療のあり方を模索して協働的に医療のあり方を決めていくことになる。

2）医療者からみた服薬と治療の概念

医療者の立場から患者の服薬行動を考える際には，患者に対して行われる治療の緊急性と重要性を考慮する必要がある。患者の生活が立ちゆかなくなっていたり，周囲の人や環境との対立が激しい場合には急性期医療が必要になることがある。急性期医療が必要になる前に本人から同意や了解を得ておくことが望ましい。

(1) 急性期医療とコンプライアンスの確保

急性期の医療の場合（特に医療保護入院などの自発的ではない治療）には，患者の治療意思を確認するよりも治療の効果を優先せざるを得ない場合が多い。治療の迅速性や効率性を優先すべき段階では，精神科医療に精通した医師による治療方針の決定に対して，看護師を含む治療チームが一丸となって効果的な医療の提供に向けて進むことになる。この場合の治療チームには患者も含まれるため，患者にも効果的な医療の提供のために協力してもらうことになる。そのためには，身体・心理・社会的健康状態の適切な把握と治療の情報提供が重要である。急性期の段階はあくまでも一過性のものであり，早くに回復期へ移行することも忘れてはならない。また，本人にとって苦痛な経験となる可能性を十分に考慮し，本人が感じるであろう感覚や感情に配慮したかかわりが必要である。

(2) 回復期医療とアドヒアランスの増進

急性期医療を過ぎると，環境の変化や薬物療法の効果によって患者の状況が改善する場合が多い。統合失調症患者であっても他者の考えを受け入れる余裕が出てくるし，うつ病患者であっても自分の意思を言葉で表現したり行動したりするエネルギーが回復してくる。

本人の意思の表現が可能になった頃からは，患者の人生の主役が患者自身になるように責任を取り戻せるような働きかけが必要である。たとえば，現在服用している薬や今後の見通しについて理解をして，不都合な部分があれば医師との話し合いによって変更を模索する。また，作業療法やSST（社会生活スキルトレーニング），WRAP（元気回復行動プラン）づくりなど，患者が主体的に参加できるプログラムが増え，選択されていくだろう。

このように，急性期から回復期にかけては患者の主体性を高めるために，医師がもって

いる患者に治療の主導権を徐々に患者や他の医療専門職者に委譲していく試みをする。このように，治療プログラムへの積極的な参加を求めることをアドヒアランスと表現する。アドヒアランスを重視する医療では，看護師や精神保健福祉士，作業療法士などの専門職者も積極的にケアプランを立案し，ケースカンファレンスを通じて主体的に治療的介入を行う。本章3節にある心理教育や認知行動療法は，アドヒアランス向上にも有効な介入である。

(3) 健康増進期の保健医療とコンコーダンス（調和）な関係

患者というよりも当事者とよぶほうがいいくらいに回復すると，患者にとってどの治療が必要なのかを整理して考えていく必要が生じる。

たとえば，治療薬の量を少なくしたりなくしたりしていくほうが患者にとって有益かもしれない。患者の精神健康度が高まってくると，人生の主体も当事者（患者）に戻っていき，その当事者にとって服薬や治療が必要であるかどうかという話し合いを行う関係性に変わっていく。精神症状に対する治療薬は症状の再燃を防ぐ予防的効果もあるといわれているので薬物療法を続けることの利点はあるが，強引に権威や知識で服薬を迫るのではなく，患者自身の価値観や生活習慣に合わせて治療のあり方を決定していく。

このように，患者と医療者が相互に尊重し合いながら治療のあり方を決定していくことを，コンコーダンス（調和・協調）とよぶ[2]。「コンコーダンスな状態だ」と表現する場合には，患者と医療者がお互いの価値観や考えを尊重し合う関係性ができていることを表す。コンコーダンスな関係とは，患者の考えをただ追認するのではない。

3）価値の尊重と共同意思決定

患者が薬物療法とのかかわりを続けながら回復（リカバリー）していく過程では，様々な選択をすることになる。たとえば，副作用の少ない薬剤や用量に切り替えていくための医師との対話，衣食住に関する環境の選択，友人や知人や家族などとの人間関係の再構築の選択などである。これらを選択する場合には，医師や家族やその他の人々と話し合ったり助言をもらったりしながら決めていくことになる。

薬物療法について話し合う際には，患者の考える生活スタイルや医師からみた薬剤情報と患者の状況に関する見たてなどを情報交換し，その情報をお互いが信じられる範囲で考慮に入れて薬剤を選択していくことになる。医師も自分の見たてだけでは決められないので，患者から語られる希望や情報を尊重して処方箋を記入していく。このような，医師と患者が相互に尊重し合う関係で行われる治療方針の決定を，共同意思決定（shared decision making）という。

相互関係が形成される共同意思決定のプロセスは，①双方向の情報交換，②協議，③患者の価値観や好みに合致した治療の選択の3段階で進められる[3]。これらのプロセスを進めるには，患者の文化を尊重すること，医療者の偏見を減らすこと，時間をかけた対話をすることが有効である[4]。医師と患者の二者だけでは時間をかけた情報交換や協議ができない場合が多いので，看護師や薬剤師が情報交換をする役割をもち，たとえば看護師が患者の希望を聞き，薬剤師が薬剤の情報を提供するといった，チーム全体での情報交換や患者の文化の理解を目指すことがよくある。

3 向精神薬の種類と作用

向精神薬には，主に以下の種類がある。
- 抗精神病薬（統合失調症患者に対する処方が多い：ドパミンの作用を緩和する）
- 抗躁薬（躁病・攻撃的行動に対する緩和作用のある薬）
- 抗うつ薬（うつ病患者への処方が多い：セロトニンの作用を高める）
- 抗不安薬・睡眠薬（不安な気持ちに対する緩和作用のある薬）

ここでは，精神科で処方される代表的な薬物について作用と副作用，看護の役割について解説する。

1）抗精神病薬
(1) 抗精神病薬の作用

抗精神病薬はドパミンなどの神経伝達物質を遮断したり調整したりする薬であり，妄想や幻覚などの統合失調症患者が経験する精神的困難に対処しやすくする効果が期待できる。

ドパミンは，脳内で中脳辺縁系，中脳皮質系，黒質線条体系，漏斗下垂体系の4つの経路で活用されている。このうち中脳辺縁系のドパミン経路が過活動（ドパミンが多すぎる状態）になると妄想や幻聴が聞こえるようになる。薬物などを使ってドパミンの量自体を減らすことはできないので，ドパミンが神経伝達に作用しない（遮断する）薬を使ってドパミンの作用を緩和し，幻覚や妄想を弱める。抗精神病薬はほぼすべて，ドパミンのD_2受容体を遮断する薬理作用をもっている（表1-3）。

ただしドパミンの4経路をすべて遮断してしまうと，意欲の低下や錐体外路症状などの好ましくない作用（副作用）も生じてしまうため，意欲低下や錐体外路症状が出にくいような工夫がなされているのが，非定型抗精神病薬である（表1-4）。

表1-3 抗精神病薬の薬理作用に基づく副作用

神経伝達物質		受容体を遮断することでの副作用*	作用をもつ薬種（表1-1と対応させるとよい）
ドパミン	D_2受容体	錐体外路症状の発生 陰性症状の増悪 性機能障害（高プロラクチン血症）の発生	すべての抗精神病薬で作用（DSSは緩やかに作用）
セロトニン	5-HT受容体	錐体外路症状の緩和 体重増加	SDA・MARTA
アドレナリン	$α_1$受容体	鎮静作用（運動機能の低下） 自律神経症状，めまい，起立性低血圧	MARTA
アセチルコリン	mAch受容体	自律神経症状，口渇，便秘，かすみ目，尿閉	多くの定型抗精神病薬
ヒスタミン	H_1受容体	鎮静作用（覚醒度の低下），体重増加，眠気	MARTA

＊副作用が必ず起きるわけではないが，処方量が多くなるほど発生しやすいといわれている。
＊SDA：serotonin dopamine antagonist，MARTA：multi-acting receptor-targeted antipsychotics，DSS：dopamine system stabilizer

表1-4 非定型抗精神病薬の名前と特徴

分類	成分名（一般名）	代表的な商品名	特徴
SDA	リスペリドン	リスパダール インヴェガ	リスペリドンの代謝産物（パリペリドン）がある 剤形が多くある
SDA	塩酸ペロスピロン水和物	ルーラン	体重増加を起こしにくい
SDA	ブロナンセリン	ロナセン	体重増加を起こしにくい 剤形が多くある
MARTA	オランザピン	ジプレキサ	鎮静効果がある 糖尿病禁忌
MARTA	クエチアピン	セロクエル	鎮静効果がある 糖尿病禁忌
MARTA	クロザピン	クロザリル	他の薬剤を4週間以上服用しても薬剤の効果がみられない場合に処方される。効果が明確になるまでに3〜6か月が必要
DSS	アリピプラゾール	エビリファイ	部分的にD_2受容体を遮断・覚醒 体重増加を起こしにくい
SDAM	ブレクスピプラゾール	レキサルティ	セロトニンとドパミンの両方に作用 副作用の報告は少ないがアカシジアの報告はやや多い

（2）作用に対する看護の役割

抗精神病薬は統合失調症の治療薬として使用されるため、幻覚や妄想などの陽性症状の改善を目指して処方される。統合失調症患者の多くが、経験している世界（見聞きしていることや考えていること）が誤りかもしれないという不安を抱えているため、抗精神病薬を服用することの薬理作用に半信半疑である場合が多い。また、患者自身が「幻聴が消えた」「妄想がなくなった」と話すことはほとんどなく、周囲の医療者は患者の行動や言動から薬効をアセスメントする。

BPRS（簡易精神症状評価尺度）などの項目（表1-5）を参考に、抗精神病薬を処方（変更）した前と後での患者の状況を丁寧に査定すると、薬物療法の効果が早期にわかり、患者や医師の治療決定に活かすことができる。精神症状をアセスメントする場合には、「看護師にとっての困りごと」という見方よりも「患者にとっての困りごと」という見方をもち、たとえば"敵意"といった精神症状をアセスメントする場合にも"本来であれば敵意をもたなくてもいい相手に敵意を向けざるをえない状況にある"という、患者にとっての見方や考え方で考えるとよい。

（3）代表的な副作用と看護の役割

抗精神病薬はドパミンD_2受容体に対する作用を重視しているが、そのために様々な副作用が発生する。代謝性障害（糖尿病など）、錐体外路症状、高プロラクチン血症、体重増加などが発生しやすい（表1-6）。抗精神病薬の場合には処方されている薬剤によって発生しやすい副作用が異なるので、観察するポイントを変えていく。特にクロザピンは無顆粒球症のリスクがあり、治療抵抗性統合失調症に限定して用いられる。

抗精神病薬は種類が多くあり、薬効と副作用のバランスや患者の希望するライフスタイ

表1-5 BPRS（簡易精神症状評価尺度）の評価項目

1．心気的訴え　2．不安　3．感情的引きこもり　4．思考解体　5．罪業感　6．緊張　7．げん奇的な行動，姿勢　8．誇大性　9．抑うつ気分　10．敵意　11．疑惑（被害妄想）　12．幻覚　13．運動減退　14．非協調性　15．思考内容の異常　16．情動鈍麻　17．興奮　18．見当識障害感につながる

表1-6 抗精神病薬（非定型）の代表的な副作用と発生頻度

	クロザピン	オランザピン	リスペリドン	クエチアピン	アリピプラゾール	ブレクスピプラゾール
代謝性障害	＋＋＋	＋＋＋	＋＋	＋＋	0	0
錐体外路症状	0	0	＋	0	0	0
高プロラクチン血症	0	0	＋＋＋	0	0	0
起立性低血圧	＋＋＋	＋	＋	＋＋	0	0
抗コリン症状	＋＋＋	＋＋	0	0	0	0
QNc延長	0	0	＋	0	0	0
鎮静	＋＋＋	＋	＋	＋＋	＋	＋
アカシジア	0	0	0	0	＋	＋

American Psychiatric Association Practice Guidelineを参考に作成

ルなどによって処方が変更されることがよくある。そこで，ここまでにあげてきたような薬物療法の作用と副作用を知ったうえで，医師への報告や患者との面談，ケースカンファレンスの開催などを行っていくことが望ましい。また，時間をかけて本人の感覚が変わっていくことが必要なので，看護師一人で解決しようとせずに，当事者や他の専門職者と協働して温かい雰囲気をつくっていくとよい。

　たとえば，副作用をアセスメントする際には，以下のような項目を確認するとよい。日光や明かりに目や皮膚が敏感，唇や口が渇く，胃がむかつく，便秘になる，めまいがする，肌が乾燥する，昼間でも眠気がある，朝から起きられない，そわそわして落ち着かない，食欲が増えた，体重が増えた，などである。

　代謝性障害を起こしやすい薬剤を服用している患者の場合には，表1-7のような検査を行うことが望ましい。また，乳汁分泌や月経停止，ED（勃起不全）などの性機能障害を気にしている患者には高プロラクチン血症の血液検査を行うとよい。プロラクチン（PRL）は一般に25ng/mL以下[5]で，プロラクチン値が32ng/mL以上になると月経停止などの性機能障害が発生しやすくなる。患者の心配を医師に伝えたり，検査データからわかることを伝える機会をもったりと，情報交換の場をつくる役割をもつことが望ましい。

〔補足〕デポ剤（持効性抗精神病薬）の特徴と看護技術

　統合失調症の治療薬は様々な剤形が開発されていて，水なしで飲める口腔内崩壊錠や持効性注射（デポ剤）などがある（表1-8）。特にデポ剤については看護師が注射を行う場合が多い。デポ剤は皮下組織や脂肪層ではなく，筋肉層に注射したほうが効果が高い。殿部では，生体での計測結果において四分三分法の点での皮脂厚（皮下脂肪の厚さ）は，3.5±

表1-7 代謝性障害が起こりやすい薬剤を服用する患者に必要な検査項目

	処方開始(変更)時	4週目	8週目	12週目	その後の頻度
体重とBMI	必要	必要	必要	必要	3か月ごと
ウエスト周囲径	必要				1年ごと
血圧・空腹時血糖	必要			必要	1年ごと
空腹時脂質	必要			必要	5年ごと

表1-8 非定型抗精神病薬の剤形(2022年4月時点)

	クロザピン	オランザピン	リスペリドン	ブロナンセリン	アリピプラゾール
錠剤	有	有	有	有	有
内用液	無	無	有	無	有
口腔内崩壊錠	無	有	有	無	有
持効性注射(デポ剤)	無	無*	有**	無***	有

*統合失調症による精神運動興奮に対する筋肉注射剤はある
**インヴェガというリスペリドンの代謝物の持続注射剤はある
***テープ剤による持続性薬剤はある

表1-9 Z-track&air bubble法(Belangerら，1982, 1985)

a．5cm(2インチ)の注射針を用いる
b．薬物を吸い上げた後に0.1mLの気泡をシリンジ内に吸入し，注射針を変更する
c．アルコール綿で注射部位を拭き，注射前に乾かす．さもなくばアルコールは結合組織内に浸透し，局所刺激を引き起こすことがある
d．注射部位の皮膚を一方に引っ張り，しっかりと保持する
e．薬物を緩徐に気泡も含めて注入する．気泡は注射針から筋肉中に最後まで注入し，注射針を引き抜いたとき結合組織に薬物が残らぬようにする
f．注射針を引き抜く前に約10秒間待ち，しかる後に素早く抜き，皮膚を乾かす
g．注射部位を揉んではならない．このようなことをすると薬物が筋肉からしみでてしまい，結合組織に浸透するかもしれない
h．ガラス粒子の注射を防止するためにアンプルは用心して扱うべきである

0.7cm，クラークの点での皮脂厚は，2.4±0.7cmであったと報告[6]されているので，クラークの点に対して長さ3.5cm以上の注射針(21-23G)を用いることが望ましい．

また，デポ剤の逆流を防ぐための看護技術としてZ-track & air bubble法という方法がある(表1-9)が，この方法を一人で行うにはかなり腕力が必要なので，確実に行える自信があるとき以外は，看護師2名で行うか注射部位や刺入する長さの確保を優先したほうがよい．なお，非定型抗精神病薬を使用することが多くなったが，従来型の定型抗精神病薬も使用されているので表1-10に示す．

2) 抗躁薬・気分安定薬
(1) 抗躁薬・気分安定薬の作用と分類

抗躁薬は，気分安定薬というよばれ方もしており，双極性障害の治療薬として活用され

表1-10 従来型の定型抗精神病薬の種類

分類	一般名	商品名	特徴
高力価群	ブチロフェノン誘導体	セレネース，ハロステン，リントン，スピロピタン	・急性期治療の第1選択薬 ・ドパミン受容体遮断作用が特に強い
	フェノチアジン誘導体	フルメジン，ピーゼットシー	・急性錐体外路症状が起こりやすい
	ベンザミド誘導体	エミレース	・服薬1～3日目にジストニア発作が起こりうる。アカシジアによるいらいら・易怒・多訴，多動など
低力価群	フェノチアジン誘導体	ウインタミン，コントミン，ヒルナミン，レボトミン，メレリル	・鎮静効果が強く，急性錐体外路症状は出にくい
	ブチロフェノン誘導体	プロピタン	・与薬初期は起立性低血圧による立ちくらみ・失神などが起こりうる
中間・異型群	フェノチアジン誘導体	ニューレプチル	・鎮静効果も急性錐体外路症状も比較的弱い
	チエピン誘導体	ロドピン	
	ベンザミド誘導体	ドグマーチル，バルネチール，グラマリール	・回復期，慢性期，高齢者に用いられる
持続型抗精神病薬	持効型（2週間）	アナテンゾールデボー	・拒薬患者，コンプライアンス不良患者に使用
	持効型（4週間）	ハロマンス，フルデカシン	・注射後に注射部位をマッサージしない

表1-11 気分安定薬の名称と適用

薬剤名（主な商品名）	適応	初期用量	1日用量
炭酸リチウム（リーマス）	・躁病および躁うつ病の躁状態を示す症状	400～600mg	400～1200mg
バルプロ酸ナトリウム（デパケン，バレリン）	・躁病および躁うつ病の躁状態を示す症状 ・各種てんかんおよびてんかんに伴う生活行動障害	600～1000mg	600～1200mg
カルバマゼピン（テグレトール，テレスミン）	・躁病および躁うつ病の躁状態を示す症状 ・各種てんかんおよびてんかんに伴う生活行動障害 ・精神運動発作 ・てんかんのけいれん発作：強直間代発作 ・三叉神経痛	200～400mg	600～1200mg

ている。攻撃性や衝動性に基づく行動を軽減する効果がある。表1-11に示す薬のほかに，統合失調症の治療薬（抗精神病薬）のいくつかは双極性障害の治療薬として活用されている。

(2) 代表的な副作用と看護の役割

リチウムとナトリウムはどちらも1価の陽イオンであり，副作用のエピソードが似ている。リチウムやナトリウムを服用する場合には消化器症状として，悪心・嘔吐，食欲不振，口渇などが起こりやすい。このほかに観察が必要な副作用には，リチウムを服用する場合

表1-12 リチウムの血中濃度と中毒症状

血中濃度	中毒症状
1.5mEq/L以上	嘔吐，下痢，食欲不振，振戦
2.5mEq/L以上	意識障害，昏睡，せん妄，乏尿，無尿や苦痛
3.5mEq/L以上	重度の意識障害，多くの場合死に至る

の高リチウム血症による中毒症状がある。定期的に血中濃度を測定して濃度を確認するとともに，処方量が変わった後には**表1-12**に現れるような症状が観察されないかを丁寧にモニタリングする。特に嘔吐や下痢は別の薬剤によって抑えられている可能性があるため，食欲や振戦や尿量などの薬剤によって調整されにくい症状を観察する。

カルバマゼピンでは，眠気，めまい，ふらつき，脱力感などの中枢神経系副作用の頻度が高い。また，処方開始後1か月以内に皮膚の湿疹が生じる確率が12～14％と報告されている。リチウムやナトリウムの処方を避けるためにカルバマゼピンが処方される場合には，これらの副作用の発生をアセスメントし，皮疹などの治療の必要な副作用が生じた場合には，医師や薬剤師を含むチームカンファレンスの開催を打診することが望ましい。

3）抗うつ薬
(1) 抗うつ薬の作用と分類

うつ病の生理学的治療ではセロトニンなどの機能を高めることにより，うつ症状を改善することが主な目的であり，抗うつ薬の種類には三環系，四環系，SSRI，SNRIなどがある（**表1-13**）。このうちSSRIとSNRIではセロトニンの再取り込みを阻害することで神経伝達に使われる確率や回数を増やしている。セロトニンが足りないと，思っているように行動できなかったり，睡眠と覚醒のリズムが乱れて思うようにならなかったりするので，抗うつ薬を服用することで，頭で思い描いたことが行動できる，熟睡することができるなどの効果を得る可能性が高い。

①期待される作用と看護の役割

セロトニンは脳内では，体内時計や運動神経の活性化の役割をもっているので，抗うつ薬を服用することで，日常生活リズムが改善する，頭で思い描いていることが行動に移せるなどの効果が期待できる。抗うつ薬は気分をハイにさせるのではなく（多幸感をもたらすのではなく），暮らしのなかで達成感を積み重ねやすくなる薬である。

作用に応じた看護の役割として重要なことは，服用初期に見通しを提示すること，本人が変化に気づくことの支援，生活環境や自己決定に対する支援である。服用初期の見通しの提示としては，以下のことを情報提供すると有益である。

- 抗うつ薬の多くは，抗うつ効果が発現するまでに2週間程度を要する。一方，副作用はそれ以前に出現することが多い。そこで看護師はこれらのことを患者に説明するとともに，注意深く観察し，服薬を継続できるように支援する。
- 服薬をやめると，めまいや悪心，不安の発生などの症状（離脱症状）が出ることがあるので，服薬をやめたいときや抗うつ薬に対して心配があるときには，医師などの医療職者に

表1-13 抗うつ薬の分類と大まかな作用・副作用

	作　用	注意すべき事項，副作用
三環系抗うつ薬	セロトニンとノルアドレナリンの再取り込みを阻害する	抗コリン作用（眠気，口渇，便秘，めまい），薬剤によってはアカシジア
四環系抗うつ薬	アドレナリンの再取り込みを阻害，ノルアドレナリンの放出を促進する	多剤併用による作用増強，薬剤によっては抗ヒスタミン作用（鎮静）
SSRI	セロトニンの再取り込みを阻害し活性化させる（セロトニンが再利用されやすくなる）	服用後1週間程度の消化器症状（食欲不振，悪心，下痢），意欲高揚による自殺リスクの増大，服用中止時のめまいや不安・焦燥感の発生
SNRI	セロトニンとノルアドレナリンの再取り込みを阻害し活性化させる	服用後1週間程度の消化器症状（食欲不振，悪心，下痢），意欲高揚による自殺リスクの増大

相談することが重要である。

抗うつ薬を服用して一定期間が経過したときに，本人が変化に気づくような支援をすることが有益である。具体的には，気分の落ち込みよりは心の元気度に注目して心の元気度がゼロではないこと，睡眠リズム表を活用して患者の生活リズムの変化（たとえば，朝まで寝ていられるようになる）に気づくこと，快の感情や感覚に気づいて快の感情を受け入れることなどである。

入院から退院，休職から復職などのように生活環境を変えていく場合には，生活に合わせて服薬回数を調整するなど，薬物療法の変更が必要になることがある。

②代表的な副作用と看護の役割

SSRIやSNRIで最も配慮を必要とする副作用は，薬の飲み始めに生じる可能性が高い消化器症状である。腹部の不快感，悪心，下痢などを経験しやすく，その経験を軽減するために服薬をやめることがよくある。服用を続けると自然に消化器症状は軽減して消失するので，消化器症状が不快な場合には医師や薬剤師などとの診察（面談）を設定して不快感を軽減できるよう支援するとよい。

4）抗不安薬・睡眠薬
(1) 抗不安薬と睡眠薬の作用

現在，日本で使用されている抗不安薬はベンゾジアゼピン系といわれる種類で，γ（ガンマ）アミノ酪酸の作用を強めることでノルアドレナリンとセロトニンの働きを弱め，不安を感じにくくさせる働き（抗不安作用）がある。抗不安薬はベンゾジアゼピンの受容体に対して働き，眠気，鎮静などの作用も同時に起こることが多い。主な抗不安薬を表1-14に示す。

睡眠薬も多くはベンゾジアゼピン系の薬剤であり，ノルアドレナリンとセロトニンの働きを弱めて不安を感じにくくさせたり眠気を呼び起こしたりする。日本で処方される睡眠薬の多くがベンゾジアゼピン系の薬である。

抗不安薬や睡眠薬を処方されている患者への看護では，本人の生活リズムと処方薬が合っているかを確認するための支援をすることが望ましい。また，飲酒してこれらの薬を

表1-14 抗不安薬の種類

分類	一般名	商品名
短期作用型 （6時間以内）	エチゾラム クロチアゼパム	デパス リーゼ
中間作用型 （12～24時間以内）	ロラゼパム アルプラゾラム	ワイパックス コンスタン，ソラナックス
長期作用型 （24時間以上）	ジアゼパム クロキソゾラム クロルジアゼポキシド	セルシン，セレナミン，ホリゾン セパゾン コントロール，バランス
超長期作用型 （90時間以上）	ロフラゼプ酸エチル	メイラックス

服用すると効果が強められることを説明し，生活環境に飲酒の機会がある場合にはその事実を踏まえた医師との対話になるよう，患者への助言や医師への報告をする。

(2) 代表的な副作用と看護の役割

抗不安薬と睡眠薬の代表的な副作用には，めまい，ふらつき，脱力感，倦怠感，疲労感などがある。高齢者や転倒リスクの高い患者に対しては，抗不安薬や睡眠薬を服用した後の時間帯の歩行に十分に注意を払う。たとえば消灯後の病棟でスタッフステーションに患者がやってきて，不眠時の頓用薬を服用して自室に戻るときには，消灯前に服用した薬と頓用で服用した薬の両方が作用するため，めまいやふらつきなどの副作用が生じやすく，転倒のリスクがある。本人の歩行を介助するなどの方法で転倒のリスクを軽減するようにする。

ベンゾジアゼピン系の睡眠薬は，高用量（多量）に服薬しても循環器や呼吸器の抑制が起こらず，多量服薬しても死亡しない（自殺などに使われる危険が少ない）。ただし，バルビツール酸系の薬剤（ラボナ®，イソミタール®，フェノバール®）は高用量の服用で中枢神経の抑制が起こり，循環器と呼吸器の機能抑制が起こって死亡する危険がある。バルビツール酸系の睡眠薬を服用する患者については，服用量を間違えないような観察を重視する。

5）抗酒剤

アルコール依存症の治療によく使われる薬に，シアナミド（シアナマイド®）やジスルフィラム（ノックビン®）という抗酒剤がある。

(1) 抗酒剤の作用と副作用

抗酒剤の作用を理解するために，アルコールの分解経路を解説する。アルコールは，図1-1のような分解経路で二酸化炭素と水の無害な物質になる。このうち，アセトアルデヒドは人体に毒性のある物質で，顔面紅潮，悪心・嘔吐，動悸などの原因になるが，分解酵素が働くと酢酸へと変化する。抗酒剤はアセトアルデヒドを分解する分解酵素の働きを抑制するため，少量の飲酒でも，直後に顔面紅潮，血圧低下，動悸，呼吸困難，頭痛，悪心・嘔吐，めまいなどを起こし，ひどいときには立つこともできなくなる。

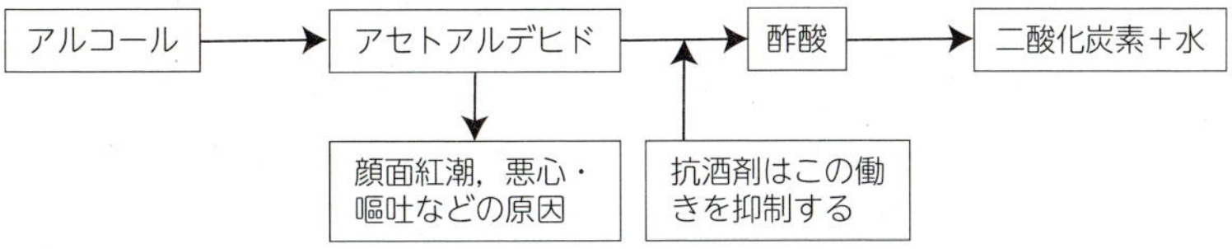

```
アルコール → アセトアルデヒド → 酢酸 → 二酸化炭素+水
                ↓                ↑
         顔面紅潮，悪心・    抗酒剤はこの働
         嘔吐などの原因      きを抑制する
```

図1-1 アルコールの代謝経路

なお，シアナミドは即効性があるので飲酒中に服用しても効果が発生し，1日で効果は持続しなくなる。ジスルフィラムは服用後数時間以上経ってから1週間程度の効果持続が期待できる。

抗酒剤は副作用の発生頻度が少ない薬である。ジスルフィラムではまれに肝障害，精神病様の症状が生じることがある。シアナミドを長期に服用すると，再飲酒したときの肝障害がひどくなることがある。まれに，蕁麻疹様の発疹が出ることもある。

(2) 看護の役割

抗酒剤は酒が嫌いになる薬ではなく，肝臓でのアルコールの代謝過程をブロックして，飲酒時に苦しい反応を起こさせるものである。つまり，断酒を決意した人が，断酒を継続するために補助的に使う。また，家族がいるときにはお酒を飲まないが家族が不在になる日にはお酒を飲んでしまうという患者の場合には，家族が不在になる予定の日に合わせて抗酒剤を服用すると効果的である。

一方，抗酒剤は家族関係を改善したり本人の動機づけを促進するような成分を含んでいない。あくまでも「お酒を飲んだときに具合が悪くなる」ための薬である。心理教育やグループ活動など，アルコール依存症患者に有益なプログラムへの参加を勧めることが看護の役割として重要であり，懲罰的に接してはならない。

6) 下　　剤

(1) 下剤の作用と副作用

下剤は，緩下剤や刺激性下剤という種類がある。緩下剤は酸化マグネシウム，刺激性下剤には，アローゼン®，プルゼニド®，ラキソベロン®などがある（**表1-15**）。

酸化マグネシウムは塩類下剤ともよばれ，大腸における水分の吸収を抑制する薬剤である。つまり便に含まれる水分が多くなって便を軟らかくする作用がある。

刺激性下剤は，大腸の蠕動運動を亢進させて腸の内容物（便）の移動を促進させる。

下剤を服用しすぎると下痢になり，大腸でのイオン交換機能が低下する。大腸では，ナトリウムと塩素イオンを吸収してカリウムと重炭酸イオンを分泌するため，下剤の量が多く下痢を続けていくと，カリウムがどんどん失われていき低カリウム血症や代謝性アシドーシスを引き起こすことがある。

(2) 看護の役割

患者自身が排泄コントロールの主体になるように働きかけることが望ましい。下剤によって排泄した場合の便の性状をブリストル便性状スケールなどでアセスメントし，下剤の服用と便の性状の関連が本人にわかるようにする。

腹部不快感の緩和や体重減少のために下剤を服用することは，根本的な解決にはならな

表1-15 下剤の種類と作用時間

分類		一般名	商品名	作用時間
緩下剤（塩類下剤）		酸化マグネシウム	カマ	2〜3
			マグミット	2〜3
			マグラックス	2〜3
刺激性下剤	アントラキノン系	センナ	アローゼン	8〜12
			プルゼニド	8〜13
		ダイオウ	大建中湯	8〜14
			セチロ	8〜15
	ジフェニルメタン系	ピコスルファートナトリウム	ラキソベロン	8〜17
		ビサコジル	コーラック	8〜18

い可能性があるため，下剤を服用することの理由と解決策について患者自身と話し合うことが望ましい。下剤の種類や役割を伝えるとともに，腹部不快感や体重減少の緩和のために行動できる選択肢を提示して，下剤の使用に頼らない体調管理に向けた支援を行う。

下剤を長期・大量に服用している患者の場合，低カリウム血症や代謝性アシドーシスが生じる可能性があるので，悪心・嘔吐が起きた場合には薬剤性である可能性を考慮して対処するとよい。

薬物療法に関して重要な看護技術

精神科に限らず，ほとんどの患者は自分が患者になりたいとは思っていない。さらに精神科の場合には，生活困難や人間関係の対立の原因を薬物療法で解決することに対して，驚きや不信感が生じることが多い。そのため，精神科で薬物療法にかかわる看護師は，患者の不信感を信頼関係に変えていくための面接技術やその前提となるアセスメント技術が必要である。

なお，急性期から回復期の医療では，速やかで確実に薬物療法が行われるように注射の技術を高めることも非常に重要である。高齢患者や一部の救急患者は注射によって薬剤を投与することが多く，外来でも統合失調症の薬物療法で示したようなデポ剤の注射を行うことがよくある。

1）アセスメント技術

患者に対する働きかけがより適切になる。薬物療法に関するアセスメントでは，コンプライアンス（処方の遵守率）やアドヒアランス（薬物療法の内容と必要性の理解，服薬への動機）とともにコンコーダンス（患者の求めるライフスタイルや価値観との協調）をアセスメントするとよい。

コンプライアンスをアセスメントする場合には「薬の飲み忘れの割合」「薬を飲むこと自

体の理解」など，処方どおりに実行する割合や処方の理解をアセスメントすることが望ましい。アドヒアランスをアセスメントする場合には，「薬を飲むことを，患者が自分で決めている」「患者が，飲む薬について良いところが多くて悪いところが少ないと感じている」ことなどを評価する。アドヒアランスは治療に対する前向きな考えに関する概念なので，治療内容に対して前向きに考えているかを評価する。

コンコーダンスをアセスメントする場合には，たとえば「生活習慣に合った薬の服用回数になっている」「現在の処方を決める際，自分の希望について話し合う機会があった」ことなどを評価する。コンコーダンスは治療にかかわる人たちの相互関係の概念なので，患者の価値観やライフスタイルに治療内容が一致している部分があるか，医療者と協働した意思決定の機会があったかを重視する。医療保護入院などの本人の同意がない状況での治療となっている場合は，より丁寧に患者の考えや価値観を尊重するかかわりが重要である。

2）面接や関係づくりの技術

疾病や治療について看護師がかかわる場合の面接技術が開発されている。

患者との関係づくりに役立つ技術として21項目を**表1-16**に示す[2]。

学生や経験の浅い看護師などが，これらの技術を高める場合には，個別の技術をトレーニングして応用できるようにするといい。

表1-16 患者との協働関係づくりに有益なスキル

Ⅰ．基礎的スキル
　対話場面で頻繁に登場し，基本的な構成要素である技術。
　　（1）相手の用いている言葉を使う
　　（2）オープン・クエスチョン
　　（3）クローズド・クエスチョン
　　（4）要約
　　（5）リフレーミング
　　（6）反応の引き出しと応答
　　（7）支持と承認を示す

Ⅱ．かかわりを進めるスキル
　対話場面で意図して用いることで，援助関係や人間関係を進展させる可能性を高めるスキル。
　　（1）コラボレーション
　　（2）反映的傾聴
　　（3）面接を相互に関連づける
　　（4）アジェンダの設定
　　（5）柔軟に対応する
　　（6）積極的な治療的スタンス
　　（7）個人の選択とその責任を強調する
　　（8）コーピング・クエスチョン

Ⅲ．鍵となるスキル
　通常の対話では意図して用いることはないが，特定の場面で用いれば課題や問題を解決することができるスキル。
　　（1）患者の関心を維持する
　　（2）抵抗を最小限にとどめる
　　（3）矛盾を拡大する
　　（4）情報を交換する
　　（5）スケーリング・クエスチョン
　　（6）ミラクル・クエスチョン

安保寛明・他：コンコーダンス―患者の気持ちに寄り添うためのスキル21，医学書院，2010．より転載

表1-17 面接技術を活用した患者への応答の例

SSRI（選択的セロトニン再取り込み阻害薬）による治療開始後20日が経過した外来患者から電話があった。2日前から薬の処方量が増え，そのとおりに内服したところ，吐き気が出現して困っていると訴えている。どのように伝えるとよいか。

返答の例	解説
「なるほど，薬の処方が変わった頃から吐き気を感じるようになって，それでお困りなのですね」	要約 （患者の主張を整理して患者に伝えている）
「処方が変わったときに困ったことがあると副作用かもしれない，とご心配でしょう」	反映的傾聴 （心情を推察して患者に伝えている）
「できれば時間をかけてお伺いしたいので，外来受診のときに，私か医師に相談してみませんか？」	行動の提案 （患者が有益な選択肢を提示している）

2009年度の看護師国家試験問題を参考に作成

　たとえば，「①これから薬が自己管理になるわけですが，もちろん，薬は飲み忘れないですよね？」といった一方的な確認となっている問いかけよりは，「②これから薬が自己管理になるわけですが，どんな工夫をしようとしていますか？」「③これから薬が自己管理になるわけですが，どんな心配ごとがありますか？」といった患者の考えに対する関心を寄せたほうが，患者と医療者の関係は協働的になりやすい。このときの①はクローズドクエスチョンであり②③はオープンクエスチョンであるから，経験の浅い看護師は①を②や③に変えて話すことを繰り返して練習すれば面接技術を獲得しやすくなる。

　また，実際の面接場面を想定して（表1-17），複数の面接技術を使って患者への返答を充実させる演習を行うことも効果が高い。多くの看護技術と同様に，患者との信頼関係づくりに関する看護技術も使うタイミングが適切であればあるほど，効果が高まる。

文　献

1) 畠山卓也：服薬の自己中断・拒否へのかかわり，日本精神科看護技術協会監，実践精神科看護テキスト13　精神科薬物療法看護，精神看護出版，2007.
2) 安保寛明・武藤教志：コンコーダンス─患者の気持ちに寄り添うためのスキル21，医学書院，2010.
3) Charles C, Gafini A, Whelan T : Shared decision making in the medical encounter: What does it mean? (or ittakes at least two to tango), Social Science & Medicine, 44(5)：681-692, 1997.
4) Patel SR, Bakken S, Ruland C : Recent advances in Shared decision making for mental health, Current Opinion in Psychiatry, 21(6)：606-612, 2008.
5) 岸本泰士郎：高プロラクチン血症による長期的有害事象，精神科治療学，22(11)：116-119，2007.
6) 佐藤好恵・成田伸・中野隆：殿部への筋肉内注射部位の選択方法に関する検討，日本看護研究学会雑誌，28(1)：45-52，2005.

2 電気けいれん療法

学習目標
- 電気けいれん療法の目的・意義を理解する。
- 電気けいれん療法の効果と副作用を理解する。
- 電気けいれん療法の実際を理解する。
- 電気けいれん療法における看護師の役割を理解する。

1 電気けいれん療法に使用される電気刺激

電気けいれん療法（electroconvulsive therapy：ECT）は，脳に電気刺激を与えて全身けいれん発作を誘発することにより感情障害などの症状の改善を得る治療法である。ECTに使用される電気刺激は，波形の種類によってサイン波と短パルス波に分けることができる（図2-1）。統合失調症の治療として最初に用いられた電気刺激は利便性の問題からサイン波であったが，2002年にはわが国でも短パルス波による装置が医療機器として認可されている。短パルス波は，サイン波よりもはるかに少ない電気量でけいれん発作を誘発できるため，認知障害の副作用が少ない特徴をもっている。

2 m-ECT（修正型電気けいれん療法）の始まり

欧米では1940年代よりECTに伴う事故の防止を目的として施行方法の改良が重ねられてきた。全身けいれん発作時の骨折や関節脱臼を防止するために筋弛緩薬を使用して全身けいれん発作が起こらない方法を導入し，不安感を低減するために静脈麻酔下での方法に改良された。今日では精神科医，麻酔科医，看護師が一つのチームとして治療にあたり，設備の整った専用の治療室で酸素吸入，静脈麻酔，筋弛緩薬，発作モニターなどを使用した

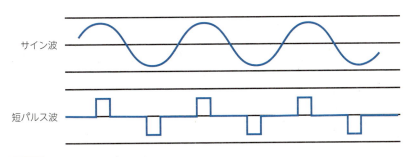

図2-1　サイン波と短パルス波

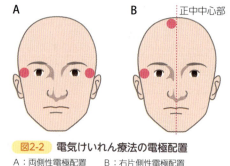

図2-2 電気けいれん療法の電極配置
A：両側性電極配置　　B：右片側性電極配置

安全で有効な治療法へと改良されており，初期のECTとは区別して「修正型電気けいれん療法（modified electroconvulsive therapy：m-ECT）」とよばれている。

3 電極配置

電極の配置は，両側性電極配置と右片側性電極配置が主に用いられる（図2-2）。どちらの方法も治療には有効であるが，両側性配置のほうが早期に効果が現れ，治療回数が少なくて済むとの報告[1]がある一方で，両側性配置では認知面の副作用が大きいとの報告[2]もある。

4 電気けいれん療法の適応となる疾患

1）大うつ病性障害

大うつ病エピソードはうつ症状が重篤で長期に及ぶ特徴があり，薬物療法に反応しない患者も多い。ECTは薬物治療が無効な患者に有効であり，重篤なうつ病にも速やかな効果の出現が認められている。特に昏迷，焦燥，希死念慮，妄想などの強いうつ状態に有効であり，希死念慮に対しては即効性がある。

2）躁病

薬物療法に反応しない急性躁病にECTは有効で，80％の患者に改善が認められる。

3）統合失調症

過去にECTに良好な反応を示した患者，急激に精神病が悪化した患者，緊張病型統合失調症患者にECTが推奨され，特に緊張病型には著明な効果が認められる。しかし，陰性症状が優位な統合失調症患者には推奨されていない。

5 電気けいれん療法の継続療法

ECTは精神科疾患からの回復を促進する安全で有効な治療方法である。しかし，疾患自

体を治癒させるものではない。再発の防止にECTの継続療法が行われる場合もある。

6 患者評価

1) 身体的評価

ECTに絶対的禁忌はない。治療に伴う死亡率は低く，事故は5万回に1回[3]と推定され，短時間の全身麻酔導入による死亡率と同率である。治療に関連する危険を最小化するための病歴聴取は重要である。最近の脳内出血や心筋梗塞，頭部外傷や悪性高熱症，身体合併症の既往，過去の全身麻酔の有害反応や患者の利き腕（電極配置の指標となる），歯並びなどの把握が必要である。

2) 認知機能の評価

ECTの副作用として記憶障害を生じることがある。一過性で数日から数週間で回復するが，治療を始める前に記憶能力を含む意識状態，認知機能を検査することが必要である。

7 治療室での看護の実際

1) ECT前に行う指示内容の確認

①ECT前日21時以降の絶食，治療前・治療後に必要な薬剤の服用などを確認する。また，治療前2時間以内に排尿したことを確認する[4]。治療前30分に唾液分泌を抑える目的でアトロピン1Aの筋注を行うことがある。また，治療数分前にアトロピン0.4～0.8mgの静脈内への投与は徐脈予防に有効である[5]。

②患者の服装は，前開きの診察着に着替え，ピアスを含めたすべての宝飾品，化粧，入れ歯，補聴器などは取りはずす。髪は乾いていて整髪料をつけていない状態とする。結婚指輪など宝飾品がはずせない場合は，金属がむき出しにならないようテープで覆う。着替えた後，麻酔薬投与量の指標となる体重を測定する。

2) 治療室での患者の準備と看護の実際（図2-3）

①患者を確認後，頭部にキャップを着用し，毛髪が露出しないようにする。これは，電極が肌にしっかりと貼りつかずに，電流が流れる領域が狭くなり，皮膚にやけどをする危険性が高まるのを防ぐためである。

②心電図モニター，パルスオキシメーター，血圧計を装着し，正しくモニターされていることを確認する。治療中は心拍数・血圧が著しく変化するため，バイタルサインは患者が治療室にいる間，連続的に測定する。測定は患者が治療室へ入室したとき，通電直前，通電から30秒後，1・3・5分後，治療室を退室する直前に行う[6]。

③静脈路確保の補助を行い，点滴の滴下に問題のないことを確認する。また，下肢の膝下5cmの部位に筋弛緩薬を遮断するためのカフを巻き加圧できることを確認した後，カフを脱気しておく。

④静脈麻酔の補助を行い，入眠後カフ圧を200～300mmHgまで加圧する[7]。筋弛緩薬注入

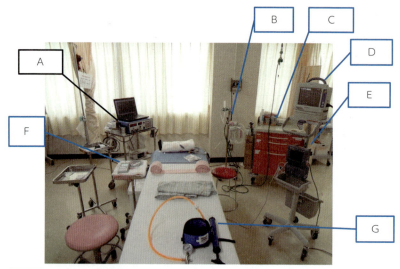

図2-3　m-ECT治療室の配置
A：短パルス波治療器　B：酸素吸入装置（ジャクソンリース）　C：救急カート
D：心電図モニター　E：脳波計（BISモニター）　F：筋電図モニター　G：駆血用カフ

後，筋線維の攣縮が確認できるよう覆布をまくる。
⑤咬舌予防のため口腔にバイトブロックを挿入する。
⑥通電時，駆血した下肢のみに強直間代けいれんが生じていることを確認する。通電時の脳波上の発作時間が20〜25秒より短い場合は不適切な発作と推定される。
⑦通電終了後，カフを脱気して駆血を解除し，バイタルサインの測定を行う。通電時，最初は副交感神経系への刺激により10秒程の徐脈となり，引き続き交感神経系への刺激により頻脈と高血圧が10分程持続する[5]。
⑧循環状態・意識状態の観察と記録を回復するまで継続する。特に，肝・腎疾患，妊婦などの理由でコリンエステラーゼが低値である場合，筋弛緩薬の代謝が遅くなり遷延性無呼吸が起こりうるため継続的なモニターが必要である[5]。

8　ECTを受ける患者への看護のポイント

　治療を受ける患者にとってECTは，効果への期待とともに大きな不安を伴う。不安の多くは知識不足によるものであり，患者は正確な情報を求めている。不安の軽減には，看護師や医師による詳細な説明が最も有効である。言葉による説明だけでなく，わかりやすい資料を作成して，ECTが特別な治療方法ではなく，危険ではないことを理解してもらい，治療内容や安全確保の体制を説明することにより安心感を与える。

〈治療中の患者の安全確保〉
　治療中の患者には，心電図，筋電図，血圧マンシェット，脳波計（BISモニター），パルスオキシメーターなど多くの監視モニターが装着される。
　しかし，看護師自身による観察に勝るモニターはない。患者のそばで注意深く観察し，患者に触れてみて，監視モニターのデータから患者の状況を的確に判断する。治療内容を

理解して経過の予測を的確に行い，予測される状況に対応する。このことは，いかに多くの監視モニターを使おうとも機械にはできない，看護師ならではのケア機能だといえる。

また，治療直後の患者や高齢者，認知レベルが低下している患者では混乱をきたすことがある。この場合，不意の体動による治療台からの転落による外傷など予測外の事態が発生することがある。このような状況に対応するために，治療開始前から患者に信頼される良好な関係性を築くことが大切であり，看護師は治療終了まで患者の側に常に寄りそう。

文 献

1) Sackeim HA, Prudic J, Devanand DP et al：A prospective, randomized, double-blind comparison of bilateral and right unilateral electroconvulsive therapy at different stimulus intensities. *Arch Gen Psychiatry*, 57（5）：425-434，2000.
2) Squire SR, Slater PC：Bilateral and unilateral ECT: effects on verbal and nonverbal memory. *Am J Psychiatray*, 135（11）：1316-1320，1978.
3) 精神科薬物療法研究会編，佐藤光源・他責任集：精神分裂病と気分障害の治療手順─薬物療法のアルゴリズム，星和書店，1998, p.133-138.
4) Mankad MV, Beyer JL, Weiner Rd他著，本橋伸高・上田諭監訳：パルス波ECTハンドブック，医学書院，2012, p.159-175.
5) 日本精神神経学会：ECTグッドプラクティス 安全で効果的な治療を目指して，新興医学出版，2021, p.47-192.
6) Abrams R 著，一瀬邦弘・本橋伸高・中村満監訳：電気けいれん療法，へるす出版，2005.
7) Granvenstein JS, Anton AH, Wiener SM, et al.：Catecholamine and cardiovascular response to electroconvulsion therapy in man. *Br J Anaesth*, 37, 833-839, 1965.

3 精神科リハビリテーション

学習目標
- 精神科リハビリテーションの意義と課題について理解する。
- 作業療法の意義と種類，その実践方法と実施者の役割を学ぶ。
- レクリエーション療法・芸術療法の意義と種類，その実施方法を学ぶ。
- 社会生活スキルトレーニング（SST）の意義と理論的背景を理解し，その実践方法を学ぶ。
- 心理教育の意義を理解し，その実践方法を学ぶ。
- 認知行動療法の意義を理解し，その実践方法を学ぶ。

1 精神科リハビリテーションの意義と課題

1）精神医療と精神科リハビリテーション

　今日の精神医療は，施設中心の医療から地域中心の医療へと移行している。それは，長期入院が患者に悪影響をもたらすことや，諸条件が整えば患者は病気を抱えながら地域で生活できることが明らかであるほか，個人の尊重と権利擁護の観点からも重要だと考えられるようになってきたからである。その背景には，効果的な向精神薬の開発，精神科リハビリテーションの発展，そして，これらを融合した精神医療全体の進歩がある。言い換えれば，今日の精神医療において欠くことのできない生物学・心理学・社会学的アプローチの発展によるところが大きいのである。具体的には，効果的な向精神薬の開発が生物学的アプローチを充実させ，精神科リハビリテーションの発展が心理学・社会学的アプローチを充実させてきたのである。これらのアプローチは相補的な関係にあるため並行して進めることにより，患者への望ましい効果が期待できる。つまり，今日の精神医療における精神科リハビリテーションは，薬物療法と同様に重要な位置を占める治療なのである。

2）精神科リハビリテーションとは何か

　精神科リハビリテーションとは，いったい何を指しているのであろうか。これは，先に述べた心理学・社会学的アプローチを指すことから，今日では心理社会的リハビリテーションともいわれている。
　田中は，精神科リハビリテーションという用語を，精神障害リハビリテーションに置き換えて次のように定義している。
　「精神障害リハビリテーションとは，精神障害を対象に，精神障害のある人の参加を得て，その人と状況の最大限の再建をめざして有期限で展開される，一連の訓練と支援を中

核とした技術的かつ社会組織的な方策をいう」[1]。

このように，精神科リハビリテーションは幅広い概念であり，精神障害を抱えながら生活する患者の"いま"の健康な側面に光を当てて，患者が社会生活を送るために必要な"生活力"を引き出すことをねらう包括的なアプローチを指している。したがって，精神科リハビリテーションは，生物学的アプローチによる精神科治療とは異なる立場をとる。

3）精神科リハビリテーションの課題

今日の精神保健医療福祉施策は，長期入院患者の地域移行や，精神病床の機能分化（精神科救急病棟，精神科急性期治療病棟，精神療養病棟，認知症治療病棟，ストレスケア病棟など），さらには精神障害者が地域の一員として，安心して自分らしい暮らしができるよう，医療，障害福祉・介護，社会参加，住まい，地域の助け合い，教育が包括的に確保された「精神障害にも対応した地域包括ケアシステム」の構築に向けて力を注いでいる[2]。これまでの精神科リハビリテーションは，主に医療機関で提供されてきたが，地域中心の医療へと着実な移行を進めるには，多様な場で生活する患者の状態像や特性に応じて，患者が必要とする生活スキルを再獲得したり，再発予防に向けて認識を改善し行動変容することができるように，どこでも提供できる体制を整えることが課題である。ここでは，精神科リハビリテーションの中心をなしている作業療法，レクリエーション療法・芸術療法，社会生活スキルトレーニング，心理教育，認知行動療法について紹介する。

2 作業療法

1）作業療法の必要性

作業療法（occupational therapy：OT）は，キュア（cure）やケア（care）を主とした医療とは異なり，患者が主体的に取り組むこと，すなわち患者の意思に基づく主体性を前提としている[3]。そこでは，作業療法を提供する者とそれを利用する者との協力関係が必要となるが，何といっても当事者の主体的な取り組みこそが効果の鍵を握る。いったん主体性を奪われ，主体性を押し殺して生きることで自己を守ってきた人々が，安らぎを経験し，希望や生きがいを見出せるように支援する過程，すなわち主体性の回復を目指すところに作業療法の意味があり，その過程は，障害受容という喪の作業の過程を支援することでもあるといえる[4]。

作業療法の特徴は，作業を媒介として患者-実施者の関係を構築し，患者が精神障害の改善，人間性の成長や生活技能の向上を目指していることである。

2）作業療法とは何か

作業療法とは，『広辞苑』によると「病気や外傷からの回復を助けるため，医師より処方され，作業療法士により指導されて行われる治療活動。作業・仕事・運動・レクリエーションなどを含む。精神病作業療法と身体作業療法があり，リハビリテーションの一環」と説明されているが，作業療法にかかわるスタッフは，必ずしも作業療法士に限定されるわけではなく，医師，看護師，臨床心理士，精神保健福祉士など，実に様々な職種が含まれる。

一方，山根は，作業療法について「人と作業活動の関係を利用して，現実生活との橋渡し，低下した心身の機能回復，失われた自信の回復，新たな生活技能の習得の手助け」[3]をする活動と定義している。

つまり，作業療法とは作業を媒介として行われる治療法を指し，広く精神的・身体的諸活動を含む日常生活における諸活動といえる。

3）作業療法の位置づけ

今日の精神科リハビリテーションには，様々なメニューが存在する。そのうち，古くから取り入れられていたものに，音楽療法，レクリエーション療法，芸術療法などがあり，これらには「作業」を行うという共通性がある。また，作業療法は，レクリエーション療法や生活指導とともに行われることが多く，古くはこれらを総称して「生活療法」といわれることがあった。これらの援助方法は，今日においてもそれぞれをはっきりと区別して単独に実施することは少ないようである。

しかし，作業療法は対象の違いによって，目的や方法が著しく異なる。特に，精神障害者への作業療法は，対象の認識や方法そのものにおいて複雑な要素[5]を含んでいるため，身体障害をもつ患者への作業療法とは区別しなければならない。

4）作業療法の目的と適応

精神科における作業療法の目的は，患者のなかに残っている健康な心身の能力に働きかけ，患者の社会性や個性を喚起することである[6]。また，その目標は，様々な活動をとおして人間関係の育成，生活リズムの調整，現実感覚の獲得，表現力・創造力・持続力・適応力・協調性の向上など，地域生活を送るために必要な能力を養うことや，再獲得することである[7]。

作業療法は，統合失調症をはじめとするすべての精神障害者に適応できるが，作業内容は，患者の健康レベルと患者自身のニーズに合ったものでなければならない。したがって，作業内容を検討する際は，患者にとって簡単すぎたり難しすぎたりしないように注意しなければならないが，だからといって患者が好むことだけをすればよいというものでもない。精神科リハビリテーションの観点からは，患者の健康レベルに応じて必要な負荷をかけることが必要なのである。

5）作業療法の経緯

作業療法の経緯[8]は，古代医療の時代の記述にみることができるほど長い。

近代精神医療における作業療法は，西洋の科学的な精神医学の構築とともに誕生した。とりわけ，近代精神医学の父とよばれるフランスのピネル（Pinel P）は，当時，手かせや足かせなどの身体拘束用具で自由を奪われていた精神障害者の人権を奪還するために，受持ち患者49名を拘束から解放し作業療法を導入したことで有名である。

作業療法は，18世紀末から19世紀前半にかけてヨーロッパで広まり，それが19世紀後半になって米国に渡って発展したといわれている。その理論的基盤をつくったのが，リード（Reid E），ダントン（Dunton H），マイヤー（Meyer A），スレイグル（Slagle E）などと

いわれ，ドイツではジーモン（Simon H）やシュナイダー（Schneider K）が著名である。これらの草分け的な人物に共通する考え方は，①患者は人権を尊重されるべき存在である，②適切な作業の実施によって健康な機能が引き出せる，という点にある。

わが国の精神医療に何らかの作業を導入したのは，京都府癲狂院が最初だといわれている[9]。また，わが国の精神医療において著名な呉秀三も，1902（明治35）年にピネルらによる作業療法の実践を紹介し，巣鴨病院（現在の都立松沢病院）に導入している[10]。その内容は，草取り，園芸などの屋外作業や，加工，雑役，裁縫，洗濯などの屋内作業であった。この作業療法は，患者の処遇改善，人間性の回復を目指したものであったが，十分普及しないまま戦時下に入り，次第に影を潜めることになった。しかし，第2次世界大戦後の精神医療は，民主化の流れとともに，対人関係の改善と心身機能の賦活を意図するようになり，徐々に開放的実践へと発展していった。そして，1950年代には，生活指導，作業療法，レクリエーション療法の3つを併せて体系化し，「生活療法」という名で全国に普及した。その後，20年以上の年月を経て，1974（昭和49）年，わが国の精神科作業療法は，精神科特殊療法として診療報酬の対象になったのである。

6）作業療法の種類

精神科における作業療法は，何を目指して実施するかという方向性の違いにより，精神療法的・個別的作業療法，リハビリテーション的作業療法，労働型作業療法に分類できるが，今日の作業療法は前二者を主流にして展開されている。

(1) 精神療法的・個別的作業療法

精神障害者は，言葉で表現することが苦手であっても，具体的な活動をとおして十分に自己表現することができる。したがって，日常生活の諸活動を無駄なく活用して，患者と医療者との相互作用を繰り広げ，患者が自我機能を強化したり自己評価を向上させたりすることができるように支援することになる。その意味において，作業療法を実施する際は，患者の主体性の回復と心身の活用を目指す必要がある。

精神療法的・個別的作業療法の特徴は，作業療法を行う患者個々人の精神内界の変化に注目する精神力動的視点を取り入れているところにある。

(2) リハビリテーション的作業療法

精神障害者が地域生活を送るには，精神症状が生活に支障をきたさない程度にまで改善する必要がある。いまだ社会の一員として統合されているとはいえない精神障害者には，退院後に人権を復権しなければならないという苦労がつきまとう。とりわけ，社会生活技能を十分もち合わせていない長期入院患者の場合は，退院することがゴールとはなりえず，そこには地域社会における生活と労働という，人間として何ら特別でない当たり前の問題に立ち向かわなければならない苦労がつきまとうのである。リハビリテーション的作業療法は，これらの問題に作業をとおして立ち向かおうとするものである。

作業の種類には，個人作業と集団作業，単純作業と複雑作業，屋内作業と屋外作業など多様にあるが，いずれにしても患者本人が自己決定できるようにすることが大切である。目標は，患者の忍耐力，集中力，注意力などを改善することである。

(3) 労働型作業療法

労働型作業療法[11]は，伝統的に行われてきた院内・院外（外勤）の労働をとおして，社会復帰するための能力を身につけることを目指したものである。社会復帰を促進するための就労支援などの制度が整っていなかった精神衛生法時代において実在したが，患者の早期退院を目指す今日の精神医療においては姿を消した。

7) 作業活動の特徴

精神障害者のなかには，適切に休息をとることが苦手な人が少なくない。その結果，地域生活を送るうえで上手に休息することができず，疲弊して症状を悪化させることがある。したがって，作業活動と同時に適切な休息をとり，自分に合った無理のない生活リズムをつくり出すこと，そして，症状の悪化を予防するという作業活動の特徴[12]を踏まえることが重要になる。

表3-1には，生活に密着した作業活動の特徴を示す。

8) 集団の種類

作業療法は，個人または集団に対して実施されるものである。そこで，様々な目的によって区別される集団の種類について理解しておく必要がある（表3-2）。

(1) 課題指向型集団

何らかの作業課題に携わるように運営する集団である。
- 目標：作業をとおして対人関係を模索する。
- 理論背景：発達理論に基づいている。モゼイ（Mosey A）の発達的集団を代表とし，そのほかにエリクソン（Erikson E）の理論や社会学習理論などがある。

表3-1　生活に密着した作業活動の特徴

分類	目的	その根拠	具体例
1. 生活維持に関連する作業	生活する自信や，基本的な日常生活技術を再獲得する	精神症状に支配されて，拒食したり，容姿に関心が向かなくなったり，金銭や時間などの感覚が鈍ることがある	生命維持（食事，排泄，睡眠），身なり（整容，更衣など），管理（金銭，時間，服薬，衛生など）
2. 仕事に関連する作業	作業をとおして生産すること，生産したものと引き替えに報酬を得ること，役割を遂行することを学習する	患者は，仕事をとおして他者に何かを提供する機会や社会貢献する自分に出会う機会が少ない	自分や他者に必要なものの生産，サービスの提供
3. 余暇に関連する作業	基本的な人間関係のもち方，対人距離のとり方，他者との協力の仕方，役割の果たし方を学習する	患者のなかには，他者と遊ぶなどの経験が少ないため，個人または集団で楽しむことが苦手な人が少なくない	レクリエーション，ゲーム，スポーツ，絵画，手芸，工芸，鑑賞など
4. 生活の広がりに関連する作業	行動範囲を拡大するための手段を身につけ，屋外での生活を円滑に送る	患者が，地域にある社会復帰施設を利用したり，就労あるいは自立生活を目指すうえで重要になる	公共交通機関の利用，公共施設の利用，社会資源の利用

表3-2 集団の種類と特徴

		特徴	医療者の役割	人数(人)	時間(分)	メンバーの特徴	目標	理論背景
1 課題指向型集団 〜モゼイの発達的集団〜	①並列集団	集団への準備段階としての集団。相互作用を必要としない個別作業を行う個人の集合	メンバーの欲求にこたえる	6〜12	20〜60	①注意が持続しない、②自力で作業が完成できない、③1対1の人間関係にとどまる	①自己，集団，環境への関心，②集団への耐久力，③相互作用への準備，④集中力改善，⑤既得技能の活用	発達理論：モゼイが代表的。そのほか，エリクソンの理論，社会学習理論など
	②課題集団	課題を達成するために，短期間内で相互作用を行う集団	①メンバーの欲求に応える，②集団決定，役割分担，作業の準備(必要物品など)を行う	4〜10	30〜60	対人接触を避ける，他者への信頼の未確立，ギブ・アンド・テイクできない，役割分担ができない，など	短期間の協同作業をとおして，言語的・非言語的な対人交流を促進すること	
	③自己中心的協同集団		①メンバーの欲求に応える，②情報提供，集団の計画設定，課題遂行に関する最小限の援助を行う	6〜8	60	他者の権利を無視する，集団目標・規範に従えない，競争や権威者への不適切な対応(競争を避ける，過度の競争心，尊重しない，強迫的な服従)，共同作業が困難	長期の共同作業ができる，他者の権利を尊重できる，集団への帰属意識を高める，協同的作業も競争的作業も行える，いろいろな役割が担える	
	④協同集団	同性・同世代の集団内で協同や相互作用をとおして，互いの欲求に対応できる集団	リーダーシップをとらない，メンバーの活動へのわずかな支援を行う	10〜12	90以上	他者への関心がある，役割分担できる，注意力が持続する，他者の欲求を理解したりそれに対応することができない，他者への適切な情緒表現(肯定，否定)ができない，など	他者への適切な情緒表現，他者の欲求の理解と対応，集団としてのまとまりを獲得する	
	⑤成熟集団	様々な人と協同すること，相互関係を維持すること，リーダーシップを分担することができる集団		10〜15	制限なし		現在の技能の維持と向上	
2 集団指向型集団		メンバー間の関係維持や相互作用の促進を目指す	可能な限りにおいて作業内容や進行などをメンバーにゆだねる		60〜90	孤立，無関心，恐怖感を抱いている者	自他への関心，自己表現の促進，自尊感情の確立，集団帰属意識の獲得	ロジャーズ学派の理論
3 力動的作業療法集団		創造的な作業過程における表現，不安，防衛，葛藤，病的反応などに基づく評価集団として設定されたり，集団内での転移や同一化などによる対人関係の修正および自己洞察を得るために設定	メンバーの無意識の領域に注意を払い，表面的な経緯のみでなく内面に秘められた意味を理解する。必要に応じて質問したり，解釈したことに基づいて話し合う。作業の反応をとおして，対人関係や自我防衛機制の特徴を把握する	4〜8	60〜90	対人関係の障害，自己未確立，ある程度の理解力がある者	現実検討，自己洞察の促進など	精神分析理論

山口隆・他編著：やさしい集団精神療法入門，星和書店，1988. を参考に作成

- 人数：4～10人前後である。
- 時間：1回当たり30分～1時間半程度である。
- その他：患者の発達段階に合わせて集団を編成する。

(2) 集団指向型集団
参加者間の関係維持や相互作用の促進を目指して運営する集団である。
- 目標：自他への関心，自己表現の促進，自尊感情の確立，集団帰属意識の獲得を目指す。
- 理論背景：ロジャーズ（Rogers C）学派の理論に基づいている。
- 対象者：孤立，無関心，恐怖感を抱いている者である。
- 時間：1～1時間半程度である。
- その他：集団で何をどのようにするかを，参加者間で決定することを大切にする。また，可能な限りにおいて作業内容や進行などを参加者にゆだねる。

(3) 力動的作業療法集団
創造的な作業過程における表現，不安，防衛，葛藤，病的反応などに基づく評価集団として運営したり，集団内での転移や同一化などによる対人関係の修正および自己洞察を得るために運営する集団である。
- 目標：現実検討，自己洞察の促進などである。
- 理論背景：精神分析理論に基づいている。
- 対象者：対人関係の障害，自己未確立，ある程度の理解力がある者である。
- 人数：4～8人程度である。
- 時間：1～1時間半程度である。
- 作業内容：主に創造的な活動である。

9）作業療法の実践方法
(1) 作業療法の構造
①時　　間
実際に使用する時間としての物理的な時間と，実際に使用した時間を長いまたは短いと感じるなど主観的感覚としての時間の2つを考慮する必要がある。重要なことは，作業療法を実施する頻度・時間・期間の3つを決定することである。何となくだらだらと作業を実施するのは好ましくない。

②患者−実施者関係
実際者が医師であるか，看護師であるか，作業療法士であるかなど，それぞれの役割・機能の違いによって関係性が異なる。たとえば，統合失調症患者の作業療法士に関するイメージは，守護者，依存対象，世話をしてくれる者，欲求を充足してくれる者という「受身的に何とかしてくれる人としてのイメージ」，指示者，指導者という「教師的イメージ」，権威者，監督者，評価者という「権威者的イメージ」のほか，万能者，恋人，友達などがある[13]。この関係性については，治療過程で変化するため，観察およびアセスメントをする必要がある。

③物理的条件
患者に与える心理的影響は，作業を実施する場所が，病室内，病棟内，病棟外のどの作

業療法室かによって異なる。また，その場所が広いか狭いか，または屋内か屋外かによっても異なる。

④ **作　　業**

作業そのものが患者に与える生物学的・心理学的・社会学的な影響を理解して働きかける必要がある。

⑤ **個と集団**

作業療法を実施するにあたっては集団の影響が大きいが，効果については個人を対象にする必要がある。

入院中の作業療法は，通常，作業療法としての治療および訓練に必要な設備が整った作業療法室で行われることが多いが，対象者が病棟外に出ることに強い不安を抱いている場合や，自閉傾向が強く引きこもっている場合などは，個々の状態に合わせてベッドサイドや病棟内で実施する。とりわけ，看護活動のなかに作業療法的な取り組みを位置づける場合は，病棟内のグループ活動として実施されることが多い。また，ベッドサイドで実施する場合は，個別ケアの一手段として用いられることがある[14]。

(2) 作業療法の具体的な内容

今日の精神医療機関において実施される作業療法は，診療報酬化されたことによって作業療法士が企画・運営を行い，一般的に専用スペースの中で塗り絵，絵画，手芸，革細工，プラモデル製作などのメニューで構成されている。

10) 作業療法実施者に求められるもの

(1) 看護師の役割

作業療法にかかわる看護師は，個々の患者に設定されたゴールを把握し，医療チームの一員として作業療法士らと協働する。

今日の作業療法は，それを専門とする作業療法士が主に実施し，看護師はその場に参加して補助的にかかわることが多いが，場合によっては看護師が主となって実施することもある。その場合，看護師に求められることは，普段の看護実践のなかで良質な「患者-看護師関係」を構築することである。それは，良質な「患者-看護師関係」こそが，精神科においては患者の回復を助けることにつながるからである。また，作業療法をとおして患者に治療的にかかわる看護師には，精神療法的な視点をもって作業療法に積極的に参加し，患者を観察する能力が求められる。

作業療法にかかわる看護師には，以下に示すことが必要である。特に，病棟に配属されている看護師の場合は，病棟内での患者の様子と作業療法中の患者の様子を比較し，その違いを把握する。

・患者の主体性を尊重する。
・患者に参加の動機づけをする。
・患者の対人交流を広げる。
・適切な作業時間と作業量を検討する。
・活動的な作業を計画する。
・患者の小さな変化をも丁寧に参加観察する。

(2) 観察のポイント

　作業療法における観察は，きわめて基本的かつ重要な評価手段である。以下に，観察ポイントをあげる。
- 外観（整容，服装，化粧，装飾品），表情，態度，行為，行動。
- 話し方（速さ，声の高低，声の大小，言葉遣い，連続性，量），聞き方。
- 作業行為，持続力，集中力，正確さ，作業能率，理解力，動作，作業結果。

　これらの観察は，看護師が患者と場や時間を共有し，そこで行われる作業に参加しながら行うのが一般的であり現実的である。この観察方法を，参加（参与）観察という。そして，看護師は自分の価値基準というフィルターをとおさずに，自らの五感で得た患者のありのままを把握するのである。

3 レクリエーション療法・芸術療法

1) レクリエーション療法・芸術療法の起源

　レクリエーション療法（recreation therapy）・芸術療法（art therapy）が治療方法として確立されるまでには，その起源となる活動があった。ギリシャ時代，医術は神殿の中で施され，神殿の中には，体育館，庭園，図書館，劇場などがあり，これを利用した活動は，患者に有益であるといわれていた。ローマ時代には，医師が，患者の苦痛を和らげるために音楽を処方することがあったといわれ[15]，中世イスラムの病院では，患者を寝かせつけるための音楽奏者，気を紛らわすための御伽噺師がいたという[16]。そして，19世紀に入り，精神科医は患者に体操，手工芸，読書，音楽などを処方し始めるようになった[17]。

　このようにレクリエーション療法・芸術療法の起源といえる活動は，古代から行われてきたが，療法として明確に位置づけられていたものではなかった。今日のレクリエーション療法・芸術療法は，20世紀になってようやく，それぞれの考え方が打ち出され，一つの治療法として用いられるようになったものである。

2) レクリエーション療法と芸術療法の相違

　レクリエーション療法も芸術療法も，何かを創作したり，実演したり，実際に行う活動内容としては類似しているが，目的が異なる。芸術療法は，患者の自己表現に重きがおかれるのに対して，レクリエーション療法は，患者がこれらの活動を楽しみ生活を豊かにすることを目的にしている。

3) レクリエーション療法

(1) レクリエーション療法の必要性

　精神障害者は，楽しむことや，他者と交流をもつことに何らかの障害を抱えている場合が多い。特に長期入院患者は，長年にわたる入院生活を強いられたことによって，無為・自閉を主とした陰性症状を呈するため，なおこの傾向が強くなる。このような患者が，レクリエーション療法に参加することは，楽しむことを経験し，これまでの無為・自閉な生活から脱するきっかけになる。

(2) レクリエーションとは何か

レクリエーション"recreation"という単語を分解すると"re-creation"となり,「創造・創作」を意味する"creation"に,"re"が付き,もともとは再創造することを意味していた。現在では,レクリエーションという言葉は,再創造する活動という意味だけではなく,休養・気晴らし・娯楽の意も含むようになり,それらを実施するための行為をも表すようになっている。

鈴木はレクリエーションを,「単なる遊びから創造的活動を含む一連の広がりの中にあって,余暇になされ,自由に選択され,楽しむことを主たる目的としてなされる活動・経験の総体」[18]と定義した。

しかし日本文化においては,レクリエーションの主な目的である楽しむことに抵抗感をもつことがあり,医療スタッフのなかにも,レクリエーションで患者と共に楽しむことに罪悪感を抱く者がいる。私たち看護師は,レクリエーションの本来の意味を踏まえ,人間が豊かな生活を送るためには欠かせない重要な活動であることを理解しておく必要がある。

(3) レクリエーション療法の経緯

レクリエーション療法は,米国において大きく発展した。レクリエーションという言葉が公的に用いられ始めたのは,1906年に米国で児童遊園およびレクリエーション協会の前身である児童遊園協会が設立されたことに端を発する。1920年代,米国の精神科病院では,レクリエーションが,入院患者への単なる気分転換としての位置づけから,治療的な価値を見出されるようになった[19]。そして,1950年代には,セラピューティック・レクリエーションという言葉が用いられるようになり,1961年,全米医師会は,レクリエーションを健康に関連する一つの専門分野として位置づけ,健康と病気の予防と治療に役立ち,身体的・感情的・社会的・知的な可能性を回復させると考えるようになった[20]。これ以後,レクリエーションは,諸外国においても,一つの専門的な治療法として位置づけられるようになった。

(4) セラピューティック・レクリエーション

レクリエーションは,わが国の精神科でも古くから用いられてきたが,精神障害者の隔離を推進し,患者に長期入院を強いてきた過去の精神医療においては,単なる気分転換や余暇活動という位置づけにすぎなかった。そして,現在の臨床で行われているレクリエーションも,その多くは,治療的な意図が不明確で,無計画に行われており,患者の回復を支援するためのレクリエーションであるとは言いがたい。

しかし,専門職が精神障害者にレクリエーションを行う際は,患者の回復が意図されていること,すなわち治療的なレクリエーションでなければならない。治療的なレクリエーションを実践するには,この章の初めに述べられている精神科リハビリテーションの考えを基盤にする必要がある。そして私たち看護専門職は,精神障害者の生活力を高めるための精神科リハビリテーションの一環として,治療的に意図されたレクリエーション療法を実践しなければならない。つまり,セラピューティック・レクリエーションの考え方を理解し,実践する必要がある。

セラピューティック・レクリエーションは,「レクリエーションそのものに治療的効果が強く内在するという保障のもとに,レクリエーションを治療的側面と階梯的(階段的)に結合してとらえ,なおかつ種々の欲求である楽しみや喜びを含んだ社会的・心理的・身体的

価値を喪失することなく，レクリエーション本来の特質，特性，価値を保持しつつ，レクリエーション的に独立できるためのプログラムを展開していこうとする」[21]取り組みであると定義されている。つまり，治療的に構造化されたプログラムでなければ，セラピューティック・レクリエーションとはいえないのである。

　Van AndelとRobbは，このようなセラピューティック・レクリエーションの考え方をさらに発展させ，サービス提供モデルと成果モデルという二側面からなるモデルを提示した[22]。サービス提供モデルは，以下の4つの要素で構成されている。

・診断／ニーズアセスメント：患者の強みや限界など能力の正式な評価。
・治療／リハビリテーション：疾患の主要なあるいは二次的な影響を，回復または改善するための介入。
・教育：セルフケアなどの特定の知識あるいは技術の教育。
・予防／ヘルスプロモーション：患者の健康な生活スタイルの行動の促進と強化。

　ここで重要なのは，診断／ニーズアセスメントはほとんどすべての対象者に実施されるが，その他のサービスはすべて必要に応じて提供されることである。

　一方，成果モデルは，患者の健康状態・QOL・余暇機能を中心とした機能の要素で構成されており，セラピューティック・レクリエーションの提供者は，これらの維持や改善に，すべてに影響を与える必要があることを強調している。

　つまり，私たち看護専門職者がセラピューティック・レクリエーションを実践する際には，これらの定義や構成要素を踏まえ，計画的に取り組み評価しなければ治療的な介入になりえないのである。これらの過程では，看護過程と同様に患者のニーズをアセスメントし，ニーズに応じたレクリエーションプログラムを立案し，その成果を評価するというプロセスを経るのである。

(5) レクリエーション療法の分類

　レクリエーション療法は，様々な視点で分類できる。これらの分類を念頭に置きつつ，患者の状態に合わせて，どのように実施すべきかを検討する必要がある。

①個人療法か集団療法か

　レクリエーション療法は，個人療法としてのレクリエーションと，集団療法としてのレクリエーションに大別される。

　精神障害者は，幻覚・妄想などの病的体験，感情コントロール不足や，長期入院によって他者と触れ合う機会が極端に少なくなることにより，適切な人間関係を構築できない場合が多い。ヤーロム（Yalom ID）[23]らが，集団療法の強力な療法的因子として対人学習をあげているように，集団で行うレクリエーション療法は，レクリエーションをとおして，楽しみながら他者とかかわり，対人関係能力を向上させることができる。したがって，精神科においては，集団療法としてのレクリエーション療法が特に重要となる。ただし，集団で行うには緊張度が高すぎる患者や，過剰に興奮してしまう患者の場合などは，個別に行う個人療法としてのレクリエーション療法を選択する。

②活動形式による分類

　レクリエーション療法は，活動形式によって分類されている。表3-3にその例を示した。レクリエーション療法を計画する際には，これらのどの活動様式がより治療的な効果があ

表3-3　活動形式によるレクリエーションの分類

①ゲーム・スポーツ（体操，チームゲームなど）
②社交的活動（パーティーなど）
③音楽的活動（合唱，演奏，作曲など）
④手工芸（木工，版画，皮細工，編み物など）
⑤演劇的活動
⑥ダンス
⑦自然的および野外活動（キャンプ，旅行）
⑧知的言語的活動（読書会，クイズ，討論会など）
⑨収集（切手，貨幣など）

表3-4　レクリエーションの参加のレベル

受動的参加	①感じるレベル ②認知するレベル ③感激レベル ④感動の蓄積レベル
能動的参加	⑤自発性のレベル ⑥自己実現のレベル

藤原茂：レクリエーションの範囲と種類，OTジャーナル，28：868-871，1994．より転載

るか，対象とする患者の状態から，十分に検討する必要がある。

③参加のレベル分類

藤原[24)]は，レクリエーションの参加のレベルを表3-4のように分類し，さらに①～④を受動的参加，⑤～⑥を能動的参加と位置づけた。

レクリエーション療法を実践する際には，患者がそれぞれどのような参加レベルにあるのかを意識する必要がある。患者が初めてレクリエーションに参加する際は，看護師に勧められて仕方なく参加するかもしれないが，参加すること（感じるレベル，認知するレベル）で，楽しむことを経験し（感激レベル），これらが繰り返されると，感動が蓄積され（感動の蓄積レベル），次第に自発的に参加するようになり（自発性のレベル），自らの生活に取り入れるようになる（自己実現のレベル）。筆者は，レクリエーションに参加した患者から，「参加当初は，子どもっぽいことをさせられるのではないかと抵抗感をもったが，参加を重ねるうちに，楽しむ感覚を思い出し，退院してからもこのような楽しみの時間を取り入れていこうと思った」という言葉を聞くことがある。看護師はレクリエーションへの参加を一方的に強要するのではなく，患者の意欲に応じて，参加のレベルを向上させることができるように援助する。

(6) レクリエーション療法の実践方法

①プログラムの概要[25)]

- **目的**：入院生活を送る精神障害者がレクリエーションをとおして他者とかかわり，対人関係能力および自我機能を改善するとともに，活動と休息を主とした日々の生活のリズムを整えることである。
- **観察項目**：参加人数，会話，集中力，行動，他者との距離のとり方と協力の状況，自己表現の仕方，ルールを理解する力，行動を決定する力，感覚。

・安全への配慮：開始前後には物品の種類と数を確認する。はさみなど危険物を使用するときは，必要であれば付き添う。病的体験が悪化するおそれがあるときは，主治医と相談し，参加するかどうかを決定する。
・留意点：自立性を尊重する。過度に保護的にかかわらない。参加を強要しない。患者のレベルに応じて楽しめるように工夫する。

②プログラムの内容

ここでは1テーマを4日間で完結するプログラムの1日目と4日目の内容の一部を紹介する。

カード合わせゲーム：このゲームは「神経衰弱」のように，ペアになるカードを2枚ずつ引くゲームである。ペアにならなかった場合は，玉入れをしてもらい，玉が入ったらもう一度カードを引く。玉が入らなければ，相手チームがカードを引くというルールになっている。

【日程】1日目：カード作り，2日目：カードの完成，3日目：道具作り，4日目：カード合わせゲーム。

〔1日目：カード作り〕

〈必要物品〉白画用紙，色画用紙（同色の物），色ガムテープ（同色の物），鉛筆，消しゴム，色マジックセット，色鉛筆，クレヨン，のり，折り紙，花紙，新聞紙，ハサミ，ゴミ袋，ホワイトボード。

〈タイムスケジュール〉

10分前—物品を準備する（物品を机に配置し，ホワイトボードにテーマと1週間の予定を書く）。

5分前—開始のアナウンスを行う（音楽をかけ，患者を誘導する）。

00：00—プログラム全体の説明および，本日行う内容を説明する。

00：10—作業を開始する（画用紙を各参加者に1枚ずつ配り，白画用紙に好きな道具を使ってカードを作成してもらう。カード作成に難渋している患者には，看護師が一緒に考えながら作成する。早くカードができ上がった患者には，新しいカードを作ってもらう。裏返したときに，表のカードの内容がわからないように，裏側に同色の色画用紙を，同色のガムテープで貼り付ける）。

00：50—時間が終了したことを知らせる。参加者に自分が作成したカードを紹介してもらう。

00：55—後片づけを行う（患者と共にゴミを袋に入れ，物品の種類と数を確認する）。

01：00—終了。

〔2日目：カードの完成〕1日目と同様の物品・手順で，1日目に作ったカードと対になるカードを作る。

〔3日目：道具作り〕1日目と同様の物品・手順で，4日目に使用するカード入れなどの道具を作る。

〔4日目：ゲームの実施〕

〈必要物品〉作成したカードと，玉入れ箱などの道具。

〈タイムスケジュール〉

10分前—物品を準備する（以下のように配置し，今日の予定をホワイトボードに記載する）。

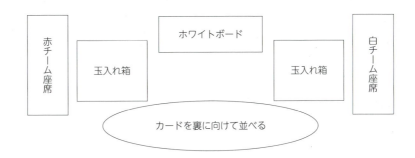

5分前—開始のアナウンスをし，座席に誘導する（音楽をかけ，患者を誘導する。参加した順番に赤白チームに交互に分かれて，着席してもらう）。

00：00—プログラム全体の説明および，本日のゲーム進行の説明をする。

00：10—ゲームを開始する（赤白チームが交互に，カードを引いていく）。

00：50—優勝チームを発表し，参加者全員に感想を聞く（カードをすべて取り終わったら，チーム全員で声を出し，取ったカードの枚数を数え，優勝チームを発表する。感想を聞く際は，患者の言葉を引き出すように聞き方を工夫する）。

00：55—後片づけを行う（患者と共にゴミを袋に入れ，物品の種類と数を確認して終了する）。

01：00—終了。

4）芸術療法

(1) 芸術療法の必要性

芸術的な活動と，人間の喜怒哀楽・憂い・不安・苦悩などの絶えざる心の働きは，深いつながりをもっている。芸術的な活動は，人間の目で見たり，音を聞いたり，心で感じたりする，心身機能の働きが統合され，表現された一つの形であるともいえる[26]。

芸術療法は，非言語的表現を用いて，患者の意識下に抑圧された心理的葛藤を最もストレートに表現する機会をつくる[27]。芸術療法のねらいは，芸術的な活動の過程においてその創造的かつ想像的作業から何かをつくり，その作品を患者が鑑賞することをとおして，患者の精神を治癒に向かわせるところにある[28]。

また芸術療法は，実施者が関与しながらの観察ができる，実施者が患者の行動化や転移の自然な解釈ができる，患者が言語で表現できないものを「示す」ことができる，患者が「示す」ことにより自らの考えを「語る」ことを助けることができる，実施者と患者の間に第3の対象を設けることで治療的余裕をもつことができる，実施者が患者にいきいきとした関心をもち続けられることに役立つと考えられている[29]。

(2) 芸術療法とは何か

芸術は，本来，絵画・彫刻などを意味する言葉であったが，現在では，俳句や小説など文学一般から，音楽・映画・演劇も含まれ，あらゆる材料や技術様式を駆使して美的価値を想像しようとする人間の活動や作品を意味している。

芸術療法とは「心身障害者の健康回復を援助する手段・目的をもって，人間が行うことが可能な創造的諸活動を開発させつつ行う治療法」[28]であると定義されている。また，芸術療法は，絵画，音楽，箱庭，詩歌，心理劇，舞踏，陶芸など，数多くの技法を用いて治療的アプローチがなされるという比較的広い概念を指していることから[29]，芸術的媒体を用いた精神療法[30]ととらえられる。

　芸術療法は，芸術的な活動そのものに治療的意義を見出してはいるものの，活動そのものより，活動によって作られた作品を解釈することに重点をおく傾向が強い。したがって芸術療法には，それによって生み出された作品を，表現精神病理学的に解釈することへの批判[31]もあるが，表現精神病理学や病跡学は芸術療法と関連し，芸術療法で生み出された作品をとおして患者を理解することに活用できる[32]。

(3) 芸術療法の経緯

　20世紀初頭，精神医学界においては，ゴッホなど精神疾患に罹患した芸術家の疾患に伴う症状と，芸術作品の質との関連を，精神分析学的見地から述べるようになった[33]。これをきっかけに，精神障害者の芸術作品が精神科医の関心を集めるようになった。この動きは，芸術家・作家・科学者などの天才とよばれる人物の精神状態と芸術的作品との関係を研究する病跡学と，精神障害者が表現した作品と精神病理との関連を検討する表現精神病理学という学問に発展していった。

　病跡学と表現精神病理学は，患者が創造した芸術作品の精神医学的分析に貢献したが，直接的な治療法に結びつかなかった。そこで，病跡学と表現精神病理学の成果を治療のレベルに溶け込ませた手法として，芸術療法が生まれたのである[34]。

(4) 芸術療法の種類

　芸術療法には，絵画療法，音楽療法，俳句療法，写真療法，コラージュ療法，ダンス療法など，様々な種類があり，絵画療法のように体系化されたものからそうでないものまで様々にある。

(5) 芸術療法の実践方法

　ここでは，芸術療法の一つである，絵画療法の一部を紹介する[35]。

①実施前

　絵画療法導入に際しては，事前に治療計画全体に組み込まれ，治療目標が設定され，それに基づいて技法（なぐり描き法，風景構成法，枠付け法など）の選択が行われる。また，レクリエーション療法と同様，個人療法か集団療法かの選択は，患者の意思と治療方針によって決定する。そして，イメージ表出に最も適した道具が選べるように各種の絵の具や画材を準備する。

②実施中

　アトリエにふさわしい，ごく自然で自由な活動的雰囲気をつくる。提示される「課題画」は3題を限度とし，必ず「自由画」を設定して，患者の自由な表現を期待する。治療スタッフは，観察する者ではなく，共に描く姿勢が望ましい。終了する際に，描かれたものについて，説明や補足があれば，患者に発言してもらう。

③実施後

　必要時，患者が描いた絵画に対する個人面接を行う。スタッフミーティングを行い，実

施中における患者の言動などから得られた情報をもとに，評価し，今後の関与の仕方を含めて討議し，治療内容に還元する。

全過程において，治療スタッフは，病跡学，表現精神病理学などの知見を補足しながら，精神療法の基本を踏まえてかかわる。

4 社会生活スキルトレーニング（SST）

1）SSTの必要性

長期入院患者のなかには，社会生活に必要なスキルを喪失している者が少なくない。このような患者が病院を離れて地域での生活に戻るには，一度失った社会生活スキルを取り戻さなければならない。

精神科薬物療法は，幻覚や妄想を主とした患者の精神症状を消失または軽減させることに貢献するが，慢性期の精神障害者が，日常生活を送るなかで遭遇する問題を解決するためのスキルを再獲得することには貢献しない。また，慢性期の精神障害者の場合は，単一の治療や何らかの介入のみによって改善させることがきわめて難しい。だからこそ，薬物療法と精神科リハビリテーションが互いに補完し合うことによって，患者の生活の質の向上を目指すのである。

そこで，注目される方略が，UCLAのリバーマン（Liberman RP）によって開発された社会生活スキルトレーニング（social skills training：SST）である。SSTは，広範囲にわたる総合的なリハビリテーションの一部として行われるときに最も効果的であり，最も学習したことが定着するといわれている。

2）SSTとは何か

SSTは，慢性期の精神障害者に効果があると認められた心理社会的治療の一つであり，その主な理論的基盤は，認知行動療法を取り入れた社会的学習理論とストレス-脆弱性モデルである。

リバーマンは，社会生活スキルという概念を対人関係行動に限定せず，感情的・認知的・行動的領域を網羅した広義のものととらえている。すなわち，社会生活スキルとは，言語的・非言語的コミュニケーション，感情，態度，対人状況の把握などを含む社会的相互作用を成功させるために必要不可欠なもの全般を指している。

SSTでいう社会生活スキルの基盤は，対人コミュニケーションのスキルであり，他者からのメッセージを受け止める能力（受信スキル），社会的状況を評価・判断する能力（処理スキル），自分の意志や感情を相手に伝達する能力（送信スキル）の3要素で構成されている。このスキルは，精神障害の有無とは無関係に，すべての人がもち合わせていなければならない生活力の基盤になりうるものである。

- 受信スキルとは，対人状況における他者の表情や動作あるいは会話内容を，その文脈のなかで正確に受け止めること，すなわち，情報を受け止める認知プロセスである。
- 処理スキルとは，受信した情報を解釈してどのように反応すればよいかを考えること，

すなわち，情報の解釈に基づく対処方法選択プロセスである。
・送信スキルとは，言語的・非言語的な手段を用いて選択した対処方法を表現すること，すなわち，感情や考えの表出プロセスである。

　精神科領域ではこのようなスキルを，自立した生活を送るうえで必要となる具体的な項目（たとえば，服薬自己管理，再発徴候への対処技能，金銭管理など）へと細分化し，患者が一つひとつのスキルを再獲得できるように支援することになる。
　SSTには，次のような技法としての特徴がある。
・社会生活スキルを改善するために，明確な目標が設定される。
・社会生活に必要なスキルの一つひとつに焦点が当てられる。
・構造化された学習環境のなかで，ロールプレイング，モデリング，フィードバックなどの行動療法，あるいは，認知行動療法の技法が用いられる。
・訓練過程における教育手段として，参加者（患者）に宿題を課し，学習したスキルを実生活で活用するように促す。

3）SSTの目的と目標

　精神科リハビリテーションの一つであるSSTの究極的な目的は，患者の生活の質を向上させることである。その具体的な目標としては，以下の3つがあげられる。
・様々な社会的ストレスに対処する。
・社会的役割を果たすための生活スキルを高める。
・生活の質を向上して再発を防止する。

4）SSTの経緯

　精神障害者の社会生活スキルに関心が寄せられるようになったのは，米国行政の無計画な脱施設化（deinstitutionalization）政策にさかのぼることができる。この政策によって米国では，住む家も職業ももたない精神障害者が地域にあふれ，再発による入退院を繰り返す事態が生じた。しかも，そのほとんどが，慢性期の精神障害者（chronic mental patient）であった。当時の米国においては，このような状況を何とか食い止める必要があった。そこで，各種の専門家や市民の注目が，精神障害者の抱える生活障害とその改善策に向かうようになった。このような社会的要請をもとに，リバーマンらは，慢性期の精神障害者が抱える生活障害を改善する方法としてのSSTを開発した。

　日本におけるSSTは，1988（昭和63）年のリバーマン来日を機に「生活技能訓練」の和語で普及したが，日常生活動作まで対象範囲になることや，訓練という言葉のもつ意味が強制的なイメージを与える可能性があることから，2020年12月に一般社団法人SST普及協会によって「社会生活スキルトレーニング」へと和語が変更された。

5）SSTの理論的背景[36]
(1) 社会的学習理論

　SSTは，バンデューラ（Bandura A）の社会的学習理論[37]を基盤にして，社会的学習理論の5つの原理である，モデリング（modeling），強化（reinforcement），行動形成（shaping），

過剰学習（overlearning），般化（generalization）を取り入れている。

① モデリング

　モデルとなる人の行動をよく観察して，それを真似ること，そこで使用されているスキルを学ぶことをいう。SSTでは，リーダーとなる実施者（看護師，作業療法士など）が学習目標となるスキルの領域をモデルとして示し，それを患者がどれだけ注意深く観察し獲得するかが重要となる。

② 強　　化

　ある場面でとった行動を，後に同じような場面で行われるようにすることをいう。SSTではその手段として，ある行動の後に快の刺激（ほめ言葉など）を与える「正の強化」，いわゆる正（肯定的）フィードバックが積極的に用いられる。

③ 行動形成

　目標に向かって，一歩ずつ継続的に行動を積み重ねていくことをいう。SSTのスキルは，慢性期の精神障害者が複雑で難しく感じることのないように，一度に多くのスキルを伝えるのではなく，1セッションに1技能領域を伝え，それを繰り返す。そうすることによって，患者は緩やかであっても好ましい方向へと着実に変化する。したがって，SSTを運営するリーダーには，患者の緩やかな変化をとらえる鋭い観察力が必要となる。

④ 過剰学習

　ある行動が自動的にできるまで繰り返し練習することをいう。SSTでは，ロールプレイやセッション終了時に宿題を出すことにより，それを患者が繰り返し学習する機会を提供する。そこで，リーダーには，患者が学習したスキルを日常生活のなかで使う機会（行動リハーサル）を設定する計画力が求められる。

⑤ 般　　化

　獲得したスキルを，日常生活における対人関係場面で活用できるようになることをいう。SSTでは，これを促進するために，宿題の設定と参加者へのスキルの利用の促しが用いられる。宿題の設定では，セッション終了時に与えられた宿題（たとえば，一人で買い物に行く）に，次回のセッションまでに取り組んでもらうことを求めることになる。また，患者のなかには，獲得したスキルをいつどのような場面で使えばよいか判断できず，その結果，上手に活用しきれないことがある。したがって，リーダーのみならず日常生活を支える看護師は，患者が学習したスキルを日常生活のなかで使うチャンスがある場合や，学習したスキルが使えそうな行事を計画することにより，患者が学習したスキルを活用できるように促す必要がある。

(2) ストレス–脆弱性モデル

　SSTのもう一つの理論的基盤が，ズービン（Zubin J）らのストレス–脆弱性モデルである。リバーマンは，このストレス–脆弱性モデルと，WHOが定義した障害概念（1980年），すなわち疾患そのものによってもたらされる「機能障害」，機能障害によって引き起こされる日常における「生活障害」，日常生活を送るうえで生じる数々の「社会的不利」を統合し，「ストレス–脆弱性–対処–力量モデル」を考案した（図3-1）[38]。このモデルは，精神障害者への影響要因として，①精神生物学的な脆弱性，②社会・環境的ストレッサー，③機能障害，④生活障害，⑤社会的不利，⑥防御因子，の6つをあげ，それらの関連を簡潔に示している。

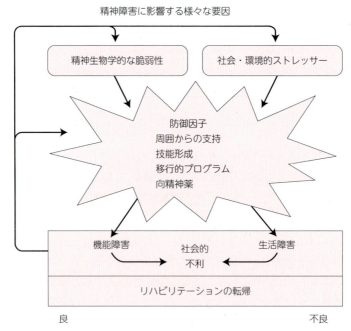

図3-1 ストレス-脆弱性-対処-力量モデル(リバーマン考案)

リバーマン，RP著，安西信雄・池淵恵美監訳：リバーマン実践的精神科リハビリテーション，創造出版，1993，p.12. より転載

　このモデルに従うと，疾患の再発や日常生活上の困難さは，患者自身の生物学的な脆弱性と患者を取り巻く社会・環境的ストレッサー，そして，患者自身がもつスキルや周囲からの支持などの防御因子のアンバランスによって引き起こされると理解できる。したがって，以下の仮説が成り立つことになる。

・仮説1：防御因子が機能すれば，脆弱性を補強することができる。
・仮説2：防御因子が機能すれば，生活上のストレスに適切な対処ができる。
・仮説3：防御因子が機能すれば，疾患の再発を予防することができる。
・仮説4：防御因子が機能すれば，生活上の困難さを改善することができる。

　それでは，防御因子とは，具体的にどのようなものであろうか。それが，図3-1中に記載されている4つである。すなわち，家族，医療者などの人的資源および就労支援などの行政施策（周囲からの支持），対人関係スキルの向上（技能形成），入院生活を終えて地域生活を開始するための援助プログラムとしてのデイケア，共同作業所，地域活動支援センターの利用（移行的プログラム），抗精神病薬を主とした薬物療法（向精神薬）である。

6）SSTの種類

　SSTには，基本訓練法（基本訓練モデル）を代表としていくつかの種類がある。以下，それらについて概説する。

(1) 基本訓練法（基本訓練モデル）

　このトレーニングでは，受信スキルと送信スキルに焦点を当てる。参加者が実際に抱え

ている問題を取り上げて，参加者同士または参加者と実施者でロールプレイする。そして，他者と言語的・非言語的コミュニケーションをとるためのスキルと，問題への対処行動の獲得を目指すものである。これには，患者への説明，適切なスキルのモデリング，行動のリハーサル（ロールプレイ），促し行動，積極的強化と宿題が含まれる。

(2) 問題解決技能訓練

このトレーニングでは，処理スキルに焦点を当てる。慢性期の精神障害者は，日常生活において必要となる基本的な問題解決技能の低下をきたしていることが少なくない。このトレーニングでは，日常生活のなかで遭遇する問題，たとえば，買い物の場面，公共交通機関を利用する場面など，「〜のときにどうすればよいか困る」「〜のときに腹立たしく思う」などと感じることを取り上げ，その問題をどのようにとらえ，また，どのように解決すればよいかという考え方を身につけようとするものである。

このように，患者がおかれた現実社会で生じる問題を取り上げ解決策を見出すことで，患者の生活スキルは向上する。

(3) 課題領域別モジュール

これは，慢性期の精神障害者が地域生活を送るうえで，予測される問題をあらかじめ設定しモジュール化したものである。モジュール化の利点は，実施内容が具体的に示されているため専門職が実践しやすいところにある。ここでは，SSTの基盤となるスキル（受信スキル，処理スキル，送信スキル）のすべてを活用し総合的に学習する。

モジュールの種類には，服薬自己管理，余暇とレクリエーション，会話技能，金銭管理，住宅維持，身だしなみなどがある。これらモジュールの特徴は，いくつかの具体的なスキルの分野が用意されているほか，各領域には患者が何を学習しなければならないかが示されていることである（表3-5）。

モジュール化のねらいは，社会に適応するうえで必要なスキルを活用する能力と，その際に生じる問題を解決する能力を系統的に教育することであり，その内容は，①患者の参加動機の向上，②必要なスキルトレーニング，③必要な資源の集め方の教育，④生じる可能性のある問題の予測と解決方法の教育，⑤現実社会のなかでスキルを練習するための準備，で構成されている。

表3-5 課題領域別モジュールとスキルの分野(例)

モジュール	スキルの分野
金銭管理	・予算を立て，収支を記録する ・普通預金口座を使用する ・よい買い物をする
会話技能	・積極的に聞く ・相手の感情を把握する ・会話の話題を変える
服薬自己管理	・薬の作用と副作用について知る ・服薬に伴う気になる症状について相談する ・服薬を忘れないための方法を相談する

リバーマン，RP著，安西信雄・池淵恵美監訳：リバーマン実践的精神科リハビリテーション，新装版，創造出版，2005．より改変転載

7）SSTの前提となる対象のとらえ方

- 精神障害者の行動は，それがたとえ慢性の精神障害であったとしてもトレーニングによって改善することができる。
- 精神障害者は，トレーニングを受けて身につけたスキルをそのほかの対人関係場面で活用することができる。
- トレーニングを受けた精神障害者は，精神症状を軽減させたり，疾患の再発を予防することができる。

8）SSTの実践方法

　SSTは，慢性期の精神障害者が，社会生活スキルを学習するための特別な学習方法を設計するために，学習原理に基づいて社会的相互作用のなかで必要なスキルの獲得，般化，保持を促進するものである。とりわけ，患者が獲得したスキルを日常生活のなかで般化するには，ありとあらゆる生活場面（診察を受けるとき，服薬自己管理するとき，買い物に行くとき，外食するとき，公共交通機関を利用するときなど）を利用してトレーニングを繰り返す必要がある。つまり，SSTは患者の生活のなかに統合されることによって効果を発揮するのである。

　このSSTに含まれる学習原理は，問題を定義する，長所を調べる，補強的な治療同盟をつくる，目標を設定する，行動のリハーサル，正の強化，行動形成（シェイピング），促し行動（プロンプティング），モデリング，宿題と実際の場での練習，を含む10項目で設計されている。また，SSTを実施する際には，あらかじめ実践方法について十分吟味することが大切である。もちろん，どのような内容の課題を取り上げて実施するかは，十分検討しなければならないが，それ以外にも実施時間の設定についての十分な検討が必要になる。なぜならば，慢性期の精神障害者にとっては，長時間集中することや一定の場所にい続けることが負担になりやすいからである。

(1) 訓練の手順

①基本訓練モデル，または，問題解決技能訓練の場合

　次の流れのなかで，患者の正しい反応を促したり，モデルを示したり，場合によっては，もう一度ロールプレイをするよう患者に求めたりする。

- 設定した場面でのロールプレイをする。
- ビデオテープに録画する。
- 具体的な質問をする（実施者による患者の受信スキルを評価する目的で実施）。
- 患者の反応の仕方を考え出す（処理スキルを評価する目的で実施）。
- 実施者と患者と一緒にロールプレイ場面を録画したビデオを見る（送信スキルを評価する目的で実施）。
- 患者は実施者の求めに応じて自分の行動を評価する。

②課題領域別モジュールの場合

　各モジュールのスキルは，次の7段階の学習方法をとおして教えられ，この学習方法はどのスキル領域でも同様に用いられる。

- スキル領域への導入をする。

- ビデオテープを見て質疑応答をする。
- ロールプレイをする。
- 社会資源を管理する。
- 結果として出てくる問題を解決する。
- 実生活場面での練習をする。
- 宿題をする。

(2) SSTの流れ

SSTの流れは，図3-2のような基本モデルで示される[39]。

(3) SST実施者に求められる条件

SSTは誰でも実施者になれるわけではない。SSTの実施者は慢性期の精神障害者と向き合うわけであるから，それ相応の能力が求められる。SSTの実施者に求められる条件には，次のことがあげられる。

- 優れた対人関係スキルを有している。
- 行動療法原理に精通している。
- 重度の精神障害者と向き合う情熱を有している。
- マニュアルに準拠しつつ，状況への柔軟な対応能力を有している。
- 行動を観察する能力を有している。

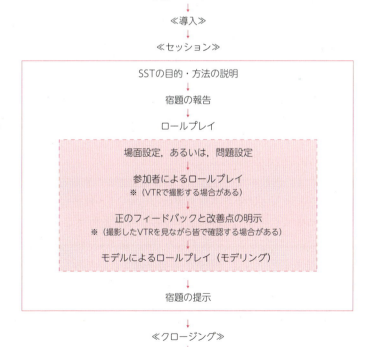

図3-2 SSTの基本モデルの流れ

宮内勝：生活技能訓練（SST）の概要と実技演習，心の臨床アラカルト，増刊号，p.25-30, 1995. を参考に作成

9）SSTの限界と課題

　わが国におけるSSTは，1994（平成6）年より診療報酬化されたことや，SST普及協会の設立とその活動により，精神医療機関を中心に様々な場で広がりをみせている。しかし，SSTを普及させることと，その質を保証することとは別問題である。すなわち，入院施設内で実施する場合のSSTの効果は，施設の治療構造に大きく左右される傾向がある。したがって，常に実践内容を評価して一定の質を保証する努力が必要である。

　また，SSTの効果を最大限に引き出すためには，SSTで獲得したスキルを日々の生活のなかで，患者が繰り返し実践する機会を提供しなければならない。そうでなければ，SSTは形骸化された一つの業務になり，精神科リハビリテーションとしての効果を発揮できなくなってしまう。当然のことながら，SSTの効果には限界があるわけで，決して万能なリハビリテーションではないことも忘れてはならない。

心理教育

1）心理教育の必要性

　今日の精神医療では，精神障害者の早期治療・早期退院のために，医療施設内外におけるリハビリテーションが不可欠であると共通認識されている。

　精神障害者は，自分が病にかかっているという認識，すなわち病識をもてないでいる者が多い。その結果，服薬アドヒアランスが不良となり，早期退院を果たしても症状を再燃させることが少なくない。このような精神障害者が，地域のなかで質の高い生活を送るためには，症状の自己コントロールがある程度できなければならない。そのためには，彼らが服薬の重要性を認識して服薬を継続すること，すなわち服薬アドヒアランスを高めることが重要となる。

　そこで，近年，わが国の精神医療分野で注目され，普及しつつある一つのアプローチが心理教育（psychoeducation：PE）である。

2）心理教育とは何か

　心理教育には，患者本人を対象とするものと患者の家族を対象とするものとがある。

　前田は，患者本人に対する心理教育について，「心理教育とは，患者のオートノミーを最大限に生かすべく行う，治療者のパターナリズム的試みである」[40]と定義し，「心理教育とは，何らかの特定の技法を示すものでも，あるいは何らかの技法の集積を示すものでもなく，それを行おうとする治療者の姿勢を表すものである」[41]と述べた。その姿勢には，①客観的事実を重視しその事実を分かち合う姿勢，②自律性を尊重し権利や主体性を擁護する姿勢，③何らかの行動の変化を求める姿勢があるとし，これらを「心理教育的姿勢」とよんだ。また，筆者が実践する統合失調症患者本人に対する心理教育では，「単に情報や対処法を伝達するにとどまらず，患者本人やその家族の主観的側面を重視する医療者の姿勢によって，患者が対処能力を獲得し自律性を最大限に発揮することを目指す教育的援助」[42]としている。

　一方，大島は，患者の家族に対する心理教育について，「心理教育とは，精神障害者の家

族に対して病気の性質や治療法，対処法など，療養生活に必要な正しい知識や情報を提供することが，効果的な治療やリハビリテーションを進めるうえで必要不可欠であるとの認識のもとに行われる，心理療法的な配慮を加えた教育的アプローチのことである」[43]と定義している。

さらに，わが国に心理教育を普及するために組織化された心理教育・家族教室ネットワークは，心理教育を「精神障害やエイズなど受容しにくい問題を持つ人たちに，正しい知識や情報を心理面への十分な配慮をしながら伝え，病気や障害の結果もたらされる諸問題・諸困難に対する対処法を習得してもらう事によって，主体的に療養生活を営めるように援助する方法」[44]と説明している。

3）心理教育の目的

先に述べたように，心理教育は，患者本人に行うタイプと患者の家族に行うタイプの2つに大別され，今日では様々なプログラムが開発されている。このような心理教育プログラムは，内容や構造において大差はないが，患者本人に行うタイプと患者の家族に行うタイプとの間には，目的や治療上の位置づけに違いがあるといわれている[45]。以下に，対象別の目的を述べる。

患者本人に対する心理教育の目的は，患者を治療の対象者とみなし，疾病受容および治療遵守性を向上させることにより，再発を予防することである。こうした背景には，患者の権利保障やインフォームドコンセントの考えが底流にある。一方，家族に対する心理教育の目的は，家族を治療の対象とみなすのではなく，感情表出（expressed emotion：EE）に問題のある家族（高EE家族）に実施することにより，患者本人の再発を予防することである。

いずれにしても，心理教育が目指すところは，苦悩する患者本人やその家族を「治療する」のではなく「援助する」ことであり，共に考えることである。

精神科における心理教育も身体的慢性疾患と同様に，「治癒を求めるのではなく，患者の生活の質（QOL）の向上を目指す」という目標を設定することにより，きわめて実際的で，一般的なこととして理解できるのである。

4）心理教育の経緯

心理教育は，糖尿病患者の日常生活における養生法や，慢性的な身体疾患をもつ患者やその家族に対する教育に源がある。このような身体疾患の場合には，様々な教育プログラムやサポートグループがあり，これらに看護師も通常の援助方法によってかかわっている。しかし，精神科においては，このような方法が一般的ではなく，これまで患者やその家族に対して，疾患やその治療法についての十分な情報が提供されてこなかった。その背景には，疾患とその治療あるいは症状管理方法に関する十分な説明ができなかったことや，精神障害者に対して疾患や治療法について説明したところで受け入れられないと専門家が考えてきたことがあげられる。

従来の患者教育や家族教育は，患者や家族の問題行動は疾患や療養についての正しい知識が欠けているために起こると考え，その欠けている部分を専門家が補うことで自己管理

能力を高めようとするものである．これに対して心理教育は，患者や家族の行動はこれまでの様々な経験や周囲の人たちとの関係のなかでとってきた対処行動であると考え，専門家がそれらを尊重しながら当事者と相互交流を行うことをとおして，当事者が自分にとってふさわしい対処法を獲得することをねらいとする．したがって，前者は治療モデル，後者は相互作用モデルととらえ，両者は異なるものとして区別しなければならない．

心理教育という言葉を用いて，精神障害者やその家族に実践した先駆者は，ホガティ（Hogarty GE）やアンダーソン（Anderson CM）ら[46)47)]である．彼らは，その実践のなかで，脱入院化の促進，ストレス-脆弱性モデルなどの生物学的基礎の明確化，インフォームドコンセントの流れ，当事者活動の発展，感情表出を重要視し，その成果を明らかにしたことで名高い．

心理教育のなかで繰り返し強調されるのは，ストレス-脆弱性モデルを用いた正しい疾患の理解と症候理解であり，それに続いて薬物の作用やその効果，特に再燃あるいは再発の予防効果である．心理教育では，統合失調症は脳の機能不全が基底にあるために，過剰な刺激への患者の脆弱性が生じるということを強調し，ドパミン仮説と，薬物の有用性を説明することになる[48)]．

心理教育は現在，米国エキスパートコンセンサスガイドライン（1999）[49)]のなかで精神障害者に対する心理社会的治療の一つとして位置づけられ，また，世界精神医学会（World Psychiatric Association：WPA）が統合失調症の正しい知識と偏見克服プログラム（2002）[50)]として開発している．しかし，わが国では診療報酬化されていないのが現状である．

5）ストレス-脆弱性モデル

統合失調症を理解するうえで脆弱性が注目されたのは，ズービン（Zubin J）とスプリング（Spring B）が生態学，発達，学習，遺伝，内部環境，神経生理という6領域の成因仮説を展望し，それらの共通の基盤に脆弱性を位置づけて以来のことであるが，今日の精神医療においては主流の考え方となっている．

図3-3に示したモデルは，精神疾患の発症について，ストレス（疾患の発症を誘発するもの）と脆弱性（疾患になりやすいかどうか）との関連で説明したものである．

特にズービンとスプリング（1977）が提唱した説は，セリエ（Selye H）の学説を踏襲して，①脆弱性は，先天的および後天的に獲得される，②脆弱な人間が多大なストレス下に置かれたときに，ストレスが閾値を超えると統合失調症エピソードが現れる，③大半のエピソードは一過性に経過して回復する，④回復しても次の統合失調症エピソードへの脆弱性（再燃しやすさ）を残す，⑤病前人格，生態学的適性，社会ネットワークなどの諸因子が発病と精神障害のエピソードの転帰を方向づける，というものであり，一般的によく知られている．

6）心理教育の実践方法

心理教育は，その対象者が患者本人であるか家族であるか，あるいは疾患や病期の違いによってプログラムの構造が異なる．たとえば，患者の疾患が統合失調症であるか感情障害であるかによって，情報提供する内容は異なる．また，患者の病期，すなわち疾患のス

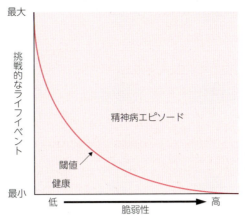

統合失調症の脆弱性に特異的なライフイベントが加わり，前駆状態から急性精神病エピソードへと発展する。このとき発病を防衛ないし促進する諸因子（調整変数）がその発展に影響する。

図3-3　Zubinのストレス-脆弱性仮説
佐藤光源，松岡洋夫：心理社会ストレスと脆弱性（松下正明編：精神分裂病〈臨床精神医学講座 第2巻　精神分裂病Ⅰ〉，中山書店，1999，p.118）より転載

テージが急性期であるか慢性期であるかの違いによっても，情報提供する内容，情報の伝え方，セッションの時間や回数などに違いが生じる。さらに，心理教育を実践する場が，精神科急性期治療病棟であるか，一般的な急性期病棟であるか，慢性期病棟であるか，外来あるいはデイケアであるかの違いによっても異なるのである。

(1) 心理教育の構造

ここでは，精神科急性期治療病棟における一つの看護介入として開発された看護師版【統合失調症患者】心理教育プログラム（表3-6）の構造を紹介する[51]。

(2) 情報提供する際に大切なこと

患者によっては，「自分は病気じゃない」と思い込んでいたり，セルフスティグマにより自分が病気であることを認めようとしないことが少なくない。したがって，心理教育を実践する際には，①必ず疾患の説明を行うこと，②患者が自分の症状と説明された疾患の症状との一致に気づけるように働きかけることが重要となる。また，患者に疾患と薬の正しい情報を提供することにより，「疾患と薬の受容を促進すること」が大切である。その際，患者が情報を正確に認識できない場合であっても，①訂正しないこと，②患者なりの受容の仕方を支援することが大切である。このように，実施者には，苦悩する当事者を「支援」する姿勢や，「共に考える」姿勢が求められる。

(3)「実施者の姿勢」の重要性

心理教育を実施する看護師として，留意したい内容を以下に述べる。この内容は，前田が提唱した「心理教育的姿勢」[52]を参考にして，筆者が作成したものである。

・患者が，伝えたいことをうまく言葉にできず時間を要しても，言葉で伝えようとしている努力を認め，決して焦らせることなくじっくりと待つ。
・患者の話をよく聞いて，患者がもっている力（患者のよいところ）を発掘する。
・患者が「自分にもできそう」と思えるように援助する。
・患者が他者と経験を共有することで，他者から学んだり，「自分一人じゃない」と思える

表3-6 看護師版【統合失調症患者】心理教育プログラム

目　的	服薬と病気の受け止めを促進すること
目　標	1．自己の症状に気づく 2．自己を振り返りストレスに気づく 3．苦悩の経験を他者と共有し支え合う 4．自己に合った再発予防の仕方を見つける
対 象 者	・統合失調症患者5～7名（スモールグループ） ・他者の話を聞くことができ，60～90分間のセッションに耐えられる患者（入院後，約2～4週目の人） ・統合失調症と医学的診断を受け，主治医がセッションへの参加を許可した患者。病名告知を受けていることが望ましいが，参加希望者の状況によっては，その限りではない
形　式	クローズドセッション
回　数	週1回，固定曜日，合計4セッション
時　間	1セッション60～90分
運 営 者	2名の看護師（リーダー，コ・リーダー）
教　材	作成したグループ学習会パンフレットをテキストとして使用
セッションの内容	第1回目：心の病気の症状について 　・オリエンテーション 　・自己紹介：学習会に参加した動機について 　・話し合いのテーマ：自分に当てはまる症状や気になる症状がありますか？ 第2回目：心の病気とストレスの関係について 　・話し合いのテーマ：自分にとってのストレスはどのようなことですか？ 　・〈課題〉：自分が飲んでいる薬の名前と種類を確認しておいてください 第3回目：薬の作用と副作用について 　・話し合いのテーマ：薬を飲むことで調子が良くなったこと，または，薬の作用で気になることがありますか？ 　・〈課題〉：健康チェック表をつけてみてください 第4回目：健康的な生活を送る方法について 　・話し合いのテーマ：退院してから上手に暮らすために，どのような工夫をしますか？ 　・［ワーク］：一日の過ごし方（入院前と退院後）について，紙に書いてみましょう
必要物品	ホワイトボード（1），グループ学習会パンフレット（参加者数），ポスター（ルール，進め方，ストレス-脆弱性モデルの図，治療の経過）
会場準備	1．当日，30分前には準備を開始する 2．場所は，個室（面会室，カンファレンスルームなど）とする 3．ホワイトボードを前にして，U字になるよう椅子を配置する。できれば中央にテーブルを用意する 4．開始10分前から会場にBGMを流す

松田光信：看護師版【統合失調症患者】心理教育プログラムの基礎・実践・理論，金芳堂，2008．を参考に作成

ように援助する。
・患者が自分にとっての生活上の困難に気づき，主体的に解決することを手伝う。
・患者は"経験者として障害を最もよく知る専門家"であると認識し，真摯な姿勢で経験したことを教えてもらう。

(4) 実施者が用いる介入技術

心理教育の実施者には，以下のコミュニケーション技術を意図的に活用することが求められる。

①相互作用の展開：患者同士が経験を共有することによって，考え方や対処法の手がかりを得るように支援する。
②肯定的なフィードバック：患者がすでに行っている対処に注目し，それがより強化されるように肯定的なフィードバックをする。
③リフレーミングの技術：問題をより取り組みやすいものへと意味づけし直すフィードバックの方法である。
④モデリングの技術：他者の考え方を手本としてまねる学習方法である。

(5) 実施する際の留意点

心理教育は，患者が「医療者を信じるか信じないか」「薬に頼るか頼らないか」「生活に服薬を組み込むか組み込まないか」などについて考え始めるきっかけを与える[53]。したがって，実施者には，単に患者への情報提供をするだけでなく，患者の苦しみを理解しようとする姿勢と，患者の不安定な自我を保護するようにかかわる姿勢が必要である。

(6) 心理教育の限界と課題

心理教育は，わが国において緩やかに普及し始めているが，各施設がそれぞれの理解や考え方で実施していることが多い。心理教育もSSTと同様に，実践内容の質をある一定のレベルに保つ必要がある。

心理教育は，いかにして普及させるかという課題を抱えているが，普及を急ぐあまりにその形式だけが広がっては意味がない。心理教育の落とし穴は，手軽な体裁，マニュアル化，形式化されることにより，最後には形骸化するおそれがあることである。したがって，心理教育を実践するための最大の課題は，心理教育の中核をなす「心理教育的姿勢」をいかに培うかであるといえよう。

認知行動療法[54)55)]

1) 認知行動療法の必要性

先進諸国において認知行動療法（cognitive behavioral therapy：CBT）は，メンタルヘルスに関する治療の中心的な役割を担っている。認知行動療法は，現在抱えている認知の問題に伴う行動を標的にし，認知に働きかけてその行動を日常生活レベルで変化させることをねらう心理療法である。また，あらゆる障害に対して適応可能だと考えられており，うつ病になどの精神障害[56)57)]だけでなく，過敏性大腸症候群[58)]などの身体障害をもつ人にも有効であることが実証されている。近年，わが国では，精神保健医療福祉にかかわる多様な専門職に注目され実践されている。

2）認知行動療法とは何か

　認知行動療法は，一つの統一された体系をもつものではなく，少なくとも行動理論と認知理論という2つの異なる系譜が重なり合って成立した「問題解決」志向の治療である。すなわち，人間の考え（認知）と感情と行動との関係に注目して，その関係性をうまく調整できるようにクライエントを援助することによって問題解決を図る治療法である。

　このような認知行動療法には，次のような特徴がある。

①現在に焦点を当てる。
②行動変容の対象は観察可能な行動とする。
③治療目標，アセスメント，治療手続きを連携して明確にする。
④アセスメントと治療において仮説検証を行い，臨床判断の妥当性を検証する。
⑤クライエントと協動的な関係を築き，クライエントの積極的な参加を奨励する。

3）スキーマと自動思考

　スキーマというのは，すべての人がもつものであり，出来事を判断する拠り所となる思い込みのことである。これは，子どもの頃から培われ固定しているものであり，これによって世界を認識し新しい情報や経験を文脈に位置づけて理解することができるのである。このスキーマは，何らかの刺激によっていったん活性化されると，様々な認知の歪みや推論の誤りを引き起こす。それは，人の意識の流れにおいて，意図せずしてわいてくる思考やイメージである自動思考（automatic thought）として現れ，抑うつ気分などの不適切な感情や行動をもたらすと考えられている。

　認知行動療法では，スキーマ（schema）体系の根底にある信念を認知モデルの中核に据え，それを中核的思い込み（信念）とよび，中核的思い込みを含むスキーマの変更を介入の根本原理とする。特に重要なことは，過去に何によってスキーマが強化，形成，維持されたのかではなく，現在何によって強化されているかに焦点を当てることである。

4）行動療法と認知療法

　認知行動療法は，行動療法と認知療法という異なる2つの系譜が重なり合って成立したものであるが，両者ともに刺激―反応―結果という随伴性図式を土台とし，行動と認知という枠組みを用いて問題を理解し，介入するという点では共通している。行動療法は，反応として行動に注目し，その媒介変数の一つとして認知を位置づけるのに対して，認知療法は感情や行動を左右する主要因が認知であり，感情や行動を認知の結果生じるものと位置づける。

　行動療法の系譜としては，行動主義，応用行動分析理論を経て，1960年代後半より認知プロセスが行動の媒介機能であることを説明した社会学習理論がバンデューラ（Bandura A）によって提唱され，行動療法が認知行動療法に向けて発展していく契機となった。これは，刺激と反応の間にある認知の仲介機能に焦点を当てている。

　認知療法の系譜としては，精神分析に始まり，1970年代に感情と行動によって出来事をどのように解釈されるか，つまり認知のあり方によって変化するとして，その認知に働きかける論理情動療法がエリス（Ellis A）によって提唱された。さらに，ベック（Beck A T）は，

自己，世界，将来（認知の3要素）に関する偏った認知が否定的な結果を導くとし，認知の根底にあるものが中核的思い込み（core belief）であり，それがスキーマであるとした。

このように認知行動療法は，問題の分析の仕方や介入の仕方が2つの系譜の間で異なるという特徴がある。現在，広く受け入れられている認知行動療法は，認知療法系のものである。

5) 原理と原則

認知行動療法には，共通の原理と原則がある。

- **学習原理**：問題を刺激stimulus—反応response—結果consequenceの三項随伴性図式のなかでとらえることになる。
- **現実原則**：介入のメインターゲットは問題行動それ自体であり，今ここで起きている現実の問題を介入のターゲットとして，最終的には問題の全体に影響を及ぼすことを原則とする。現在の問題は過去の経験をとおして学習されてきたものであるとみなす。
- **総合システムの原則**：問題を人と環境から構成されるシステム間の相互作用とみなし，人のシステムの構成要素として認知（思考），情動（感情），行動，生理機能を重視する。
- **問題解決の原則**：生活場面での問題解決を重視するため，面接場面での介入だけでなく，日常場面での取り組みが介入の前提となる。そこで，課題が出され，実際の生活のなかで行動の改善を図ることが求められる。そのためにはクライエントとの間で協働関係を形成することが問題解決の前提となる。問題解決をクライエント自身ができるようになり，その解決法をほかの問題にも般化していくことが介入の基本的前提となるため，長期の介入は前提とせず原則として介入期間を限定する。
- **実証性の原則**：認知行動療法では科学的なエビデンスを用いることで，可能な限り厳密に理論や介入の有効性を評価しなければならないと考えられている。

6) 認知行動療法の基本モデル

このモデルは，「環境と個人の相互作用」と「個人内相互作用（認知，気分・感情，身体反応，行動の4要素間の相互作用）」を示している（図3-4）。

認知行動療法では，最初から個人の内面を深く見つめようとするのではなく，まずどのような環境下でその人の反応が起きているのかということに注目する（環境と個人の相互作用）。そのうえで，個人の体験を，認知，気分・感情，身体反応，行動の4領域に分類し，それらの循環的相互作用を把握する（個人内相互作用）。このモデルに沿ってアセスメントすると（図3-5），クライエントの体験は多くの場合に悪循環として理解することができる。

7) 認知行動療法のポイント

認知行動療法では，行動を"刺激に対する主体の反応"という意味で理解する。認知行動療法では，クライエントの行動を正確に理解し，それをクライエントに伝えることによって初めて共感したことになることから，共感過程はクライエントとセラピストが仮説を生成し，検証し，修正していく過程といえるのである。

日常生活の問題が継続しているのは，それを維持するシステムができてしまっているからである。最終的には，そのシステムを替えることで，問題行動以外の様々な面も変化し，

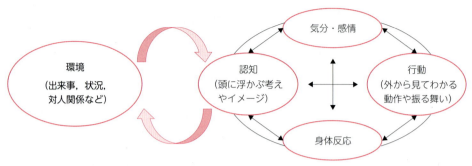

図3-4 認知行動療法の基本モデル
下山晴彦編：認知行動療法を学ぶ, 金剛出版, 2011, p.154. より転載

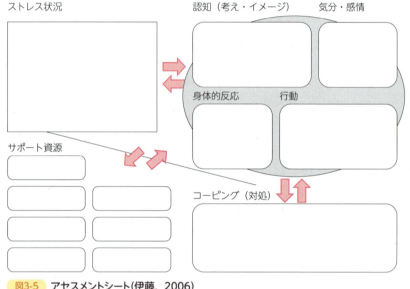

図3-5 アセスメントシート（伊藤, 2006）
下山晴彦編：認知行動療法を学ぶ, 金剛出版, 2011, p.156. より転載

生活全体の改善につなげることを目標にする。そこで, ケース・フォーミュレーションを行い, クライエントと信頼関係を形成することが重要になるのである。

認知行動療法においてクライエントの変化を援助するには, クライエントのメッセージや経験, 訴えをしっかり理解するということが重要であり, 単に技法やアプローチを行えばよいということではない。

8）認知行動療法の実践方法

認知行動療法を的確に実践できるようになるには, ケース・フォーミュレーションの方法を習得する必要があるとされている。ケース・フォーミュレーションというのは, 様々な情報を系統的に収集および統合して問題を明確にし, 適切な介入を組み立てること, すなわち問題についての"臨床的見解"を作成することである。

実践は, アセスメントすることから始まり, アセスメントは主訴を聞くことから始めるが, 主訴は問題そのものでなく問題の結果であることが多い。したがって, ケース・フォーミュ

レーションでは，主訴の背景にあって問題を形成し維持させているプロセスを把握するための情報を収集し，それに基づいて問題の成り立ちを明らかにする。ケース・フォーミュレーションの目的は，既存の理論や障害分類に当てはめるのではなく，アセスメントによって得られた情報から問題の構造と介入方法についての仮説を生成することなのである。

- 第1段階：初回面接で，問題の当事者あるいは関係者から問題の情報を得て，問題を特定化する。
- 第2段階：問題を生じさせている要因とその問題を維持させている要因を探り，悪循環のプロセスを明らかにし，問題のフォーミュレーションを形成する。このとき，重要になるのが行動療法系で重視される機能分析と認知療法系で重視されるスキーマ分析である。
- 第3段階：前段階で生成された仮説の妥当性を検討し，問題のフォーミュレーションを完成させ，立案した介入方針をクライエントに説明して一緒に話し合う。
- 第4段階：介入方法と手続きについてクライエントの同意を得た後に介入を開始し，その結果をモニターする。介入技法は，機能分析における3次元の反応分析の結果，つまり刺激状況に加えて，言語的-認知的次元，生理的-身体的次元，行為的-動作的次元のいずれに介入するかが介入技法を選択するための大まかな基準になる。
- 第5段階：介入効果を測定，評価し，その結果に基づき必要に応じてケース・フォーミュレーションを修正する。介入効果の評価とケース・フォーミュレーションの修正を繰り返し，より効果的な介入を発展させる。評価には，信頼性・妥当性のある尺度による一事例実験の研究デザインを用いるのが理想とされている。

9）認知行動療法の限界と課題

認知行動療法は，わが国において注目されている心理社会的治療であるが，統一された体系をもたないことによって，学ぶ者に難しい印象を与え普及が遅れている。また，プログラム化して行えばよいかのように思われているところもあるが，本来は個々人の状況に合わせて個別に実施するものである。このような点において，見解を統一させて学びやすく体系化することが一つの課題だといえよう。

文献

1) 蜂矢英彦・岡上和雄監：精神障害リハビリテーション学，金剛出版，2000，p.249.
2) 厚生労働省：精神障害者にも対応した地域包括ケアシステムの構築に係る検討会報告書（令和3年3月18日）．〈https://www.mhlw.go.jp/content/12201000/000755200.pdf〉（アクセス日：2022/6/22）
3) 山根寛：精神障害と作業療法，第2版，三輪書店，2003，p.58.
4) 前掲書3），p.61.
5) 松井紀和編著：精神科作業療法の手引き―診断から治療まで，牧野出版，1978，p.9-70.
6) 吉田時子・前田マスヨ監：成人看護学各論―精神科疾患と看護・精神保健，第3版，金原出版，1989，p.239.
7) 宮崎和子監：精神科Ⅱ〈看護観察のキーポイントシリーズ〉，中央法規出版，1992，p.249.
8) 山口隆・増野肇・中川賢幸編：やさしい集団精神療法入門，星和書店，1987.
9) 前掲書6），p.238.
10) 井上正吾：精神科作業療法の理論と実際―現状と反省，医学書院，1973，p.24.
11) 前掲書10），p.134.
12) 前掲書3），p.71.
13) 前掲書5），p.73.
14) 前掲書3），p.103.

15) オモロウ GS著，今井毅訳：セラピューティック・レクリエーション入門，不昧堂出版，1981，p.67.
16) 前掲書15), p.69.
17) 徳田良仁・大森健一・飯森眞喜雄監：芸術療法；1理論編，岩崎学術出版社，1998，p.16.
18) 鈴木秀雄：セラピューティック・レクリエーション，第3版，不昧堂出版，2000，p.14.
19) 前掲書15), p.75.
20) 前掲書18), p.49.
21) 前掲書18), p.48.
22) Van Andel GE, Robb GM: Therapeutic recreation outcome and service delivery models, Therapeuticrecreation；a practical approach. Waveland Press, 2003, p.16-23.
23) ヤーロム ID・ヴィノグラードフ S著，川室優訳：グループサイコセラピー，新装版，金剛出版，1997，p.23-42.
24) 藤原茂：レクリエーションの範囲と種類，OTジャーナル，28：868-871，1994.
25) 河野あゆみ・松田光信：精神科リハビリテーションとしてのレクリエーション療法の再生と評価に関する研究，日本精神保健看護学会誌，17(1)：24-33，2008.
26) 前掲書17), p.11-27.
27) 徳田良仁・村井靖児編著：アートセラピー〈講座サイコセラピー7〉，日本文化科学社，1988，p.11.
28) 小林昌廣：臨床する芸術学，昭和堂，1999，p.163-165.
29) 前掲書17), p.28-38.
30) ジャン＝ピエール・クライン著，阿部惠一郎・高江洲義英訳：芸術療法入門〈文庫クセジュ〉，白水社，2004，p.7.
31) 前掲書30), p.26-27.
32) 前掲書17), p.11-27.
33) 前掲書17), p.16.
34) 前掲書28), p.163.
35) 前掲書17), p.75-183.
36) 松下正明総編集：精神分裂病Ⅱ〈臨床精神医学講座3〉，中山書店，1997，p.257-273.
37) ベラック AS著，熊谷直樹・天笠崇監訳：わかりやすいSSTステップガイド（上巻），星和書店，2000.
38) リバーマン RP著，安西信雄・池淵恵美監訳：リバーマン実践的精神科リハビリテーション，創造出版，1993.
39) 宮内勝：生活技能訓練（SST）の概要と実技演習，心の臨床アラカルト，増刊号：25-30，1995.
40) 前田正治：なぜ精神分裂病患者に対して心理教育を行う必要があるのか？，臨床精神医学，26(4)：433-440，2005.
41) 前田正治・内野俊郎：分裂病患者および家族に対する心理教育，精神治療学，15(増)：2000，p.247-251.
42) 松田光信：統合失調症患者に対する心理教育を用いた介入研究の文献レビュー，神戸常盤大学紀要，1(1)：17-30，2009.
43) 大島巌：心理教育―いわゆる消費者の観点から，家族療法研究，11：30，1994.
44) 心理教育・家族教室ネットワーク：http://jnpf.net/
45) 白石弘巳：統合失調症患者に対する心理教育的アプローチ，精神療法，31(1)：43-49，2005.
46) アンダーソン CM・ハガティ GE著，鈴木浩二・鈴木和子訳：分裂病と家族（上），金剛出版，1988.
47) アンダーソン CM・ハガティ GE著，鈴木浩二・鈴木和子訳：分裂病と家族（下），金剛出版，1988.
48) 内野俊郎・前田正治：統合失調症における薬物療法の導入・継続と心理教育的アプローチ，臨床精神薬理，8(1)：13-22，2005.
49) McEvoy JP, Frances A, Scheifler PL他著，大野裕訳：精神分裂病の治療1999〈エキスパートコンセンサスガイドラインシリーズ〉，ライフ・サイエンス，1999.
50) 日本精神神経学会監訳：こころの扉を開く―統合失調症の正しい知識と偏見克服プログラム，医学書院，2002.
51) 松田光信：看護介入としての服薬心理教育導入プロセス―精神科急性期治療病棟での試み，精神科看護，31(7)：42-46，2004.
52) 富田克・前田正治：精神科急性期医療における心理教育，臨床精神薬理，5(4)：409-414，2002.
53) 松田光信：心理教育を受けた統合失調症患者の「服薬の受け止め」，日本看護研究学会雑誌，31(4)：15-25，2008.
54) 下山晴彦編：認知行動療法を学ぶ，金剛出版，2011.
55) 下山晴彦編：認知行動療法―理論から実践的活用まで，金剛出版，2007.
56) Nakagawa A, Mitsuda D, Sado M, et al: Effectiveness of supplementary cognitive-behavioral therapy for pharmacotherapy-resistant depression：a randomized controlled trial. J Clin Psychiatry, 78：1126-1135, 2017.
57) 石垣琢磨：幻聴と妄想の認知臨床心理学―精神疾患への症状別アプローチ，東京大学出版会，2001.
58) Cognitive behavioral therapy with interoceptive exposure and complementary video materials for irritable bowel syndrome (IBS)：protocol for a multicenter randomized controlled trial in Japan. Kawanishi H, Sekiguchi A, Funaba M, et al, Biopsychosoc Med, 2019 Jun 6;13:14. doi: 10.1186/s13030-019-0155-2. eCollection 2019.

第Ⅵ章

精神障害者の地域生活支援

1 精神障害者の権利擁護と倫理

学習目標
- わが国の精神保健福祉における関係法規を理解する。
- 精神科への入院における患者の権利擁護とケアの原則を理解する。
- 精神障害を抱えながら地域生活をするうえでの権利擁護について理解する。
- インフォームドコンセントの意味と個人情報についての理解を深める。

1 精神保健福祉における関係法規

　わが国の精神保健福祉に関する主な法律を下記に述べる。臨床あるいは地域において精神障害者に対する援助や支援は，すべてこれらの法律による根拠に基づいて実践しているということを確認してほしい。誌面の関係上，精神保健福祉法を主として述べるが，他の法律についてはリンク先で学習を深めてほしい。

1）精神保健及び精神障害者福祉に関する法律（略称，精神保健福祉法）

　精神保健福祉法第1条に明記されているように，①精神障害者の医療及び保護を行うこと，②障害者総合支援法とともに，精神障害者の社会復帰の促進，自立と社会経済活動への参加の促進のための必要な援助を行うこと，そして③精神疾患の発生の予防や，国民の精神的健康の保持及び増進に努めること，によって精神障害者の福祉の増進及び国民の精神保健の向上を図ることを目的とした法律である。精神障害者のための法律であると同時に，私たち国民のメンタルヘルスの保持・増進も盛り込まれている。つまり，誰もが精神障害者になることを示唆しており，他人事ではなく自分自身の問題として考えていく必要がある法律である。以下，精神保健福祉法の主な内容を記す。

　対象：精神保健福祉法の対象とする精神障害者は，統合失調症，精神作用物質による急性中毒又はその依存症，知的障害，精神病質その他の精神疾患を有する者である（第5条）。

　精神保健福祉センター：都道府県は，精神保健の向上及び精神障害者の福祉の増進を図るため，精神障害に関する相談や知識の普及等を行う，精神保健福祉センターを設置すること（第6条）。

　地方精神保健福祉審議会及び精神医療審査会：精神保健及び精神障害者の福祉に関する事項を調査審議させるため，都道府県は，条例で地方精神保健福祉審議会を置くことができる（第9条）。また，措置入院患者等の定期病状報告や，入院患者又はその家族等からの退院等の請求に対する応諾の可否等の審査等を行わせるため，都道府県に，精神医療審査会を設置すること（第12条）。

精神保健指定医：厚生労働大臣は，申請に基づき，措置入院や医療保護入院の要否，行動の制限等の判定を行うのに必要な知識及び技能を有すると認められる者を，精神保健指定医に指定する（第18条）。

　精神科病院：都道府県（指定都市は含まない）は，精神科病院を設置しなければならない（第19条の7）。また，都道府県知事は，措置入院患者を入院させ，適切な治療を行うことができる病院を**指定病院**として指定することができる（第19条の8）。

　医療及び保護：精神障害者の入院形態として，**任意入院**：自らの意思による入院（第21条），**措置入院**；都道府県知事が指定医に診察をさせ，精神障害者であり，かつ，自傷他害のおそれがあると認めた場合に行う入院（第29条），**医療保護入院**；指定医による診察の結果，精神障害者であり，かつ，医療及び保護のため入院の必要がある場合に，その家族等の同意により行う入院（第33条），などが規定されている。

　精神科病院における処遇等：精神科病院の管理者は，入院中の者につき，その医療又は保護に欠くことのできない限度において，その行動について必要な制限を行うことができる（第36条）。精神科病院の管理者は，精神科病院に入院中の者の処遇について，厚生労働大臣が定める基準を遵守しなければならない（第37条）。精神科病院に入院中の者又はその家族等は，都道府県知事に対して，当該入院中の者を退院させることや，精神科病院の管理者に退院や処遇改善を命じることを，求めることができる（第38条の4）。このような請求があった場合，都道府県知事は，精神医療審査会に，審査を求めなければならない（第38条の5）。厚生労働大臣又は都道府県知事は，精神科病院に入院中の者の処遇が著しく適当でないと認めるときは，当該精神科病院の管理者に，改善計画の提出や，処遇の改善のために必要な措置を採ることを命ずることができる（第38条の7）。

　精神障害者保健福祉手帳：精神障害者（知的障害者を除く）は，その居住地の都道府県知事に精神障害者保健福祉手帳の交付を申請することができる。都道府県知事は，申請者が政令で定める精神障害の状態にあると認めたときは，申請者に精神障害者保健福祉手帳を交付しなければならない（第45条）。

　相談指導等：都道府県及び市町村は，精神障害についての正しい知識の普及のための広報啓発活動を通じ，精神障害者の社会復帰及び自立と社会経済活動への参加に対する地域住民の関心と理解を深めるよう努めなければならない（第46条）。さらに，都道府県及び市町村は，精神保健福祉センター・保健所等に，精神保健及び精神障害者の福祉に関する相談に応じたり，精神障害者及びその家族等を訪問して指導を行うための職員（**精神保健福祉相談員**）を置くことができる。精神保健福祉相談員は，精神保健福祉士そのほか政令で定める資格を有する者のうちから，都道府県知事又は市町村長が任命する（第48条）。

2）障害者の日常生活及び社会生活を総合的に支援するための法律（略称，障害者総合支援法）

　障害者自立支援法が2013年に，障害者総合支援法に改正された。基本的人権（個人の尊厳），共生社会の実現（社会参加・社会的障壁の除去）の理念をもとに，日常生活や社会生活を支援する法律である。

3）心神喪失等の状態で重大な他害行為を行った者の医療及び観察等に関する法律（略称，医療観察法）

　心神喪失又は心神耗弱の状態（精神障害のために善悪の区別がつかないなど，刑事責任を問えない状態）で，重大な他害行為（殺人，放火，強盗，強制性交等，強制わいせつ，傷害）を行った人に対して，適切な医療を提供し，社会復帰を促進することを目的とした法律である。

4）障害者の雇用の促進等に関する法律（略称，障害者雇用促進法）

　障害者の雇用義務等に基づく雇用の促進等のための措置，職業リハビリテーションの措置等と通じて，障害者の職業の安定を図ることを目的とした法律である。

5）障害を理由とする差別の解消の推進に関する法律（略称，障害者差別解消法）

　すべての国民が，障害の有無によって分け隔てられることなく，相互に人格と個性を尊重し合いながら共生する社会の実現に向け，障害を理由とする差別の解消を推進することを目的とした法律である。

6）障害者虐待の防止，障害者の養護者に対する支援等に関する法律（略称，障害者虐待防止法）

　障害者に対する虐待の禁止，障害者虐待の予防及び早期発見その他の障害者虐待の防止等に関する国等の責務，障害者虐待を受けた障害者に対する保護及び自立の支援のための措置，養護者の負担の軽減を図ること等の養護者に対する養護者による障害者虐待の防止に資する支援のための措置等を定めることにより，障害者虐待の防止，養護者に対する支援等に関する施策を促進し，もって障害者の権利利益の擁護に資することを目的とした法律である。

2 精神医療における権利擁護

1）精神科病院への入院時に伴う権利擁護

　精神保健福祉法に基づく精神科病院への入院は任意入院が最優先される。つまり，病識の有無にかかわらず，十分な時間をとって，本人の同意を得ることが必要となる。病状などにより入院に納得せず本人の同意を得られない場合は，やむを得ず非自発的入院となる。精神保健福祉法における非自発的入院は，指定医の診察の結果，医療及び保護の目的で行われる。非自発的入院の分類を表1-1にまとめた。

2）精神科病院への入院中における権利擁護
（1）入院の必要性や処遇の妥当性

　精神医療審査会は，精神科病院に入院中の患者やその家族等から退院等の請求があったときに，その入院の必要性や処遇の妥当性について審査を行う。入院の必要性や処遇改善

表1-1 日本の非自発的入院の分類

		入院命令	法的意味	法的能力	目的
医療観察法 (処遇変更は裁判所)		裁判所	司法処分 (保安処分)	本人の同意は不要 (刑事責任能力など)	再犯予防 (社会的安全)
精神保健福祉法	措置入院 (指定された指定医2名以上)	知事	行政処分	本人の同意は不要 (刑事責任能力など)	医療及び保護 自傷他害(危険性原則)
	緊急措置入院(72時間限定) (指定された指定医1名)	知事	行政処分	本人の同意は不要 (刑事責任能力など)	医療及び保護 自傷他害(危険性原則)
	医療保護入院 (指定医の診断) (家族等の同意)	精神科病院の 管理者	医療措置	同意能力がない	医療及び保護 (医療必要性原則)
	応急入院(72時間限定) (指定医の診断)	精神科病院の 管理者	医療措置	同意能力がない	医療及び保護 (医療必要性原則)

など訴えについて対応するのは看護師であることが多い。この制度を活用して入院患者の権利を擁護してもらいたい。また，精神医療審査会の合議体を構成する委員の1人が「精神障害者の保健又は福祉に関し学識経験を有する者」と改正され，筆者も4期8年の委員任期を満了した。看護職には，臨床での対応と審査会での審査の両面から，今後の活躍を期待している。

(2) 開放処遇と閉鎖処遇

精神科医療機関では，病棟の出入りが自由にできる構造の開放病棟と，出入り口が常に施錠され，病院スタッフに解錠を依頼しない限り入院患者が自由に出入りできない構造の閉鎖病棟がある。任意入院者であっても開放処遇を制限しなければその医療又は保護を図ることが著しく困難であると医師が判断した場合は，書面にて本人の同意を得たうえで閉鎖病棟を利用する場合がある。

(3) 行動制限

先に述べたように「医療又は保護に欠くことのできない限度において，その行動について必要な制限を行うことができる」と精神保健福祉法に規定されている。

もちろん，患者の人権を守る観点から，行動制限は必要最小限にとどめられるべきであり，法に則った手順を経なければならない。このため，行動制限を行う場合は，医療機関は適切な記録を残すこと，患者に対し説明に努めることなどが定められている。行動制限は，大きく分けて「通信・面会の制限」と「隔離と身体的拘束」の2つがある。

①通信・面会の制限

入院中の通信・面会については原則として自由に行われることとなっている。厚労省の告示は「電話機は，患者が自由に利用できるような場所に設置される必要があり，閉鎖病棟内にも公衆電話等を設置するものとする」とある。そして，その公衆電話の近くには，都道府県精神保健福祉主管部局，地方法務局人権擁護主管部局等の電話番号を掲げる等の措置が講じられている。また，携帯電話やスマートフォンなどの利用については，それぞれの病院の状況に応じて対応している。しかし，電話および面会については，病状を悪化させたり，治療効果を妨げるなど合理的な理由がある場合，医療と保護に欠くことのでき

ない限度で制限を行うことがある。
　一方，以下の3点については絶対的に制限をしてはならない。
・信書の発受の制限
・都道府県及び地方法務局その他の人権擁護に関する行政機関の職員並びに患者の代理人である弁護士との電話の制限
・都道府県及び地方法務局その他の人権擁護に関する行政機関の職員並びに患者の代理人である弁護士及び患者又は家族等その他の関係者の依頼により患者の代理人となろうとする弁護士との面会の制限

　ここで述べられている信書とは手紙を意味する。原則として手紙の発受は制限されないが，異物が同封されていると判断される場合は，医療機関の職員立会いのもと患者自身に開封してもらうことがある。

②隔離と身体的拘束
　隔離とは，「内側から患者本人の意思によっては出ることができない部屋の中へ一人だけ入室させることによりその患者を他の患者から遮断する行動の制限」と定義されている。

〈隔離の対象〉
・他の患者との人間関係を著しく損なうおそれがあるなど，その言動が患者の病状の経過や予後に著しく悪く影響する場合。
・自殺企図又は自傷行為が切迫している場合。
・他の患者に対する暴力行為や著しい迷惑行為，器物破損行為が認められ，他の方法ではこれを防ぎきれない場合。
・急性精神運動興奮などのため，不穏，多動，爆発性などが目立ち，一般の精神病室では医療又は保護を図ることが著しく困難な場合。
・身体的合併症を有する患者について，検査及び処置などのため，隔離が必要な場合。

　一方，身体的拘束とは，「衣類又は綿入れ帯等を使用して，一時的に患者の身体を拘束し，その運動を抑制する行動の制限」と定義されている。

〈身体的拘束の対象〉
・自殺企図又は自傷行為が著しく切迫している場合。
・多動又は不穏が顕著である場合。
・前記のほか精神障害のために，そのまま放置すれば患者の生命にまで危険が及ぶおそれがある場合。

　身体的拘束は行動制限のなかでも制限の程度が強く，また，二次的な身体的障害（深部静脈血栓症や肺動脈塞栓症など）を生じさせる可能性もあるため，できる限り早期に他の方法に切り換えるよう努めなければならない。

(4) 精神科病院内での虐待事件を起こさないために

　国際人権委員会などの国際機関からも非難を受け，精神衛生法から精神保健法へと法改正にまで及んだ宇都宮病院事件。その後，精神障害者の人権擁護と処遇の改善が進み，さらに障害者虐待防止法も成立した。それでも精神科病院内での虐待事件は，跡を絶つことはない。精神科病院の特徴でもある密室性と集団管理，非自発的入院をはじめとするスタッフの権力性，その力関係から生じる入院患者の従順化と無力化，など考えられる要因

はある。医療及び保護を理由にして実践しているケアは，虐待になってないだろうか。

今一度，看護職として，人としての倫理を考えてもらいたい。本書を手にする読者は学生が多いと思われる。現在学んでいる看護原論や看護倫理など，看護学の基礎を忘れることなく，臨床での看護実践に活かしてほしい。われわれがケアする対象者は，精神障害を抱えている一人の人間であること，そして他人事ではなく自分自身のこととして。

3 自己決定におけるインフォームドコンセント

1）インフォームドコンセントとは

インフォームドコンセントは，医療者側が治療や検査に関する情報を提供して患者側から同意を得ることで，「説明と同意」と訳される。患者に十分な情報提供と説明を行い，同意を得てから，医療を行うという考え方である。

インフォームドコンセントが注目されるようになった背景には，患者の意思が蔑ろにされた2つの歴史的出来事がある。一つは，かつて行われた非人道的人体実験であり，これを避けるために，1940年代末に倫理綱領が定められた[1]。もう一つは，パターナリズムの歴史[2]であり，患者の意思とは関係なく，医療者主導で医療が行われた時代があった。1970年代初頭に，そのような医療のあり方の問題が指摘された。これらはいずれも，患者の意思を尊重する考え方に基づいた医療へと方向転換を促した。そして，患者の知る権利，自己決定権，自律の原則を尊重する行為としての，インフォームドコンセントが求められるようになった。患者が理解できる方法や言葉で十分に説明し，その後，どのような治療や看護を受けたいのか患者自身で選び，自己決定できる保証を与えることが必要である。このような考え方では，多くのケア場面でインフォームドコンセントにとどまらず，インフォームドチョイスに向かう必要があるといえよう。

しかし，精神科医療の場では，患者の意思の尊重や，自己決定に基づく医療が困難なことが多くある。自殺企図，躁状態での買い物，被害妄想により行動化しそうな状況などでは，患者の自己決定を優先させることはできない。このような状態では，治療や看護が同意なしに行われることがある。精神科医療においては，非自発的な入院や患者に同意する能力が不十分な場合が多く，患者の人権や権利を損なう問題が常につきまとう。

そこで看護師は，患者の意思を尊重し権利を保障するために，丁寧で諦めない姿勢をとる必要がある。患者が自己決定「できるか」「できないか」という二者択一的見方ではなく，何はできて何はできないのか，また，できないとは（どこまではできて）「どこからができない」のかということを見極める必要がある。

2）インフォームドコンセントが必要な場面

本来は，医療を受けるかどうか，受けるとしたらどこでどのような医療を受けるかということそのものが，自己決定にかかわることである。そして，すべての医療行為がインフォームドコンセントを必要とすると考えられるが，インフォームドコンセントが特に問題になるのは以下のような場面である。

1つ目は，入院の時点である。入院するかどうか，入院するとしたらどのような入院形

表1-2 意思決定の種別のマトリックス

	パターナリズム	インフォームド・コンセント／インフォームド・チョイス	共同意思決定
背景	専門家主導の治療の提供	患者の権利の保護,哲学的モラル,患者からの起訴の回避	患者中心のケア,根拠に基づく実践,パーソナル・リカバリー
情報の流れ	専門家⇒患者(一方向)	専門家⇒患者(一方向)	専門家⇔患者(双方向)
患者の役割	治療内容について,専門家の提案に従う(受動的)	専門家から治療や選択肢の情報を得て,自身で治療内容を選択・決定する(非受動的/能動的)	専門家から治療や選択肢の情報を得て,自身の価値観や治療の好みを話し合いながら,一緒に治療内容を検討し,決定する(能動的)
専門家の役割	患者にとって,最良の治療内容を決める(能動的)	患者に治療や予後の見通しなどの情報を伝えるが,治療内容の選択・決定に対する責任を負わない(受動的)	患者に治療や予後の見通しなどの情報を伝え,患者のニーズや希望を聞きながら,一緒に治療内容を検討し,決定する(能動的)
専門家の立場	治療内容の決定者	情報提供者	パートナー
意思決定の主体と責任	専門家	患者	患者と専門家
重要事項		治療内容の決定	プロセス,対話

山口創生・松長麻美・種田綾乃：インフォームド・コンセントと共同意思決定,臨床精神医学,47(1)：29,2018. より転載

態をとるかということがある。精神科では本人の意思に基づかない入院形態があり，人権を保つための特別な配慮が必要になる。2つ目は，病名の伝達と治療法の選択である。治療法は様々あるが，特に薬物療法については，作用・副作用に関する情報提供を含むインフォームドコンセントが必要である[3]。m-ECTについては，通常の身体的治療で行われるインフォームドコンセントと同じ手続きを必要とする。各種の検査についても同様である。また，入院期間を含む診療計画および退院についてもインフォームドコンセントが行われるようになってきている[4]。看護に特化した面としては，ケアプラン(看護計画)の決定と代理行為がある。ケアプランを患者と共有し，セルフケアや症状への対処法を一緒に検討することで，障害に取り組む患者の主体性を促進する効果を期待できる。金銭管理や必要物品の購入などについて患者自身ではうまくできないために，看護師が患者に代わって代理行為として行う場合がある。そのときにも，患者の意思を確認し，共同で意思決定するシェアードディシジョンメイキングに取り組むことが望ましい。

以上の説明で取り上げたパターナリズム，インフォームドコンセントとその発展形としてのインフォームドチョイス，シェアードディシジョンメイキング(共同意思決定)についての比較を山口ら[5]が 表1-2 にまとめているので参照してほしい。

  個人情報の取り扱い

1) 守秘義務と法律

看護師は守秘義務を負っている[6]。守秘義務とは，業務上知りえた人の秘密を漏らしては

ならないとする法律上の義務である。したがって，看護師は仕事で得た情報，特に患者に関する情報の扱いには慎重でなければならない。

守秘義務に関連する法律として，精神看護を行う看護師にかかわりがあるのは，刑法134条，保健師助産師看護師法42条，精神保健福祉法53条，個人情報保護法である[7]。それらの条文には，罰則も含まれている。

2）患者の個人情報を守るために必要なこと

患者の個人情報を守るために必要なことには，以下のようなことがある。患者の情報を施設の外に持ち出さない。職場の外で患者に関することを話題にしない。氏名などを伏せていても，病状や経過について詳しい話をすると，患者の親族などにはわかってしまうことがある。インターネット上に患者やその家族に関することを載せない。学生の実習記録などに，氏名（イニシャルも含む），年齢，地名（出身地・出身校），住所，職場，病院名など，個人を特定できる情報を記載しない。

3）個人情報の利用

患者の個人情報の取り扱いは，しまい込んで表に出さないことだけではすまない面がある。たとえば，患者についてのカンファレンスを行う場合，参加者には情報が提示される。参加者は同じ病棟の看護師だけとは限らない。

患者の利益を考慮して，他の職種や他の支援施設（サービス機関）への情報提供が必要なこともある。そのようなときにどの範囲まで情報を提示するのか，どの程度詳しく提示するのかなどの問題が生じる。

さらに研修会，学会，論文などでどこまで提示できるかということも問題になる。反対に裁判などのために，病院としてどの程度開示するかということも問題になることがある[8]。

5 地域生活を送るうえでの権利擁護

1）基盤となる考え方

1975年，国際連合で「障害者の権利宣言」が採択され，障害者が人として尊重される権利を生まれながらにしてもっていること，障害を理由に差別されないこと，そして，2006年に採択された「障害者の権利条約」では，障害のあるすべての人によるすべての人権及び基本的自由の完全かつ平等な享有を促進し，保護し及び確保すること，並びに障害のある人の固有の尊厳の尊重を促進することを目的とすることが掲げられた。

障害者の権利条約が示しているのは，単に障害のある人たちへの差別の禁止ということではない。人として生まれてきたからには，障害の有無に関係なく，すべての人と同じように，当然保証されるべき権利を当たり前のこととして保証すべきことである。差別でも特別扱いでもなく，平等な存在として保証されることが望まれる。

2）精神障害にも対応した地域包括ケアシステム

　精神障害にも対応した地域包括ケアシステムとは，精神障害の有無や程度にかかわらず，誰もが安心して自分らしく暮らすことができるよう，医療，障害福祉・介護，住まい，社会参加（就労など），地域の助け合い，普及啓発（教育など）が包括的に確保されたシステムのことであり，地域共生社会の実現に向かっていくうえで欠かせないものである（p.306参照）。"安心して自分らしく暮らすことができる"という権利を擁護するためのシステムといえよう。このような精神障害にも対応した地域包括ケアシステムの構築にあたっては，計画的に地域の基盤を整備するとともに，市町村や障害福祉・介護事業者が，精神障害の有無や程度によらず地域生活に関する相談に対応できるように，市町村ごとの保健・医療・福祉関係者などによる協議の場を通じて，精神科医療機関，その他の医療機関，地域援助事業者，当事者・ピアサポーター，家族，居住支援関係者などとの重層的な連携による支援体制を構築していくことが必要である。

3）働くということ

　「起きて働く果報者」「働かざる者食うべからず」など働くことに関する諺がある。働くとは，個性の発揮，役割の実現，生計の維持の3要素からなる人間の継続的な活動ともいわれる。精神に障害を抱えていても，働きたいという思いは変わらない。

　障害者総合支援法における就労系障害福祉サービスには，就労移行支援，就労継続支援A型，就労継続支援B型，就労定着支援の4種類のサービスがある。詳細は次節を参照のこと。

　IPS（Individual Placement and Support）モデルとは，個別の就労活動支援と職場定着支援を中心とした就労支援モデルである。IPSの理念は，「重度の精神障害を抱えている人でも本人に働きたいという希望さえあれば，本人の興味，技能，経験に適合する職場で働くことができる」「就労そのものが治療的であり，リカバリーの重要な要素となる」という信念に基づいている。

　また，障害者の職業の安定を図ることを目的としている障害者雇用促進法では，精神障害者保健福祉手帳の保持者で症状が安定している人，精神障害の特性・疾患があるが症状が安定し，就労できる人が対象となっている。そして，2018年4月から障害者雇用義務の対象として，これまでの身体及び知的障害者に加え，精神障害者が加わり，あわせて法定雇用率も上がった。

4）精神障害者保健福祉手帳

　一定程度の精神障害の状態にあることを認定するもの。精神障害者の自立と社会参加の促進を図るため，手帳を所持することにより様々な支援策が講じられる。税金の控除・減免など全国一律に行われるサービスや，公共料金など（鉄道，バス，タクシーなどの運賃，携帯電話など）の割引など地域や事業者によって行われているサービスがある。

　手帳は2年ごとの更新になるが，重要な点は，手帳を所持することで不利益を生じることがないことである。差別や偏見により手帳取得をためらう精神障害者も多い。権利を主張するために積極的に取得してもらえるよう専門職者には働きかけてほしい。

5）成年後見制度

　成年後見制度とは，判断能力の不十分である成年者（認知症高齢者，知的障害者，精神障害者など）を保護し，または支援するための制度である。たとえば，悪質な訪問販売員に騙されて高額な商品を購入しないよう被害を防ぐことができる制度である。つまり，後見人としての任務を定め，財産の保護や生活のために適切な財産が運用されるようにする仕組みである。成年後見制度の類型として，判断能力のない人には後見人，判断能力が著しく不十分な人には保佐人，判断能力が不十分な人には補助人がある。本人の判断能力の程度は医師の診断書により家庭裁判所が決定する。

　また，成年後見制度を利用する前に日常生活自立支援事業を活用することもできる。日常生活自立支援事業とは，認知症高齢者，知的障害者，精神障害者などのうち判断能力が不十分な者が地域において自立した生活が送れるよう，利用者との契約に基づき，福祉サービスの利用援助などを行うものである。都道府県・指定都市の社会福祉協議会が主体となり，介護保険制度や障害者自立支援法に基づく福祉サービス等の利用の援助，日常生活に必要な事務手続きの支援，日常的金銭管理，書類などの預かり物の保管，といったサービスがある。

6）看護職者として考えておかなければならない権利擁護

　精神障害者にとって地域生活に必要となる主な権利擁護について，これまで説明してきた。実際，看護職が直接関与するものが少ないのが現実である。しかし重要な点は，地域で生活している精神障害者に，これらの権利が擁護されているか常に意識しておくことである。そしてさらに重要な点は，入院時から地域生活を送るうえで必要な権利擁護を念頭に入れて，精神医療における看護実践をしていくことである。精神医療と地域生活がそれぞれ別物ではなく，シームレスに権利を意識しながら援助や支援をすることが，精神障害者にとっての真の権利擁護になると考える。

文　献

1) 藤重仁子・安井　渚・他：インフォームドコンセントの歴史と近年の課題，森ノ宮医療大学紀要，14：1-16，2020．
2) 北山修悟：精神科医療における医師－患者関係（3）―精神科医療の契約法・序説，成蹊法学，94：15-50，2021．
3) 種村繁人・亀井浩行・他：説明文書を用いたインフォームドコンセントが精神疾患患者における抗精神病薬の満足度および服薬態度に及ぼす影響について，臨床精神薬理，13（2），327-337，2010．
4) 医療法人清照会　湊病院：修正型電気けいれん療法（m-ECT）による治療．
　〈https://www.seishou.jp/minato/program/m_ect/〉（アクセス日：2022/10/7）
5) 山口創生・松長麻美・種田綾乃：インフォームドコンセントと共同意思決定，臨床精神医学，47（1）：27-35，2018．
6) 髙橋梢子・小野美喜・他：日本の看護職の倫理綱領の改訂―改訂案と改訂プロセスへのクリティーク，日本看護倫理学会誌，14（1）：43-47，2022．
7) 日本看護協会：個人に関する情報と倫理　倫理的課題の概要　社会的背景．
　〈https://www.nurse.or.jp/nursing/practice/rinri/text/basic/problem/kojinjyoho.html〉（アクセス日：2022/10/7）
8) 公益財団法人医療研修推進財団：診療記録開示をめぐる諸問題．
　〈https://pmet.or.jp/jiko/10sonota0006.html〉（アクセス日：2022/10/7）

2 精神障害者を地域で支える支援

学習目標
- 地域で生活する精神障害者が必要とする支援をイメージできる。
- 当事者主体の支援の必要性を理解する。
- 生活者として地域で生きる精神疾患を抱える当事者を理解する。
- 精神科訪問看護における看護師の役割を理解する。
- 精神科訪問看護における日常生活を継続するうえで必要な視点と援助を理解する。

1 地域での支援

1）就労支援

障害者の就労は，(1) 一般企業における障害者雇用枠での就労，(2) 障害者の日常生活及び社会生活を総合的に支援するための法律（以下，障害者総合支援法）に基づく就労支援事業の利用がある。

(1) 一般企業における障害者雇用枠での就労

①精神障害者の雇用状況

障害者の雇用の促進等に関する法律（以下，障害者雇用促進法）に定められる雇用義務*の対象に，精神障害者が2018年より新たに加わった（1976年より身体障害者，1998年より知的障害者が雇用義務の対象となっている）。そのため，現在一般企業に雇用されている精神障害者の人数は，身体障害者や知的障害者の雇用人数よりも大幅に下回っている。しかし，一般企業の精神障害者雇用数は，年々増加している。

＊障害者雇用促進法は事業主に対し，法定雇用率（民間企業の場合は2.3％）以上の障害者雇用を義務づけている。

②障害者雇用枠での就職

一般企業の障害者雇用枠への応募は，企業のホームページなどから直接応募する方法，ハローワークや地域障害者職業センターに相談する方法がある。また，就労移行支援の利用から一般企業への就労を目指す場合は，就労移行支援事業所の支援員に相談し準備を進める。

③職業リハビリテーション

障害者雇用促進法に基づき，障害者の職業生活における自立を支援する目的で，以下の関係機関において職業リハビリテーションを実施している。

職業リハビリテーションとは，職業指導・職業訓練・職業紹介などの支援をとおして，当事者の職業生活全体を支える取り組みである。

a．公共職業安定所（ハローワーク）

全国に544か所ある（2022年4月現在）。障害者専門の相談員が，就職を希望する利用者の職業相談，職場の紹介，求職登録，職場への定着指導などを行う。また，障害者向け求人を確保するための事業主への働きかけや，地域の障害者就業・生活支援センターおよび福祉施設などの関係機関と連携を図り，就職支援を行う。

b．地域障害者職業センター

全国すべての都道府県に設置されている。ハローワークおよび障害者就業・生活支援センターと連携を図り，障害者と事業主に対して就職前の支援から就職後の職場適応まで専門的な支援を行う。また，ジョブコーチ（職場適応援助者）支援やリワーク支援（職場復帰支援）を実施している。

- ジョブコーチ支援：専門のスタッフが一定期間にわたり障害者の勤務先を訪問し，本人の職場適応を支援する。本人特有の悩みや事業主の障害者への対応に関する困り事にも対応する（図2-1）。
- リワーク支援：精神面の不調から休職した人の職場復帰を目指したリハビリプログラム。医療機関や障害者職業センター，就労移行支援・就労継続支援事業所などの施設で行われている。

c．障害者就業・生活支援センター

全国に338か所ある（2022年4月現在）。ハローワークや医療機関，行政機関，その他障害者の就労に関係する機関と連携を図り，障害者の就労とそれに伴う生活面への相談支援を行う。

d．その他

発達障害者支援センター・医療機関・特別支援学校などの教育機関が関係機関と連携し，職業リハビリテーションを実施している。

- 精神障害者社会適応訓練事業：一定期間，理解のある協力事業所に通い，実際に作業や仕事を行いながら一般就労を目指す制度である。協力事業所には委託料が支給される。2012年に精神保健及び精神障害者福祉に関する法律（以下，精神保健福祉法）から削除されたが，多くの地方自治体で自主的に事業が継続されている。

(2) 障害者総合支援法に基づく就労支援事業

①就労移行支援

一般企業への就労を目指す障害者に，必要な知識や能力の習得に向けて訓練を行う。実

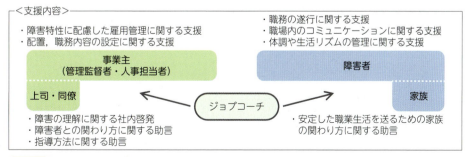

図2-1　職場適応援助者(ジョブコーチ)支援内容

厚生労働省：職場適応援助者（ジョブコーチ）支援事業について．より引用

際の作業を体験するとともに，就職に必要な面接の練習や，ハローワークでの仕事探しについても支援する。利用期間は原則2年。

②就労継続支援（A型・B型）

　一般企業での雇用が困難な障害者に，就労の機会の提供および知識や能力の習得に向けて訓練を行う。利用期間は定められていない。

　A型（雇用型）は，利用者が事業所と雇用契約を結び就労するため，利用者は法律で定められた最低賃金以上の工賃を受け取る。B型（非雇用型）は，利用者と事業所間での雇用契約はないため最低賃金は定められていないが，利用者は作業の報酬として工賃を受け取る。

③就労定着支援

　就労移行支援などを利用して一般就労に移行した障害者が就労を継続できるための支援を行う。就労に伴う生活上の相談や，企業・家族・医療機関などとの連絡調整に対応する。利用期間は3年。

　精神障害者が就労することによって，規則正しい生活リズムの獲得や，働く体験をとおしてソーシャルスキルを身につけることができる。必要な通院や服薬を継続しながら，無理のない就労を長く続けられることが大切である。そのため，仕事に就いたあとの継続的な支援が必要になる。本人が心おきなく話せる人や場所は，就労を継続できる助力になる。支援者は，本人にとって安心・安全な存在になることが求められる。

2）就学支援

　障害のある子ども，あるいは就学前に乳幼児健診などで障害が疑われる子どもが小学校に入学する際，事前に就学先の学校や在籍学級（特別支援学級など）を決める。市町村教育委員会が多角的な視点から総合的に判断し，就学先を決定するが，子ども本人と保護者の意見は最大限尊重される。そのため，就学先の決定に至るまで，子どもと保護者に対して十分な情報提供を行うことや，教育委員会・学校・医療機関・相談機関などの連携のもとで子どもと保護者が就学先を選択できるよう支援を行う。

　就学後の支援も大切である。子どもは成長と発達の過程において，様々なストレスや葛藤を抱える。心や身体の不調から，不登校やひきこもりにつながる可能性がはらんでいる。不登校やひきこもりは，どの子どもにも起こりうる。子どもが抱える困難感をいち早く知り，困難に寄り添う支援を行うために，子どもが話しやすい関係づくりや環境づくりを行うことが必要である。また，保護者が心身の不調を抱えている場合，子どもも不調になりやすい。この場合，保護者への支援が整うことで，子どもの安定が図られる。

3）生活支援

　地域で生活する精神障害者が抱える困難は，様々である。疾患特有の症状や，服薬による身体への影響なども，その感じ方は当事者によって異なる。同じような症状を有していても，その症状が気になる当事者と気にならない当事者がいる。

　そのため，本人が何に困り，どのような支援を必要としているのかをよく知ることが重要である。また，必要としている支援は，少しの手助けや工夫によって本人が自分で対応で

きるものかもしれない。生活支援は，当事者のストレングスに着目しながら，それぞれの困り事に沿った支援を，当事者の状況に合わせて行う。

(1) 状況に合わせた社会資源の活用

地域で生活する精神障害者は，自宅（一人暮らし，または家族と同居）やグループホーム（共同生活援助）＊などで生活している。日中は，就労や精神科デイケアに定期的に通う当事者がいる一方で，住居からほとんど外出しない当事者もいる。後者は特に，社会とつながる機会を意識した当事者への支援者のかかわりが必要である。毎日通う場所が必ずしも必要なわけではないが，本人が「行く場所がないから家にいる」というのではなく，「行ける場所はあるが，今日は行かない」と選択できる状況[1]にあることが望ましい。

また，当事者の地域での生活を維持するために，通院と服薬の継続は重要である。外部とかかわりをもちにくい当事者の生活状況や服薬状況は，精神科訪問看護を利用することで確認できる。活用できるサービスの利用をとおして，本人および家族が社会参加できる（人とつながることができる）ことが大切である。他者とのコミュニケーション力や，他者を頼ることができる能力は，地域で生活する本人の助けとなる。支援者は，利用できる社会資源について情報提供を行い，必要に応じて利用までの申請手続きなどを手伝う。

なかには，同居の家族が本人への適切な援助を行い，積極的な社会資源の活用を必要としない場合がある。その際にも，できるだけ地域の社会資源を利用できるようにする。年月の経過とともに，家族の状況は変化していく。将来的に他者の援助が必要になった際，本人が外部機関や他者との関係に慣れておくことで，支援の移行がスムーズになる。また，本人の友人や親戚・近所の住人などのインフォーマルな関係が，本人や家族を支えている場合がある。支援者は，これらの情報を含めたアセスメントを行い，本人の他者との付き合いにおけるストレングスを見出しながら，支援に活用していく。

＊グループホーム（共同生活援助）は，障害者総合支援法で定められる障害福祉サービスである。一定程度の生活能力がある精神障害者が入居し，日常生活上の支援を受けながら利用者数名と共同生活を営む。

(2) 日中の活動場所

精神科デイケアや，地域活動支援センターなどがある。これらは必ずしも活動を目的とせず，日中の居場所としても機能する。精神科デイケアは，主に精神科病院や精神科診療所に併設されている。地域で生活する精神障害者が通い，他者との交流や活動をとおして症状の改善と安定および生活機能の向上を図る。地域活動支援センターは，国の地域生活支援事業に位置づけられる，障害者総合支援法に定められた支援機関である。障害をもつ人が通い，創作活動や生産活動および他者との交流を行う。市町村の創意工夫による柔軟な事業の実施が可能であり，各自治体が取り組みを行っている。

(3) 多職種連携による支援

精神障害者の生活支援におけるサービス提供は，市町村が一元的にサービスを提供している。市町村によって規模や財政の状況は異なるため，当事者を支援する地域での取り組みは，市町村によって様々である。支援者が，当事者の居住する地域で活用できる社会資源や制度をよく理解しておくことで，当事者に必要なサービスを提案できる。また，支援者の職種や立場によって，地域の社会資源や制度について把握している分野や情報量は異なる。さらに，当事者の置かれている状況において，必要な支援へのとらえ方が異なる。

> **コラム** 地域生活支援の視点 "イ・イ・ショク・ショク・ジュウ・ユウ・ユウ"
>
> 筆者の考える精神障害者への地域生活支援とは，衣食住（イショクジュウ）をもじったイ・イ・ショク・ショク・ジュウ・ユウ・ユウを基本としている。これらは地域生活支援してきた先輩の実践者から語り継がれたものをアレンジしたものである。
>
> ①**イ（医）**：本人にとって質の高い医療を受けることができるような支援を提供する。夜間休日も対応できる医療環境体制を常日頃から整備しておく。また，精神科救急医療体制による精神科救急情報センターを活用できる。
>
> ②**イ（意）**：当事者主体が大前提であり，本人の意志を重視する。援助に没頭するあまり，ともすれば必要以上な援助や必要ない援助を提供することもありうる。常に本人の意志を確認し援助を提供することが求められる。精神科病院への入院形態としての任意入院は，まさにその典型的なものと言えよう。そして，リカバリーの意志につながってくる。
>
> ③**ショク（食）**：可能な限り栄養価の高くバランスの良い食べ物を摂取できるよう支援する。3食すべてではなく1日最低1食は摂取できるように支援する。これは自炊することだけを意味しているのではなく，デイケアや地域活動支援センターなどの社会資源で食事を摂ることも含んでいる。また，電子レンジの有効活用やスーパーでのタイムバーゲンでの買い物など，ちょっとした工夫を日常生活に活用することも可能である。
>
> ④**ショク（職）**：働かざるもの食うべからず，という格言もあるように，障害の有無に関係なく，人は働きたいと思う。作業所などの福祉的就労でも構わないが，賃金が低いためモチベーションが保たれない。本人の希望を最優先しながら，可能であれば一般就労を目標にすることをすすめる。2018年度から障害者雇用率制度では精神障害者も雇用義務の対象となった。精神障害者の受け入れに対する企業努力も進んでいる追い風を受けて，ハローワーク，障害者就業・生活支援センター，地域障害者職業センターなどと連携をとりながら一般就労を目指すべきである。ただ，就労支援を行う際には，次に記した精神障害を抱えながら就労している，あるいは就労を希望する者の特徴に

そのため，当事者の意向に沿った地域生活を効果的に支援するために，多職種間での連携による多角的な視点での支援を行う。

当事者の状況に合わせた生活支援を行うために，専門職に限らず，本人と家族，関係する機関の職員，インフォーマルな支援者などを含めた連携を考慮していく。

（4）当事者主体の支援

当事者本人が，どうしたいと考えているか，ということに視点を向け，本人，支援者，関係機関で共有する。本人が望む地域生活をかなえることが到底不可能であるようにみえても，本人の考えをよく聞き，支援者が本人の思いを理解しようと努めることが大切である。

本人が望む地域生活を実現するために，本人が何に困っていて，どこに手助けが必要かを本人と一緒に考える。そして，本人ができることとできないことを具体的に明確にする。可能な限り，本人が自分で対処できる方法を考える。定期的に本人と共に行動を振り返り，本人の考えや思いに寄り添いながら，当事者主体の支援を行っていく。

同じ事象を見たとき，各々の立場から見ることでその見え方が異なる。重要な点は，支援者の見え方で，状況を決めつけないことである。たとえば，道を教えるというようなごく

配慮しなければならない（ただし，精神障害者全員がこの特徴をもっているわけではないことを付記しておく）。
- 集中力が人一番高い：常に100％の力を出し切ろうとする。
- 他人への気づかいが非常にきめ細かい：他人の身になって考える。
- アンテナの感度が良い：職場や業務の問題点に気がつきやすく，その結果，他の人より悩むことが多くなる。
- 責任感が強い：ミスが起こった場合，他人のせいにせず自分に責任があると考える。

⑤**ジュウ（住）**：単身生活を送る，あるいは，家族と同居する。いずれの選択肢であっても，個人のパーソナルスペースとなる空間や時間の十分な確保が重要となる。グループホームやケアホームの整備が進んでいるので，それを活用することも可能である。生活を営むうえで毎日生み出されるゴミの分別にも難儀する。いわゆるゴミ屋敷にならないためにもホームヘルパーを活用することも有効である。また，家賃や光熱費など生活するうえで必要な日常的金銭管理を，社会福祉協議会が実施主体である日常生活自立支援事業も活用できる。

⑥**ユウ（遊）**：余暇活動は人間の営みのうえで欠かすことができない。SSTの課題として余暇活動の過ごし方などがあるが，プログラムの一環ではなく，あくまで本人の生活に適したものでなければならない。もちろん，余暇活動が次の活動へのエネルギーとなることが前提であり，余暇活動が生活全体のメインとなってはいけない。単独での余暇活動も悪くないが，可能であれば次のユウ（友）を活用しての集団の余暇活動のほうが，より満足度が高いであろう。

⑦**ユウ（友）**：かつて草の根的な活動を続けてきた各地の患者会が，全国的な組織を目指した結果，全国精神障害者団体連合会（略称.全精連，現在のぜんせいれん）が結成された際のスローガンが「ひとりぼっちをなくそう！」であった。精神の病いを罹患したことで友達ができない，さらには失うといった経験を得たからこそ，友達の大切さを実感している。特に同じ体験を有した仲間との関係性を大切にしている。

単純な支援の状況でも，本人が本当は何を求めているのかを支援者は考えてみることが大切である[2]。

(5) 地域がもつ支援の力

当事者本人への直接的支援はもとより，地域全体がもつ支援の力を高めることも必要である[3]。異なったスキルをもつ支援者同士，および当事者と支援者が，相互に受け入れ合う関係のなかで支援はより効果的になる[4]。互いを認め合い，受け入れ合う地域社会のなかで，支援の力は高まっていくといえる。

しかし，支援はうまくいくことばかりではない。支援者は，支援における様々な悩みを抱えている。地域がもつ支援の力を高めるために，当事者ばかりでなく支援者の支援も必要になる。時には，外部に話が漏出しない安心・安全な空間で支援者同士の考えや思いを自由に語り合うことが，支援に効果的に働く。ネガティブな感情をも分かちあえることで，気持ちが楽になり，支援者としての共通の目標を思い出すことができるようになるのである。異なる職種の支援者が共通の目標を思い描き，相互に受け入れ合いながら連携できることで，支援の一層の効果が期待できる。

また，支援者の気持ちが楽になることで，当事者の考えや感情を受け入れる余裕が生ま

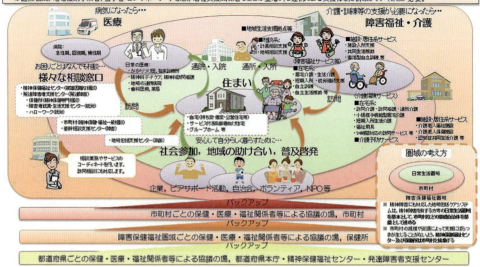

図2-2 精神障害にも対応した地域包括ケアシステムの構築（イメージ）

厚生労働省：精神障害者にも対応した地域包括ケアシステムの構築について．より引用

れる。支援者同士の連携が支援者を助け，ひいては当事者を受け入れることにつながる。当事者は，支援者に受け入れられたと実感できることで，支援者を受け入れるようになっていく。相互に受け入れ合う関係の構築は，地域がもつ支援の力を高め，より効果的な支援を可能にしていくことができる。

4）地域包括ケア

(1) 地域包括ケア

人々が，医療や介護が必要な状態となっても，住み慣れた地域で自分らしい生活を人生の最後まで続けることができるよう，住まい・医療・介護・予防・生活支援が包括的に確保されるという考え方のことである。

(2) 地域包括ケアシステム

人々が住み慣れた地域で，安心して自分らしい生活を続けることができるよう，住まい・医療・介護・予防・生活支援が包括的に提供されるしくみのことである。地域包括ケアシステムは，要介護の高齢者を支える視点から考えられている。

(3) 精神障害にも対応した地域包括ケアシステム

精神障害の有無や程度にかかわらず，誰もが地域の一員として，安心して自分らしい生活を送ることができるよう，住まい，医療，障害福祉・介護，社会参加（就労），地域の助け合い，教育が包括的に提供されるしくみのことである（図2-2）。2025年の実現を目指し，構築が進められている。

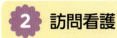

2 訪問看護

1）生活者として地域で生きる精神疾患を抱える当事者

　生活者として地域で生きる精神疾患を抱える当事者の支援において最も核となる考え方はperson centered（本人が中心）[5]である。「患者の安定した生活のためには"服薬管理""症状管理"が重要である」といった言葉を耳にする。筆者も訪問看護に携わる前はそのことはごく自然なことと考えていた。事実それらは精神疾患を抱える当事者が地域で生活を送るうえで重要な要素ではある。しかし，先に述べたperson centeredが抜け落ちた状態で「看護師だから，病気の人のケアを行うのが仕事」という職業意識を前面に出しての"服薬管理"や"症状管理"は意味をなさないどころか，一気に関係性を崩してしまう[6]。なぜなら「病気の人」として相手をとらえる見方は病気が前面に出た見方，いわゆるレッテル貼りだからである。レッテル貼りは非人間として相手を見る行為であり，非人間化のフラストレーションに直面して，個人が感ずる最も一般的な情緒反応は怒りである[7]。つまり相手を「生活者」ではなく「病気の人」としてとらえると関係性が崩れてしまう。

> **実際の訪問場面１─専門性を強調した看護師に対して患者の拒否感が示された事例**
>
> 　Aさん，60代前半の女性。うつ病，不安障害の診断を受けており，独居生活を続けている。希死念慮と自傷行為が継続していたため，2年前より訪問看護が導入となった。導入期は警戒心が強く，週1回の訪問では強く緊張している様子がうかがえた。しかし，同年代の女性看護師Bが訪問に来たことをきっかけに「話し相手ができてよかった」と話すようになり，徐々に緊張感が緩和されてきていた。
>
> 　2か月前より精神科病棟から入職した男性看護師CがBと共に訪問した。Aさんは初対面であり異性でもあるCに対し緊張していた様子であったが，Bから紹介されたこともあり次週からCが単独で訪問に来ることを了承した。
>
> 　次の訪問時，「最近，吐き気がする」と訴えたAさんに対し，Cは「お薬手帳を拝見してよろしいでしょうか」と言い，見せてもらった。心身の些細な変調に対し注意が集中しやすいAさんは複数の内科外来も受診していた。抗うつ薬，抗不安薬，睡眠導入剤，胃薬，便秘薬，漢方と複数の薬剤が処方されていた。Cは「ずいぶん飲まれていますね」「特に抗うつ薬は副作用に吐き気が出やすい薬ですし，この量を飲まれていることで体への負担が大きいのかもしれません」と伝えた。Aさんは「そうなんですね」とこたえ，そのまま訪問は終了した。
>
> 　Cが訪問を終えステーションに帰ると，「今日の訪問でCが上から目線で薬のことを批判していた。私は医師の処方を信用して内服しているのにあんなことを言われるなんて思わなかった。もうCは訪問に来てほしくない」とAさんから電話があったと告げられた。

　「嫌なことがあると自分から人との関係を遮断してしまうという，過去に学習した対人関係パターン」[8]がある患者が一定数存在することは確かである。しかし，本事例では看護師

表2-1 病棟での看護と訪問看護の相違

	病　棟	訪　問
考え方	illness centered（病気中心）	person centered（本人が中心）
展開される場所	主に病院敷地内で展開される	本人の生活空間で展開される
環境調整	病棟に委ねられる部分が大半	本人の自主性に委ねられる
スケジュール生活の組み立て	規則的な生活が健康回復につながるものとして病棟のスケジュールに従う	本人が立てたスケジュール，希望する生活リズムに沿う
空間管理	看護者中心に管理する	生活は基本的に自身で組み立てる
対人関係	トラブルは避けるものとして調整される	トラブルや困難を機会ととらえる
決定権	主治医と病棟＋患者の合意	本人の決定に委ねられる

坂田三允総編集，中井友里・他著：精神科訪問看護〈精神看護エクスペール8〉，第2版，中山書店，2009．を参考に作成

Cが職業意識を前面に出して関係性が崩れている。このときCに必要だったのはAさんに対する「生活者」としての視点である。生活者とは，「自分で必要なものを選択できる主体性をもった存在」[9]である。Aさんは確かに「吐き気がある」と訴えたが，Cがその場をどう解決するかは求められていたわけではない。本来必要であったのはその苦しさを受け，「Aさんが主体的に何をすべきか」を共有することであった。

Cは「吐き気」を問題としてとらえ「何とかしよう」と考えた。それは「看護師として訪問に来ているのであるから足跡を残さなければならない」という焦燥感でもあった。しかし「足跡ではなく爪跡」を残す結果となってしまっている。これは「病気の人」であるという見方が先行してしまった例である。「問題」を解決しようとする言葉こそが「問題」[10]なのである。

相手を「生活者」ととらえるためには，「病気が主人公」から「その人が主人公」という考え方[11]（表2-1[12],[13]）を前提としなければならない。具体的にはあらゆる決定は本人がし，看護が展開される場所は本人の生活空間であり，本人が立てたスケジュール，本人が食べたいもの，本人が飲みたいものが尊重されるのである。冷静に考えてみれば「当たり前」のことなのであるが，この「当たり前」を崩すことなく支援を続けることが案外難しい。精神科訪問看護に携わる看護師にまず必要なのは「何が当たり前か」を吟味できる姿勢である。

2）精神科訪問看護の実際
(1) 精神科訪問看護の目的

精神科訪問看護の目的は，「精神障がいをもつ人自身がしたいこと，夢を実現できるように必要なサポートを提供すること」[14]である。「夢を実現できるサポート」と言われてもピンとこない読者もいるかもしれない。ここで言う夢とは「したいこと」[15]，つまり主体性を指している。したいことは誰しもできると思われがちであるが，精神疾患をもつ患者はこの主体性を発揮する機会を奪われていることが多い。精神科病院での長期入院患者はその典型である。退院していても様々な制約，たとえばアパートを契約する際や就職の面接の際，精神疾患があるということがわかるとその後の契約が難しくなるという例も主体性を

表2-2 精神科訪問看護のケア内容

①日常生活の維持/生活技能の獲得・拡大
　食生活・活動・整容・安全確保，などのモニタリングおよび技能の維持向上のためのケア

例）・食事の状況，内容，程度について尋ねる。間食の有無，好物，自分での調理か出来合いのものを買っているのか，などについても確認する
　　・ごみの分別や，ごみ出しについて，火の取り扱い，着衣の汚染の程度など観察。本人が希望したり必要時は情報提供や助言を実施する

②対人関係の維持・構築
　コミュニケーション能力の維持向上の援助，他者との関係性への援助

例）・会話のスピードやまとまりを観察する
　　・訪問看護での対話がトレーニングになりうる

③家族関係の調整
　家族に対する援助，家族との関係性に関する援助

例）・本人と同居する家族の関係について観察する
　　・必要によっては家族が不満を吐露できる場を設ける

④精神症状の悪化や増悪を防ぐ
　症状のモニタリング，症状安定・改善のためのケア，服薬・通院継続のためのかかわり

例）・生活上の出来事，負担に感じることの有無の確認
　　・本人が自覚できている症状の有無と客観的に確認できる症状にズレがないか観察する
　　・受診，内服の必要性をどれだけ感じているかを確認し，実際の行動について把握する
　　・必要時内服薬のセットを支援する

⑤身体症状の発症や進行を防ぐ
　身体症状のモニタリング，生活習慣に関する助言・指導，自己管理能力を高める援助

例）・バイタルサイン測定，検査結果の確認
　　・運動習慣，食習慣，排泄状況などについて確認する

⑥ケアの連携
　施設内外の関連職種との連携・ネットワーキング

例）・施設内の他職種（精神保健福祉士，作業療法士，など）との情報共有を実施する
　　・施設外関係者との担当者会議，情報提供書による情報の共有を実施する

⑦社会資源の活用
　社会資源に関する情報提供，利用のための援助

例）・利用可能な社会資源（ヘルパーや作業所），制度（自立支援医療制度）の情報提供を実施する
　　・支援センターのプログラムについて話す

⑧対象者のエンパワーメント
　自己効力感を高める，コントロール感を高める，肯定的フィードバック

例）・行動変容の動機づけがないか対話の中で確認する
　　・自信を低下させない，恥をかかさない，過度な指導的言動は慎む
　　・本人が自主的に行ったことは仮に望む結果でなくとも労をねぎらう

厚生労働省：第15回 今後の精神保健医療福祉のあり方等に関する検討会─訪問看護について，2009.
瀬戸屋希・萱間真美・宮本有紀・安保寛明・他著：精神科訪問看護で提供されるケア内容；精神科訪問看護師へのインタビュー調査から，日本看護科学会誌，28（1）：41-51, 2008. を参考に作成

発揮するうえでの障壁になっている。「住む」「働く」といった当たり前を当たり前にできない現状にあって諦めを口にする患者は多い。精神科訪問看護はこの諦められた「したいこ

と」の回復（リカバリー）を支援することが目的である。リカバリーの詳細は，第Ⅱ章5節「生きる力と強さに注目した援助」p.83を参照。

(2) 具体的支援

訪問看護は患者の日常生活における「したいこと」が実現できるための支援である。そのため支援の幅は広い。大きくは①日常生活の維持/生活技能の獲得・拡大，②対人関係の維持・構築，③家族関係の調節，④精神症状の悪化や増悪を防ぐ，⑤身体症状の発症や増悪を防ぐ，⑤身体症状の発症や進行を防ぐ，⑥ケアの連携，⑦社会資源の活用，⑧対象者のエンパワーメント（表2-2）[15],[16]，に集約される。どの項目も重要であるが，精神科訪問看護を利用する患者の多くが，「どのような支援を受けたか」という問いに「こころのケア」「（自分を）力づける支援」「からだのケア」を受けたと答えた，という報告がある[17] また「家族に対する支援」「人との付き合いに関する手伝い」「日常生活に関する伝い」がそれに続いている[17]（図2-3）。このように，問題や病気に焦点を当てるのではなく，日常生活に焦点を当て患者が訴える困り事に耳を傾けていく過程で患者は「こころのケア」を受けたと実感する。

(3) 精神科訪問看護におけるアセスメントの視点と具体的対応

精神科訪問看護において日常生活の変化が病状を反映している場面は多い。精神科訪問看護師にとって必要な視点は「患者の安定している病状が安定している時の状態や患者の生活スタイルなどを観察時の比較基準として知っておくこと」[18] である。つまり，日常生活上での変化に気づくことができる感覚が患者の生活を維持する支援では不可欠なのである。訪問時の観察項目や感覚は，①看護師を出迎えるときの印象，動作や表情，②室内の様子，③生活リズム，活動と休息のバランス，④精神・身体症状，⑤服薬管理，⑥対人関係，家族関係，⑦経済管理，⑧違和感に集約される[18]（表2-3）。

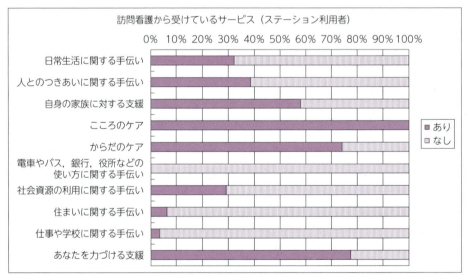

図2-3 訪問看護において受けているケアの印象

瀬戸屋希・萱間真美・角田秋：平成21年度厚生労働科学研究費補助金（障害保健福祉総合研究事業）精神障害者の退院促進と地域生活のための多職種によるサービス提供のあり方とその効果に関する研究（H20-障害一般-004）；精神科訪問看護のケア内容と効果に関する研究精神科訪問看護で提供されるケア内容，2009.より引用

表2-3 訪問時の観察項目（アセスメントの視点）と具体的対応例

①看護師を出迎えるときの印象，動作や，表情
- 声のトーン，動作の速さ，表情，視線，化粧の仕方，衣類，装飾品の着用などを普段と比較する
- 上記の変化が良い兆候なのか，病状悪化の傾向なのかを検討する

例）
- インターフォンを押した際，普段は「はーい」と伸びやかな印象を受ける返事であったがその日は「はい」と短くやや緊張感を帯びた印象を受けるトーンであった
- 笑顔にて自身が虐待児であったという話を淡々と続けている状況が観察された

②室内の様子
- 部屋に案内される際や訪問中に普段より散乱している（あるいは整頓されている）といった状態の変化で活動性の変化をさりげなく観察する

例）
- 「これからはしっかり片づけないと」と急に片づけ始めたり，「気分を新たにしたい」と模様替えを繰り返していたが数日後抑うつ症状が顕著になった
- それまできちんと出されていたはずのゴミ袋が部屋にたまってきていた
  →酒類の空き缶が袋越しに観察された

③生活リズム，活動と休息のバランス
- 訪問時の患者の覚醒度合い，入床，起床時間の変化について確認する
- 日中の過ごし方の変化について確認する

例）
- 週4日ペースで通っていた作業所に3日間通っていないという話があった
  →作業所に事実関係を確認すると，利用者間でトラブルがあったことがわかった
- 夜間寝ていないというので確認するとゲームをしていたことがわかった。数日後作業所の見学を控えており，「眠れなかったのでゲームをしたら目がさえた」と本人が話した

④精神・身体症状
- 患者のなかには身体不調に過敏な者もいれば，自覚症状がない者もいる。また精神状態によって自身の体調変化に全く気づかない場合もある。患者自身が変化に気づけない場合，看護師が五感をフルに活用して患者の状態変化を察知しなければ重症化するケースがある

例）
- ADLの低下に伴い紙パンツを着用していた患者宅で室内がいつもよりも生臭く感じた。患者の了解を得てパンツ内を確認すると下血していた
  →ただちに救急車を呼び緊急入院の手続きをとった
- 布団から出てこないという家族の話を聞き本人と話すが，ほとんど返事がなく室内に腐敗臭が漂っていた。本人の了解を得て殿部を確認すると直径約3cmの褥瘡が発生していた
  →救急車を呼び緊急入院の結果，脳梗塞であったことが判明した

⑤服薬管理
- 服薬管理は原則患者本人が自己責任において実施する
- 患者の生活リズムに合わせた時間，場所や飲み方の工夫（一包化，1回分あるいは1日分としてまとめ，服薬カレンダー（図2-4）を利用する，など）を確認する
- 必要があれば同居する家族が確認，管理も検討する

例）
- 日中倦怠感が強く，夜間目がさえると患者が訴えた
  →朝，昼，夕と処方されていた内服薬を朝，夕，寝る前に調整できないか主治医に確認し調整を依頼。調整の結果，日中の倦怠感が軽減した

⑥対人関係，家族関係
- 基本的には患者が話題に挙げる人間関係についての話題に耳を傾ける
- 借金や密着した人間関係，パートナーや親子関係，学校，職場といった多岐にわたる関係についてそれぞれどういった関係が適切と感じるか，どのような関係になりたいのかについて確認する

例）
- 「通所している作業所で挨拶されるが目を伏せてしまってうまく返せない」という訴えがあった
  →訪問看護ではいつも挨拶ができていることを振り返り，何が違うのかを確認したところ，「大勢の人がいると緊張する」「作業所のあらゆる音が気になり声が聴きとれていない」と患者が語った。自分が玄関前に立つなどし，周りが静かな場所で挨拶をしてみる計画を患者とともに立案した

⑦経済関係
- 衣類の状況，生活用品や食材，食事の内容（外食の頻度，食事を摂らないなど），といった生活の様子を確認し経済状態について観察する
- 躁状態に伴い高価な家具を購入する，強迫観念に伴い大量の在庫を買いためる，といった行動が観察されることもある

例）・感染症拡大を危惧して手指消毒剤ボトル，マスク，ガウンなど箱がたまり天井まで届くほど購入した患者がいた。本人に確認すると「自分でも買いすぎだとは思っているがどうしても買ってしまう」と訴えた
　　→強迫観念についてテキストを用いた心理教育を実施すると「私が不安だから買っていたのではく，脳が焦るような動きをしていた」との発言があった。その後感染予防物品を購入する頻度が減少した

⑧違和感
経験を積んだ看護師のなかには患者の部屋に入った瞬間（あるいは入室前から）「うまく言えないけど何か変」といった違和感を敏感に感じ取れる者がいる。訪問看護においてこの違和感は患者の異変に気がつく重要なシグナルである。それらの多くは「普段の生活と何かが違う」というわずかな変化である

例）・いつもはシンクが汚れて食器が重なっているのに，その日は食器が片づけられシンクもきれいになっていた
　　→「シンクがきれいになっていますね」と聞いていくと自殺念慮を訴えた
　・犬を飼っている患者宅で訪問開始直後から糞の臭いがいつもよりきついことに気がついた
　　→この2日後，多量服薬にて搬送され入院となった

坂田三允総編集，中井友里・他著：精神科訪問看護〈精神看護エクスペール8〉，第2版，中山書店，2009. を参考に作成

実際の訪問場面2―患者自ら服薬の必要性を確認できた事例―

Dさん，30代後半の女性。統合失調症，軽度知的障害，てんかんの診断を受けており，妻，子ども2人の4人暮らしである。衝動性が強く「殺すぞ」という幻聴に対し「お前が死ね」と言い返したり，「怖い怖い」と深夜，トイレに1時間以上こもる状況が続いていたが「家族から離れたくない」と主治医が入院を勧めても断り続けていた。

病状の安定と服薬継続，家族支援を目的に訪問看護ステーションに主治医より訪問の依頼があった。訪問に入っても怒鳴りながらトイレにこもる日々が続いており，妻をはじめ子どもたちも症状に対しおびえる生活が続いていた。緊張感を帯びた表情をしていることが多かった。

当初訪問看護では服薬カレンダー（図2-4）を用いて飲めているかどうかの確認を実施していた。Dさんは妻の助けも借りながらカレンダーに処方どおりに薬をセットし，訪問看護の際に内服ができているか空袋を確認するという状況が続いていたが，Dさんの症状が軽減することはなかった。

そのような状況で看護師Eは「3か月以上飲み忘れがなく，セットミスもないのでもう訪問で確認することはしません」「空いた時間で何をしたいですか？」とDさんに確認した。Dさんは少し戸惑いながら「じゃあ，一人で外に出られないから…」と外出を希望した。そこでEは一緒に外出することを提案し訪問時の散歩が開始された。

散歩をするうちに生活のことや仕事ができていた頃の話，好きな芸能人の話などが自然とDさんから話されるようになっていた。徐々に緊張感が和らいできていることをEも感じ始めていた。

散歩が開始され1か月ほど経ったある雨の日，「幻聴が治まらないんだよね」というDさんの訴えがあった。Eはしばらく考え，天井を見上げるように「最近は散歩ができて，前よりも夜眠れるようになったみたいだし，薬も飲めているのにおかしいなぁ」

と独り言のように呟いた。するとDさんは「実は薬飲んでないんだよね」とバツが悪そうに漏らした。Eはこの発言を受け慌てずに本人に飲まなくなった経緯と現症状が続いている理由について確認した。Dさんは「薬飲み続けていたら病気が治らないじゃないかと思って」と飲まなくなった理由を告白した。Eは言いにくいこともきちんと話してくれたことに感謝の言葉で返し、飲まなくなった結果どうなったかについて確認すると、Dさんから「変わらないかもっとうるさい感じかな」「やっぱり薬飲んでないから幻聴が治まらないのかなぁ」という返事があった。その答えを受け、「どうすることが一番楽になると思いますか」と確認すると、「やっぱり飲んでみる」という答えがあった。そこで次回以降の訪問で飲んでみての変化と症状について、好ましかった点と困った点、その他どのような変化があったかについて確認することを提案し了承を得た。

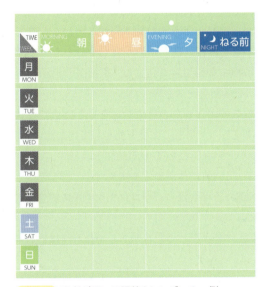

図2-4 患者が用いる服薬カレンダーの一例

　本事例にみられる介入は問題があったから開始したのではなく、患者本人が生活において苦痛を感じたことに端を発している。看護師は初めから問題点に介入したのではなく関係性を構築するところから支援を開始している。どれほど根拠が示されている心理療法や援助技術であっても本人との関係性が構築されていなければ意味をなさない。Dさんは看護師Eとの関係性が構築されていたからこそ話せていなかった事実を告白したのである。看護師Eはその心中を察し、相手を傷つけないように苦痛のなかに行動を変える動機づけがないかを丁寧に探り、本人と行動の変化が必要であることの同意に至っている。

　これまで述べてきたように精神科訪問看護においての支援の中心は利用者である。精神科訪問看護において利用者にニーズがない限り介入しない、というのが原則である。「主人公は目の前のその人」と支援者はそのつど確認し、支援にあたることが重要である。

3）精神障害者特有の感染症の問題と対策

(1) 精神科訪問看護ステーションでのCOVID-19の感染対策

　在宅支援を受けている多くの利用者がCOVID-19パンデミックにより生活しにくい，支援を受けにくい状況に陥った。精神科訪問看護を必要とする利用者も同様な問題が発生した。精神障害者で特に単身生活者の場合，緊急事態宣言下での外出自粛や隔離生活など1人でいる時間が長くなると精神症状が悪化するリスクが高くなる。実際にイライラしやすくなったり，日中の活動制限により生活リズムが崩れたという問題が発生した。また，外に出たら「感染するのでは」という予期不安やCOVID-19の治療法の未確立により不安・恐怖が増大し，精神状態が悪化したケースもあった。感染が拡大する前は軽度の体調不良やケガでも受診できたが，感染者が多い状況では，救急車で搬送される者でさえ受入れ先の病院が見つかりにくいといった状況が続いた。精神障害者でも「入院したいのになかなか入院できなかった」といった社会全体の医療逼迫による受診・入院制限による問題も発生した。国民全体が生活スタイルの変容を余儀なくされたが，精神障害者はその変容に適応するまでに時間がかかった。訪問看護の受け入れに関しても導入前から拒否的であった利用者に関しては感染不安を理由に訪問拒否が長期間にわたって続いたり，訪問回数の減少や短時間での訪問を希望する利用者も発生し，主治医の指示どおりの訪問看護サービスを提供することが困難になったケースもあった。

　そこで，行政や各団体からの感染対策をもとにして各訪問看護ステーションとしての感染対策方針を決定し，利用者に文書を配布して周知徹底を図った。

①訪問看護ステーションとしての対策
・スタッフ全員，出勤前に体温測定を実施する。37.5℃以上の発熱や咽頭痛，咳嗽，倦怠感といった症状がある場合は，新型コロナウイルス感染症の診断がつかなくても自宅待機とする。
・スタッフの家族に発熱などの症状がある場合も同様に，症状が治まるまでの間は自宅待機とする。
・研修会など，多くの人が集まる場所への参加の自粛。
・感染拡大や，学校などの休校により，出勤困難なスタッフが増えた場合，状態が安定されている方は主治医と相談のうえ訪問回数の減少などを提案させていただくことがある。
・訪問前の手洗いを徹底しマスクやフェイスシールドを装着し，場合によってはガウン着用することがある。

②訪問看護を利用される方へのお願い
・訪問前に利用者・同居家族が発熱などの症状がないか確認する。事前に症状や体調不良がある場合はステーションへ連絡する。
・利用者が新型コロナウイルス感染症を疑われた場合は主治医と相談のうえ対応を検討する。感染拡大防止のため，症状によってはその日の訪問看護サービスを中止するか最終訪問時間に変更する。
・同居家族に発熱などの症状がある場合，訪問中は別室にて待機する。
・訪問中はできるだけマスクを着用し，定期的な部屋の換気を行う。

文献

1) 岩上洋一＋一般社団法人 全国地域で暮らそうネットワーク：地域で暮らそう！精神障害者の地域移行支援・地域定着支援・自立生活援助導入ガイド，金剛出版，2018，p.56.
2) エドガー・H・シャイン，金井壽宏監訳：人を助けるとはどういうことか―本当の「協力関係」をつくる7つの質問，英治出版，2009，p.117.
3) 阿保順子：精神看護という営み―専門性を超えて見えてくること・見えなくなること，批評社，2008，p.80.
4) 前掲書2)，p.183.
5) 萱間真美編，原子英樹・他著：精神科訪問看護テキスト―利用者と家族の地域生活を支えるために，中央法規，2020，p.57.
6) 前掲書5)，p.59.
7) トラベルビー J著，長谷川浩・藤枝知子訳：トラベルビー人間対人間の看護，医学書院，1974，p.51-52.
8) 小瀬古伸幸：精神疾患をもつ人を，病院でないところで支援するときにまず読む本―"横綱級"こんなケースにしないための技と型，医学書院，2019，p101.
9) 古城門靖子・他：慢性の病いと「生活者」，そして「生活」―精神看護における「生活者」という視点について，看護研究，39（5）：39-44，2006.
10) 野口裕二：物語としてのケア―ナラティヴ・アプローチの世界へ，医学書院，2002，p.94.
11) 伊藤順一郎：精神科病院を出て，町へ―ACTがつくる地域精神医療，岩波書店，2012，p.42-45.
12) 坂田三允総編集，中井友里・他著：精神科訪問看護〈精神看護エクスペール8〉，第2版，中山書店，2009，p.33.
13) 前掲書5)，p.57-59.
14) 前掲書5)，p.16.
15) 厚生労働省：第15回 今後の精神保健医療福祉のあり方等に関する検討会―訪問看護について，2009.
〈https://www.mhlw.go.jp/shingi/2009/04/dl/s0423-7c.pdf〉（アクセス日：2022/6/27）
16) 瀬戸屋希・萱間真美・宮本有紀・安保寛明・他：精神科訪問看護で提供されるケア内容；精神科訪問看護師へのインタビュー調査から，日本看護科学会誌，28（1）：41-51，2008.
17) 萱間真美・瀬戸屋希・角田秋：平成21年度厚生労働科学研究費補助金（障害保健福祉総合研究事業）精神障害者の退院促進と地域生活のための多職種によるサービス提供のあり方とその効果に関する研究（H20-障害-一般-004）；精神科訪問看護のケア内容と効果に関する研究精神科訪問看護で提供されるケア内容，2009.
〈https://www.ncnp.go.jp/nimh/fukki/documents/act21_kayama.pdf〉（アクセス日：2022/6/27）
18) 前掲書12)，p.35-39.
19) 坂田三允総編集：精神科薬物療法と看護〈精神看護エクスペール18〉，中山書店，2006.
20) 伊藤順一郎：精神科病院を出て，町へ―ACTがつくる地域精神医療，岩波ブックレット，2012.
21) 橋本学：精神障害者の雇用・就労への支援―過去・現状そして今後の展望―，日本リハビリテーション医学会誌，54（4）：283-288，2017.
22) 寺岡征太郎：児童思春期の精神疾患患者の理解とケア，小児看護，43（1）：57-61，2020.
23) 厚生労働省：精神障害にも対応した地域包括ケアシステムの構築について.
〈https://www.mhlw.go.jp/stf/seisakunitsuite/bunya/chiikihoukatsu.html〉（アクセス日：2022/5/6）
24) 厚生労働省：障害者福祉サービス等.
〈https://www.mhlw.go.jp/stf/seisakunitsuite/bunya/hukushi_kaigo/shougaishahukushi/service/index.html〉（アクセス日：2022/5/15）
25) 厚生労働省：令和3年 障害者雇用状況の集計結果.
〈https://www.mhlw.go.jp/content/000886158.pdf〉（アクセス日：2022/5/15）
26) 厚生労働省：職場適応援助者（ジョブコーチ）支援事業について.
〈https://www.mhlw.go.jp/stf/seisakunitsuite/bunya/koyou_roudou/koyou/shougaishakoyou/06a.html〉（アクセス日：2022/5/17）

3 災害とトラウマ

学習目標
- 災害と災害医療の特徴を理解する。
- 災害がメンタルヘルスに及ぼす影響を理解する。
- 災害が発生した場合の支援方法について理解する。
- 災害が発生した場合の精神障害者への影響と支援を理解する。
- 救援に当たる医療従事者等のメンタルヘルスを理解する。
- トラウマインフォームドケアについて理解する。

1 災害と災害医療の特徴

1）災害とは

　わが国では，地震や台風などの災害を経験することは多く，多くの人にとって災害は，身近な言葉であるが，改めて災害の定義や範囲を確認しておく。災害対策基本法のなかで災害とは，「暴風，竜巻，豪雨，豪雪，洪水，崖崩れ，土石流，高潮，地震，津波，噴火，地滑りその他の異常な自然現象又は大規模な火事若しくは爆発その他その及ぼす被害の程度においてこれらに類する政令で定める原因により生ずる被害をいう」と定義されている。多様な自然災害があるが，テロなどの人為的な災害もここには想定されている。

　災害対策のなかで，ハザードマップなど危険を引き起こすハザード（hazard）という用語が使用される。災害は，地震や台風などの自然現象や戦争や紛争などのハザードに加えて，社会や人が生活する場の脆弱性が加わり発生する[1]。身近な例で考えると，氾濫する可能性の高い川や噴火が予想される火山口は，ハザードであるが，その影響を受ける範囲に人は誰も住んでおらず，実際に川の氾濫や噴火が起きても災害にはならない。

　発生場所による災害の分類には，都市型災害と地方型災害がある。都市型災害の場合，人口密集地で発生するときには被災者が多くなる傾向にあり，交通インフラへの影響も大きく，ライフラインの途絶や地域でのつながりの希薄さが復興に影響を与える。一方，地方型災害の場合には，集落の点在により被災者が孤立しやすく，支援が届きにくい広域性の課題がある。地方型災害の場合，人口構成が高齢化傾向にあり，避難や健康への影響を受けやすい。

　過去に日本では，多くの災害を経験しているが，1995年に発生した阪神・淡路大震災や人為災害としての地下鉄サリン事件が契機となり，病院や自治体での防災マニュアルや災害拠点病院の整備が行われるようになった。2011年に発生した東日本大震災は，阪神・淡路大震災の災害とは異なり，津波やその後に発生した原子力発電所の災害により，災害の

違いによる支援の難しさを浮き彫りにした。

2）災害医療の特徴

災害の発生から，急性期の救急医療が必要な時期，その後の対応や回復期，復興期を得て，次の災害に備える準備期を得る考え方を災害サイクルという。災害医療の現場では，同時に発生した多くの傷病者に対応するため，医療の優先度を決定するトリアージ（傷病者の振り分け）が必要になる。通常であれば，多くの医療資源と人材を投入して救急医療にあたれるが，災害時には人材や資源が限られている。トリアージに救えない命があることが，医療従事者に葛藤を引き起こすことがある。

2 災害時のメンタルヘルスへの影響

1）災害時のメンタルヘルスへの影響

災害時には，家族などの身近な大切な人や自宅などの崩壊などによる喪失体験や，生命の危機や悲惨な光景を目の当たりにすることや災害後の生活変化により，人々のメンタルヘルスには様々な影響がある。多くの場合，自身の対処行動や周囲からのサポートなど，復興とともに，多くの場合，メンタルヘルスの安定に向かっていく。

災害発生後数時間から数日間は茫然自失期で，災害後の生活に適応したかにみえ積極的に立ち向かい愛他的行為が目立つ時期（ハネムーン期）を経て，被害への注目が減り被災地以外の人々の関心が薄れた頃に無力感や倦怠感に陥る（幻滅期）といわれている[2]。復興に向けて被災者が懸命に活動に取り組む様子は，被害に遭った方々の回復力や人間の強さを感じる。しかし一方で，過度な活動で無理をしていないか，疲労感が蓄積していないか，休めているかなどのアセスメントや支援も行っていく。メンタルヘルスへの影響は，個人差も大きく，被災の程度にも影響を受けるので，個別性に配慮した対応も必要になる。

被災者のなかには，自分が生き残ったことに対するサバイバーズギルト（survivor's guilt，生存者の罪悪感）を抱くことがある。自分に罰を与えるように，食事を摂らないことや娯楽活動をやめてしまうことで自己犠牲的な行動がみられる[3]。看護師としては，災害に影響を受けた人の精神的な状態だけではなく，日常的なセルフケア行動にも目を向けているため，日常生活の変化に気づきやすい。抑うつなどの精神的な問題だけではなく，セルフケア行動が低下している人の背景には，サバイバーズギルトの影響がないか考えると対象者の理解につながる。

2）災害時のトラウマと心理的反応

災害による外界の圧倒される出来事を経験することで，自我が激しく脅かされてしまい，それまでもっていた心の安心感や安全感が揺るがされるような場合にトラウマ（心的外傷）を経験することになる。トラウマを経験した人は，一定期間は，情緒・行動・思考・身体の変調を起こしやすいが，正常なストレス反応として理解しておくことが重要である。そうした知識がないと支援者は，何らかの精神障害の枠組みで，トラウマを抱えた人をとらえてしまうが，誰にでも起こり得る正常なストレス反応として理解することが，基本的なケ

アの姿勢になる。災害は，人々のメンタルヘルスに大きな影響を与えるが，災害サイクルの展開とともに，その影響は少なくなり，日常生活を取り戻す場合が多い。一方，災害の心理的影響から様々な精神障害に発展する場合があるため，関連する精神障害を理解しておく。

3）災害と精神障害

心的外傷後ストレス障害（post-traumatic stress disorder：PTSD）は，外傷的な出来事に曝露されること，苦痛な記憶などが侵入してくること，そうした刺激を持続的に回避する特徴があり，認知と気分の陰性の変化や覚醒度と反応性の著しい変化（いらだだしさ）を特徴としている。PTSDの診断基準が，ストレス因子の曝露後1か月以上症状が持続することとなっており，ストレス因子の曝露後3日後から1か月以内は，その早期形態として急性ストレス障害（acute stress disorder：ASD）と診断され，PTSDと同様の症状がみられる。他にも，うつ病などの気分障害，不安障害やアルコール依存症に発展する場合もあるため関連する精神疾患を理解しておくことは，その人が必要な医療や支援を受けるために役立つ。しかし災害後には，様々な心理的反応が起きるため，被災者を精神疾患の枠組みでのみ考えることには慎重な姿勢も必要である。

4）心的外傷後成長

東日本大震災以降，困難な経験をした人の回復に注目し，心的外傷後成長（post-traumatic growth：PTG）という概念が，わが国でも注目されるようになった。心的外傷後成長は，トラウマあるいはストレスフルな出来事との奮闘によって生じるポジティブな心理的変容と定義されている[4]。災害などの人生を揺るがすような困難な体験を経て心理的変化が起きる場合がある。人によっては，自己認識の肯定的変化，人間関係の変化，人生哲学の変化などが起こる場合がある。生活が落ち着くまでの経過や生活上の困難を支える周囲の支援の状況などにより，そうした変容が起こることが考えられる。ただ困難な経験をした人は，心的外傷後ストレス障害などの精神障害の発生も考えられ，心理的成長のようなハッピーエンドなどが待ち受けているだろうという姿勢でかかわることには慎重さが必要で，被災者の回復力やその時々に合わせた支援が結果的に心的外傷後成長につながることがあるととらえる。

 ## 災害が発生した場合の支援方法

1）災害時のサイコロジカル・ファーストエイド

災害の発生時，もともと被災地で活動していて災害対応することや現地にはいなかった外部からの支援者として災害派遣医療チーム（disaster medical assistance team：DMAT）や災害派遣精神医療チーム（disaster psychiatric assistance team：DPAT）として活動することがある。病院への支援だけではなく，避難所や仮設住宅での地域住民の支援を行う場合や，ボランティア活動もある。そうした支援者としてかかわる場合の被災直後から数週間以内の早期支援を目的とした考え方にサイコロジカル・ファーストエイド（psychological

表3-1　サイコロジカル・ファーストエイドの8つの活動内容

1. 被災者に近づき，活動を始める Contact and Engagement
   目的：被災者の求めに応じる。あるいは，被災者に負担をかけない共感的な態度でこちらから手をさしのべる
2. 安全と安心感 Safety and Comfort
   目的：当面の安全を確かなものにし，被災者が心身を休められるようにする
3. 安定化 Stabilization
   目的：圧倒されている被災者の混乱を鎮め，見通しがもてるようにする
4. 情報を集める―いま必要なこと，困っていること Information Gathering：Current Needs and Concerns
   目的：周辺情報を集め，被災者がいま必要としていること，困っていることを把握する。そのうえで，その人にあったPFAを組み立てる
5. 現実的な問題の解決を助ける Practical Assistance
   目的：いま必要としていること，困っていることに取り組むために，被災者を現実的に支援する
6. 周囲の人々との関わりを促進する Connection with Social Supports
   目的：家族・友人など身近にいて支えてくれる人や，地域の援助機関との関わりを促進し，その関係が長続きするよう援助する
7. 対処に役立つ情報 Information on Coping
   目的：苦痛をやわらげ，適応的な機能を高めるために，ストレス反応と対処の方法について知ってもらう
8. 紹介と引き継ぎ Linkage with Collaborative Services
   目的：被災者がいま必要としている，あるいは将来必要となるサービスを紹介し，引き継ぎを行う

PFAの基本目的は，被災直後から数週間以内に早期支援を提供することです。PFA提供者は柔軟さをもって，被災者一人ひとりが必要としていることや困っていることを解決するために，各セッションにかける時間を調節してください。

アメリカ国立 子どもトラウマティックストレス・ネットワーク・アメリカ国立PTSDセンター（日本語訳兵庫こころのケアセンター）：サイコロジカル・ファーストエイド実施の手引き第2版　日本語版, p.8より転載
https://www.j-hits.org/_files/00106528/pfa_complete.pdf

first aid：PFA）がある。

　サイコロジカル・ファーストエイドは，災害やテロの直後，トラウマ的出来事によって引き起こされる初期の苦痛の軽減，短期・長期的な適応機能と対処行動の促進を目的とした緊急的介入方法とされている[5]。トラウマ的出来事によって引き起こされる初期の苦痛を軽減すること，短期・長期的な適応機能と対処行動を促進することを目的としており，トラウマのリスクと回復に関する研究結果に合致し，災害現場への適用が可能で，実用性があり，生涯発達の各段階に適切で，文化的な配慮がなされており，柔軟に用いることができる[5]ので，支援者としての基本的態度として学んでおく（サイコロジカル・ファーストエイドの8つの活動内容，表3-1参照）。

2）生活支援の視点

　サイコロジカル・ファーストエイドのような心理的支援の基本的スタンスを理解したかかわりは重要であるが，被災者にとっては，日常生活を取り戻すなかで心理的回復は促進される。看護師は，食事，睡眠，排泄，清潔の保持などのセルフケア行動に着目し，被災者がセルフケア行動をとれるような生活支援の視点をもつことが重要になる。

　慣れない避難所での生活は，ほとんどの被災者にとってストレスとなる。さらに災害弱者といわれる認知症高齢者，妊婦，障害などを抱える人や家族にとっては，精神的な影響も大きくセルフケア行動が低下する場合があるので，特性に配慮した支援を行う。

4 災害が発生した場合の精神障害者への影響と支援

　災害の規模にもよるが，災害直後には正常なストレス反応であっても精神疾患を抱えている者にとっては，精神症状の不安定さにつながる。中・長期的な影響が続く場合には，精神障害者にとって医療を受けることが難しいことで内服中断から精神症状の悪化やセルフケアへの日常生活への影響が出る。

　発達障害のある人にとっては，音，光やにおいなど予期せぬ出来事がストレスとなり，災害時に自分のニーズや困り事を言葉にすることの難しさがあると指摘されている[6]。事前に困り事をカードにして持ち歩くことの必要性もいわれているが，まだ普及は十分ではない。発達障害に限らず精神障害当事者や家族にとっては，周囲の人に障害を伝えていない場合もあるので，偏見や差別が起きないような配慮も重要である。また精神障害は，対人関係のプロセスで，その背後に症状や疾患の可能性をアセスメントできるので，かかわりのなかで対象者の困り事や問題を把握することができる。地域社会のコミュニティとの接点が限られた精神障害者やその家族もおり，被災後の人々とのかかわりの増加が，ストレスの発生となり，精神症状の悪化やセルフケア行動に与える影響をアセスメントして支援につなげる。

　東日本大震災で被災を経験した精神科看護師は，患者の【精神症状の重症度に合わせた対応】をしながら，【安心感を与えるケア】に重点を置き，限られた環境のなかでも【日課の再構築】を行っており[7]，精神看護の基本的姿勢の重要性が指摘されている。

5 災害時の看護師のメンタルヘルス

1）災害が看護師に及ぼす影響

　看護師は，災害以前から，様々な患者の状況に対応してきているが，災害発生時には，通常と異なる状況への対処を行っており，それまでの意欲や熱意がなくなる燃え尽き症候群（バーンアウト）が発生することがある。そのために災害が，看護師のメンタルヘルスにどのような影響を与えるかを理解しておくことが必要になる。救援にあたる看護師などの救援者は，被災経験，役割の負荷，非常事態のストレス，対処法・装備の不足の影響を受け，そこに看護師自身の脆弱性や二次的ストレスも加わり心理的問題が発生することがある[8]。

　通常とは異なる災害時の対応は，特に被災地では，直接患者や被災者に接する看護師だけではなく，師長や管理者にも影響を及ぼす。通常であれば，お互いのコミュニケーションや支え合いによって，問題にならないようなことが，災害というストレス状況では，日常業務の些細なことや，それまでの不満や課題が顕在化しやすくなる。災害の影響が，どのように看護師のメンタルヘルスに影響するのかを，誰もが理解し，共通理解のうえに仕事をすることが，結果的に職場の心理的な安全性を高め，心理的問題の発生の予防や回復に役立つ。

2）災害時の看護師自身のストレスマネジメント

　災害現場での活動は，急性期には被災者のトリアージや負傷者の対応，中・長期的には避難所での支援活動と多岐にわたる。特に亡くなった人の対応や被災者が経験した過酷な被害の体験を聞くことは，心理的な影響が大きい。そのとき現場にいなくても，あたかも自分が経験したような二次的外傷ストレスにつながることもある。ストレスの自己管理，セルフケアの維持，自己肯定を相互のサポートやミーティングによるストレス緩和をとおして，看護師がストレスマネジメントすることが重要になる[9]。

(1) ストレスの自己管理

　普段から自分がどのようなストレス反応をもっているかのストレスチェック，ストレスへの対処行動の確認や見直し，リラクセーション法や呼吸方法などのストレスマネジメントの技法の実践が，ストレスの自己管理に役立つ[8]。

(2) セルフケアの維持

　支援活動をする場合には，被災者のセルフケア行動には注目するが，支援者自身のセルフケアは後回しにされやすい。特に食事や睡眠が疎かになりがちなので，十分な栄養と睡眠確保は必要になる。支援にあたる看護師は，「被災者が大変な思いをしている」「満足な食事が摂れていない」などと考えて自分のセルフケアがおろそかになってしまうが，支援者がセルフケアを維持して支援にあたることは，結果的に被災者への安定的な継続した支援につながる。また被災地では，多くの支援の必要性があるために，活動ペースが過大になりやすい。仕事とプライベートの区別もつけにくい環境にあるが，仕事以外は，リラックスする時間や環境の確保がストレス緩和につながる。

(3) 自己肯定と相互のサポート

　外部から支援に入る場合には，個人で活動することは少なく，ペアやチームでの活動が基本となる。活動には困難も伴うが，活動に対する自分自身へのねぎらいや他者からの承認は，ストレス緩和に重要である。「なんでできなかったのか」「被災者は大変なのに」と自責や後悔の振り返りになるよりは「困難ななかでもできることをした」「ここまでできたので，明日はこうしよう」という肯定的なとらえ方やフィードバックは有効である。相互のサポートは，お互いの心理的状態の観察にもつながるため，ストレス状態の発見や対処にもつながる。

(4) ミーティングによるストレス緩和

　日々の活動終了時には，その日に体験したこと，感じたことを話し合うことはストレス緩和につながる。何かを議論するのではなく，感情を抑え込まずに吐き出せることは重要である。他の人の感じたことを批判的にとらえることなく，ありのままに受け止めることが，心理的な安心感につながり，ストレスの緩和に役立つ。

> **コラム**　　　　　　　　　　　トラウマインフォームドケア

　トラウマインフォームドケア（trauma-informed care：TIC）とは，専門家によるトラウマの"治療"ではなく，トラウマを念頭においたケア，トラウマがあることを配慮したかかわりを重視する理念であり，それを実現する活動のことである。米国で提唱され，日本においても，隔離・拘束といったトラウマとなりうる行動制限の最小化に取り組む精神医療[1]をはじめ，被災した子どもや虐待にかかわる児童福祉[2]の分野で広まっている。トラウマをもった当事者の視点からこれまでの支援のあり方を問い直し，ケアを再構築する活動である。米国薬物乱用精神保健管理局が2014年に作成したガイドライン[3]は，①トラウマは，それを引き起こすような出来事や状況に遭遇することで生じること（event），②出来事がどのように体験されるかは，個人で異なること（experience），③トラウマの影響もその現れ方も様々であること（effect）を基礎知識（3つのE）として挙げ，さらに，TICの実践には，①トラウマに関連する様々な症状や言動は，逆境を生き抜くための対処であり，回復への道筋があると理解していること（realizes），②自傷行為などを"わざとやっている"と認識するのでなく，生活のなかにトラウマ的な出来事を想起する引き金（トリガー）がないかなど，トラウマの視点からとらえ，気づけること（recognizes），③TICについて継続的な研修やハンドブックの作成など組織全体で取り組むこと（responds），④再トラウマとなるような虐待を受けた経験のある人を拘束したり，ネグレクトされた経験のある人を隔離したりするなどを予防すること（resist re-traumatization）が必要となること（4つのR）を挙げている。

　TICは，対象者の"問題"をトラウマの視点をもって理解することで，共感に基づいた対応を提供しようとするものである。自傷行為などに対して，「なぜそうするの？」でなく「何が起こっているの？」と問いかけ，トラウマに触れないようにしたり，なくそうとしたりするのでなく，トラウマの影響を受け止め，どう対処していけるのか一緒に考えていくことが看護師には求められる。この協働を支えるものに下記に示す「トラウマ重視・障害受容型（折り合い型）心理教育」[4]がある。

　それは「①あなたの精神的な状態に大きな影響しているのは過去のトラウマです。②このトラウマはあなたの生活の送り方や考え方にも大きな影響を与えてきました。③これはあなたの体験したような事態に遭遇した際の，正常な反応です。④トラウマ症状はなかなか消えていくものではありません。しかし，トラウマ症状があってもなお，多くの力や健康さが備わっていますし，回復する力もまたあります。どう付き合っていけるのか一緒に考えていきましょう」というものである。

　これらを言葉にしないまでも，トラウマを抱えながらもその人が自分らしく生きていくというリカバリーをともに考え支えることがTICのスタンスである。トラウマは誰にでも起こり得る。すべての人が当たり前の健康知識としてトラウマを理解できるようアプローチしていくことも精神科看護師の役割である。

文　献
1) 石井美緒：米国の隔離・身体拘束最小化方策=「コア戦略」とは（第1回）（トラウマインフォームドケア（トラウマを念頭に置いて臨むケア），精神看護，17(1)：92-93，2014.
2) 浅野恭子，亀岡智美，田中英三郎：児童相談所における被虐待児へのトラウマインフォームド・ケア，児童青年精神医学とその近接領域，57(5)：748-757，2016.
3) SAMHSH's Trauma Justice Strategic：SAMHSA's Concept of Trauma and Guidance for a Trauma-Informed Approach. 2014.
　　<https://cantasdacfhhsgov/wp-content/uploads/SAMHSAConceptofTraumapdf>（アクセス日：2022/5/18）
4) 前田正治，金　吉晴：PTSDの伝え方―トラウマ臨床と心理教育，誠信書房，2012.

文献

1) 南裕子・山本あい子編：災害看護学習テキスト，日本看護協会出版会，2007, p.17.
2) 外傷ストレス関連障害に関する研究会　金吉晴編：心的トラウマの理解とケア，第2版，じほう，2006, p.39.
3) アンダーウッド P：サバイバーズ・ギルト―災害後の人々の心を理解するために，日本災害看護学会誌，7 (2)：23-30, 2005.
4) Tedeschi RG, & Calhoun LG：The posttraumatic growth inventory: Measuring the positive legacy of trauma, *Journal of Traumatic Stress*, 9：455-471, 1996.
5) アメリカ国立 子どもトラウマティックストレス・ネットワーク・アメリカ国立PTSDセンター（日本語訳兵庫こころのケアセンター）：サイコロジカル・ファーストエイド実施の手引き第2版　日本語版.
6) 井筒節：心的トラウマ研究，災害時の障害者の権利をめぐる国際動向，心的トラウマ研究，17-26. 2020.
7) 田中美恵子監修，日本精神保健看護学会災害支援特別委員会「精神科病院で働く看護師のための災害時ケアハンドブック」作成ワーキンググループ編：精神科病院で働く看護師のための災害時ケアハンドブック，日本精神保健看護学会，2015.
8) 前掲書2), p.96.
9) 近澤範子：東日本大震災の被災者支援に携わる看護職への心理教育的アプローチ（災害支援プロジェクト），日本精神保健看護学会誌，21 (1)：12-17, 2012.

索引 index

[欧文・数字]

γアミノ酪酸　235
AA　95, 218
Al-Anon　221
ASD　318
BPRS　241
CBT　283
COVID-19　314
CVPPP　169
DMAT　318
DPAT　318
ECT　251
IPS　298
m-ECT　179, 252
OT　257
PE　278
PMS　115
PTG　318
PTSD　318
SNRI　245
SSRI　245
SST　271
TALKの原則　228
TIC　16, 173, 322

[和文]

アクティブラーニング　78
アサーション　75
アサーティブネストレーニング　75
アセチルコリン　235, 239
アディクション　215
アドヒアランス　238, 248
アドレナリン　235, 239
アラノン　221
アリピプラゾール　240
アルコール使用障害　216
安全の保障　65
安全を保つための能力　155

依存症　215
依存的ケア　26
一次妄想　186
一次予防　3
イネイブラー　217

イネイブリング　217
医療観察法　292
医療保護入院　291
インフォームドコンセント　295

ウィーデンバック　19, 37
うつ状態　178
うつ病　176

エリクソンの8段階説　12
塩酸ペロスピロン水和物　240
援助へのニード　20
エンパワーメント　85

オランザピン　240
オレム　25
オレム-アンダーウッド理論　29

開放処遇　293
過換気発作　100
学童期　13
隔離　294
過食症　106
活動と休息のバランスの維持　131
カプラン　3
カルバマゼピン　243
簡易精神症状評価尺度　241
関係妄想　187
緩下剤　247
看護エージェンシー　26
看護理論　19
患者-看護師関係　34
感情障害　176
観念奔逸　167

き

危機　3
希死念慮　224

起床　131
気づきの輪　42
気分安定薬　242
気分障害　166, 176
急性ストレス障害　318
共感　24
共同意思決定　238
共同生活援助　303
拒食　210
拒食症　106
拒絶　210
拒否　210
拒薬　210
金銭管理　161
緊張病症候群　105
緊張病性興奮　167

空気・水・食物の十分な摂取　98
クエチアピン　240
クラークの点　242
グループホーム　303
グルタミン酸　235
クロザピン　240

芸術療法　269
軽躁状態　177, 179
下剤　247
化粧　125
月経前症候群　115
血統妄想　187
下痢　113
幻覚　186
健康逸脱に対するセルフケア要件　27
言語的コミュニケーション　37
幻肢　186
幻視　186
幻嗅　186
幻触　186
幻聴　186
幻味　186

更衣　124
抗うつ薬　244
公共職業安定所　301

索引 index

口腔ケア 121
抗酒剤 246
抗精神病薬 239
向精神薬 239
抗躁薬 242
肯定的沈黙 47
行動嗜癖 216
行動制限 293
行動療法 284
抗不安薬 245
個人情報の保護に関する法律 74
誇大妄想 167
孤独と社会相互作用のバランスの維持 144
コミュニケーション 24, 37
コンコーダンス 238, 248
コンプライアンス 248

災害 316
災害医療 317
災害派遣医療チーム 318
災害派遣精神医療チーム 318
再構成 20
サイコロジカル・ファーストエイド 318
作業療法 257
サバイバーズギルト 317
酸化マグネシウム 247
三環系抗うつ薬 245
産後うつ病 184
三次予防 3

しぐさ 47
刺激性下剤 247
持効性抗精神病薬 241
自殺企図 224
自殺総合対策大綱 224
自殺対策基本法 224
自殺の危険因子 228
自殺未遂 224
思春期 13
自傷行為 226
自助グループ 218
自動思考 284
私物管理 160, 162
自閉 206
嗜癖 215
シミュレーション 78
社会生活スキルトレーニング 271

就学支援 302
宗教妄想 187
修正型電気けいれん療法 179, 252
就労支援 300
守秘義務 296
受容 65
障害者基本法 16
障害者虐待防止法 292
障害者雇用促進法 292, 300
障害者差別解消法 16, 292
障害者就業・生活支援センター 301
障害者総合支援法 16, 150, 291, 300
障害者の権利条約 297
障害者の権利宣言 297
状況的危機 3
焦燥 178
小児期逆境体験 171
職業リハビリテーション 300
ジョブコーチ支援 301
自律訓練法 77
事例検討会 75
思路の障害 167
新型コロナウイルス感染症 314
神経性過食症 106
神経伝達物質 235
身体合併症 16
身体(的)拘束 90, 294
身体接触 51
身体の清潔 121
心的外傷後ストレス障害 318
心的外傷後成長 318
心理学的剖検 226
心理教育 278

睡眠 133
睡眠時無呼吸症候群 135
睡眠薬 245
スーパーバイザー 74
スーパーバイジー 74
スーパービジョン 74
スキーマ 284
スティグマ 89
ストレス 177
ストレングス 81
　──モデル 82

生活支援 302

生活リズム 138, 140
精神医療審査会 290
精神運動興奮 166
精神科救急 88
精神科デイケア 93, 303
精神科病院 291
精神科訪問看護 93, 308
精神科リハビリテーション 256
精神看護 2, 12
　──の技術 5
　──の枠組み 2
成人期 14
精神障害者社会適応訓練事業 301
精神障害者保健福祉手帳 291, 298
精神病症状を伴ううつ病 178
精神保健 2
精神保健指定医 291
精神保健福祉センター 290
精神保健福祉相談員 291
精神保健福祉法 290
青年期 13
成年後見制度 299
摂食障害 106
セラピューティック・レクリエーション 265
セルフケア 26
セルフケアエージェンシー 27
セルフケア能力 27
セルフケア要件 27
セルフヘルプグループ 94, 217
セロトニン 235, 239, 244
洗濯の援助 126
洗髪 123
洗面 121, 128
せん妄 192
せん妄性興奮 168

双極Ⅰ型障害 177
双極Ⅱ型障害 177
双極性障害 177
躁状態 177, 178
躁転 179
躁病性興奮 166
措置入院 291

体温と個人衛生の維持 120
体感幻覚 186

多飲水　102
多職種連携　95
多動　167
多弁　167
炭酸リチウム　243
断酒会　221

地域活動支援センター　303
地域障害者職業センター　301
地域生活支援　93
地域包括ケア　306
地域包括ケアシステム　298, 306
チエピン誘導体　243
地方精神保健福祉審議会　290
注察妄想　187
昼夜逆転　135
治療的セルフケアデマンド　26
治療的セルフケア要件　26
沈黙　45
　　──の意味　46

通信・面会の制限　293
爪切り　125

ディエスカレーション　172
デイケア　93
低ナトリウム血症　103
デポ剤　241
電気けいれん療法　251
転導性の亢進　167

同感　24
統合失調症　167, 205
閉ざされた質問　69
ドパミン　215, 235, 239
トラウマ　317
トラウマインフォームドケア　16, 173, 322
トラベルビー　23
トリアージ　317

ナイチンゲール　98

二次妄想　186
二次予防　3
乳児期　12
入浴　121, 129
　　──の援助　122
尿閉　114
任意入院　291
人間対人間の関係　23
人間のニード　19
人間の発達　12
認知行動療法　283
認知療法　284

ノルアドレナリン　200, 235

パーキンソニズム　159
バーンアウト　320
排泄と排泄のプロセスに関するケア　111
排尿困難　114
発達的危機　3
発達的セルフケア要件　27
発明妄想　187
パニック発作　200
バルプロ酸ナトリウム　243
ハローワーク　301

ひげそり　125
非言語的コミュニケーション　37
微小念慮　178
ヒスタミン　235, 239
否定的沈黙　47
被毒妄想　187
憑依妄想　187
開かれた質問　69

不安　199

フェノチアジン誘導体　243
服薬行動　236
ブチロフェノン誘導体　243
物質依存　216
普遍的セルフケア要件　27
不眠　134
ブリストルスケール　113
ブレイクアウェイ　173
ブレクスピプラゾール　240
プロセスレコード　21, 72
ブロナンセリン　240

閉鎖処遇　293
閉鎖病棟　161
ペプロウ　21, 35
ベンザミド誘導体　243
ヘンダーソン　133
便秘　113

包括的暴力防止プログラム　169
保護室　90

マイクロカウンセリング　67
マズロー　155

水中毒　102

無為　206

妄想　186
妄想気分　187
妄想知覚　187
妄想着想　187
燃え尽き症候群　320

索引 index

や
薬物療法　234

よ
幼児期　13
要約技法　70
予期不安　200
抑うつ気分　177
四環系抗うつ薬　245

ら
ラピッドサイクリング　180
ラポート　24

り
リエゾン　17
リエゾン精神看護　17
リエゾン精神看護専門看護師　17
リカバリー　83, 310
離床　142
リスペリドン　240
リチウム　180
リラクセーション技法　77
リワーク支援　301

れ
レクリエーション　137
レクリエーション療法　264
レジリエンス　87
恋愛妄想　187

ろ
老年期　14
ロールプレイ　74

看護実践のための根拠がわかる　精神看護技術　第3版

2008年6月20日　第1版第1刷発行	定価（本体3,500円＋税）
2015年1月8日　第2版第1刷発行	
2023年1月31日　第3版第1刷発行	
2025年3月17日　第3版第3刷発行	

編　著　山本勝則・守村　洋©　　　　　　　　　　　　　　　＜検印省略＞

発行者　亀井　淳

発行所　株式会社メヂカルフレンド社

〒102-0073　東京都千代田区九段北3丁目2番4号
麹町郵便局私書箱48号　電話（03）3264-6611　振替00100-0-114708
https://www.medical-friend.jp

Printed in Japan　落丁・乱丁本はお取り替えいたします　　印刷／奥村印刷（株）　製本／（株）村上製本所
ISBN978-4-8392-1696-2　C3347　　　　　　　　　　　　　　　　　　　　　　　107127-114

- 本書に掲載する著作物の著作権の一切〔複製権・上映権・翻訳権・譲渡権・公衆送信権（送信可能化権を含む）など〕は，すべて株式会社メヂカルフレンド社に帰属します．
- 本書および掲載する著作物の一部あるいは全部を無断で転載したり，インターネットなどへ掲載したりすることは，株式会社メヂカルフレンド社の上記著作権を侵害することになりますので，行わないようお願いいたします．
- また，本書を無断で複製する行為（コピー，スキャン，デジタルデータ化など）および公衆送信する行為（ホームページの掲載やSNSへの投稿など）も，著作権を侵害する行為となります．
- 学校教育上においても，著作権者である弊社の許可なく著作権法第35条（学校その他の教育機関における複製等）で必要と認められる範囲を超えた複製や公衆送信は，著作権法に違反することになりますので，行わないようお願いいたします．
- 複写される場合はそのつど事前に弊社（編集部直通 TEL 03-3264-6615）の許諾を得てください．

看護実践のための根拠がわかる シリーズラインナップ

基礎看護技術
●編著：角濱春美・梶谷佳子

成人看護技術―急性・クリティカルケア看護
●編著：山勢博彰・山勢善江

成人看護技術―慢性看護
●編著：宮脇郁子・籏持知恵子

成人看護技術―リハビリテーション看護
●編著：粟生田友子・石川ふみよ

成人看護技術―がん・ターミナルケア
●編著：神田清子・二渡玉江

老年看護技術
●編著：泉キヨ子・小山幸代

母性看護技術
●編著：北川眞理子・谷口千絵・藏本直子・田中泉香

小児看護技術
●編著：添田啓子・鈴木千衣・三宅玉恵・田村佳士枝

精神看護技術
●編著：山本勝則・守村洋

在宅看護技術
●編著：正野逸子・本田彰子